D01928372

Pearl S. Buck

Lebendiger Bambus

Pearl S. Buck

Lebendiger Bambus

Roman

Übersetzung aus dem Amerikanischen
von Margitta de Hervás
Titel der Originalausgabe: »The Living Reed«

Lizenzausgabe mit Genehmigung des Scherz Verlages, Bern,
für die Bertelsmann Club GmbH, Gütersloh,
die Europäische Bildungsgemeinschaft Verlags-GmbH, Stuttgart,
die Buchgemeinschaft Donauland Kremayr & Scheriau, Wien,
und die Buch- und Schallplattenfreunde GmbH, Zug/Schweiz.
Diese Lizenz gilt auch für die Deutsche Buch-Gemeinschaft
C. A. Koch's Verlag Nachf., Berlin · Darmstadt · Wien.

Druck und Bindung: Wiener Verlag, Himberg bei Wien
Printed in Austria · Buch-Nr. 01785 5

Zur Geschichte

Korea ist ein Juwel unter den Ländern, und seine Bewohner sind ein edles Volk. Dem Westen ist es von ganz Asien noch jetzt am wenigsten bekannt, doch die drei Nachbarstaaten China, Rußland und Japan wissen seinen Wert schon seit Jahrhunderten hoch zu schätzen und halten ihm ein profundes Interesse zugewandt, das erst wieder den Verlauf der jüngsten Geschichte bestimmt hat. Als Stalin während des zweiten Weltkrieges auf eine Beteiligung Rußlands am Kriegsgeschehen im pazifischen Raum drängte, suchte er etwas zu erreichen, wonach sein Volk lange gestrebt hatte: die Kontrolle sowohl über Koreas natürliche Schätze als auch über seine einzigartige Küste mit ihren Häfen nach drei Himmelsrichtungen. Hätten die Amerikaner die Geschichte gründlich studiert gehabt, dann wäre Stalin auf unerbittlichen Widerstand gestoßen. So aber gaben sie nach, bis zu einer Teilung Koreas am 38. Breitengrad sogar, eine Grenzlinie, auf die sich ausgerechnet Rußland und Japan in den Jahren ihrer Rivalität um den Besitz Koreas schon einmal insgeheim geeinigt hatten. Sie waren an dieser Teilung damals nur durch gewisse westliche Mächte gehindert worden, die hinsichtlich Koreas ihre eigenen Hoffnungen hegten.
China hatte begreiflicherweise lange Zeit darauf bestanden, daß Korea unabhängig bleiben müsse, ein Pufferstaat zwischen dem chinesischen Reich, Rußland und Japan. Während der Jahrhunderte, da das kaiserliche China die stärkste Macht

Asiens und vielleicht sogar der ganzen Welt darstellte, konnte es die Unabhängigkeit Koreas auch garantieren, und Korea seinerseits entrichtete ihm in Anerkennung der chinesischen Oberhoheit Tribute. Die Chinesen waren dabei stets peinlich korrekt darauf bedacht, Koreas Souveränität zu erhalten; so durfte beispielsweise bei Androhung der Todesstrafe kein Chinese seinen Wohnsitz in Korea nehmen oder Grundeigentum dort erwerben. Erst als im Zeitalter des westlichen Kolonialismus in Asien eine alte chinesische Dynastie ihren Niedergang erlebte, während daneben ein ehrgeiziges, modernes Japan und ein unruhig gärendes Rußland ihren Aufstieg nahmen, sah sich China nicht mehr stark genug, Korea zu schützen und vor Unterdrückung zu bewahren.

Es war ein Volk auf der Suche nach Frieden, das sich die koreanische Halbinsel, die durch fremde Schuld zum Schauplatz ewiger Unruhe werden sollte, zur Heimat erwählt hatte. Vor viertausend Jahren gab es in Zentralasien viele verschiedene Nomadenstämme, deren Wanderleben sie im Laufe der Zeit in alle Richtungen führte. Die Han zogen nach Süden und besiedelten ein Land, das später nach seinem ersten Kaiser China genannt wurde. Zu denen, die sich nordwärts hielten, zählten die Tungu-Stämme, und einer von ihnen, die Puyo, ließ sich in dem Gebiet der heutigen Mongolei nieder. Dort nahmen sie den Ackerbau auf und wären vielleicht seßhaft geworden, wenn nicht im Westen ein wilder Nomadenstamm gelebt hätte, die Hiung-nu oder Hunnen, die Vorfahren der Mongolen, und im Osten die ebensowenig friedfertigen Mathat, die Vorfahren der Nuchen oder Mandschus. Zwischen diesen beiden barbarischen Völkern waren die kultivierteren Puyos der Unterdrückung ausgesetzt, und bald wurden sie zum Süden hin abgedrängt, in die Halbinsel hinein, die heute Korea heißt. Es war ein ideales Gebiet für sie, auf drei Seiten von Meer umgeben und im Norden durch Berge geschützt, und hier entwickelten sie eine bemerkenswerte Kultur, in der besonders das Kunsthandwerk blühte.

Die Legende leitet die Herkunft der Puyos vom Himmel selbst ab. Ein Sohn des Allgewaltigen wurde, indem er auf wunder-

bare Weise als Sproß aus einer Vereinigung von Bär und Tiger hervorging, zur Erde entsandt, um die Menschheit vor dem Chaos und dem Verderben zu retten. Unterstützt von seinem himmlischen Vater, regierte dieser Gottessohn in Güte und Gerechtigkeit, immer Mittler zwischen dem Herrn und den Menschen. Als er von der Erde schied, nahm Tangun seine Stelle ein, der Begründer der koreanischen Nation, die Tschosen, Land der Morgenruhe, genannt wurde. Der Name Tangun kommt von dem Wort *tangul,* Medizinmann, und weist auf einen theokratischen Rang hin. Für die Geschichte besteht Korea als Staat seit dem Jahre 2333 v. Chr.; diese Jahreszahl wird von Archäologen und Historikern allgemein anerkannt, obwohl sie keine einwandfreie Bestätigung durch Beweise findet – es taucht lediglich in alten chinesischen Aufzeichnungen aus der Zeit um 2000 oder 3000 vor Christus der Name Tschosen auf.
Die Bewohner dieses frühen Korea sollten keinen Frieden finden. In China stritten sich sechs mächtige Volksgruppen um die Herrschaft über das Land, darunter auch die Dschen aus dem Norden, die Tschosen lange Zeit bekriegten, da dessen Herrschaft damals weit in das nördliche China hineinreichte. Während diese Kämpfe noch andauerten, konnten 221 v. Chr. die Tschin alle anderen Rivalen besiegen, und das chinesische Reich wurde geeint. Die neuen Herrscher erwiesen sich als grausam, und viele Flüchtlinge von Dschen drangen in Tschosen ein, um die chinesisch-koreanischen Kämpfe nun auf der Halbinsel selbst fortzusetzen. Die Verhältnisse verschlechterten sich noch unter der Han-Dynastie, die auf die Tschin folgte. Erst mit ihrem Sturz gelang es den Koreanern, durch ihren erbitterten Widerstand die Chinesen zu vertreiben.
Die koreanische Geschichte ist zu verwickelt, um ihr hier in Einzelheiten nachzugehen. Wesentlich ist, daß die drei Königreiche, in die das Land um diese Zeit aufgeteilt wurde, Koguryo, Péktsché und Silla, schließlich zu einer Beilegung der Streitigkeiten untereinander und mit China gelangten. Und es ist bedeutsam, daß dabei Silla und Koguryo das im Süden gelegene Péktsché in ein Militärbündnis mit den japanischen

Nachbarn zwangen, wodurch die Halbinsel schon früh in eine chinesische und eine japanische Einflußsphäre aufgeteilt wurde. Später jedoch, in der Zeit der Tang-Dynastie, unterwarf Silla mit chinesischer Unterstützung Péktsché und acht Jahre danach auch Koguryo. Auf diese Weise wurde Korea 668 n. Chr., nach dreitausend Jahren, endlich eine Einheit, ein Reich, und die Koreaner begannen ihre einzigartige Kultur heranzubilden.
Zweihundertdreißig Jahre lang herrschte Frieden in Korea, das Land gedieh, und Kunst und Wissenschaften entwickelten sich aus bodenständigen Wurzeln zu beachtlicher Blüte. Während der ganzen Regierungszeit der glorreichen Tang in China, mit denen Korea freundschaftliche Beziehungen unterhielt, dauerte dies an. Doch wie bei allen erfolgreichen Dynastien zeigte sich am Ende auch in Silla die Dekadenz. Die herrschende Klasse kümmerte sich nicht mehr um das Wohl des Volkes, und gerade die glänzenden kulturellen Errungenschaften hoben das Elend der weniger Begünstigten noch mehr hervor. Es gärte allgemein, und schließlich kam es unter der Führung eines bedeutenden Mannes, Wang ken, zum Umsturz, wenn auch zunächst nur im nördlichen Teil des Landes, wo der Einfluß der Silla-Regierung weniger stark war. So wurde die Koryo-Dynastie gegründet. Diese Herrscher im Norden griffen jedoch Silla nicht an, sondern warteten geduldig, daß die Dekadenz zur Unterwerfung führe. Und tatsächlich ergab sich der König von Silla im Jahre 935 in allem Frieden der neuen Dynastie. Von ihrem Namen ist die Bezeichnung Korea abgeleitet.
Die Koryo-Dynastie begann mit vielen Reformen. Die Zivilverwaltung wurde neu geordnet und verbessert, Land verstaatlicht und unter die Bauern auf Lebenszeit verteilt, es gab Sozialfürsorge und ein organisiertes Erziehungswesen. Bewegliche Metallettern ermöglichten schon im Jahre 1230 und somit 220 Jahre vor Gutenberg den Druck zahlreicher Bücher. In der nachfolgenden Dynastie wurden diese Yi-Lettern aus Kupfer gefertigt und fanden dann auch, zugleich mit ihrem Herstellungsverfahren, in China Verbreitung.

Eine andere kulturelle Großtat der Koryo-Dynastie war das Sammeln und Drucken der buddhistischen Sutras (Lehrsätze). Der Mongoleneinfall im 13. Jahrhundert hatte die Buddhisten so alarmiert, daß eine Gruppe von Glaubensanhängern es als wirksame geistige Schutzmaßnahme gegen die Eindringlinge ansah, alle buddhistischen Texte von Bedeutung zu erfassen und neue Bücher daraus zusammenzustellen, damit sie erhalten blieben. Sechzehn Jahre lang dauerte diese Arbeit, 32 000 Seiten waren das Ergebnis. Dieses ungeheure Werk, Taijang-Kyung, wird nun für alle Zeiten im Hal-in-sa-Tempel auf dem Berg Kaya in der koreanischen Provinz Kyong-sang aufbewahrt.

Die Koryo-Dynastie schenkte Korea eine lange Periode des Friedens, aber in ihrer Verfallszeit brachte sie auch wieder neue Unruhen über das Land, das überdies noch Angriffen der Mongolen und Raubzügen japanischer Piraten ausgesetzt war. Eine Revolution in Japan hatte die Samurei um ihre Machtstellung und somit um ihre Einkünfte gebracht. Zur gleichen Zeit wurde das japanische Volk von einer schweren Wirtschaftsdepression betroffen. So fand der Raub zu Land und zur See zahlreiche neue Anhänger, und diese Piraten überfielen immer wieder koreanische Häfen und Schiffe. Die Unzufriedenheit des Volkes nahm ständig zu und entzündete sich unter anderem auch an der Tatsache, daß die Macht der buddhistischen Priester ein unerträgliches Ausmaß angenommen hatte; sie griffen in die Rechte des Staates ein und wußten sich eine derartige politische Stellung zu verschaffen, daß jeder König gezwungen war, Mönch zu werden, bevor er seine Regierung antreten konnte, und wenigstens ein Mitglied jeder Familie Priester sein mußte. Der letzte Koryo-König ließ sich unter dem Einfluß eines korrupten Mönches sogar zu einem Angriff auf China verleiten, während dort die große Ming-Dynastie herrschte. Doch General Yi, der die Truppen befehligen sollte, rebellierte. Das Volk hinter sich, stürzte er den König und errichtete die Yi-Dynastie.

Angesichts der Ereignisse in neuerer Zeit ist die Tatsache interessant, daß es für das Militär in Korea von jeher als eine

Tradition galt, durch einen Staatsstreich die Herrschaft zu übernehmen, wann immer die bestehende Regierung korrupt und unfähig wurde. Ebenso traditionsgemäß aber legte das Militär die Regierung wieder in zivile Hände zurück, sobald die notwendigen Reformen durchgeführt waren. Die *yangban,* die herrschende Klasse in Korea, unterteilte sich in zwei Gruppen, die zivile *tangban*-Gruppe und die militärische *soban*-Gruppe. Das Regierungsgeschäft oblag ordnungsgemäß den Tangban, im Falle ihres Versagens jedoch traten die Soban an ihre Stelle, reformierten die Regierung und übertrugen sie dann wieder den Tangban.
Auch die Yi-Dynastie, das letzte koreanische Königshaus, führte eine Reihe Neuerungen ein, deren bedeutendste vielleicht die Schaffung eines Alphabets war – das Werk des großen Königs Sejong. Die Dynastie war auf den Prinzipien des Konfuzianismus begründet worden und brachte für das Leben des einfachen Volkes augenblicklich weitreichende Verbesserungen mit sich. Jeder Staatsbürger durfte sich mit Bittschriften an den König wenden, und aus diesem Kontakt gingen zahlreiche Reformen hervor. König Sejong fand jedoch, daß die geschriebene Sprache, die auf dem Chinesischen basierte, es seinem Volk unnötig erschwerte, sich verständlich zu machen. Mit Hilfe einer Gruppe seiner bedeutendsten Gelehrten schuf er deshalb ein Alphabet, das *hangul.* Man hält es heute für das beste und einfachste der Welt. Als König Sejong es erfand, bestand es aus vierzehn Konsonanten und elf Vokalen. Es ist noch jetzt fast unverändert – lediglich ein Vokal wurde gestrichen. Diese vierundzwanzig Buchstaben gestatten Kombinationen, die jeden möglichen Laut der menschlichen Stimme auf einzigartig genaue Weise wiedergeben; König Sejong und seine Gelehrten hatten sich mit den Prinzipien der Phonetik vertraut gemacht und sich bei ihren Studien nicht nur der koreanischen, sondern auch der Literatur vieler anderer Länder bedient.
Doch wiederum sollte Korea der Frieden nicht erhalten bleiben. Während das Land, Wissenschaften und Künste gediehen, entwickelte sich unter dem ungebildeten, aber fähigen Hide-

yoshi Toyotomi Japan zu einer starken Militärmacht. Hideyoshi war der Sohn eines Bauern, ohne Erziehung, überheblich und ehrgeizig, doch er brachte es fertig, widerstreitende Kriegsherren und Rebellen unter seiner Führerschaft zu einen. Die Koreaner hatten die japanischen Piraten von ihren Küsten vertrieben, und der Erfolg, mit dem diese Piraten anschließend chinesische Häfen angriffen, gab den Japanern die verhängnisvolle Idee ein, die Halbinsel Korea als Sprungbrett zum chinesischen Festland zu benutzen.
Hideyoshi wandte sich mit dem Traum seines Lebens an den Kaiser von Japan und erbat sich zur Belohnung für eine Eroberung Chinas, als Vizekönig über dieses weite, altehrwürdige Land eingesetzt zu werden. Die kaiserliche Zusage wurde erteilt, und 1592 lief eine Flotte von Kriegsschiffen unter Hideyoshis Oberbefehl nach Korea aus. Er landete mit 200 000 Mann im Süden und marschierte nach Norden vor. Die Koreaner waren unvorbereitet, aber sie fochten tapfer. Während dieser Kämpfe zu Land erfand ein koreanischer Admiral, Yi Sun-shin, ein eisengepanzertes Kriegsschiff – das erste der Geschichte –, das wie eine Schildkröte geformt und mit Schlitzen versehen war, die das Abschießen von Brandpfeilen gestatteten. Mit einer Flotte dieser Schildkrötenboote zerstörte Admiral Yi die japanischen Holzschiffe in der Straße von Korea und isolierte die japanischen Truppen. Er selbst wurde tödlich verwundet, doch hielt man seinen Tod geheim, bis die kritischste Zeit des Krieges vorüber war. Nach sieben Jahren waren die Japaner besiegt und so in ihrer Macht geschwächt, daß, wenngleich sie ihren Traum von der Eroberung Chinas nie vergaßen, Jahrhunderte vergingen, bis sie mit demselben Ziel wieder in Korea einfallen konnten.
Die große Yi-Dynastie war von langer Dauer. Sie leitete mit ihren Anfängen am Ende des 14. Jahrhunderts die koreanische Neuzeit ein und bestand bis in unser Jahrhundert. König Sejong, der vierte Monarch dieser Dynastie, blieb allerdings in ihrer ganzen Geschichte unerreicht – ein koreanischer Leonardo da Vinci, vielseitig und hervorragend begabt, wurde er in den dreißig Jahren seiner Regierung für das an schöpferi-

schen Talenten gewiß nicht arme koreanische Volk zur Legende. Unter seiner Herrschaft erfreute sich Korea einer außerordentlich hoch entwickelten Kultur, wobei auch die Wissenschaften, besonders die Mathematik und die Astronomie, große Fortschritte verzeichneten. Zu den Erfindungen dieser Ära gehörten eine Wasseruhr, die die Stunde, den Wechsel der Jahreszeiten sowie die Auf- und Untergangszeiten der Sonne und des Mondes anzeigte, und ein genau arbeitender Regenmesser, der in allen Teilen des Königreichs eingesetzt wurde und als Grundlage für Erntevorhersagen diente. Die bedeutendste Tat aber war vielleicht die Zusammenstellung einer medizinischen Enzyklopädie, *Vibang Yujip* – ein Werk, das dreihundertfünfundsechzig Bände umfaßt und 1445 vollendet wurde. Vor nicht langer Zeit haben die Chinesen diese Enzyklopädie noch zu Rate gezogen, um mit ihrer Hilfe eigenes überliefertes Material, das im Krieg mit Japan verlorengegangen war, wiederzufinden.
König Sejong erneuerte auch die koreanische Musik und Musiktheorie, unterstützt von dem berühmten Musikgelehrten Pak Yon. Jeder Besucher Koreas stellt heute fest, wie außerordentlich begabt das Volk dort in allen Künsten, vornehmlich aber in der Musik ist. Vielleicht war es die Bedeutung, die Konfuzius der Musik als wesentlichem Faktor für die geistige und für die sittliche Erziehung beimaß, die König Sejong mit bewog, den Druck zahlreicher Bücher über Musik sowie die Bearbeitung der höfischen Musik zu wunderbaren Kompositionen mit religiösen Themen zu veranlassen. Während der Regierungszeit dieses liberal gesinnten Herrschers wurde auch der Buddhismus nicht unterdrückt, im Gegenteil von König Sejong persönlich ermutigt, und unter seinem Einfluß überarbeiteten buddhistische Gelehrte die buddhistischen Werke der vorangegangenen Dynastie, übersetzten sie in das Hangul und machten sie so dem Volk zugänglich.
Jahrhunderte hindurch konnte die Yi-Dynastie ihren Ruhm halten und festigen, und der schöpferische Geist des Volkes brachte große Leistungen hervor, unter anderem eine bedeutende Literatur. Den ersten westlichen Eindringlingen, mit

denen im 17. Jahrhundert auch die ersten Spuren des Katholizismus auftauchten, brachte man allerdings keine Sympathie entgegen. In vielen Fällen fanden französische Missionare und schiffbrüchige Seeleute auf koreanischem Boden den Tod. Korea hatte genug Invasoren gehabt und kannte nur noch die Sehnsucht, als Eremit unter den Nationen in Frieden an der eigenen Entwicklung arbeiten zu dürfen. Es war ein unerfüllbarer Wunsch. Der Expansionsdrang des Westens trieb die alten Nationen Asiens einem Chaos entgegen.

Spanien und Portugal unterhielten bereits rege Handelsbeziehungen zu Japan; die Besatzungen ihrer von den Taifunen des Gelben Meeres zertrümmerten Schiffe suchten oft auf den Inseln vor der koreanischen Südküste Zuflucht. Rußland streckte ebenfalls seine Fühler aus. So schlug sich Mitte des 17. Jahrhunderts ein russisches Regiment längs des Flusses Amur durch und focht in der nahen Mandschurei gegen die Chinesen. Aus der gleichen Zeit berichten koreanische Aufzeichnungen von sechsunddreißig Männern, »seltsamen Erscheinungen mit blauen Augen und gelbem Haar«, die 1633 aus ihrem Schiffswrack an Land taumelten. Es waren Holländer, und man führte sie nach Seoul, wo sie als Soldaten ein Unterkommen fanden, heirateten und den Rest ihres Lebens verbrachten, bis auf acht, die 1666 nach Holland zurückgingen. Einer dieser Heimkehrer, Hendrik Hamel, beschrieb später sein Leben in Seoul, und so entstand das erste in einer europäischen Sprache verfaßte Buch über Korea.

Im Jahre 1860 trat China in den Krieg mit Großbritannien und Frankreich ein, da es seine Souveränität und seine Rechte bedroht sah; Rußland, das als Vermittler fungierte, verlangte nach Friedensschluß eine Belohnung und erhielt die Küstenprovinzen. Das bedeutete, daß die Halbinsel Korea im Nordosten an Rußland grenzte – ein dunkles Vorzeichen für die Zukunft. Zu der ersten Berührung mit den Vereinigten Staaten kam es im Jahre 1866, als ein amerikanischer Schoner, die *General Sherman,* den Taedong-Fluß hinaufsegelte. Die daraus resultierenden Beziehungen zwischen den beiden Ländern waren nicht immer von Weisheit und Friedfertigkeit

bestimmt; doch der erste offizielle Akt war der Abschluß eines Freundschafts- und Handelsabkommens im Jahre 1883.
Kurz vor diesem schicksalhaften Jahr beginnt mein Roman *Lebender Bambus*. Die koreanische Familie, von der ich darin berichte, ist authentisch insoweit, als ich von Tatsachenmaterial ausgegangen bin, das ich dann allerdings frei verarbeitet habe. Absolut authentisch ist der gesamte historische Stoff, einschließlich des Prozesses gegen die Verschwörer, des Brandes in der christlichen Kirche und ähnlicher Geschehnisse sowie – ich muß es zu meiner Betrübnis erklären – der Ereignisse des Tages, an dem die Amerikaner nach dem zweiten Weltkrieg in Inchon landeten. Diplomatische Persönlichkeiten sind wahrheitsgetreu dargestellt. Der Charakter Woodrow Wilsons ist so gezeichnet, wie es dokumentarisch einwandfrei belegt ist, und alles, was er in diesem Roman sagt, ist überliefert. Es entspricht den Tatsachen, daß seine Worte auf die Phantasie der Asiaten eine solche Wirkung ausübten, und es ist auch keine Fiktion, daß ihn eine koreanische Delegation neben Abgesandten anderer kleiner Nationen in Paris aufgesucht hat.
Meine koreanischen Gestalten habe ich so dargestellt, wie ich sie aus ihrer eigenen Heimat kenne und wie sie mir auch in den Jahren, die ich in China verbrachte, begegnet sind. Ich habe den Koreanern, wo immer sie in meinem Buch auftreten, gerecht zu werden versucht.

März 1963 *Pearl S. Buck*

ERSTER TEIL

Man schrieb das Jahr 4214 nach Tangun von Korea und 1881 nach Jesus von Judäa. In der Hauptstadt Seoul war es Frühling – eine gute Jahreszeit für die Geburt eines Kindes – und ein klarer, schöner Tag. Il-han, Kim mit Familiennamen, aus der Sippe von Andong, saß in seiner Bibliothek und wartete auf die Nachricht, daß sein zweites Kind geboren sei. Das Haus lag dem Süden zugewandt, und die Sonne, die schon die Hofmauern erklommen hatte, drang als milder Schein durch das reispapierbespannte Lattenwerk der Schiebewände in den freundlichen großen Raum. Il-han hockte neben einem niedrigen Pult auf atlasbezogenen Sitzkissen; er hatte es dabei behaglich, denn der Fußboden war nach dem uralten Ondul-Brauch von einem Rohrsystem unterzogen, das der Rauch des Küchenherds erwärmte. Angestrengt versuchte Il-han, sich dem Buch zu widmen, das auf dem Pult vor ihm lag. Drei Stunden waren vergangen, seit seine Frau sich in ihr Schlafgemach begeben hatte, begleitet von ihrer Schwester, der Hebamme und den Dienerinnen. Dreimal war eine von ihnen gekommen, um ihm zu sagen, daß alles gut gehe, daß seine Gattin ihn grüßen lasse und ihn herzlich bitte, etwas zu sich zu nehmen, da noch eine gute Weile bis zur Geburt vergehen werde.
»Wie lange?« hatte er wissen wollen. »Wie lange?«
Jedesmal war die Antwort ein Kopfschütteln gewesen, ein vages Lächeln, ein leises Sichzurückziehen. Ganz Frauenart,

dachte Il-han etwas unwillig. Zumindest die koreanischen Frauen zeigten sich unter einer sanften, lieblichen Maske alle gleich widerspenstig und starr. Alle außer seiner schönen, unvergleichlichen Sunia. Er hätte sich geschämt, anderen gegenüber oder sogar ihr selbst zu zeigen, wie sehr er sie liebte – dabei hatte er sie vor der Heirat nie gesehen. In diesem Fall hatten die Ehevermittler einmal nicht gelogen, und die Wahrsager hatten ihrem Namen Ehre gemacht. Wie mustergültig war Sunias Verhalten bereits am Tag ihrer Vermählung gewesen! Nicht ein einziges Mal hatte sie während der langen Hochzeitsfeier gelächelt, trotz der unermüdlichen Neckereien seitens der Verwandten und Freunde. Eine Braut, die an ihrem Hochzeitstage das Lachen nicht zurückzuhalten verstand, würde, so hieß es, nur Mädchen zur Welt bringen. Sunia hatte einen Sohn geboren, der jetzt drei Jahre alt war, und falls der Wahrsager auch diesmal recht behielt, würde sie heute wieder einem Sohn das Leben schenken. Il-han empfand sein Heim und seine Familie als eine wahre Insel des Friedens in diesen unruhigen Zeiten. Aber hatte Korea je andere als unruhige Zeiten gekannt? Kaum ein friedliches Jahrhundert in viertausend Jahren war der kleinen Halbinsel, die wie eine goldene Frucht vor den begehrlichen Augen der Nachbarländer hing, beschieden gewesen; das stolze China forderte Abgaben, das unermeßliche Rußland suchte die eisfreien Häfen an der verlockenden Küste zu erlangen, und das machtlüsterne Japan strebte nach Ausdehnung seiner Herrschaft.
Il-han erhob sich seufzend und ging mit ungeduldigen Schritten im Zimmer auf und ab – er fand es unmöglich, sich jetzt mit Büchern zu beschäftigen. Er war Gelehrter, aber ein Gelehrter von ganz anderer Art als sein Vater, dessen ausschließliches Interesse altehrwürdigen Bänden galt. Bei seiner augenblicklichen Lektüre handelte es sich um eine moderne Geschichte der westlichen Nationen. Sein Vater, der in den klassischen Schriften des Konfuzius und in Träumen vom goldenen Zeitalter der Silla-Dynastie lebte, wäre nicht erfreut gewesen, hätte er gewußt, daß Kim Il-han, der einzige Sohn des Hauses Kim von Andong, derlei Studien trieb. Doch wie

alle jungen Männer seiner Generation stand Il-han den alten Philosophen und Religionen sehr skeptisch gegenüber. Der von China entlehnte Konfuzianismus hatte seine durch das Meer und die Berge ohnehin isolierte Heimat noch mehr isoliert, und der Buddhismus hatte es erreicht, das weltfremde Denken seines Volkes auf törichte Phantasien über Himmel und Hölle, Götter und Dämonen zu lenken, auf alles außer auf die bittere Gegenwart.
Eine hohe, schlanke Gestalt in der weißen Tracht seines Volkes, wanderte er rastlos auf dem Fliesenboden der Bibliothek hin und her, in Gedanken versunken und gleichzeitig hellwach für den ersten Schrei seines Kindes. In seiner verzehrenden Unruhe fand er es mit einemmal heiß, und er schob die Fensterwand zurück. Der klare Sonnenschein des Frühlingsmorgens brach in das Zimmer und tauchte das niedrige Schreibpult in eine Fülle von Licht. Ein solides Stück Teakholz, Burma-Import, das von seinem Großvater stammte, nach dessen eigenen Angaben es angefertigt und mit feinster koreanischer Messingarbeit verziert worden war.
»Dieses Pult soll dir gehören«, hatte sein Vater nach dem Tode des Großvaters zu ihm gesagt. »Mögen die Gedanken und Schriften eines großen Staatsmannes dir als Anregung dienen, mein Sohn!«
Sein Großvater war unbestreitbar eine bedeutende Persönlichkeit gewesen, Premierminister unter der jetzt noch regierenden Yi-Dynastie, von deren Herrschern er auch die Doktrin des Isolationismus übernommen hatte und die stolze Überbewertung der Unabhängigkeit.
»So, wie unsere geographische Lage ist, umgeben von drei mächtigen Staaten, Rußland, China und Japan«, hatte sein Großvater vor einem halben Jahrhundert in einem an die Krone gerichteten Memorandum festgestellt, »können wir uns vor ihrer Habgier nur retten, indem wir uns von der Welt zurückziehen. Es ist notwendig, daß wir eine ganz nach innen gekehrte Nation werden.«
Sein Vater zitierte diese Worte später oft, und Il-han hatte sie stets mit stiller Verachtung angehört. Wie töricht dachten

die Alten! Er hatte seine persönlichen Geheimnisse selbst vor dem Vater gewahrt, seine Teilnahme an der ersten Revolte gegen den Regenten Taiwunkun. Er war zwar damals noch ein Junge gewesen, aber er hatte sich mit Botengängen zwischen den Führern der Aufständischen und der jungen Königin sehr nützlich gemacht. Der Regent hatte seinen Sohn, König Kojong, zu einem Zeitpunkt mit ihr verheiratet, als dieser noch viel zu jung für eine Ehe war, und weil er in so jugendlichem Alter stand, hatte ihm der Regent ein Mädchen zur Frau bestimmt, das älter war als er, eine Tochter aus der adeligen Familie Min. Er sollte diesen Entschluß später bereuen, aber wer hätte voraussehen können, daß das schöne, anmutige Geschöpf so stark und mit einem so scharfen Verstand begabt war und Ränke gegen den Regenten schmieden würde, um ihn beiseite zu schieben? Il-han hatte sie das erstemal nur bei Kerzenlicht zu mitternächtlicher Stunde gesehen, als sie eine geheime Besprechung mit den Rebellenführern abhielt, während er an der Tür auf ein Paket wartete, das ihm hastig in die Hände gedrückt wurde, damit er es anderentags dem König übergebe, wenn er ihn zum Schachspiel besuchte. Damals schon hatte er erkannt, daß diese Königin zum Regieren bestimmt war und daß der König, sein sanfter, liebenswerter junger Freund, allenfalls eine Vermittlerrolle zwischen dem arroganten Regenten und der Königin spielen würde.

Il-han hatte seinem Vater nichts von diesen Dingen gesagt. Was hätte sein Vater schon unternehmen können, der edelgesinnte, alternde Dichter, der sein Leben in seinem Landhaus und seinem Garten verträumte? Um Il-hans Großvater, der dem Regenten gedient hatte, nicht durch Parteinahme für die junge, China so nahestehende Königin zu kränken, hatte sein Vater sich bereits frühzeitig von dem Zwist innerhalb der regierenden Familie zurückgezogen. Man sagte – allerdings wußte es niemand genau –, daß Königin Min selbst chinesisches Blut habe; ihre einflußreichste Freundin war jedenfalls Tzo-hsi, die Kaiserin-Witwe, die augenblicklich in Peking regierte. Aus Peking mußten auch noch immer die schweren

Seiden und Brokate geliefert werden, in die sich die Königin mit Vorliebe kleidete. Manche Leute kritisierten sie wegen ihrer Extravaganz, doch Il-han brachte es nicht über sich, sie für irgendeine ihrer Handlungen zu tadeln. Mitten aus seiner Vorfreude auf sein zweites Kind heraus dachte er an den einzigen Sohn der Königin, den Thronerben, der schwachsinnig zur Welt gekommen war. Im Kern ihres Daseins, so stolz und begabt und schön sie war, fühlte sie eine trostlose Leere, das wußte er.

Immer beschäftigte sich Il-han mit Staatsproblemen. Jetzt unterbrach er sein Nachsinnen einen Augenblick und horchte, ob der Schrei seines Kindes, das offenbar nur unter Schwierigkeiten ins Leben fand, nicht endlich zu vernehmen sei. Kam jemand? Er blieb stehen. Doch er hörte nichts, und so ging er wieder zu seinem Pult zurück, wo er einen Kamelhaarpinsel aufnahm und an einem Memorandum weiterzuschreiben begann. Wäre dieses Dokument an den König gerichtet gewesen, so hätte er sich an die offizielle chinesische Schrift halten müssen. Er verfaßte es indessen nicht für einen amtlichen Zweck, sondern als streng vertrauliches Schreiben an die Königin, und da es nur zu ihrer Einsichtnahme gedacht war, bediente er sich der Zeichen des phonetischen koreanischen Alphabets.

»Ferner, Majestät«, schrieb er, »bin ich darüber beunruhigt, daß die Engländer uns mit ihren Schiffen, die sie zur Insel Komudo gesandt haben, so nahe gekommen sind. Sie wünschen den Abzug der chinesischen Soldaten aus Seoul, ein Ansinnen, das ich nicht billigen kann, solange Japan auf seiner Forderung besteht, im Notfall Truppen nach Korea schicken zu dürfen. Was für eine Ausnahmesituation könnte in unserem Land entstehen, in der wir die Japaner als Hilfe brauchten? Liegt hinter diesem Begehren nicht vielmehr die alte, nie verlöschende Sehnsucht Japans, seine Herrschaft nach Westen hin auszudehnen? Sollen wir zulassen, daß unser Land ein Sprungbrett zur chinesischen Küste und damit zum asiatischen Kontinent wird?«

Il-han hob den Kopf, da er unterdrückte Jammertöne vernahm – die Stimme seines dreijährigen Sohnes.

»Ich will nicht zu meinem Vater!«
Er erhob sich und riß die Tür auf. Vor ihm stand der Hauslehrer seines Sohnes, das Kind auf dem Arm, das den Hals des jungen Mannes umklammerte.
»Verzeihung, Herr«, sagte der Erzieher und wandte sich dann an den Kleinen. »Berichte deinem Vater, was du getan hast.«
Er versuchte seinen Schützling auf die Füße zu stellen, aber der Junge umschlang ihn so fest wie ein widerspenstiges Äffchen. Energisch griff Il-han zu und hob das Kind herab.
»Hier bleibst du stehen«, befahl er. »Und den Kopf hoch.«
Das Kind gehorchte, die dunklen Augen voller Tränen, doch es hielt den Blick ein wenig gesenkt, um nicht Mangel an Respekt zu zeigen.
»Und jetzt sprich«, verlangte Il-han.
Der Junge bewegte die Lippen und öffnete den Mund, aber er brachte nur ein unterdrücktes Schluchzen hervor.
»Vielleicht sollte zuerst doch besser ich sprechen, Herr«, meinte der Lehrer. »Du hast mir deinen Sohn anvertraut, und wenn er einen Fehler begeht, so beweist das auch mein Versagen. Heute früh kam er nicht in das Unterrichtszimmer. Er war überhaupt in letzter Zeit etwas aufsässig. Er weigert sich, die kleine Ode von Konfuzius zu lernen, die ich für ihn ausgesucht habe – eine sehr einfache Ode, durchaus geeignet für sein Alter. Als ich ihn im Unterrichtszimmer nicht vorfand, ging ich ihn suchen. Er war in der Bambuspflanzung. Und, es ist ein Jammer, er hatte eine ganze Anzahl Schößlinge umgeknickt, absichtlich.«
Das Kind sah zu seinem Vater auf, noch immer stumm, das Gesicht zum Weinen verzogen.
»Hast du das getan?« forschte Il-han.
Das Kind nickte.
Il-han gestattete sich kein Mitleid, obgleich die jammervolle Miene sein Herz rührte.
»Warum hast du die Bambusschößlinge zerstört?« Trotz seiner erzieherischen Vorsätze klang seine Stimme nicht streng.
Das Kind schüttelte den Kopf.
Il-han wandte sich an den Hauslehrer. »Du hast richtig ge-

handelt, ihn zu mir zu bringen. Jetzt laß uns allein. Ich werde das selbst mit meinem Sohn abmachen.«
Der junge Mann zögerte mit einem besorgten Ausdruck auf seinem sanften Gesicht. Il-han lächelte.
»Nein, ich werde ihn nicht schlagen.«
»Ich danke dir, Herr.«
Der Hauslehrer verbeugte sich und verließ das Zimmer. Ohne ein weiteres Wort nahm Il-han seinen Sohn bei der Hand und führte ihn hinaus zu der Bambuspflanzung an der Südmauer des Gartens. Man sah schon von weitem, was geschehen war. Die jungen elfenbeinweißen Schößlinge ragten in ihren blaßgrünen Hüllen ein gutes Stück aus dem Boden. Es waren ein paar hundert, und von diesen lagen vielleicht zwanzig abgebrochen auf der moosigen Erde. Il-han blieb stehen, die heiße kleine Hand seines Sohnes noch immer fest umschlossen.
»Das also hast du getan?« fragte er. Das Kind nickte.
»Weißt du auch jetzt noch nicht, warum?«
Der Junge schüttelte den Kopf, und seine großen dunklen Augen füllten sich mit neuen Tränen. Il-han führte ihn zu einem chinesischen Gartenschemel aus Porzellan und nahm ihn auf den Schoß. Er strich dem Kind das Haar aus der Stirn, und Stolz schwellte sein Herz. Der Junge war schlank und gerade gewachsen und groß für sein Alter. Er hatte die klare weiße Haut, die braunen Augen und das braune Haar seines Volkes.
»Ich weiß, warum du es getan hast, mein Sohn«, sagte Il-han freundlich. »Du warst böse über irgend etwas. Du hattest vergessen, was ich dich gelehrt habe, daß ein zu Höherem berufener Mensch niemals Ärger zeigen darf. Du warst zornig, und du wagtest nicht, es deinem Lehrer einzugestehen, und so kamst du hierher, wo er dich nicht sehen konnte, und ließest deinen Zorn an den wehrlosen Bambusschößlingen aus. War es nicht so, mein Sohn?«
Tränen quollen aus den Augen des Jungen. Er schluchzte.
»Aber du weißt«, fuhr der Vater mit unveränderter Freundlichkeit fort, »du weißt, daß Bambusschößlinge wertvoll sind. Warum sind sie wertvoll?«

»Wir ... wir ... essen sie gern«, wisperte das Kind.
»Ja«, sagte Il-han ernst, »wir essen sie gern, und gerade im Frühling ist die Zeit, da man sie essen kann. Sie treiben nur einmal von der Wurzel herauf. Die Pflanzen, zu denen sich diese Schößlinge hätten entwickeln können, wird es niemals geben. Im Frühling durchbrechen sie die Erde, gedeihen schnell und haben in einem Jahr ihr Wachstum beendet. Du hast Nahrung vernichtet, du hast Leben vernichtet. Es ist nur ein hohles Rohr, aber es lebt. Die Wurzeln müssen nun neue Schößlinge hervorbringen, um die zu ersetzen, die du zerstört hast. Verstehst du mich?«
Das Kind schüttelte den Kopf. Il-han seufzte. »Es reicht nicht, daß du schreiben oder selbst die Oden von Konfuzius lernst. Der tiefere Sinn der Dinge muß sich dir erschließen. Komm mit in die Bibliothek.«
Er hob den Kleinen von seinen Knien herunter und führte ihn schweigend in die Bibliothek zurück. Dort nahm er von dem Regal ein langes, schmales, mit gelber Brokatseide bezogenes Kästchen. Er schob den silbernen Verschlußhaken hoch und entnahm dem Behältnis eine Papierrolle, die er auf dem Tisch ausbreitete.
»Das«, sagte er, »ist eine Karte unseres Landes. Sieh dir an, wie es hier zwischen seinen drei Nachbarn liegt. Da im Norden ist Rußland, diese Nation im Westen ist China und die im Osten Japan. Sind wir größer oder kleiner als sie?«
Das Kind blickte ernsthaft auf die Karte. »Wir sind sehr klein«, sagte es nach einer Weile.
»Korea ist klein«, bestätigte sein Vater. »Und wir befinden uns immer in Gefahr. Deshalb müssen wir tapfer sein. Tapfer und stolz. Wir müssen unsere Freiheit bewahren; wir dürfen diesen anderen Staaten nicht erlauben, uns zu schlucken, wie sie es von jeher angestrebt haben. Immer wieder haben sie uns angegriffen, aber wir konnten sie stets zurückschlagen. Wie, meinst du, haben wir das fertiggebracht?«
Der Junge schüttelte den Kopf.
»Ich will es dir sagen«, fuhr Il-han fort. »Es gibt zu allen Zeiten mutige, unerschrockene Männer, die unsere Führung

übernehmen. Sie entstammen der hochgeborenen Schicht der Yangban wie wir oder dem Bauernstand. Es spielt keine Rolle, woher sie kommen. Wenn ein Notfall eintritt, sind sie da. Wie die Bambusschößlinge, die aus verborgenen Wurzeln an Stelle der von dir zerstörten treten müssen.«
Mit großen Augen hatte der Kleine aufmerksam gelauscht, sichtlich bemüht, alles zu verstehen, was sein Vater sagte. Wieweit er es tatsächlich erfaßte, konnte Il-han nicht mehr prüfen, denn in diesem Augenblick hörte er den Schrei des neugeborenen Kindes. Gleich darauf erschien die alte Hebamme in der Tür, und ihr runzliges Gesicht strahlte vor Zufriedenheit.
»Herr«, sagte sie. »Du hast einen zweiten Sohn.«
Freude durchströmte sein Herz.
»Bring den Kleinen hier zu seinem Lehrer«, sagte er, ihr den Jungen in die Arme drückend, und eilte hinaus, ohne noch auf das zu achten, was das Kind ihm nachrief.
Im Schlafzimmer seiner Frau erwarteten sie ihn, die Dienerinnen, die Frauen, die Beistand geleistet hatten, und vor allem Sunia. Man hatte ihr flaches Lager auf dem warmen Boden schon wieder geordnet und sie selbst sorgfältig für sein Kommen hergerichtet. Ihr Haar war gebürstet, der Schweiß von Gesicht und Händen gewischt, und über ihrem Bett lag eine rosaseidene Decke ausgebreitet. Als er neben ihr stand, lächelte sie zu ihm auf, und er fühlte sich plötzlich so erfüllt von seiner Liebe zu ihr, daß es ihm fast den Atem nahm. Ihr ovales Gesicht mit der milchigweißen, jetzt ungewöhnlich blassen Haut war vollendet schön – kein weiches Gesicht, mehr stolz als sanft, aber Il-han wußte, welch tiefe Zärtlichkeit sich dahinter verbarg. Ihre braunen Augen blickten müde und zufrieden, und ihr dunkles Haar lag lang und glatt auf dem flachen Kissen.
»Ich komme, um dir zu danken«, sagte er.
»Ich habe nur meine Pflicht erfüllt«, erwiderte sie.
Es waren die dem Brauch gemäßen Worte, doch Sunias Augen verliehen ihnen eine besondere Innigkeit.
»Aber«, fügte sie in ihrer eigenwilligen Art hinzu, »es macht

mir Freude, dir Söhne zu schenken. Wie könnte es nur eine Pflicht sein?«
Er lachte. »Vergnügen oder Pflicht – laß es nur so weitergehen.«
Wenn sie allein gewesen wären, hätte er sich an ihrer Seite niedergekniet und ihre Hände gestreichelt. So aber blieb ihm nichts anderes, als sich zu verneigen und sie zu verlassen. An der Tür blieb er noch einmal stehen, um den Frauen einige Anordnungen zu geben.
»Sorgt dafür, daß sie schlafen kann, und haltet sie nicht mit eurem Schwatzen wach. Und vergewissert euch auch, daß sie Hühnerbrühe mit Ginsengwurzel bekommt.«
Sie verbeugten sich schweigend, und er kehrte in die Bibliothek zurück, wohin man ihm, wie er wußte, in wenigen Minuten seinen zweiten Sohn bringen würde. Wieder begann er auf und ab zu gehen. Durch die offenen Türen schien die Sonne herein, und Il-han genoß ihre warmen Strahlen, die das Weiß seiner Kleider noch heller, noch makelloser erscheinen ließen. Er schätzte Sauberkeit über alles, und Sunia achtete auch darauf, daß er jeden Morgen frische weiße Kleidung anlegte, die weiten, an den Knöcheln zusammengebundenen Beinkleider, das lange Übergewand, das auf der Brust von links nach rechts gekreuzt wurde. Seine Vorfahren waren Sonnenanbeter gewesen, von ihnen hatte er die Liebe für alles Helle geerbt. Weiß war die heilige Farbe, ein Symbol des Lichtes und des Lebens. Gewiß, es stellte auch die Farbe der Trauer dar, doch Tod und Leben zeigten sich in Il-hans geplagtem Land so eng verschlungen, daß er an das eine ohne das andere nie zu denken vermochte. Auch dies war sein Erbe, das jetzt auf seine Söhne übergehen würde.
Er hielt in seiner Wanderung inne und betrachtete nachdenklich einen Lichtfleck. Es war ihm eingefallen, daß er seinen Sohn überhaupt nicht gefragt hatte, wodurch sein Zorn verursacht worden war, dieser Zorn, der ihn dazu trieb, in den Garten zu laufen und die zarten Bambusschößlinge abzubrechen. Und es war wichtig zu wissen, was einen Sohn in diesem Haus so zornig machen konnte. Er klatschte in die

Hände, und als ein Diener eintrat, ließ er sich auf dem Sitzkissen hinter dem Schreibpult nieder.
»Bitte den Hauslehrer meines Sohnes, zu mir zu kommen«, sagte er, »und nimm dich für eine Weile selbst des Kindes an.«
Der Diener verneigte sich, verließ rückwärts gehend den Raum und schloß leise die Tür. Während Il-han wartete, beschäftigte er sich. Zunächst goß er ein wenig Wasser in die Tuschschale und verrieb das trockene Farbstäbchen darin zu einer Paste. In die fertige Tusche tauchte er seinen Pinsel, glättete die feinen Haare geschickt zu einer Spitze und nahm nun den Halter aus Rohr zwischen zwei Finger und Daumen, vor sich einen Bogen des starken weißen Papiers, das in Handarbeit aus Seidenabfällen gewonnen wurde. Vier Zeilen eines Gedichts, womit er die Geburt seines zweiten Sohnes verkünden wollte, formten sich in seinem Kopf. Aber – welche Sprache sollte er verwenden? Wenn er an seinen Vater dachte, dann mußte er sich an das Chinesische halten.
»Kein echter Gelehrter kann sich soweit herablassen, das Hangul zu gebrauchen«, erklärte sein Vater, wann immer er »die neumodische Schrift«, wie er sie nannte, zu Gesicht bekam.
Chinesisch zu schreiben, galt allgemein als Beweis, daß man eine gute Erziehung genossen hatte. Sejong der Große selbst war ebenfalls des Chinesischen mächtig gewesen, doch er war auch ein weiser Herrscher. Ein König, hatte er festgestellt, muß, wenn er gut regieren soll, wissen, was seine Untertanen denken und wünschen; wie aber sollen sie ihrem König schreiben, solange die Schriftzeichen so schwierig sind, daß man Jahre braucht, bis man sie erlernt hat? Und damit eine Verbindung zwischen ihm und seinem Volk möglich wäre, hatte der König schließlich mit Hilfe zahlreicher Gelehrter ein Alphabet erdacht, so einfach, daß es mit den komplizierten chinesischen Schriftzeichen nichts mehr gemein hatte.
Das Buch über Sejongs Leben lag aufgeschlagen auf dem Pult, denn Il-han hatte in letzter Zeit viel über diesen edlen König nachgedacht. Oh, gäbe es nur auch jetzt einen Herrscher vom Range Sejongs, einen, der an die Niedrigsten denken konnte,

obwohl er der Höchste war, an das Volk, an diejenigen, die den Ackerboden bearbeiteten, um Nahrung für alle bereitzustellen, an die, deren Hände Häuser für andere bauten, an die, die nur dienten! In seiner Jugend hatte Il-han, der vergötterte einzige Sohn einer vornehmen Yangban-Familie, nie an diese Menschen gedacht. Erst sein Hauslehrer, der Vater des jungen Mannes, dem nun die Erziehung seines Sohnes anvertraut war, hatte ihm etwas von den Unruhen unter der breiten Masse erzählt, von der stummen Auflehnung der Schweigenden. Sejong der Große verdiente seinen Beinamen. Er war weitblickend genug, um zu wissen, daß kein Herrscher die Unzufriedenheit seiner Untertanen ignorieren kann, weil Unzufriedenheit zu Zorn anschwillt und Zorn zum Ausbruch drängt. Ach, wo gab es heute einen solchen Mann? Würde der junge König jemals stark genug sein?

Die Tür wurde aufgeschoben, und der Hauslehrer, in makelloses Weiß gekleidet, verneigte sich.

»Herr, verzeih die Verzögerung. Ich war im Bad.«

Noch einmal verbeugte er sich tief und wartete dann.

»Tritt ein«, befahl Il-han. »Und schließe die Türen hinter dir.«

Er erhob sich nicht, da ihn sein Rang über den anderen stellte und auch sein Alter, wenngleich der Unterschied hier nur drei Jahre betrug. Seinem Vater war die Jugend des Hauslehrers ursprünglich ein Dorn im Auge gewesen, doch Il-han hatte seine Wahl mit der Begründung verteidigt, sein eigener Erzieher sei zu alt, und er wolle seinen Sohn keinem Fremden anvertrauen, von dessen Vorfahren er nichts wisse.

Der Lehrer kam nun herein und blieb wieder wartend stehen.

»Du darfst dich setzen«, sagte Il-han freundlich.

Der junge Mann kniete ihm gegenüber vor dem niedrigen Schreibtisch auf einem Kissen nieder und hielt den Blick bescheiden gesenkt. Er war beunruhigt, wie Il-han sehen konnte – vermutlich auf Vorwürfe gefaßt. Il-han begann deshalb in mildem Ton zu sprechen, während er das empfindsame junge Gesicht betrachtete.

»Ich möchte dich wegen meines Sohnes zu Rate ziehen.«

»Wie du wünschst, Herr«, erwiderte der junge Mann mit leiser Stimme.
»Es geht mir nicht um Tadel oder Bestrafung«, fuhr Il-han fort. »Ich muß lediglich alles erfahren, was meinen Sohn betrifft. Er ist Tag und Nacht mit dir zusammen, und du kennst seine Natur. Sag mir – was hat ihn hier in seinem eigenen Heim in solchen Zorn versetzen können?«
Der junge Mann hob die Augen ein wenig. »Er neigt zu solchen Zornesausbrüchen, Herr. Ich weiß nicht, was ihre Ursache ist. Sie kommen, wie über dem Meer ein Sturm heraufzieht. Wir haben keine Meinungsverschiedenheit, aber plötzlich wirft er sein Buch auf den Boden und stößt mich fort.«
»Haßt er Bücher?«
»Nein, Herr.« Der Erzieher ließ seine Augen wieder ein Stückchen höher wandern, bis ihr Blick auf Il-hans gefalteten Händen ruhte. »Er ist noch sehr klein, und ich verlange kein ernsthaftes Studium von ihm. Ich lese ihm eine Begebenheit aus der Geschichte vor, ferner Legenden, Märchen, etwas zu seiner Unterhaltung, woran er Gefallen findet, damit er die Freude, die einem Bücher geben können, verstehen lernt und später von selbst nach ihnen verlangt. Heute morgen las ich ihm zum Beispiel die Geschichte vom Goldenen Frosch vor.«
Il-han kannte das Märchen aus seiner eigenen Kindheit. Es handelte von König Puru, der, da er keinen Sohn hatte, zu Gott um einen männlichen Nachkommen betete. Eines Tages, als er sich auf dem Heimritt von einem Ort namens Konyun befand, sah er zu seinem Erstaunen einen weinenden Felsen. Er befahl seinem Gefolge, den Felsen zu untersuchen, und man fand unter ihm einen goldenen Frosch, der wie ein kleines Kind aussah. Der König erblickte in ihm die Erhörung seiner Gebete und nahm den Frosch mit nach Hause. Er wuchs zu einem hübschen Knaben heran, den der König Kumwa, ›Goldener Frosch‹, nannte, und dieser Sohn folgte seinem Vater auf dem Throne nach und wurde König Kumwa.
»An jener Stelle«, sagte der Hauslehrer gerade, »zog mir der Kleine das Buch aus den Händen und schleuderte es auf den Boden. Dann rannte er aus dem Zimmer. Ich suchte nach ihm

und fand ihn schließlich in der Bambuspflanzung, wo er mit beiden Händen und seiner ganzen Kraft die Schößlinge herausriß. Ich fragte ihn, warum er das tue, und er antwortete, er wolle keinen goldenen Frosch als Bruder.«

Il-han war verblüfft. »Wer hat ihn denn darauf gebracht?«

Der junge Lehrer senkte die Augen wieder. Eine Blutwelle stieg ihm über den Nacken in die Wangen. »Herr, ich bin unglücklich. Ich fürchte, ich selbst habe es getan, wenn auch unbeabsichtigt. Er hatte von der bevorstehenden Geburt seines Bruders gehört und fragte mich, woher dieser Bruder kommen werde. Ich wußte nicht, was ich ihm antworten sollte, und so sagte ich, vielleicht würde man ihn unter einem Felsen finden wie den Goldenen Frosch.«

Il-han lachte. »Eine schlaue Erklärung, aber ich kann mir noch eine bessere vorstellen. Du hättest zum Beispiel erwidern können, daß sein Bruder vom selben Ort komme, von wo auch er gekommen sei. Und wenn er gefragt hätte, wo dieser Ort liege, dann hättest du entgegnen können: ›Wenn du es nicht weißt, wie soll ich es wissen?‹«

Der junge Mann wagte es, so ungebührlich es auch sein mochte, seinen Blick zu Il-hans Gesicht zu erheben. »Herr, du kennst deinen Sohn nicht. Er läßt sich nie von etwas abbringen. Er fragt mir die Seele aus dem Leib. Manchmal fürchte ich, daß er mir in ein paar Jahren über den Kopf wachsen wird. Er merkt die geringste Ausflucht, ganz zu schweigen von einer Täuschung, und will dann unbedingt die Wahrheit aus mir herausbekommen, auch wenn ich weiß, daß sie noch gar nicht für ihn faßbar ist. Und sage ich ihm in meiner Verzweiflung tatsächlich die Wahrheit, so plagt er sich damit herum, als sei sie ein Feind, den er überwältigen müsse. Begreift er dann schließlich, so ist er erschöpft und zornig. Wie hätte ich ihm den Vorgang der Geburt erklären sollen? Er ist zu jung. Ich sah mich genötigt, es mit allerlei Schlichen zu versuchen, und so holte ich das Buch. Aber er wußte, daß es sich um eine List handelte, und das war der eigentliche Grund seines Zorns.«

Il-han erhob sich und ging zur Tür, um sie mit einem Ruck zu öffnen. Doch es war niemand in der Nähe, und er kehrte zu

seinem Sitzkissen zurück. Auf das niedrige Pult gestützt, beugte er sich vor und sagte leise: »Ich habe dich auch noch aus einem anderen Grund zu mir bestellt. Dein Vater war, wie du weißt, mein Erzieher. Er lehrte mich viel, vor allem aber brachte er mir die rechte Denkweise bei. Er unterrichtete mich in den Anfangsgründen der Geschichte meines Volkes. Ich möchte, daß du für meinen Sohn dasselbe tust.«
Der junge Lehrer schien verwirrt. »Herr, mein Vater war Mitglied der Silhak-Gesellschaft«, entgegnete er schließlich in gedämpftem Ton und blickte nach der geschlossenen Tür hin.
»Warum so besorgt?« forschte Il-han. »Die Silhak-Lehre, daß Bildung, die dem Volk nicht nützt, keine wahre Bildung sei, hat viel Gutes. Sie ist außerdem nicht neu. Vielerlei Elemente treffen in ihr zusammen ...«
»Unter ihnen westliche, Herr«, warf der Hauslehrer ein. Er vergaß ganz die ihm anstehende Zurückhaltung gegenüber dem Erben der mächtigsten Familie in Korea.
»Ja, auch westliche«, pflichtete Il-han bei. »Aber das ist gut. Wäre es nicht Verrat an der Königin, so würde ich sagen, wir haben zu lange unter dem Einfluß des ehrwürdigen China gestanden. Verstehst du, ich meine nicht, daß wir uns nun völlig unter den des Westens begeben sollten! Es ist indessen bei unserer geographischen Lage zwischen lauter Großmächten unser Schicksal, in gewissem Ausmaß von allem und jedem beeinflußt zu werden. Und es ist unsere Aufgabe, anzunehmen und abzulehnen, zu schweißen und zu mischen und aus unseren vielen widerstreitenden Kräften das Ganze zu schaffen, uns selbst, eine unabhängige Nation. Nur – wie dieses Ganze aussehen muß, das ist die Frage. Ich kann sie nicht beantworten. Doch für meine Söhne muß jetzt eine Antwort gefunden werden.«
Mit gerunzelter Stirn lehnte er sich gegen die Rückenstütze seines Kissens und versank in Nachdenken. Plötzlich fuhr er mit neuer Energie fort: »Aber du darfst nicht in dieselbe Schwäche verfallen wie dein Vater. Er schilderte mir zwar die Sünden der anderen großen Familien, nicht jedoch die meiner eigenen Sippe, der Kims. Dabei sind wir in gewisser

Weise von allen bedeutenden Familien die am meisten mit Schuld beladene. Wir haben uns schon früh im Königshaus eingenistet, um auf diese Art Vorteile zu erlangen. Vor mehr als fünfzehnhundert Jahren verheirateten wir drei unserer Töchter in die achte Monarchie Honjong. Drei Generationen hindurch waren unsere Töchter mit dem Königshaus verbunden. Wir lebten sowohl vom Land als auch vom Volk. Die besten Regierungsämter wurden an meine Vorfahren vergeben, noch an meinen Großvater und zuletzt an meinen Vater, bevor er sich zurückzog, weil er nicht in Opposition zum Regenten treten wollte. Wie könnten wir sonst solche Häuser wie dieses hier bewohnen? Paläste! Und wie könnte ich sonst der Erbe riesiger Ländereien in diesem kleinen Land sein? Einmal haben wir sogar nach dem Thron gestrebt. Du weißt sehr gut, daß einer meiner Vorfahren diesen Ehrgeiz hegte und zerschmettert wurde – wie er es verdiente!«
Seine beherrschte Stimme vermochte eine heftige Erregung nicht zu verbergen, und der junge Erzieher hörte sich verstört diese Selbsterniedrigung an. »Das sind längst vergangene Dinge, Herr«, murmelte er. »Sie sind vergessen.«
Il-han ließ sich nicht von seiner erbarmungslosen Untersuchung abbringen. »Sie sind nicht vergessen. Millionen Menschen litten und leiden noch wegen des Namens Kim. Er paßt gut!«
Und mit dem Zeigefinger seiner rechten Hand schrieb er auf die Handfläche der linken das chinesische Zeichen für Gold, denn das war es, was »Kim« bedeutete.
»Dem haben wir gelebt – Gold in Form von Landbesitz und Häusern und hohen Positionen! Und Macht erlangt – Macht sogar über das Königshaus. Oh, du mußt meinen Sohn lehren, was dein Vater mich nicht gelehrt hat! Lehre ihn die Wahrheit!« Er brach unvermittelt ab, finsteren Zorn auf dem ebenmäßigen Gesicht.
Bevor der Hauslehrer antworten konnte, glitt die Tür auf, und die Hebamme trat herein, in den Armen auf einem roten Seidenkissen das Neugeborene. Hinter ihr erschienen Il-hans zwei Schwägerinnen und einige Dienerinnen.

Die älteste Schwägerin trat vor. »Bruder, hier hast du deinen zweiten Sohn.«
Il-han erhob sich. Mit einem Kopfnicken entließ er den Hauslehrer. Er ging auf die Frauen zu und streckte die Arme aus. Die Hebamme legte ihm das Kissen mit dem schlafenden Kind darauf, und er blickte in das kleine, makellose Gesicht seines neugeborenen Sohnes.
»Kleiner Goldener Frosch«, murmelte er.
Erstaunt sahen sich die Frauen an, dann lachten sie und klatschten in die Hände. Eine glückverheißende Begrüßung! Aus dem Goldenen Frosch war schließlich ein Prinz geworden.

»Was sagte er, als er unser Kind sah?« fragte Sunia.
Sie hatte bereits etwas von ihrer natürlichen Farbe wiedergewonnen, und ihre dunklen Augen blickten lebhafter. Geburten bereiteten ihr nur wenig Schwierigkeiten, und mit einem zweiten Sohn hatte sie allen Grund zu triumphieren. Noch drei oder vier weitere Söhne, und sie konnte sich eine Tochter wünschen. Eine Frau brauchte Töchter im Haus.
»Er lächelte und nannte ihn ›kleiner Goldener Frosch‹«, berichtete ihre ältere Schwester. Sie war eine große, schlanke Frau, die bereits die Schwelle des mittleren Alters erreicht hatte und mit einem Gelehrten verheiratet in einer Stadt des Nordens lebte. Da Sunias Mutter schon tot war und ebenso die Mutter Il-hans, kam sie immer zu Sunia, wenn es mütterliche Pflichten zu erfüllen gab; mit ihr erschien auch stets die jüngere Schwester, die nicht heiraten wollte, sondern den Wunsch hegte, in ein buddhistisches Kloster einzutreten, wozu Il-han, der bei ihr die Stelle des Vaters oder Bruders vertreten mußte, seine Zustimmung nicht gab. Keine Frau, so erklärte er, sollte sich jetzt noch in ein Kloster vergraben. Die Tage der Buddhisten seien vorbei.
Sunia nahm ihren Sohn zärtlich entgegen und wiegte ihn in den Armen. »Ihm fallen immer solch kluge Dinge ein. Er ist zu klug für mich. Ich hoffe, daß dieses Kind ihm ähnlich wird.«
Sie betrachtete das schlafende Gesicht und berührte das feste

kleine Kinn neckend mit dem Finger. »Seht, wie er schläft! Er verbirgt sich vor mir. Ich habe seine Augen noch nicht gesehen.«
»Leg ihn an die Brust«, riet die Hebamme. »Er wird noch nicht trinken, aber er sollte sie mit den Lippen spüren.«
Sunia entblößte ihre runde, volle Brust.
»Leg ihn zuerst an die linke, wo das Herz ist«, sagte die Hebamme.
Eigensinnig schüttelte Sunia den Kopf. »Beim ersten Sohn habe ich das getan. Diesen will ich an die rechte legen.«
Der Kleine bewegte sich, als seine Lippen mit der warmen Haut in Berührung kamen, doch er machte die Augen nicht auf. Sunia lockte ihn mit der Brust, hob sie ihm mit der Hand entgegen, strich leicht über seine Lippen und lachte fröhlich. Die Frauen umringten sie, um den Anblick der gesunden jungen Mutter und ihres wohlgestalteten Söhnchens zu genießen.
»Seht ihn an, seht ihn an«, rief die jüngere Schwester. »Er schlägt die Augen auf. Seht – er spitzt die Lippen!«
Atemlos betrachteten sie die Szene. Das Kind hatte tatsächlich die Augen geöffnet und blickte zu seiner Mutter hinauf. Und plötzlich, obgleich es doch gerade erst geboren war, begann es zu trinken.
Die Frauen stießen entzückte Seufzer aus. Sie schauten einander an. Wer hatte je schon so etwas gesehen? So früh zu trinken – wenn auch nur für einen Moment –, ja, es war natürlich nur für einen Moment. Das Kind schlief wieder ein, die erste Milch noch feucht auf den Lippen. Nun bettete die Hebamme es neben seine Mutter, denn ein neugeborenes Kind sollte dicht bei der Mutter schlafen, um die Wärme des Körpers zu fühlen, der ihm eben noch schützende Hülle gewesen war.
»Du mußt jetzt schlafen«, ordnete die Hebamme an, während Sunias Schwester Kissen und Decken glättete. »Wir sind in der Nähe, falls du rufst.«
Sie zogen die Schiebetür hinter sich zu. Sunia wartete, bis sie gegangen waren, dann wandte sie sich zu ihrem Sohn. Zum erstenmal war sie allein mit ihm, und sie hatte das Bedürfnis,

ihn in Ruhe zu betrachten. Sie setzte sich im Bett auf, nahm das Kind auf den Schoß und entkleidete es behutsam. Als es nackt vor ihr lag, untersuchte sie seinen ganzen Körper auf einen Fehler hin, von den winzigen Zehen, an denen die Nägel bereits lang genug waren, um geschnitten zu werden – was Sunia indessen nicht zu tun gedachte, denn es galt als böses Omen für die Lebensdauer – bis zu dem wohlgeformten Kopf mit der hohen Stirn und dem dichten dunklen Haar. Ein hochgewachsener Mann würde ihr zweiter Sohn später werden; er hatte lange Beine und Arme und eine kräftige Brust. Während der ältere mehr ihr glich, schien dieser in allem Il-han ähnlich zu sehen. Auch die starken, schönen Hände des Vaters würde er einmal bekommen. Zufrieden studierte Sunia das gutgeschnittene kleine Gesicht. Kein Makel war zu entdecken. Sie hatte ein vollkommenes Kind geboren. Nein – da, das linke Ohr – das Ohrläppchen? Verstört beugte sie sich tiefer über den schlafenden Kleinen. Die Spitze des linken Ohrläppchens war verkürzt!

Wie war das möglich? Sie suchte in der Erinnerung. Was hatte sie getan, woraus auch nur die geringste Unvollkommenheit erwachsen konnte? Alle Vorzeichen waren günstig gewesen; sie hatte sogar schon gewußt, daß sie einen Sohn bekommen würde, denn sie hatte eines Nachts von der Sonne geträumt, wie sie bei Tagesanbruch über dem Horizont heraufstieg. Ein Traum von Blumen hätte auf eine Tochter hingedeutet. Warum also diese Unvollkommenheit des linken Ohres? Während ihrer Schwangerschaft war sie immer bemüht gewesen, sich ihrer Träume zu entsinnen, und es hatte keinen bösen darunter gegeben. Sie hatte sogar das Glück gehabt, von ihrem Großvater zu träumen, bei dessen Tod sie noch so klein war, daß sie sich seine Züge nur dunkel vorzustellen vermochte, wenn sie später an ihn dachte. Und in ihrem Traum hatte sie ihn ganz klar vor sich gesehen, ein schmales, gütiges, lächelndes Gesicht, die Nase weder groß, was finanziellen Ruin und Tod in fremdem Land bedeutet hätte, noch klein, was auf Habgier hingewiesen hätte. Besorgt studierte sie die Nase ihres Kindes und fand sie so, wie man sie sich nur wünschen konnte.

Unmöglich, das eingezogene Ohr zu erklären! Sie mußte es Il-han zeigen, sobald er sie morgen besuchte. Sollte auch er nicht wissen, was dies zu bedeuten hatte, so mußten sie einen der blinden Wahrsager zu Rate ziehen. Sie kleidete das Kind wieder an, wickelte es in die seidene Decke und legte es neben sich; sie war so beunruhigt, daß sie fast bis zur Dämmerung keinen Schlaf finden konnte.
Il-han kam anderntags um die Mittagszeit, nachdem Sunia gegessen hatte und Mutter und Kind gewaschen und angekleidet waren. Man hatte Sunia in frische weiße Gewänder gehüllt, Wohlgerüche über ihr versprengt und ihr langes dunkles Haar gebürstet und mit einer rosafarbenen Seidenkordel zusammengebunden. Il-han hatte ebenfalls besondere Sorgfalt auf seine Erscheinung verwandt, wie sie sah. Er konnte zuweilen, wenn er sehr beschäftigt war, alle Äußerlichkeiten unwichtig finden, doch an diesem Morgen war er rasiert, sein Haar gekämmt und zu einem straffen Knoten auf dem Kopf festgedreht, und seine weiße Kleidung war frisch. Ihr Herz schlug so heftig bei seinem Anblick wie damals, als sie ihn das erstemal gesehen hatte, einen Bräutigam im formellen dunklen Seidengewand über den weißen Kleidern mit dem schweren, langen Halsschmuck darauf und der breiten Schärpe aus Brokatseide, auf dem Kopf den hohen schwarzen Hut. Alles, was der Ehevermittler über ihn gesagt hatte, traf zu. Ihr Vater hatte Nachforschungen anstellen lassen, bevor die Eheverträge unterzeichnet wurden, denn die habgierigen Ehevermittler erzählten um ihres Lohnes willen gern Lügen, damit eine Verbindung zustande kam. Auf die Berichte der von ihrem Vater ausgesandten Leute dagegen durfte man sich verlassen.
»Er ist ein schöner junger Mann. Er spielt nicht und sucht sich keine leichten Frauen. Sein einziger Fehler ist, daß er sich für die Ideen der Silhaks interessiert.«
Das war natürlich verdächtig, denn die Silhak-Lehren enthielten die strenge Forderung nach Tat und nicht nach Bildung allein. Ein Mann, selbst ein König, so hieß es da, sollte nach dem, was er leistet, nicht nach dem, was er sagt, beurteilt

werden. Als man Sunia dies erklärte, rief sie aus, genau solch einen Mann wünsche sie sich, denn sie habe nichts übrig für Männer, die sich damit begnügten, den Glanz vergangener Zeiten zu rühmen. Schließlich willigte ihr Vater ein, die Verträge wurden unterzeichnet, und als sie das erstemal Il-hans ernstes, gutgeschnittenes Gesicht vor sich sah, wußte sie sofort, daß sie richtig gehandelt hatte.

»Komm herein, komm herein«, sagte sie jetzt. Er hatte während der ganzen Weile, da sie über ihn nachdachte, unter der Tür gestanden, in bewundernde Betrachtung versunken, wie sie wohl merkte. Sie kannte das Lächeln auf seinen Lippen und das Aufleuchten seiner dunklen Augen sehr gut. Hätten sie der älteren Generation angehört, dann wäre er nicht so früh nach der Geburt gekommen und ganz bestimmt nicht allein, aber die Forderungen der Jugend drängten die alten Sitten mehr und mehr zurück. Und sie beide standen sich sehr nahe. Aus dem Kreis ihrer Freundinnen wußte sie von keinem Ehepaar, das sich miteinander unterhielt wie er und sie. Oder aber die Frauen verrieten es nicht. Wie eigenartig war die Beziehung zwischen Mann und Frau, welch tiefe, lebendige Verbindung gab es unter der Oberfläche! Und sie empfand dies um so erregender, als sie in unschuldiger Unwissenheit großgezogen worden war. Niemand hatte sie auf die Möglichkeit vorbereitet, daß sie sich in ihren Mann verlieben könnte. Ihre Mutter hatte ihr gesagt, daß sie sich weder über ihren Gatten beklagen noch ihm seine Wünsche verweigern solle. Auch dürfe sie nicht zornig werden, falls sie ihm etwa nicht gefiele und er sich außerhalb des Hauses Frauen suchte. Seine Schuldigkeit war getan, wenn er sie als seine Frau anerkannte, ihr Achtung bezeigte und ihr ein Heim, Nahrung und Kleidung gab.

»Du bist an deine Pflicht ihm gegenüber gebunden, was auch immer er tut«, hatte ihre Mutter noch schnell hinzugefügt. Aber worauf bezog sich ihre Pflicht und dieses »was auch immer«? Sie hatte nicht zu fragen gewagt, und ihre Mutter war ganz mit den Verlobungszeremonien beschäftigt gewesen, dem Empfang der von Il-hans Eltern übersandten schwarzen

Truhe, in der rote Seide, in blaues Tuch gewickelt, lag, und blaue Seide, in rotes Tuch gewickelt. Auch die Entgegennahme des Briefes gehörte zu den Riten. Oh, dieser Brief! Sunia hatte nicht dabeisein dürfen, als er von einem Verwandten Il-hans überreicht wurde, aber sie kannte ihn auswendig.

Da ihr uns eure vortreffliche Tochter zur Schwiegertochter gebt, senden wir euch diese Gabe, wie es dem Brauch entspricht.

So wurde die Verlobung vollzogen. Viele Laternen erleuchteten an diesem Abend ihr Elternhaus, und Diener standen mit brennenden Fackeln an den Toren. Sie hatte sich in ihrem Zimmer verborgen gehalten, aber doch aus dem Schatten hervor zum Fenster hinausgespäht. An der gleichen Stelle stand sie auch an ihrem Hochzeitstag wieder, als Il-han auf einem Schimmel durch das Tor ritt. Ein Mann mit roter Mütze und blauem Gewand führte das Pferd und trug unter dem Arm eine lebende Ente, das Symbol ehelichen Glücks. Da er jedoch ein schmächtiger Bursche und die Ente groß und kräftig war, konnte er sie kaum bändigen, und Il-han auf seinem Pferde lachte. Die Szene belustigte Sunia noch jetzt.
»Was erheitert dich so?« wollte Il-han wissen. Er zog sich einen niedrigen geschnitzten Hocker neben das Bett und setzte sich.
»Ich dachte gerade an dich auf dem hohen Schimmel«, erklärte sie lachend, »die Diener mit den Papierschirmen hinter dir und an der Seite der kleine Mann, der die große Ente halten mußte.«
Er lächelte sie an. »Hast du zugeschaut?«
»Ja«, sagte sie fröhlich. »Habe ich dir das nie erzählt? Ich habe alles beobachtet, und als ich dich lachen sah, war ich – war ich – glücklich.«
Er nahm ihre Hand. »Und was machte dich glücklich?«
»Ich wußte, daß ich dich lieben würde.«
Ihre Hände griffen ineinander. »Und wie, wenn die Ente davongeflogen wäre?« Er wollte sie necken, denn es wurde als

böses Vorzeichen für eine Ehe angesehen, wenn die Hochzeitsente entkam.
»Es hätte mich nicht gestört«, antwortete sie. »Ich hatte dich gesehen, und ich wäre dir überallhin gefolgt.«
»Aber – aber.« Er heuchelte Entrüstung, um das Übermaß seiner eigenen, nach all diesen Jahren noch immer unverminderten Zärtlichkeit zu verbergen. »Spricht man so mit einem Mann? Du bist zu keck – man hat dich nicht gut erzogen!«
»Ich bin sehr gut erzogen worden, und du weißt das«, gab sie zurück und tat ihrerseits gekränkt. »Alle Frauen der Paks sind gut erzogen. Gehören wir nicht zu der rechtmäßigen Familie? Auch wir haben königliches Blut – genau wie ihr Kims!«
»Rechtmäßig kam zu rechtmäßig«, bestätigte er und legte ihre Hand an seine Wange. Sie streichelte ihn sanft.
»Jedenfalls«, begann sie dann wieder, »hast du dich damals sehr nachlässig bei dem Tisch vor dem Tor verbeugt. Dreimal nur, glaube ich, statt viermal! Du mußtest noch immer das Lachen über die Ente unterdrücken.«
»Die Ente wollte nicht auf dem Tisch bleiben, wie du sehr gut weißt«, erinnerte er sie, »und ich sah mich schon meiner Prinzessin gegenübertreten, während eine Ente hinter mir her flatterte. Dein Vater sah ohnehin entsetzt aus, als er dich aus dem Haus führte!«
»Es war unsere erste Begegnung, und du dachtest noch an Enten!« sagte sie in gespielter Empörung, aber ihre dunklen Augen ruhten dabei mit einem so zärtlichen Blick auf seinem Gesicht, daß er sich auf die Lippen biß.
»Niemals werde ich vergessen –« murmelte er, und dann stand er ungestüm auf, schlang seinen Arm um sie und vergrub sein Gesicht in ihrem Haar. Nach einer Weile schob sie ihn sanft fort.
»Wir benehmen uns schlecht, Vater meines Sohnes ... Dies ist nicht unsere Hochzeitsnacht.«
»Noch einen Monat, bevor wir wieder frei sind, um –« flüsterte er und hielt erregt inne.
Ihre Wimpern zitterten bei dem kurzen Blick, den sie ihm

zuwarf, und dann senkte sie die Lider und beschäftigte sich mit der gesteppten Atlasdecke und einem Faden, der sich gelöst hatte.
»Du hast mir noch nicht gesagt, wie dir dein zweiter Sohn gefällt.«
Er tat einen tiefen Atemzug. »Warte«, bat er sie. »Laß erst mein Herz sich wieder beruhigen.« Er erhob sich und ging im Zimmer umher, blieb dann eine Weile vor einem Gemälde des heiligen Berges Omei im fernen China stehen und kehrte zu seinem Platz zurück.
»Dieser zweite Sohn«, sagte er, »beträgt sich seinem Vater gegenüber sehr respektlos. Die ganze Zeit, während er bei mir war, schlief er. Im übrigen denke ich gut von ihm, obwohl er nicht so hübsch ist wie der erste. Er sieht mir ähnlich. Damit will ich allerdings nicht zum Ausdruck bringen, daß die Paks ganz allgemein anziehender als die Kims sind, denn du bist ja die Ausnahme unter allen Frauen.«
Sie schüttelte den Kopf. »Ich habe mein Bestes getan, um ein vollkommenes Kind zur Welt zu bringen, aber –«
»Aber?«
»Es ist nicht ganz vollkommen.«
»Nein?«
»Dies« – sie berührte das Ohrläppchen ihres wohlgeformten linken Ohres – »ist eingezogen. Es ist nicht wie das andere.«
Il-han klatschte in die Hände, und eine Dienerin trat ein.
»Bring mir meinen zweiten Sohn«, befahl er.
»Was kann das bedeuten?« wandte er sich dann an Sunia.
Sie schüttelte wieder den Kopf, und Tränen traten in ihre Augen.
»O bitte«, rief er und nahm ihre Hände ungestüm in die seinen. »Es ist doch nicht deine Schuld, mein Vögelchen.«
»Irgendein Geist hat ihm Böses zugefügt, bevor er ganz geformt war«, seufzte sie. »Ich muß den Wahrsager fragen, was er darüber weiß.«
»Wo waren nur unsere Samsin-Geister?« fragte er ein wenig spöttisch.
Er spielte auf einen alten, nie beigelegten Streit zwischen ihnen

an, ein kleines Gefecht, in dem keiner nachgab und keiner siegte. Bei den drei Samsin handelte es sich um jene Geister, deren Pflicht es ist, Empfängnis, Wachstum und Entwicklung der Kinder des Hauses zu überwachen. Er glaubte nicht an sie und Sunia auch nicht, wie sie behauptete, wenn er sie neckte, aber sie hatte dennoch die Symbole angebracht.

»Die Fäden, Papierstreifen und Bänder, alles hing dort an der Wand in der Nacht, als wir –«

Sanft ließ er ihre Hände sinken und ging zum anderen Ende des Zimmers. Ja, da war es noch immer, sinnbildliche Verkörperung der Samsin-Geister, wenn auch jetzt etwas staubig und zerrissen. Wie konnten diese dürftigen Symbole Einfluß auf die Geburt eines Kindes ausüben? Volksmärchen waren das alles, ungeschickte Bemühungen von Bauern und unwissenden Priestern, die Wunder des Lebens zu erklären. Und seine eigene Schwägerin wollte buddhistische Nonne werden! Er sehnte sich danach, auf neue Weise zu lernen und zu verstehen, andere Wege zu finden als durch die Bücher der Toten. Sein Vater, der Tag für Tag in seinem Studierzimmer saß, in die Familiengeschichte der Kims vertieft, stolz auf die Abgeschiedenen und kritisch voreingenommen gegenüber den Lebenden – das war der Fluch Koreas, dieses langsame Sterben, während die Menschen noch lebten; man zeugte Söhne für die Zukunft und träumte von der Vergangenheit. Er streckte die Hand aus und riß die verstaubten Zeichen herunter.

»Il-han!«

Er hörte Sunias Aufschrei und wandte sich zu ihr um. »Seit wie vielen Jahren will ich diese alten Fetzen schon herunterholen! Endlich habe ich es getan!«

»Aber, Il-han«, hauchte sie, »was wird jetzt auf uns zukommen?«

»Etwas Neues und etwas Gutes«, erklärte er fest.

In diesem Augenblick trat die Dienerin mit seinem zweiten Sohn ein. Er nahm ihr das Kind ab, entließ sie mit einem Kopfnicken und trug den Kleinen zum Bett, wo er ihn neben die Mutter legte.

»Zeig es mir«, bat er.

Sie drehte das schlafende Kind zärtlich um und schob das weiche schwarze Haar von seinem linken Ohr zurück.
»Hier«, sagte sie, »sieh, was ihm zugestoßen ist, noch ehe er geboren war.«
Er beugte sich vor und betrachtete das Ohrläppchen eingehend. Die Entstellung war geringfügig. Bei einem Mädchen, das später Schmuck an den Ohren tragen mußte, hätte der Fehler vielleicht mehr Bedeutung gehabt. Trotzdem war es ein Fehler, und der Gedanke widerstrebte ihm, daß sein Sohn anders als vollkommen sein sollte. Doch was konnte man jetzt noch tun? Die Form war da, von Leben durchpulst. Es hatte keinen Zweck, einen Arzt zu bemühen – Kräuter konnten nichts mehr ändern. Und dabei war das Ohrläppchen gerade nur so weit eingedrückt, als ob ein Faden es hochgezogen hätte, der wieder gelockert werden könnte. Ein schneller Schnitt mit einem scharfen Messer mochte genügen, wenn jemand die nötige Geschicklichkeit besaß.
Er streichelte das zarte kleine Ohr und bedeckte es dann mit dem dunklen Haar. »Ich habe gehört, daß westliche Ärzte sich auf Korrekturen mit dem Messer verstehen«, sagte er.
Sunia schloß ihr Kind in die Arme. »Niemals! Ein westlicher Arzt? Du liebst deinen Sohn nicht!«
»Ich liebe ihn wohl«, erklärte er ernst. »Ich liebe ihn so sehr, daß ich mir wünsche, er wäre vollkommen.«
Tränen schossen ihr in die Augen. »Du klagst mich an!«
»Ich klage niemand an, aber ich wünsche, er wäre vollkommen.«
»Und ich«, rief sie mit tränenüberströmten Wangen, »ich werde keinem fremden Arzt erlauben, ihn anzurühren! Laß ihn so bleiben, wie er zur Welt gekommen ist. Ich liebe ihn. Er ist mein Sohn, wenn du ihn nicht als deinen haben willst.«
»Schweig, Sunia! Willst du behaupten, ich erfüllte meine Elternpflichten schlechter als du? Ich finde lediglich, daß man, falls der Fehler zu beseitigen ist, es auch tun sollte.«
Wieder protestierte sie. »Du denkst nur an dich selbst! Du schämst dich deines Kindes! Oh, du mußt immer alles so – so vollkommen haben!«

Er war erstaunt. Niemals hatte er sie so zornig gesehen. Sie konnte schmollen und launisch gereizt sein, doch ihre Stimmungen lösten sich immer gleich in Lachen auf. Diesmal gab es kein Lachen in ihr. Ihre Wangen waren hochrot, und aus ihren Augen flammte ihm eine wilde Glut entgegen.

»Sunia!«

Seine Stimme war scharf, aber sie ließ ihn nicht zu Worte kommen. Sie hielt das Kind an die Brust gepreßt und fuhr schluchzend fort: »Und du willst ein Rechtmäßiger sein? Ich glaube es nicht. Wer hätte jemals von einem Tangban gehört, der, nur weil sein Sohn eine kleine, eine winzige Unregelmäßigkeit am Rand seines Ohrläppchens aufwies – nein, du bist ein Soban – Soban – Soban!«

Er griff nach ihr, drückte ihren Kopf in seinen Arm und hielt ihr den Mund zu. Sie wehrte sich, das Kind an die Brust gepreßt, aber er ließ nicht nach. Plötzlich spürte er ihre scharfen Zähne in seiner Handfläche.

Mit einem leisen Aufschrei zog er seine Hand zurück. Der Handballen blutete. Ungläubig starrte er darauf, dann hinüber zu Sunia, und das Blut tropfte auf die Atlasdecke.

Sie war entsetzt. »Was habe ich getan?« wisperte sie, und sie legte das Kind nieder, um Il-hans Hand mit einem Ende ihres weiten Ärmels zu umwickeln.

»Vergib mir«, bat sie und drückte die Hand liebkosend an ihre Brust.

Er lächelte; ein wenig genoß er die Machtstellung, die ihm als dem Verzeihenden zuwuchs. »Es ist wahr«, meinte er, »ganz wahr, daß die koreanischen Frauen halsstarrig sind und einen schlimmen Hang zur Selbständigkeit haben. Ich hätte eine sanfte Chinesin oder eine unterwürfige Japanerin heiraten sollen.«

»Ach, bitte nicht«, flüsterte sie. »Mach mir – mach mir keine Vorwürfe –«

»Gut, und was bin ich?«

»Du bist vom reinen Stamm, ein Tangban aus der Yangban-Klasse«, sagte sie bedrückt.

»Was noch?«

»Ein großer Gelehrter, der die Staatsprüfungen bestanden hat.«
»Was noch – was noch?«
»Mein Gebieter.«
»Richtig – und was noch?«
Er zog seine Hand von ihrer Brust fort und hob ihr Gesicht hoch.
»Mein Geliebter«, wisperte sie schließlich.
»Ah«, sagte er sanft. »Jetzt weiß ich endlich, was ich alles bin – Yangban, Tangban, dein Gatte und dein Geliebter. Das ist für einen einzigen Mann genug.«
Er legte seine Wange eine Weile an die ihre und wollte sich dann aufrichten, doch sie hielt ihn zurück.
»Blutet deine Hand noch?«
Er zeigte ihr seine Handfläche. Die Blutung hatte aufgehört, aber die Eindrücke ihrer Zähne waren sichtbar, vier kleine rote Male. Sie stieß einen reuevollen Klageruf aus und drückte ihre Lippen auf die wunde Stelle.
In diesem Augenblick begann das Kind, das die ganze Zeit über geschlafen hatte, plötzlich zu schreien. Sunia nahm es an die Brust, und sofort trank es gierig.
Sie blickte zu Il-han auf, der vom Bett zurückgetreten war und sie beide betrachtete.
»Schau ihn an«, sagte sie stolz. »Er ist schon richtig hungrig.«
»Ich sehe es«, antwortete Il-han. Dann fügte er hinzu: »Soweit ich mich auf Prophezeiungen verstehe, möchte ich sagen, daß dieser Sohn niemals Hunger leiden wird. Er wird immer seinen Weg zur Quelle der Befriedigung finden.«
Damit verließ er das Zimmer und kehrte in seine Bibliothek zurück. Er fand allerdings bald, daß er nicht in der richtigen Stimmung für Bücher war. Unwissentlich hatte Sunia ein für ihn äußerst heikles Thema berührt. Die Gegenwart wiederholte auf seltsame Weise die Epoche, in der sein Großvater gelebt hatte. Warum nur mußte Sunia gerade jetzt an das Zeitalter erinnern, da der zivile Adel die Macht in Händen hielt und der militärische ihm unterworfen war? Die dualistische Ordnung der Aristokratie in der alten Koryo-Ära hatte

die beiden Yangbangruppen einander gleichgestellt, doch das galt nur für die Theorie, denn in der Praxis besaßen die zivilen Tangbans, zu denen Il-hans Familie von jeher gehört hatte, mehr Einfluß, da die Sobans im Staatsdienst nicht über den dritten Stand hinausgelangen konnten. Immer aber, wenn das regierende Haus sich als vertrauensunwürdig erwies, riß das Militär die Macht an sich, um der Korruption ein Ende zu bereiten. So war es auch unter dem dekadenten König Uijong, dem achtzehnten Herrscher der Koryos, gewesen. Unterstützt und umschmeichelt von seiner Tangban-Umgebung, hatte dieser König ein vergnügungssüchtiges, ausschweifendes Leben geführt. Eines Nachts, während ihm Frauen und betrunkene Gefährten Gesellschaft leisteten, hatten dann die Soban-Befehlshaber den Umsturz in die Wege geleitet, und erst nach hartem Kampf war den Tangbans die Wiedereroberung des Thrones gelungen. Und gerade jetzt hatten die Beziehungen zwischen den beiden Gruppen wieder einen kritischen Punkt erreicht.

Wie hatte es zu dieser beunruhigenden Lage kommen können? Il-han fühlte mit einemmal Zorn darüber, daß er die Geschichte der Vergangenheit nicht besser studiert hatte. Begann er nun, als erwachsener Mann und Vater zweier Söhne, dem Glauben zu schenken, was sein Vater ihm so oft gesagt hatte?

»Mein Sohn, man muß die Vergangenheit kennen, ehe man die Gegenwart verstehen und der Zukunft ruhig entgegenblicken kann.«

Er hatte ohne Interesse zugehört, der ewig zitierten Vergangenheit und der den Ahnen gezollten Verehrung müde. Wann immer sein Vater mit alten Freunden zusammentraf, erörterten sie nichts anderes als die Vergangenheit.

»Erinnerst du dich – erinnerst du dich –« jeder Satz begann damit. »Denke an das goldene Zeitalter der Koryo-Dynastie ... und wie wir diesen japanischen Teufel Hideyoshi, der unser Land überfiel, zurückschlugen –«

»O ja, die Yi-Dynastie –«

Nun, es war noch nicht zu spät, um gegen seine Unwissenheit

etwas zu unternehmen. Er wollte zu seinem Vater gehen und ihm diesmal wirklich zuhören.

»Herr, du beabsichtigst doch nicht, zu Fuß zu gehen?« erkundigte sich der Diener besorgt, während er Il-han in das schwarzseidene Übergewand half.
»Doch, ich werde zu Fuß gehen.«
»Und soll ich dir nicht folgen, Herr?«
»Es ist nicht nötig«, erwiderte Il-han. »Der Tag ist schön. Ich will nur meinem Vater die Geburt meines zweiten Sohnes mitteilen.«
Der Mann gab sich noch nicht zufrieden. »Herr, sie ist schon durch die roten Karten bekanntgegeben worden. Wir haben sie gestern abgesandt.«
»Schweig«, befahl Il-han.
Seine gereizte Ungeduld, die gar nicht seiner sonstigen Art entsprach, war offensichtlich, und so verneigte sich der Diener und geleitete ihn zur Tür. Dort verneigte er sich noch einmal und wartete ein paar Minuten, um schließlich seinem Herrn unauffällig zu folgen.
Auf der gepflasterten Hauptstraße herrschte ein geschäftiges Hin und Her weißgekleideter Männer und Frauen. Wie ungezwungen sich hier die Frauen bewegten! In seiner Jugend hatte Il-han einmal Peking besucht. Sein Vater war in jenem Jahr der Abgesandte gewesen, der dem chinesischen Kaiser den Tribut überbringen mußte, und Il-han, damals gerade fünfzehn Jahre alt, hatte darum gebeten, ihn begleiten zu dürfen. Bei seinen ziellosen Wanderungen durch die breiten, staubigen Straßen Pekings hatte es ihn gewundert, daß er mit Ausnahme einiger Bettlerinnen und Marktweiber keine Frau sah.
»Haben die Chinesen keine Frauen?« erkundigte er sich eines Tages bei seinem Vater.
»Doch, natürlich«, erwiderte sein Vater. »Aber sie halten ihre Frauen im Haus, wohin sie gehören. In unserem Land« – hier hatte er gelacht und bedauernd den Kopf geschüttelt – »sind wir den Frauen nicht gewachsen. Kennst du die alte Geschichte vom Pantoffelhelden?«

Sie saßen gerade bei ihrer Mahlzeit in einem Speisehaus, wie sich Il-han noch gut entsann, und sein Vater erzählte ihm dann die Geschichte jenes Richters, der vor langer Zeit in Korea lebte und darunter litt, daß seine Frau der Herr im Hause war. Eines Tages rief er alle Männer seines Distrikts zusammen, um ihnen seine mißliche Lage zu schildern. Anschließend bat er darum, jeder, der auch ein *pan-kwan* oder Pantoffelheld sei, möge sich auf die rechte Seite der Halle begeben. Und alle gingen hinüber mit Ausnahme eines einzigen, der sich nach links wandte. Dies traurige Ergebnis verblüffte allgemein, und der Richter rühmte den Mann um so mehr und erklärte, er verkörpere das Symbol dessen, was Männer sein sollten.
»Sag uns«, gebot er ihm dann, »wie du solche Unabhängigkeit erlangen konntest.«
Der Mann war ein kleiner, schüchterner Bursche und vermochte in seiner Überraschung nur ein paar Worte zu stammeln, aus denen hervorging, daß er überhaupt nicht wisse, was das alles zu bedeuten habe, und daß er lediglich seiner Frau gehorche, die ihm immer predige, er solle Menschenansammlungen meiden.
»Ich«, hatte Il-hans Vater anschließend erklärt, und der Schalk hatte ihm dabei aus den Augen geblickt, »ich habe mich natürlich immer den Anordnungen deiner Mutter gefügt. Wenn es einmal ganz schlimm war, dann tröstete ich mich damit, daß die Frauen ohne die Männer auch wieder nicht leben können, denn schließlich sind es noch immer wir, die das Geheimnis der Kindererzeugung bewahren.«
Il-han war über soviel Offenheit errötet, und sein Vater hatte ihn ausgelacht. Bei der Erinnerung lächelte er jetzt, und eine hochgewachsene Bauersfrau, einen Krug Sojaöl auf dem Kopf, schrie ihn an.
»Schau auf deinen Weg, Herr der Schöpfung!«
Hastig trat er zur Seite, um sie vorbeigehen zu lassen, und fing einen schrägen Blick ihrer dunklen Augen auf, die ihn zurechtweisend und gleichzeitig belustigt anblitzten. Er bewunderte ihr Profil – welch schöne Menschen gab es hier! Er

hatte sowohl japanische als auch chinesische Händler gesehen. Die Japaner waren kleiner als seine Landsleute, und die Chinesen waren nicht so hellhäutig und hatten auch dunkleres und nicht so schmiegsames Haar. Ja, es war ein edles Volk, das Volk von Korea. Was für ein Mißgeschick, daß es so eingeengt auf diesem schmalen Streifen gebirgigen Landes, der ihm obendrein noch von anderen mißgönnt wurde, leben mußte! Wenn sie nur in Frieden existieren dürften, er und sein Volk, damit sie ihren Träumen nachhängen, ihre Musik und Malerei pflegen und ihre Gedichte schreiben könnten! Unmöglich war dies alles jetzt, da die gierigen Nachbarstaaten nur noch auf den Moment des Zupackens warteten, unmöglich jetzt, da die Tangbanschicht dekadent geworden war und die Sobanseite wieder drohend zu rebellieren begann.
Am Südtor, dem Tor der hohen Zeremonien, wie es hieß, erkundigte sich Il-han bei der Wache nach der Stunde des Sonnenuntergangs, weil dann das Tor geschlossen wurde und niemand, es sei denn in offizieller Angelegenheit, hinein- oder hinausgelangen konnte.
Der Wachsoldat, ein Mann von hohem Wuchs, der auf dem rechten Auge schielte, sah zum westlichen Himmel hinüber und bemühte sich zu schätzen.
»Wohin gehst du, Herr?« fragte er.
»Ich besuche meinen Vater«, antwortete Il-han.
Nun erkannte ihn der Mann als einen Kim – wem wären sie auch fremd gewesen? Er senkte seine Lanze und zeigte sich noch respektvoller als vorher. »Du wirst Zeit haben, um zwei Schalen Tee mit deinem verehrungswürdigen Vater zu trinken.«
»Ich danke dir«, sagte Il-han.
Nachdem er das riesige Tor passiert hatte, blieb er wie immer stehen, um zurückzublicken. Dieses Tor war eins der acht Stadttore, von denen sechs der Bevölkerung zur Benutzung offenstanden; nur das Nordtor, das für den Fall eines Krieges als Fluchtweg für den König vorgesehen war, und das Südwesttor, durch das die Verbrecher auf dem Weg zu ihrer Hinrichtung an der Außenseite der Stadtmauer geführt wurden,

blieben verschlossen. Das Südtor hatte noch einen zweiten Namen, es hieß Wasserspeiendes Tor, weil der Fluß hindurchging. Es war auch das Tor, durch das man mit den Toten auf dem Weg zum Begräbnis schritt. Alle Toten mußten dieses Tor passieren, mit Ausnahme der toten Könige, die ebensogut durch ein anderes getragen werden konnten. Aus Holz gebaut und in Rot, Blau, Grün und Gold bemalt, thronte es hoch auf der mächtigen Steinmauer. Das zweite Stockwerk trat etwas zurück, und in seiner Holzwand befanden sich Schlitze für die Pfeilschützen. Die Ecken des Ziegeldachs waren leicht nach oben geschweift, wie man es auch von den Palastdächern und Toren Pekings kannte; dadurch sollten, so hatte man Il-han in seiner Kindheit erzählt, die Teufel aufgefangen werden, die beim Spiel die Dächer hinunterrutschten und die, fielen sie auf den Boden, voll Bosheit in die Häuser eindringen würden, um brave Leute zu belästigen und Unheil über sie zu bringen.

Einmal, als Dreizehnjähriger, war er auf den Torturm hinaufgeklettert und hatte dort, tief in das Holz eingeritzt, Schriftzeichen aus alter Zeit gefunden. Es war der Name eines kleinen Prinzen, des zweiten Sohnes aus der ehrwürdigen Yi-Dynastie, der, wie alle Jungen, irgendwo seinen Namen für immer hinterlassen wollte. Il-han entsann sich, daß er damals gerne seinen eigenen Namen unter den des Prinzen in das Holz geschnitten hätte, doch irgend etwas hatte ihn zögern lassen, und als er aufblickte, hatte er sich einem Wachsoldaten gegenüber gesehen und war schnell vor diesen feindseligen Soban-Augen geflüchtet.

Er kehrte sich von seinen Erinnerungen ab und schritt nun gesetzt die staubige, kopfsteingepflasterte Landstraße entlang, während ihm in weitem Abstand unbemerkt der Diener folgte. Die Stadt lag in einem zwei oder drei Meilen breiten Tal, das von Bergen umgeben war. Schroffe, kahle Felsgipfel waren es, die das Herz seines Landes einfaßten – der alles überragende Dreispitz, auf dessen dreigezacktem Kamm noch immer der Schnee in langen weißen Streifen haftete, der Südberg, der Nordberg – und zwischen ihren Falten wand sich

die Stadtmauer hindurch; vom Westtor, dem Tor der Liebenswürdigkeit, wie es sehr passend hieß, da die freundlich gesinnten Chinesen von Westen kamen, in einem Bogen zum Osten, wo das Tor der Hohen Menschlichkeit stand, dessen Name entschieden schlecht gewählt erschien, denn aus dem Osten war vor dreihundert Jahren der vierschrötige, rohe japanische Bauer, der schändliche Hideyoshi, eingedrungen.
Il-han ging langsam, um die Frühlingslandschaft zu genießen. Auf den grasbewachsenen Pfaden zwischen den Feldern sammelten Frauen und Kinder frisches Wildgemüse und Kräuter, die sie während des langen Winters, als es nur getrocknetes und eingesalzenes Gemüse gab, entbehrt hatten. Auch auf den grauen Berghängen jenseits der Felder, wo jetzt die roten Azaleen üppig blühten, sah er Leute auf Nahrungssuche. Die Wurzeln der Glockenblume fanden sich dort, die später geschabt, zerstoßen und gekocht werden mußten, bevor man sie mit Sojasauce und Sesamsamen essen konnte, die zarte Spitze der weißen Waldrebe und des Spierstrauchs, weißer Löwenzahn, Sauerampferblätter, die Spitzen wilder Chrysanthemen – alles Köstlichkeiten für Reisspeisen oder Suppen. Wie gut er sich an seine Mutter und ihre Haushaltsgeheimnisse erinnerte! Sunia verstand es, zu wirtschaften, aber seine Mutter war noch eine ganz altmodische Frau gewesen, die niemals auch nur ein Stück Sojakäse gekauft hätte. Il-han war ihr als Kind nicht von der Seite gewichen, denn wo sie sich aufhielt, war stets das Zentrum allgemeiner Geschäftigkeit. Er patschte mit seinen Händchen in den Sojabohnen herum, die über Nacht zum Einweichen in kaltes Wasser gelegt worden waren, und er half der Mutter die Mühle drehen, in der die Bohnen am Morgen zerkleinert wurden, damit man sie pressen und kochen konnte; danach ließ man sie mit feuchtem Salz gerinnen, sie wurden entwässert und der fertige Sojakäse in weiche Blöcke geschnitten. Il-han hatte Sunia das Verfahren beschrieben, doch sie hatte sich eigensinnig gewehrt und in heftigem Ton erklärt, daß es in diesen Zeiten genug sei, noch Kimchee zu Hause zu machen, und daß er ihr schon erlauben müsse, den Sojakäse zu kaufen.

»Aber«, so hatte er protestiert, »Hausgemachtes ist immer am besten. Und die Sojasauce meiner Mutter –«
Oh, diese Sojasauce! Die frische Frühlingsluft machte ihm beim bloßen Gedanken daran den Mund wäßrig. Seine Mutter kochte die Sojabohnen zu Mus und zerstampfte sie in dem alten Mörser, der aus einem ausgehöhlten Baumstumpf gefertigt war und dessen Stößel, eine Stange, an jedem Ende eine solide Holzkugel trug, damit beide benutzt werden konnten. Danach wurden Bälle aus der Masse geformt und in Strohnetzen an der Küchendecke aufgehängt. An einem Frühlingstag wie diesem holte die Mutter sie wieder herunter, schnitt sie in Stücke und weichte sie in Wasser ein, dem leuchtendrote Pfefferschoten als Würze beigegeben waren. Er würde nie mehr solche hausgemachten Speisen kosten. Seine Mutter war im ersten Jahr seiner Ehe gestorben, noch bevor sie ihren Enkel kennenlernen durfte – was sie bis zu ihrem Ende beklagte.
»Ich werde meinen Enkel nie sehen!«
Sie hatte sich an das Leben geklammert, doch der Tod war stärker gewesen. Ernst hing Il-han seinen Gedanken nach, ohne noch auf den herrlichen Tag und die schöne Landschaft zu achten. Der Nachmittag war schon weit vorgeschritten, als er die Brücke passierte, die nicht weit vom Haus seines Vaters einen kleinen Fluß überspannte. An beiden Ufern sah er Frauen knien und in lebendigem Rhythmus weiße Kleidungsstücke auf flachen Steinen klopfen. Die ländliche Szene, lieb und vertraut, die ganze friedvolle Atmosphäre gab ihm einen Stich ins Herz. Wie lange, wie lange konnte sich dieses Leben hier noch unverändert erhalten?
Als Il-han eintrat, legte sein Vater, dem der Besuch bereits angekündigt worden war, den Pinsel nieder, doch erst als der Schatten des Sohnes auf den Tisch vor ihm fiel, blickte er auf. Il-han verbeugte sich, und der ältere dankte mit einem Neigen des Kopfes. Dann wies er auf ein Sitzkissen, wo Il-han sich niederließ, nachdem ihm einer der Diener sein Übergewand abgenommen hatte.
Der alte Mann hob fragend die grauen Augenbrauen. »Wie

kommt es, daß du hier bist?« erkundigte er sich. »Müßtest du nicht jetzt bei Hofe sein?«
»Vater«, erwiderte Il-han, »ich bin gekommen, damit du aus meinem eigenen Mund hörst, daß dein zweiter Enkel gesund ist und bereits trinkt.«
»Gute Nachrichten, gute Nachrichten!« rief der Alte. Die Runzeln in seinem welken Gesicht verzogen sich beim Lächeln nach oben, und der kleine graue Bart an seinem Kinn zitterte.
»Ja«, fuhr Il-han fort. »Gestern kurz vor Mittag wurde er geboren, wie du weißt, und er ist wohlgestaltet und stark, ein wenig kleiner als der ältere Junge, aber vollkommen in allem. Das heißt ...«
Sein Vater wartete. »Nun?« drängte er schließlich.
»Sein linkes Ohr ist nicht ganz ebenmäßig«, sagte Il-han, »ein kleiner Fehler –«
»Niemals gab es bei einem Kim irgendwelche Fehler«, erklärte der alte Mann bestimmt. »Es muß das Pak-Blut von der Familie deiner Frau sein.«
Il-han war entschlossen, das Thema zu wechseln. Er hatte in gewisser Hinsicht gegen den Wunsch seines Vaters geheiratet, der persönlich die Yi-Familie den Paks vorzog; es gab nur damals gerade keine Yi-Tochter im entsprechenden Alter. Er kam allerdings nicht dazu, etwas zu äußern, denn mit einer Handbewegung bedeutete ihm sein Vater zu schweigen.
»Ich habe ferner«, fuhr er fort und strich dabei über seinen spärlichen Bart, »niemals von einem Yi gehört, der mit einem Fehler behaftet gewesen wäre. Hohe Intelligenz verbunden mit großer körperlicher Schönheit – dies sind die hervorstechenden Eigenschaften der Yi bis auf den heutigen Tag. Und sie waren auch nicht nur weltfremde Gelehrte. Dieser Fußboden etwa«, er klopfte mit den Fingerknöcheln dagegen, »dieser Ondul-Boden, wie klug ist er ersonnen –«
Geduldig hörte sich Il-han an, was er schon so viele Male vernommen hatte. Sein Vater war wieder einmal bei den Erfindungen der Yi-Dynastie angelangt, und als erstes kam immer der Ondul-Boden zur Sprache, den man jetzt in jedem Haus finden konnte. Der damit ausgestattete Raum lag etwas

höher als die angrenzende Küche und stand mit dem Küchenherd durch fünf Heizkanäle in Verbindung, die aus Steinen gefügt, mit Lehm abgedichtet und mit Steinplatten überdeckt waren. Diese Platten waren wieder mit Lehm bestrichen, dann kam eine dicke Mörtelschicht und noch einige Lagen Papier, wobei für die letzte eine besonders starke Sorte verwendet wurde, *jangpan*, ein aus dem Holz des Maulbeerbaumes hergestelltes Papier. Darauf wurde zum Schluß eine Politurschicht aus gemahlenen Sojabohnen und flüssigem Kuhdung verteilt, die mit dem Trocknen eine hellgelbe Farbe und hohen Glanz annahm. So war der Fußboden glatt und leicht sauberzuhalten.
Hatte sein Vater den Ondul-Boden hinlänglich gepriesen, so sprach er mit Sicherheit von Admiral Yis Schildkrötenschiffen, und diese Betrachtungen pflegten sich zu einem gelehrten Vortrag über die vaterländische Geschichte auszuweiten. Il-han wartete nur darauf, und er hatte sich nicht getäuscht. Wie gut kannte er die Stimmung, in der sein Vater sich jetzt befand! Sobald er von der Vergangenheit zu sprechen begann, stahl sich ein besonderer Glanz in seine Augen, und immer hielt er nach den ersten Worten für eine Weile inne und verharrte in regungsloser Haltung. Dann erstarrte das hagere Gesicht zu einer Maske hochmütigen Adels, und so, den rechten Arm erhoben, als schwänge er eine Waffe, fuhr er schließlich zu sprechen fort. Sogar seine Stimme klang verändert, während er sich in der Vergangenheit aufhielt. Es war die Stimme eines jungen Mannes, die aus der mageren Kehle kam. Der halbe Nachmittag war verstrichen, als sie am Ende wieder bei Admiral Yi angelangt waren, der Korea vor den Japanern gerettet hatte.
»Man hat uns nicht unterwerfen können«, schloß sein Vater. »Und Kim oder Yi, wir werden nie unterworfen werden.«
Seine Fäuste schlugen bekräftigend auf die polierte Tischplatte.
»Dann bist du auf der Seite der Soban?« fragte Il-han ein wenig boshaft.
Der alte Mann lachte. »Ihr seid zu schlau, ihr jungen Leute!

Nein – nein – ich bin Gelehrter und ein Tangban und deshalb ein Mann des Friedens. Als ich noch auf den Knien meiner Mutter saß, lernte ich schon –«
Hier schloß er die Augen und trug langsam ein altes Gedicht vor:

»Der Wind hat keine Hände
und du hörst ihn doch
alle Bäume schütteln.
Der Mond hat keine Füße
und du siehst ihn doch
dort am Himmel wandern.«

»So haben wir also jetzt keinen Grund, die Soban zu fürchten?« fragte Il-han.
Der alte Mann spitzte die Lippen. »Das habe ich nicht gesagt! Sie verfügen nur nicht über das, was man in sich tragen muß, um Bücher und Kunst zu verstehen. Aber es kann schließlich nicht jeder Gelehrter sein. Wir brauchen auch sie.«
Nachdem er nun so lange gesprochen hatte, war er erschöpft, und er schloß die Augen, um anzudeuten, daß der Besuch seines Sohnes lange genug gedauert habe. Als sein Kopf auf die Brust sank, erhob sich Il-han und ging leise hinaus.
Er war gerade noch zur rechten Zeit aufgebrochen, denn als er sich eine Stunde später dem Stadttor näherte, erblickte er dort eine lärmende, zeternde Menschenansammlung. Es waren zwanzig oder dreißig Sobanleute, die mit Lanzen und Stökken das Tor bearbeiteten.
Sie bemerkten ihn nicht, als er herankam, so beschäftigt waren sie in ihren wilden Bestrebungen, das schwere, eisenbeschlagene Tor aufzubrechen – ein aussichtsloses Unterfangen, zumal das Tor auf der Innenseite noch mit einem Eisenbarren, dicker als der Arm eines Mannes, verriegelt war.
»Brüder, was tut ihr?« schrie Il-han.
Sie hielten inne, wandten sich um und starrten ihn an. Ein Anführer löste sich aus der Gruppe. »Dieser Teufel von Torwächter hat uns kommen sehen und das Tor vor uns verriegelt, obwohl die Sonne noch nicht untergegangen ist.«

Sie umringten ihn jetzt, und Il-han spürte ihre zornsprühenden Augen wie Flammen auf seinem Gesicht.
»Tangban«, hörte er Stimmen murren. »Tangban – Tangban –«
»Ihr habt recht. Das Tor ist zu früh geschlossen worden«, sagte er ruhig. »Ich werde das Vorkommnis im Palast melden.«
Einen Augenblick schwiegen sie alle. Doch gleich hetzte der Anführer in nur noch rauherem Ton weiter: »Wir brauchen keine Tangban-Hilfe! Wir schlagen das Tor ein!«
Sie drängten wieder dem Tor zu und schoben Il-han in ihrer Mitte mit sich fort, und er roch zum erstenmal in seinem Leben den Schweiß und die Ausdünstung einer rohen Männerhorde. Ein lähmender Angstschauer schien ihm plötzlich das Blut in den Adern gefrieren zu lassen.
In diesem Augenblick drückte sich sein Diener durch die Menge, und es wurde ihm sofort klar, daß der Mann ihm entgegen seiner Weisung die ganze Zeit gefolgt sein mußte; jetzt war er froh darüber.
»Herr«, sagte der Diener, »ich kenne den Torwächter. Ich werde an die Nebenpforte klopfen, und er läßt uns ein, wenn er weiß, daß du hier bist.«
Er ging zu einem kleinen, seitlich gelegenen Durchlaß und gab mit einem Stein, den er von der Straße aufhob, ein bestimmtes Zeichen. Die Pforte wurde einen schmalen Spalt geöffnet, und der Diener verschwand. Eine Sekunde später ging unvermittelt das große Tor auf, und die Soldaten fielen in einem wilden Knäuel nach vorn. Während sie sich noch aus dem Staub aufrafften, gelangte Il-han an ihnen vorbei und schlug den Weg zu seinem Haus ein, den schweigenden Diener hinter sich.

Unmerklich schritt der Frühling dem Sommer entgegen, und Sunia verließ das Wochenbett, um ihren Platz im Haushalt wiedereinzunehmen. Ihre Brüste waren milchgefüllt, und das Kind gedieh. Alles war so, wie es sein sollte. Auch der Unmut des älteren Sohnes hatte sich inzwischen verzogen, nachdem ihm die Mutter zurückgegeben war. Sunia führte den Jungen an der Hand, als sie an einem schönen Vormittag zu den Maulbeerbäumen in den Garten hinunterging. Die Blätter waren noch zart, aber schon saftig grün, und nun mußte festgestellt werden, ob es Zeit für die Seidenraupen war. Die Zucht gehörte zu den Aufgaben, denen man sich auf den Familiengütern widmete; Sunia betrieb sie nur, weil es ihr Freude bereitete. Schon als Kind hatte sie die Kunst der Seidengewinnung geliebt, von dem Augenblick an, da die winzigen Eier – nicht größer als Punkte, die ein zugespitzter Pinsel zeichnet – in dem warmen Seidenraupenhaus ausgebrütet wurden, bis zu dem letzten Moment, wenn die Seide in reichen Falten über ihren Armen lag. Und so hielt sie sich auch einen eigenen kleinen Webstuhl in einem der Wirtschaftsgebäude im Hof und vollzog mit ihren Dienerinnen alljährlich die Zeremonie der Seidenherstellung. Es war allerdings neben dem Vergnügen zugleich eine Pflicht. Sogar die Königin mußte zu dieser Jahreszeit Seidenraupen züchten und ihren Anteil am Spinnen übernehmen, während der König ein Reisfeld zu bestellen hatte.

Sunia schlenderte unter den Maulbeerbäumen dahin, betastete die Blätter und prüfte auf der Zunge ihren Geschmack. Sie waren noch nicht fest und bitter, aber es durfte keine Zeit verloren werden.

»Heute müssen wir die Seidenraupeneier auslegen, mein Prinzchen«, sagte sie zu ihrem Sohn, und zusammen gingen sie zu dem Nebengebäude, wo man die Eier den Winter über und während der ersten Frühjahrsmonate auf Eis aufbewahrt hatte, um zu verhindern, daß die Seidenwürmer ausschlüpften, bevor die Maulbeerblätter weit genug gediehen waren. Dort hieß sie die Frauen die großen Körbe für die Eier vorbereiten, und bald waren alle geschäftig, der kleine Junge immer zwischen ihnen, hier und dort und überall zugleich in seiner Begeisterung.

»Ich will, daß die Raupen jetzt ausschlüpfen«, rief er ungeduldig.

Sunia lachte. »Vorerst sind es nur Eier! Wir müssen sie die Wärme fühlen lassen, damit die Raupen sich entwickeln. Wenn

die Schalen dann zu eng für sie sind, kommen sie schon hervor.«
Nach ein paar Tagen, die das Kind damit verbrachte, hundertmal dieselbe Frage zu stellen, schlüpften sie aus, Tausende winziger Kreaturen, nicht länger als drei Millimeter und nicht dicker als ein Seidenfaden, und die Frauen streiften sie vorsichtig auf die feingeschnittenen Maulbeerblätter, die nun die Böden der Körbe bedeckten. Drei Tage und drei Nächte lang wurden die kleinen Raupen alle drei Stunden gefüttert, und sogar nachts erhob sich Sunia immer wieder von ihrem breiten Bett, während Il-han schlief, und ging leise durch die mondbeschienenen Höfe, um nach ihren Seidenraupen zu sehen. Als die drei Tage vorbei waren, ließen die Raupen von den Blättern ab und bereiteten sich auf ihre erste Ruhepause vor. Sie spannen haarfeine Seidenfäden und befestigten sich damit an den Maulbeerblättern; nur die Köpfe, die sie erhoben hielten, blieben frei. Nach und nach wechselten sie die Farbe.
»Siehst du«, sagte Sunia zu ihrem älteren Sohn, »die Seidenraupen legen ihre Schlafröcke an.«
Ein oder zwei Tage schliefen die Raupen, und Sunia und ihr Sohn warteten.
»Was tun sie dann?« fragte das Kind.
Er hatte sich während dieser Tage geweigert, zu lernen oder bei seinem Erzieher zu bleiben, denn er konnte an nichts anderes denken als an die Seidenraupen. Zauberwesen von magischer Anziehungskraft waren sie für ihn geworden, und Sunia fühlte eigentlich nicht anders, denn sie brachte es kaum fertig, lange genug bei dem Neugeborenen zu bleiben, um es zu stillen; sie tat alles, damit es sich schnell satt trank und sie in den Hof zurückkehren konnte.
»Jetzt«, erwiderte sie ihrem Sohn, »müssen die Seidenraupen ihre alten Häute abstreifen, weil sie zu klein geworden sind, und während sie schlafen, fertigen sie sich neue an.«
»Werde ich auch eines Tages meine Haut abstreifen?« fragte das Kind beunruhigt.
Sunia lachte. »Nein, deine Haut ist so gemacht, daß sie sich dehnen kann.«

In diesem Augenblick trat Il-han zu ihnen. Obgleich Seidenraupen Frauensache waren und er vorgab, daß sie ihn nicht interessierten, erschien er doch hin und wieder, um zu sehen, wie sie sich entwickelten, und um den Lebensprozeß zu beobachten, als dessen Symbol sie galten.
»Auch du wirst zu groß für deine Haut werden«, erklärte er nun seinem Sohn, »und wirst Haut für Haut beiseite werfen, nur merkst du es nicht. Und so verwandelst du dich nach und nach in einen starken, erwachsenen Menschen und bekommst Haare im Gesicht und an deinem Körper. Dann bist du ein Mann, innen und außen.«
Das Kind lauschte, und nun zitterte sein Mund und verzog sich zum Weinen.
»Warum müssen mir Haare im Gesicht und am Körper wachsen?« fragte es mit verzagter Stimme.
»Du erschreckst ihn«, rief Sunia vorwurfsvoll und schloß ihren Sohn in die Arme. »Weine nicht, mein Kleiner – eines Tages wirst du es schön finden, ein Mann zu sein, stark und jung und fähig, eigene Kinder zu haben.«
Das Kind hörte zu weinen auf. Dies war ein ganz neuer, faszinierender Gedanke. »Und wer ist die Mutter?« fragte es.
»Wir werden sie für dich suchen«, sagte Sunia, und als sie den Kopf hob, begegnete sie Il-hans zärtlichem Blick.
Viermal fraßen sich die Seidenraupen satt, bis ihre Häute zu klein wurden, und viermal schliefen sie und warfen die Häute ab, wobei ihr Bedarf an Maulbeerblättern am Ende so gewaltig wurde, daß die Bäume kahl zurückblieben, und sie selbst so groß, daß das Mahlen ihrer Kauwerkzeuge beim Zerkleinern der Blätter sogar draußen im Hof zu hören war. Von den Männern und Frauen durfte jetzt niemand mehr eine Pfeife Tabak in der Nähe des Seidenraupenhauses rauchen, denn der Rauch hätte die Raupen getötet.
Schließlich bekamen sie eine silbrigweiße, klare, reine Farbe, und dies zeigte an, daß sie vor dem Spinnen ihrer Kokons standen und sich bald in Falter verwandeln würden. Die Frauen bereiteten zusammengezwirbeltes Reisstroh als Spindeln vor, und dann begannen die Spinner ihre Arbeit. Hierhin

und dorthin bewegten sie ihre Köpfe und befestigten ein paar Seidenfäden an bestimmten Leitpunkten; dies war die Phase, in der die Kokons ihre Form erhielten. Innerhalb des Kokon-Umrisses woben sie mit ihren Köpfen weiter, bis aus zweitausend Meter Seidenfaden ein stabiles, weiches Nest entstanden war. Nun verpuppten sich die Raupen, und das war zugleich der Zeitpunkt, da die besten und größten Kokons zur Erzeugung der Nachkommenschaft für das nächste Jahr ausgewählt werden mußten. Diese Kokons wurden nicht zur Seidengewinnung verwendet; die Falter, die aus den Puppen hervorgingen, durften sich ihren Weg hindurchbohren und Eier auf festes Papier legen. Jeder Falter legte vierhundert Eier, bevor er starb. Die anderen Kokons hingegen wurden in kochendes Wasser geworfen, bevor die Larven sich in Falter verwandelt hatten, und so lange in dem siedendheißen Wasser gelassen, bis sich der Klebstoff, der die Fäden zusammenhielt, auflöste. Dann konnten die Fäden abgewickelt und zu Garn versponnen werden.

Sunia ließ allerdings auch die zerbrochenen Kokons nicht einfach wegwerfen. Sie wurden ebenfalls gekocht und die leeren Larvenhäute daraus entfernt. Anschließend zogen die Frauen diese Kokons zu kleinen flachen Seidenmatten auseinander, die getrocknet wurden und, da sie weich waren und wärmten, zum Wattieren der Futter in der Winterkleidung ihre Verwendung fanden.

Auf diese Weise besorgte Sunia ihren Haushalt. Die alten Bräuche galten ihr viel, und die Familie lebte, als sei der Frieden für immer gesichert und das Leben ewig. Il-han beobachtete sie gern, wie sie sich im Haus zu schaffen machte, die Frau, die er liebte, Mutter für sie alle. Und er brachte es nicht über sich, ihr, solange es noch nicht nötig war, von der Welt außerhalb ihres Heims zu erzählen.

So verging der Frühling, der einen herrlichen Tag nach dem anderen gebracht hatte. Der Regen fiel zur rechten Zeit. Die uralte Erde wurde frisch und grün und putzte sich mit Blumen, und das Volk rüstete sich für das Tano-Fest, das auf den fünften Tag des fünften Mondmonats fällt. Il-han sah sich allerdings während dieser Zeit vielem Unbehagen ausgesetzt, denn Sunia war eine rührige Hausfrau, und die Wochen vor dem Fest wurden seit alters für Hausputz und die notwendigen Ausbesserungen nach dem Winter genutzt. Das Papier der Schiebewände mußte abgerissen und neues aufgeklebt werden, und selbst die Papierschichten der Ondul-Böden wurden ausgewechselt.

»Meine Bibliothek mußt du mir lassen«, sagte Il-han jedes Jahr, und Sunia, allen Klagen ihrer Frauen entgegen, respektierte seinen Wunsch, weil sie ihn liebte und ihm nichts abschlagen konnte.

»Wir wollen auf einen Tag warten, an dem er zu einer Audienz berufen wird«, erklärte sie den Dienerinnen, »und dann stehlen wir uns in seine Bibliothek und arbeiten wie Zauberkünstler und bringen alles in Ordnung, bis er zurückkommt.«

Das war ihre übliche List, und inzwischen vergrub sich Il-han in seine Bücher, während sich der Haushalt um ihn herum in glücklichem Aufruhr befand. Waren die Zimmer sauber und die Höfe gefegt, so wuschen die Frauen ihre Kleider und anschließend sich selbst und die Kinder. Dies war auch die Zeit, in der sie ihrem Haar nach dem Winter eine besondere Pflege angedeihen ließen. In die Waschschüsseln gossen sie den Saft des Changpo-Grases, der reinigt und einen sehr angenehmen Duft verleiht, und sie steckten sich Blätter dieses Grases ins Haar, während die langen, dichten Locken trockneten. Weniger gebildete Frauen als Sunia glaubten, das Changpo-Gras halte die Krankheiten fern, die die Sommerhitze mit sich bringt; Sunia selbst sprach sich gegen solchen Aberglauben aus, weil Il-han diese Dinge nicht gerne hörte, in ihrem Herzen aber war sie nicht so sicher.

Das Tano-Fest war eine Zeit fröhlicher Ausgelassenheit, ein Frühlingsfest, das schon vor Jahrtausenden begangen worden war. Sunia, die sich auch jetzt als Ehefrau und Mutter noch immer wie ein Kind fühlen konnte, fand besonderes Vergnügen an den Schaukeln, die zu den Belustigungen des großen Tages gehörten. So ließ Il-han auch diesmal wieder am Ast eines großen Baumes im östlichen Hof die Seile befestigen

und beobachtete dann Sunia und ihre Dienerinnen beim Schaukeln; sie schwang höher hinauf als alle anderen, ihre roten Röcke flogen, und die Flechten ihres frisch gewaschenen Haares lösten sich. Il-hans Herzschlag stockte jedesmal, wenn er sie so hoch in der Luft sah. Wie, wenn eines Tages das Seil riß und sie zerschmettert auf dem Boden lag? Aber das Seil war noch nie gerissen, und er bemühte sich daran zu glauben, daß dies auch in Zukunft nie geschehen würde.
Doch als das Fest vorüber war, befahl er den Dienern sofort, die Schaukel abzunehmen, und in der Nacht preßte er Sunia mit solcher Leidenschaft wieder und wieder an sich, daß sie sich schließlich, trotz aller Zärtlichkeit, die sie für ihn empfand, mit einem leisen Aufschrei gegen seine Arme wehrte, die ihr wie Fesseln vorkamen.
»Laß mich Atem holen!« rief sie. Er lockerte seinen Griff ein wenig, und eine Weile lagen sie schweigend beieinander.
»Weshalb bist du jetzt so still?« fragte sie dann. »Habe ich dich gekränkt?«
»Nein«, sagte er. »Wie könntest du mich kränken? Mich bedrückt das Glück – unser Glück.«
»Bedrückt?« Verständnislos wiederholte sie das Wort.
»Es kann nicht von Dauer sein.«
»Doch«, sagte sie freudig, »es wird uns erhalten bleiben – bis wir sterben.«
Warum erwähnte sie den Tod? Alles in ihm wehrte sich gegen den schrecklichen Gedanken, daß sie sterben könnten. Er fürchtete den Tod – nicht das sanfte, ruhige Ende eines langen Lebens, sondern den unvorhergesehenen Tod draußen, den lauernden, gewaltsamen Tod. Vermutlich konnte Sunia so ruhig über das Sterben sprechen, weil sie sich ganz geborgen fühlte. Für ihn hingegen hatte das Leben seinen Mittelpunkt außerhalb des Hauses, und alles, was innerhalb der Hofmauern vor sich ging, stellte lediglich den vertrauten Rahmen seines Daseins dar.
Hier war die ewige, unüberbrückbare Kluft zwischen Mann und Frau.

Der Sommer mit seinen heißen Tagen und kühlen Nächten verstrich, ohne daß es Il-han bemerkte. Tatsächlich war er so von Unruhe erfüllt und unausgesetzt mit den verwickelten Problemen seines Landes beschäftigt, daß er die Tage und Monate nicht mehr zählte. Eines Morgens erwachte er spät, sah sich allein im Zimmer und roch den scharfen Duft von frisch geschnittenem Kohl. Konnte es sein, daß schon wieder Kimchee für den Winter hergestellt wurde? Er erhob sich und blickte aus dem Fenster. Wirklich, dort im Hof lagen große Haufen Kohl, der zweifellos am Vortag vom Land hereingebracht worden war. Zwei Dienerinnen waren damit beschäftigt, die Kohlköpfe in Zubern mit Salzwasser zu waschen, während zwei andere lange weiße Rettiche von Erde sauberbürsteten und wieder zwei andere den Kohl und die Rettiche in dünne Scheiben schnitten. An einem Tisch, den man bei dem schönen Wetter im Freien aufgestellt hatte, bereitete Sunia, in eine blaue Schürze gehüllt, die Gewürze vor. Feuerrote Pfefferschoten, frischen Ingwer, Zwiebeln, Knoblauch und feingehacktes gekochtes Rindfleisch vermischte sie miteinander, und sie hielt sich dabei ganz an Il-hans Geschmack, an das Kim-Rezept. Er wußte das, denn im ersten Jahr ihrer Ehe hatte sie Pak-Kimchee gemacht, eine so sanfte Mischung, daß er bei der ersten Kostprobe die Eßstäbchen niedergelegt und dagegen rebelliert hatte.
»Du mußt meine Mutter bitten, dir zu zeigen, wie man Kimchee bereitet«, hatte er zu ihr gesagt.
Ihre Augen waren zornig geworden. »Ich will kein Kim-Kimchee essen! Es brennt mir die Haut von der Zunge!«
»Dann bewahre dieses Zeug für dich«, hatte er erwidert. »Ich werde meine Mutter bitten, mir von ihrem Kimchee zu geben.«
Im darauffolgenden Jahr hatte sie das Kimchee stillschweigend nach dem Kim-Rezept hergestellt. Inzwischen war es ihm zur Gewohnheit geworden, alljährlich als erster den Geschmack zu prüfen. Er lächelte jetzt und gähnte, und dann begann er sich zu waschen und für den Tag zurechtzumachen. Als er fertig war, schlenderte er in den Hof, wo Sunia ihn

mit dem zärtlichen Vorwurf empfing, er sei ständig beschäftigt und sondere sich vom Familienleben ab. Auch nachdem er das Kimchee gekostet und gelobt hatte, ließ sie noch nicht von diesem Thema.

»Zum Beispiel jetzt«, sagte Sunia, die Augen auf das scharfe Messer gesenkt, mit dem sie die Zutaten hackte, »wohin gehst du schon wieder? Tag für Tag bist du gleich nach der Morgenmahlzeit fort, und wir sehen dich nicht mehr bis zur Dämmerung. Und niemals sagst du, wo du gewesen bist oder was du vorhast.«

»Ich werde dir alles erzählen, wenn ich heute abend nach Hause komme«, versprach er. »Gib mir jetzt nur mein Frühstück und halte mich nicht auf.«

Etwas in dem fast schroffen Ton seiner Stimme ließ sie sogleich gehorchen. Sie rief eine Frau herbei, die ihre Arbeit beenden sollte, wusch sich die Hände und folgte ihm ins Haus. Schweigend wie immer verzehrte Il-han seine Mahlzeit, die aus Suppe, Reis und verschiedenen gesalzenen Speisen bestand, und Sunia sorgte dafür, daß ihn die Kinder nicht störten, indem sie den älteren zu seinem Erzieher schickte und den jüngsten, der nun schon auf allen vieren kroch, der Amme übergab. Sie stillte ihre Kinder, bis sie sechs Monate alt und über die ersten Gefahren des Lebens hinaus waren, und dann vertraute sie sie einer Amme an, einer gesunden Bauersfrau, die sie weiterstillte, bis sie drei Jahre zählten und alle Gerichte essen konnten.

An diesem Morgen hatte sie Il-han das Frühstück selbst aufgetragen, und erst als er fertig war, setzte sie sich, um nun ebenfalls etwas zu sich zu nehmen. Ab und zu wanderten ihre Augen mit einem besorgten Ausdruck zu ihm hinüber.

»Du siehst nicht gut aus«, meinte sie schließlich. »Bedrückt dich irgendein geheimer Kummer?«

»Kein Kummer, der mit dir zusammenhängt«, antwortete er, wischte sich den Mund an einer weichen Papierserviette und stand auf. Sunia lief, um ihm sein Übergewand zu holen, und mit einem freundlichen Blick verließ er sie. Er wagte nicht, ihr zu erzählen, was ihn beschwerte. Das Memorandum, das er im Frühling begonnen und dann beiseite gelegt hatte als etwas, was besser ungesagt blieb, war nun fertig und in den Händen der Königin, denn als er die bestürzende Entwicklung der Dinge wahrnahm, vermochte er nicht länger zu schweigen. Jetzt war er von der Königin beordert worden, allein in ihren Palast zu kommen. Zur gleichen Zeit hatte der König eine solche Aufforderung an seinen Vater ergehen lassen. Bis dahin waren Vater und Sohn stets zusammen zu den Audienzen befohlen worden. Bedeutete diese Trennung ein neues Zerwürfnis zwischen König und Königin? Er wußte es nicht und konnte nur gehorchen.

In der üblichen weißen Kleidung für die Straße, den hohen schwarzen Hut aus steifer Roßhaargaze unter dem Kinn festgebunden, trat er aus dem Haus. An einem solch schönen Morgen war es ein Vergnügen, zu Fuß zu gehen, und er tat es mit den gemessenen Schritten, die einem Herrn und Gelehrten ziemten. Viele Leute kannten ihn und grüßten respektvoll, und man machte vor seiner hochgewachsenen Erscheinung Platz, ohne jedoch aus furchtsamer Unterwürfigkeit stehenzubleiben. Tatsächlich kannten diese Menschen keine Angst. An Gefahr und Unglück gewöhnt, da ihnen die Götter eine Heimat gegeben hatten, die von den umliegenden Ländern neidvoll als Besitz begehrt wurde, waren es stille, unbeirrbare Menschen ohne Furcht. Sie erwiesen ihm die schuldige Höflichkeit und gingen ihren Angelegenheiten nach wie er seinen eigenen.

Als Il-han zum Palasttor kam, wurde es von der Wache nach einem prüfenden Blick durch den Spalt hastig geöffnet und gleich wieder geschlossen.

»Ist mein Vater hier?« fragte Il-han als erstes, denn er war gewohnt, seinen Vater im Palast zu treffen.

»Herr, er ist schon beim König, seit dem frühen Morgen«, antwortete der Mann, »und die Königin hat Befehl gegeben, daß du allein in ihren Palast kommen sollst. Dein Vater läßt dir bestellen, daß er dich hier erwarten will, falls seine Audienz beim König früher beendet ist als deine. Sonst mögest du auf ihn warten.«

Il-han zögerte. Es verwirrte ihn, daß die Königin ihn auf solche Weise zu einer vertraulichen Unterredung berief. Was sollte er später seinem Vater sagen? In einem Palast bleibt ebensowenig etwas verborgen wie in einer Hütte, und es würde allgemein bekannt werden und Aufsehen erregen, daß er ausgerechnet um die gleiche Zeit, als sein Vater beim König weilte, die Königin aufgesucht hatte. Indessen, was blieb ihm anderes, als auch weiterhin dem Befehl der Königin zu gehorchen? Schweigend folgte er der Wache.
Es war die Zeit der Chrysanthemen, und überall erhoben die prächtigen Blumen ihre leuchtenden Blüten. In Töpfen säumten sie in einer Unzahl fein aufeinander abgestimmter Farben den Pfad, auf dem Il-han dahinschritt, und dieses Spalier setzte sich bis zu den steilen Steinstufen fort, die zu der hohen Terrasse vor dem Palast der Königin hinaufführten. Bei dem bemalten, mit Schnitzereien verzierten Portal blieb Il-han stehen und wartete, bis sein Führer seine Anwesenheit verkündet und der Haushofmeister davon Kenntnis erhalten hatte. Nach einer Weile schwang die Tür auf, und er wurde in den großen Vorraum geleitet, den er von früheren Audienzen, zu denen er jedoch immer mit seinem Vater gemeinsam beschieden worden war, schon kannte. Zierliche, messingbeschlagene Holztruhen dienten darin als Tische, und weiche Sitzkissen sorgten für Bequemlichkeit. Die der Tür gegenüberliegende Wand war mit kostbaren, von alten Meistern gemalten Rollbildern geschmückt, und in den Ecken des Saales standen Arrangements seltener, besonders schöner Chrysanthemen in Porzellantöpfen.
»Herr, nimm Platz«, sagte der Haushofmeister. »Die Königin beendet soeben ihr Frühstück, und ihre Dienerinnen warten bereits, um ihr die Übergewänder anzulegen. Sie wird dich wie gewöhnlich in der großen Halle empfangen.«
Il-han ließ sich auf einem Polster nieder und nahm dankend die dünne Silberschale entgegen, die der Haushofmeister aus einer irdenen Kanne mit Tee gefüllt hatte. Es war feinster chinesischer Tee, die zarten jungen Blätter der Frühlingsernte, unberührt von Jasminduft und anderen fremden Beimischun-

gen, und Il-han schlürfte ihn mit Genuß. Ein paar Minuten später erschien der Haushofmeister wieder.
»Die Königin«, verkündete er feierlich.
Il-han erhob sich und folgte dem Mann in die angrenzende Halle, einen riesigen Raum ohne jedes Mobiliar außer dem Thron, der auf einer Estrade an der Westseite stand. Die Halle selbst lag nach Süden. Niemand befand sich darin, doch Il-han kannte die Empfangssitten bei Hofe und harrte in respektvoller Erwartung mit gesenktem Kopf, die Augen auf den Boden gerichtet. Lange mußte er nicht warten. Noch ehe er bis hundert hätte zählen können, wurden die Vorhänge an der Nordseite zurückgeschoben, und die Königin trat ein.
Er sah, wie der Saum ihrer karmesinroten Robe um ihre Füße schwang, als sie zu ihrem Thron schritt, und ohne den Blick zu heben, ehe sie nicht die Erlaubnis dazu gegeben hatte, verneigte er sich dreimal tief vor ihr.
Die Königin richtete die angemessenen Begrüßungsworte an ihn und fuhr dann sogleich fort: »Ich habe dein Memorandum erhalten. Zweifellos wunderst du dich, daß ich dich getrennt von deinem Vater zu mir kommen ließ. Du bist jedoch ein so pflichtgetreuer Sohn, daß, wenn ihr beide zusammen erscheint, ganz gleich, ob der König zugegen ist oder ich allein mit euch bin, immer nur dein Vater das Wort führt, während du schweigst oder ihm beistimmst und deine eigenen Gedanken nie aussprichst.«
Ihre Stimme klang frisch und jung. Il-han entgegnete nichts, denn er merkte, daß sie noch nicht geendet hatte.
»Ich habe dein Memorandum viele Male gelesen. Warum hast du es als vertrauliches Schreiben an mich gerichtet?«
Bei dem Wort »vertraulich« fühlte Il-han, wie ihm die Röte in den Nacken stieg und seine Ohren heiß wurden; er verwünschte den bösen Streich, den ihm sein Blut in solchen Augenblicken spielen konnte.
Die lebhaften, alles beobachtenden Augen der Königin bemerkten seine Verwirrung sofort. »Hast du meine Frage gehört, du mit den scharlachroten Ohren?«
Sie lachte, und es war das erstemal, daß er ihr fröhliches

Lachen vernahm. Er wagte kein Lächeln und keine Erwiderung und spürte seine Ohren glühen wie nie zuvor. In seiner Verlegenheit betrachtete er die Spitzen ihrer silbernen Schuhe, die unter der roten Seide ihrer weiten Röcke hervorsahen. Zierliche Schuhe, merkwürdig ähnlich den Schuhen, wie sie türkische Frauen trugen. Woher hatten sie sich hierhin verirrt? Wer konnte überhaupt noch sagen, aus welchen Ursprüngen letzten Endes ihr Volk hervorgegangen war? In dem langen Ringen, das sich durch unbestimmbar viele Jahrhunderte zog, hatten sich die zentralasiatischen Stämme, die ihre Vorfahren waren, mit anderen vermischt, und diese kleinen Silberschuhe einer koreanischen Königin standen nun hier vor ihm als Symbol fremder weiblicher Anmut.

»Erkühnst du dich, in meiner Gegenwart zu träumen?« Sie fragte es in scherzhaftem Ton, und doch lag ein wenig Schärfe darin.

Er fuhr erschrocken auf und errötete von neuem, denn nun hatte er ihr versehentlich ins Gesicht geblickt.

»Du brauchst nicht so rot zu werden«, sagte die Königin ruhig. »Zu einer Frau meines Alters kann ein junger Mann unbesorgt die Augen heben.«

»Ich bitte um Verzeihung, Majestät«, sagte Il-han.

»Willst du mir nun meine Frage beantworten?« drängte die Königin.

»Majestät«, sagte er, und der Zorn über seine Verlegenheit und noch mehr über seine abschweifenden Gedanken bei der Betrachtung ihrer Schuhe machte seine Stimme kühl und streng, »ich habe das Memorandum an Euch persönlich gesandt, weil ich Eure Treue zu China kenne.«

Er brauchte nicht auszusprechen, was sie beide nur zu gut wußten; daß er sich an sie gewandt hatte, weil der König zwischen seinem Vater und ihr keine feste Position fand und unsicher schwankte zwischen dem Verlangen des Vaters, Korea im Tauziehen der Nationen das Zünglein an der Waage spielen und es so eine fragwürdige Unabhängigkeit erringen zu lassen, und der Anlehnungspolitik an China, die von der Königin verfochten wurde. Vorsichtig fuhr Il-han fort: »Für das Vertrauen auf China gibt es gute Gründe. Jahrhunderte hindurch hat uns China zuverlässigen Schutz geboten. Aber kann die Kaiserin heute, da es darum geht, die Japaner zu hindern, Truppen auf unserem Boden zu stationieren, noch das gleiche für uns tun, wenn sie anderseits vielleicht nicht einmal in der Lage ist, ihr eigenes Volk vor Unheil zu bewahren? In den Opiumkriegen gegen England unterlag China jedesmal, und England steht mit Japan auf freundschaftlichem Fuße und wird immer dessen Partei ergreifen. Bedenkt auch, welch gewaltige Scheibe sich Frankreich aus der chinesischen Melone herausgeschnitten hat – Indochina, Majestät! Und China konnte es weder verhindern noch sein Eigentum zurückgewinnen.«

Der Silberschuh am rechten Fuß der Königin begann unwillig auf den Boden zu klopfen.

»Frankreich! Was für ein Land ist das überhaupt? Wir haben bisher nur französische Priester gesehen, in einer Hand ein Kreuz, in der anderen ein Schwert. Ich habe gehört, die Franzosen liebten den Wein, einen Wein, den sie aus Trauben machen, nicht aus Reis.«

»Ich beklage es noch immer, Majestät, daß unser Volk die französischen Christen niedergemetzelt hat«, sagte Il-han, »und noch mehr, daß wir uns in unserem Zorn dazu hinreißen ließen, das amerikanische Handelsschiff, die *General Sherman*, anzugreifen. Und der schlimmste Fehler war, daß wir die Besatzung getötet haben.«

Die Königin machte eine abwehrende Handbewegung. »Was für ein Recht hatte ein amerikanisches Handelsschiff, den Taedong bis in die Nähe einer so großen Stadt wie Pyongyang hinaufzufahren? Gibt es etwa koreanische Schiffe auf dem – dem – kennst du den Namen irgendeines amerikanischen Flusses?«

»Nein, Majestät«, erwiderte Il-han.

»Siehst du«, rief die Königin triumphierend. »Wir wissen nicht einmal die Namen ihrer Flüsse, geschweige denn, daß unsere Schiffe in fremden Gewässern segeln! Ich sehe keinen Unterschied zwischen diesen wilden westlichen Völkern, und

was die Amerikaner angeht, was für Leute sind das? Ein Mischvolk, so ist mir berichtet worden, das sich aus Verstoßenen, Abtrünnigen, Rebellen, den jüngeren Söhnen, den Besitz- und Heimatlosen anderer westlicher Nationen zusammensetzt!«
Er konnte nicht länger warten. »Majestät, dennoch sind sie unsere einzige Hoffnung. Nur Amerika hegt keine Weltreich-Träume. Mit seinen unermeßlichen Gebieten hat es das wahrscheinlich nicht nötig, deshalb kann es auch unser Freund sein.«
»Du bedrängst mich«, warf sie ihm vor, »und ich lasse mich nicht bedrängen.«
»Verzeihung, Majestät«, sagte Il-han.
Er bewunderte ihre eleganten, zierlichen Hände, die jetzt so unruhig in ihrem Schoß lagen, und unwillkürlich sah er dann zu ihrem Gesicht auf. Diesmal erfaßte er mit einem einzigen Blick alles: die großen, klugen dunklen Augen, die feingezeichneten schwarzen Brauen, die schimmerndweiße Haut, die roten Lippen und die rosa überhauchten Wangen. Schnell senkte er den Kopf. Falls sie etwas bemerkt hatte, so sagte sie zumindest nichts. In Gedanken versunken fuhr sie, wie um sich selbst zu überzeugen, fort.
»Diese westlichen Nationen – haben sie je irgendwo die Rechte anderer Völker respektiert? Sie kommen unter dem Vorwand des Handels und der Religion, aber ihre wahre Absicht ist, sich das Land einzuverleiben. Nein, ich will mit keiner von ihnen etwas zu tun haben!«
Ruhig sagte Il-han: »Ich möchte daran erinnern, Majestät, daß erst in jüngster Zeit japanische Abgesandte bei ihrer Rückkehr aus den Ländern des Westens ihrem Kaiser berichteten, diese großen, neuen westlichen Nationen würden einen militärischen Handstreich General Saigos in Korea nicht begünstigen. So haben uns die Länder des Westens vor Unheil bewahrt, Majestät!«
Er war zu weit gegangen. Die Königin stand auf, trat drei Schritte vor, und als er niederkniete, zog sie einen zugeklappten Fächer aus ihrem Ärmel und schlug ihn damit zuerst auf die linke und dann auf die rechte Wange.

»Wie kannst du es wagen, so etwas zu behaupten!« rief sie heftig. »Hat nicht Kaiserin Tzu-hsi, meine Freundin, erst vor sechs Jahren Japan dazu gezwungen, einen Vertrag mit uns zu schließen und uns als gleichberechtigt anzuerkennen? China war es, das uns gerettet hat, nicht der Westen!«
Il-han hielt es nicht mehr aus. Er vergaß, daß die Königin und nicht eine einfache Frau vor ihm stand. Die zornsprühenden Augen auf sie gerichtet, schrie er, daß es im Saal widerhallte: »Jener Freundschaftsvertrag? Freundschaftsvertrag – ein Scherz! Mit vierhundert bewaffneten Männern erschien der Botschafter, um uns zu überzeugen, und Japan wurden schließlich besondere Privilegien in unserem Land zugestanden. Wie sollen wir uns jetzt noch auf Chinas Hilfe verlassen, wenn Japan Formosa und sogar die Ryukyu-Inseln besetzen konnte?«
»Willst du denn nicht begreifen?« herrschte ihn die Königin mit schriller Stimme an. »Klein und zahlenmäßig schwach, wie wir sind, befinden wir uns in ständiger Gefahr, angegriffen, besetzt, annektiert zu werden – sofern wir nicht unter chinesischer Oberhoheit stehen! Wir können nur dann in Freiheit und Unabhängigkeit leben, wenn eine mächtige Nation unser Freund ist, und da es sich dabei, wenn der Himmel uns gnädig ist, niemals um Rußland oder Japan – nein, und auch nicht um Amerika! – handeln wird, muß China es sein!«
Il-han fand vor Zorn keine Worte, und nun tat er etwas, was noch niemand vor ihm gewagt hatte. Ohne aus der Audienz entlassen zu sein, kehrte er der Königin den Rücken und begab sich erhobenen Kopfes, während das Herz ihm zum Zerspringen pochte, hinaus.
Er traf seinen Vater in der Eingangshalle des großen Tores, und zusammen verließen sie den Palast. Il-han schwieg abwartend. Wie hätte er sagen können: »Die Königin wünschte mich allein zu sprechen?« Doch sein Vater war offenbar in angenehme Gedanken vertieft. Gemessenen Schrittes, die Schuhspitzen in der Art alter Männer nach außen gekehrt, ging er stumm an Il-hans Seite, ein selbstzufriedenes Lächeln auf dem Gesicht.

Auf den Straßen herrschte reges Leben. Die Menschen genossen das milde Herbstwetter – jeder solche Tag war kostbar, denn es konnten nicht mehr viele kommen, bevor der Winter mit Schnee seinen Einzug hielt. Überall sah man jetzt die goldgelben Früchte des Persimonenbaumes leuchten, in den Höfen, vor den Häusern, und ganze Berge von Dattelpflaumen lagen, bereit für den Markt, auf dem Boden aufgehäuft. Den Kindern, die davon aßen, wehrte niemand. Noch immer schwiegen Vater und Sohn, doch inmitten dieses Getriebes wäre es ohnehin nicht möglich gewesen, wichtige Angelegenheiten zu erörtern.
»Ich begleite dich und besuche meine Enkel«, sagte der alte Mann endlich.
Es entsprach nicht der Sitte, daß Vater und Sohn einen getrennten Haushalt unterhielten, aber Il-han wollte unbedingt in dem Stadthaus der Familie leben, damit er dem Palast nahe war, und sein Vater wiederum zog es vor, das alte Landhaus der Kims vor der Stadt zu bewohnen. Hier konnte er ungestört seinen Interessen nachgehen, seine Freunde empfangen und Gedichte schreiben, und seine einzige Verpflichtung war eine gelegentliche Audienz bei Hofe.
»Ich habe nur eine Beschwerde gegen deinen Vater vorzubringen«, hatte Il-hans Mutter einmal gesagt, als sie schon im Sterben lag. »Er hat sich gewiß nie um andere Frauen bemüht, und er spielt nicht, aber er kann nicht ohne seine Freunde leben.«
Und so war es auch. Täglich versammelten sich diese würdigen Herren, die nichts anderes zu tun hatten, als allenfalls dichterischen Passionen zu frönen, im Hause seines Vaters, um gemeinsam den Glanz eines vergangenen Korea heraufzubeschwören, von den ruhmreichen Taten seiner Helden zu erzählen, immer wieder zu erwähnen, daß sogar der bildende Einfluß des Buddhismus erst über Korea nach Japan gekommen war, und von gewissen Zeugnissen koreanischer Kunst und Kultur zu sprechen, die die Japaner gestohlen hatten: War nicht das herrliche Standbild des Kwan Yin in Nara eine koreanische Schöpfung, wenngleich kein Japaner das zugeben

wollte? Und aus der allgemeinen Verzückung gingen dann Gedichte hervor, viele Gedichte, von denen keines, wie Il-han bitter dachte, auch nur die geringste Bedeutung für diese bedenklichen, turbulenten Zeiten hatte.

Doch als er sich einmal bei Sunia darüber beklagte, wollte sie ihm nicht zustimmen.

»Du hast nicht recht«, erklärte sie. »Wir müssen an den vergangenen Glanz erinnert werden, damit wir wissen, wie sehr unser Land unserer Liebe würdig und wie edel unser Volk ist.«

Schweigend waren Vater und Sohn bei Il-hans Haus angelangt. Sie traten ein und begaben sich in den großen Wohnraum, wo der Ältere sich auf einem Kissen niederließ, während Il-han einen Diener anwies, die Kinder zu holen und ihre Mutter von dem Besuch zu benachrichtigen. Dann setzte auch er sich, und er vergaß nicht, einen etwas niedrigeren Platz als der Vater zu wählen, wie es sich für ihn gehörte. Eine Dienerin versorgte sie geschäftig mit Tee und kleinen Kuchen. Wenige Minuten später erschien Sunia, den älteren Sohn an der Hand und hinter sich die Amme, die den jüngeren auf dem Arm trug. Sie verneigte sich respektvoll und sah dann zärtlich zu, wie ihr Sohn es ihr nachtat. Sein Großvater betrachtete ihn stolz.

»Ist es nicht an der Zeit«, fragte er, »einen passenden Namen für meinen älteren Enkel zu bestimmen?«

»Willst du einen Namen wählen, Verehrungswürdiger?« bat Sunia.

Anmutig ließ sie sich auf einem Sitzkissen nieder. Sie wußte gut, daß sie sich in einer Familie, in der die alten Sitten noch streng eingehalten wurden, nicht so ungezwungen vor dem Vater ihres Gatten hätte zeigen dürfen, wenngleich die Frauen hier in Korea stolz waren und nie vor ihren Ehemännern knieten wie die Frauen in Japan, sich weder die Füße einbanden wie die chinesischen Frauen noch sich die Taille einzwängten, wie man es sich von den westlichen Frauen erzählte. Nein, hier standen sich Mann und Frau gleichberechtigt gegenüber, und die Mütter empfanden auch keine furchtsame Demut vor ihren erwachsenen Söhnen. Und starb ein König,

wenn der Thronfolger noch zu jung war, um seinen Platz einzunehmen, so regierte die Königinwitwe, bis er volljährig war.
Il-han hatte Sunia indessen an mehr Freiheit gewöhnt, als es üblich war, teils, weil er sie liebte, und teils, weil er gehört hatte, daß westliche Frauen kamen und gingen, wie es ihnen gefiel. Seine Mutter freilich hatte immer gern von der guten alten Zeit erzählt, in der man die Frauen weder sah noch hörte, und sie sagte oft, daß sie sich nach den Tagen zurücksehne, da Frauen nur zu einer bestimmten Stunde frei durch die Straßen gehen konnten. So streng waren die einstigen Sitten, daß ein Mann, der heimlich einen Blick auf eine Frau warf, enthauptet wurde.
Sunia war ihren eigenen bescheidenen Gepflogenheiten stets treu geblieben; so hielt sie auch jetzt in Gegenwart ihres Gatten und seines Vaters den Kopf gesenkt und blickte keinen von beiden an.
Der alte Mann war eine Weile ganz mit der Aufgabe beschäftigt, einen geeigneten Namen auszusuchen.
»Mein älterer Enkel«, begann er schließlich, »ist kein gewöhnliches Kind. Er ist lebhaft und verfügt über eine rasche Auffassungsgabe. Beides ist der Jugend eigentümlich, aber in seinem Fall bedeutet es mehr. Bei ihm gehört es zur Natur. Außerdem ist er im Frühling geboren worden. Ich will deshalb den Namen Yul-chun, Frühling des Jahres, wählen.«
Il-han und Sunia wechselten einen Blick, um sich jeder des anderen Einverständnisses zu versichern, und dann drückte Il-han aus, was sie beide dachten.
»Der Name ist sehr passend, Vater, und wir danken dir.«
Alles wäre gutgegangen, wenn nicht in diesem Augenblick der soeben neu Benannte eine kleine Maus unter dem Tisch, neben dem sein Großvater saß, erspäht hätte. Der Winter war nahe, und Grillen, Spinnen und Mäuse verzogen sich in die Häuser, um der kommenden Kälte zu entgehen. Grillen und Spinnen waren harmlos, doch Mäuse waren gefährlich, denn die Leute glaubten, wenn kleine Mädchen mit Mäusen spielten, wären sie nie in der Lage, richtig Reis zu kochen. So ver-

jagten die Dienerinnen die Mäuse stets, und der kleine Junge, der nun die Maus so tapfer wie einen Löwen unter dem Tisch neben seinem Großvater sitzen sah, stieß einen lauten Schrei aus und deutete mit dem Zeigefinger auf das Tier. Was hätten die Anwesenden anderes denken sollen, als daß er mit schreckverzerrtem Gesicht auf seinen Großvater zeigte?
Der alte Mann war bestürzt und Il-han beschämt.
»Bringt das Kind fort«, sagte er finster.
Der Junge riß sich von der Mutter los und rannte zum Tisch, um darunterzuschauen. Plötzlich kam die Maus hervor – zum Entsetzen der Amme, die das kleinere Kind trug. Nun war sie es, die aufschrie und eilends mit dem Kind den Raum verließ, und sogar Sunia erhob sich und trat zurück. Als Il-han die allgemeine Angst sah, stand er auf, fing die zitternde Kreatur in der hohlen Hand, ging zur Gartentür und ließ sie dort frei. Er war kein Buddhist, doch die buddhistische Lehre hatte seinen Geist und sein Gemüt so tief durchdrungen, daß er kein Lebewesen zu töten vermochte. Sogar eine Fliege scheuchte er eher von seinem Gesicht, als daß er sie erschlug, und einen quälenden Moskito blies er fort.
Nachdem das Durcheinander auf diese Weise ein Ende gefunden hatte, warf Il-han Sunia einen bedeutungsvollen Blick zu, und sie begriff sofort und ging mit dem älteren Kind auf dem Arm hinaus. Die beiden Männer waren jetzt allein, und nach einem Augenblick der Stille bemerkte Il-hans Vater: »Wo sich Frauen und Kinder aufhalten, das ist eine seltsame Wahrheit, gibt es immer Unruhe, und nichts Ernsthaftes kann unternommen werden, ehe sie wieder fort sind.«
Und nachdem dies gesagt war, wandte er sich wichtigeren Dingen zu.
»Der König«, begann er, »ist entschlossen, die Politik des früheren Regenten nicht fortzuführen. Doch er denkt auch daran, daß der Regent sein Vater ist, und er möchte die Aufnahme freundlicher Beziehungen zu westlichen Nationen nicht überstürzen. Jetzt ist er in einiger Verwirrung, weil der chinesische Kriegsminister möchte, daß wir einen Vertrag mit diesen erst in jüngster Zeit so mächtigen Vereinigten Staaten in

Nordamerika schließen. Haben wir nicht das Üble solcher Verträge gesehen? Kaum war vor sechs Jahren jenes Abkommen mit Japan unterzeichnet, als seine räuberischen Soldaten Formosa und die Ryukyu-Inseln überfielen. Warum also sollten wir nun wieder einen Vertrag mit irgendeiner Nation schließen? Ich sagte dem König, daß sein Vater, der Regent, recht hat. Wir müssen uns absperren von der Welt. Wir müssen weiterhin eine nach innen gekehrte Nation bleiben, sonst verlieren wir nicht nur unsere Unabhängigkeit, sondern auch unsere nationale Tradition. Unsere ruhmreiche Geschichte wird in ein Meer des Vergessens versinken, und wir werden aufhören zu sein.«
Seine Stimme hatte einen Tonfall angenommen, als rezitierte er Poesie, und Il-han konnte es nicht mehr ertragen. Ihn hatte die Königin zu sich berufen, seinen Vater aber der König. Die Königin war zwar stark, doch sie blieb immer noch eine Frau, und wenn sie eine Anordnung gab, die in Widerspruch zu dem stand, was der König befohlen hatte, so mußte erst der Befehl des Königs ausgeführt werden. Il-hans Vater hatte in dieser Angelegenheit eine stärkere Position als er. Um seines Landes willen mußte Il-han nun gegen seinen Vater sprechen.
»Vater, der Regent irrt sich, und du auch. Bei allem unveränderten Respekt für ihn und dich wage ich das zu sagen. In Li-Hung-changs Vorgehen liegt Sinn und Zweck. Die Amerikaner stellen keine Bedrohung für uns dar. Sie sind ein junges Volk, weit entfernt von uns, und ihr Land muß sehr groß sein. Sie brauchen unser kleines Gebiet nicht. Sie interessiert nur der Handel –«
Hier unterbrach ihn sein Vater ärgerlich.
»Du bist es, der sich irrt. Du begreifst die Zeiten nicht richtig. Haben nicht die Engländer Indien auf dem Weg über den Handel in Besitz genommen? Oh, sie kamen ganz unschuldsvoll, sie wollten nur Handel treiben, und sie sagten, dieser Handel werde dem indischen Volk zum Vorteil gereichen. Unschuldsvoll, harmlos – und was war das Ende? Das indische Volk verlor seine Unabhängigkeit, und seine Unterjochung wird nie mehr ein Ende nehmen. Die Engländer wurden reich

und stark auf Grund ihres Handels. Indien arm und geschwächt. Nein – nein – ihr jungen Männer studiert nie die Geschichte! Und doch kann nur die Vergangenheit die Gegenwart erhellen und die Zukunft vorhersagen.«
Der Ausbruch seines Vaters, eine Wiederholung dessen, was ihm die Königin entgegengehalten hatte, überraschte Il-han nicht. In ihren Worten lag Wahrheit, aber es war eine trügerische Wahrheit.
»Die zwei Länder, die wir zu fürchten haben«, antwortete er, »sind Rußland und Japan. Ihre Herrscher sind habgierig, und das Volk hat keine Ahnung von ihren Plänen. Überdies sind es keine friedliebenden Nationen, und Japan ist noch die ehrgeizigere, weil es klein ist. Vor kleinen Leuten muß man sich in acht nehmen, wenn sie hochfliegende Pläne haben, denn sie sind mit sich selbst unzufrieden. Japan ist ein kleiner Mann mit einem großen, nicht zu unterschätzenden Kopf. Wir müssen uns wappnen gegen diesen kleinen Mann, indem wir Freunde suchen, die stark sind und nicht habgierig. Sogar China kann uns jetzt nicht schützen. Wir brauchen einen Freund im Westen. Li-Hung-chang weiß das, und um unsere Stellung innerhalb chinesischer Souveränität zu sichern, hält auch er nach Hilfe Ausschau. Deshalb rät er zu einem Vertrag mit den Amerikanern, und –«
Sein Vater wollte nicht mehr länger zuhören. Er erhob sich von seinem Sitzkissen, rückte den hohen Hut gerade, klappte den Fächer zusammen und steckte ihn in den Kragen seines weißen Gewandes. Ohne ein Wort des Abschieds ging er erhobenen Kopfes, die Unterlippe vorgeschoben, mit weitausgreifenden Schritten aus dem Haus. Il-han sah ihm nach und folgte ihm nicht; reumütig und erheitert zugleich dachte er daran, daß er vor einer Stunde die Königin auf ähnliche Weise verlassen hatte. Er seufzte und schüttelte den Kopf. Wenn schon Vater und Sohn nicht übereinstimmen konnten, wenn Königin und Untertan in Streit gerieten, wo durfte man dann noch Frieden im Land erwarten?
Wie gewöhnlich, wenn er seine eigenen Fragen nicht zu beantworten vermochte, zog er sich zu seinen Büchern zurück,

und er merkte nicht, wie die Stunden verstrichen. Er stellte nur plötzlich fest, daß der freundliche Herbsttag der Dunkelheit gewichen war. Wind hatte sich erhoben, und er hörte das Geräusch einsetzenden Regens auf dem Dach.

»Es tut mir leid«, sagte Sunia.
Es war Nacht. Das Haus war still, die Kinder schliefen, die Tore waren verriegelt. Il-han nahm seine Übergewänder ab, und Sunia faltete sie und legte sie in ein Fach des Wandschrankes.
»Wovon sprichst du?«
»Heute morgen – die Maus – das Kind –«
»Ah – ich hatte es ganz vergessen.«
Ruhig kleidete er sich weiter aus und legte dann ein Nachtgewand an, das Sunia ihm bereithielt.
»Woran denkst du nur immer in diesen Tagen und Nächten?« forschte sie sanft. »Du siehst keinen von uns, selbst wenn du uns anblickst. Ich glaube, daher kommt es auch, daß unser älterer Sohn so oft ungezogen ist. Er vergöttert dich, und du sprichst fast nie mit ihm. Wie lange ist es schon, seit sogar ich selbst von dir nichts anderes mehr gehört habe, als daß du hungrig oder durstig seist oder daß irgend etwas getan werden müsse!«
Sie hatte recht, und er wußte es. Doch wie sollte er ihr die düsteren Vorahnungen erklären, die ihn bedrückten? Er lächelte sie über die Schulter hinweg an, und dann kehrte er sich ab, schob die Papierwand zurück und blickte hinaus in die Nacht. Still lag der Garten vor ihm, in den silbrigen Schein des fast vollen Herbstmondes getaucht. Der Gärtner hatte das Licht in der steinernen Laterne angezündet, um Diebe zu verscheuchen, aber der Mond ließ es verblassen. Über der Mauer erblickte Il-han die Rücken der hohen Berge jenseits der Stadt. Ihre nackten, felsigen Hänge schimmerten matt im Mondlicht. Sein Herz erfüllte sich von neuem mit Liebe zu seiner Heimat. Wie schön war dieses Land, auf drei Seiten vom Meer umspült, im Norden Pakdusan, den Berg des ewigen Schnees, als Mauer hinter sich, und der Länge nach

von einer Gebirgskette durchzogen, die wie eine Wirbelsäule vom Norden bis zum Süden reichte. Welche Schätze an Gold, Silber und Mineralien diese Berge bargen! Schon seit Generationen hatten Einzelgänger Gold aus dem unerschöpflichen Vorrat des Flusses Han gewaschen. Il-han hatte von den tiefen Gruben gelesen, die die Menschen der westlichen Länder in ihren Bergen anlegten, um so der Natur Gold, Silber, Blei und kostbare Mineralien zu entreißen. Die Reichtümer Koreas warteten noch in der Verborgenheit auf ihre Entdeckung.

Und zwischen den Bergen lagen Täler mit fruchtbarer Erde und ungestüm herabrauschenden Bächen, Felder, die noch mit den einfachen, althergebrachten Geräten bestellt wurden, wobei Männer, Frauen und Kinder die Arbeit von Tieren leisten mußten. Auch das, was die Menschen im Wechsel der Jahreszeiten dem Boden abgewannen, gehörte zu den Schätzen des Landes. Il-han wußte das gut, obwohl er als Sohn eines Gelehrten nie körperliche Arbeit verrichtet hatte und kaum weit über die nächste Umgebung hinausgekommen war. Und was die ausgedehnten Ländereien des Kim-Clans anging, so hatten sie ihn immer eher beschämt als sein Interesse geweckt. Wie war seine Sippe zu ihrem Reichtum an Häusern und Land gekommen, wenn nicht durch königliche Gunst, Korruption und Wucher? Sogar sein Vater – sogar sein Vater –

Abrupt wandte er sich vom Fenster ab. Sunia stand noch immer an der gleichen Stelle, das liebliche Gesicht halb fragend, halb traurig, und die weißen Gewänder umwehten ihren schlanken Körper wie Nebelschwaden.

»Sunia ...« begann er und hielt inne.

»Ja?« flüsterte sie.

Er wußte, was sie erwartete. Ihr weiches Lächeln, ihre zärtliche, scheue Stimme, die sehnsüchtig-sanften Augen, alles an ihr sehnte sich nach Liebe, Liebe, die er ihr jetzt nicht zu geben vermochte.

»Ich habe Sorgen«, sagte er. »Ich muß mich noch eine Weile mit den Nöten unseres Landes beschäftigen.«

Verständnisvoll zog sie sich sofort zurück.

»Ich denke nur an dich«, sagte sie und ließ ihn allein.

Am nächsten Morgen erwachte er früh. Die Sonne sickerte durch das reispapierbespannte Lattenwerk, und als er sah, daß der Tag schön war, erhob er sich, kleidete sich an und ging hinaus in den Garten. Die Luft war kühl, aber die Erde strahlte Wärme aus, und auf den moosigen Pfaden, den Steinen und Büschen lag schwer der Tau. Zwischen den Kiefern um eine kleine Quelle, die glitzernd über das Gestein rieselte, leuchteten Herbstchrysanthemen. Il-han schlenderte zu einem chinesischen Hocker aus blauem Porzellan und betrachtete von da aus die niedrigen, fließenden Linien der Dächer seines Heims. Seit Jahrhunderten standen diese Gebäude mit ihren grauen Backsteinmauern und den Dächern aus getrockneten Lehmziegeln auf ihren soliden Fundamenten. Und doch war ihre Stabilität nur eine scheinbare. Sowohl innere Unruhe als auch Krieg konnten seinen Besitz zerstören. Das Haus konnte zum Gefängnis werden, wenn ein fremder Despot das Land beherrschte. Welche Kräfte ruhten in seinem Volk, um einen solchen Angriff abzuwehren? Korea mußte sich verteidigen.
Wie stark war sein Volk?

Es gab keine Antwort auf diese Frage; er konnte sie nur selbst finden. Und während in seinem Hause alles in ruhigem Schlaf lag, faßte Il-han einen Entschluß. Er würde eine Pilgerfahrt unternehmen – doch weder zur Buße noch aus irgendeinem der anderen Gründe, die Menschen zu Pilgerfahrten bewogen. Seine Suche galt keinem Tempel, keinem Gott. Sie galt ihm selbst, der Antwort auf seine eigene Frage. Den Norden und Süden, Westen und Osten wollte er bereisen, um die Seele seines Volkes kennenzulernen. Erst dann würde er wissen, was er von ihm erwarten konnte und zu welchen Taten für die Heimat es fähig war.

Mit dem Entschluß kam Frieden über ihn. Er hatte sich in einem Dschungel des Zweifels und der Furcht verloren geglaubt, doch jetzt sah er einen Weg, der hinausführte. Nur die beiden Frauen, die er liebte, seine Gattin Sunia und seine Königin, sie mußten damit einverstanden sein, daß er ging. An welche von beiden sollte er sich zuerst wenden? Begann er mit der Königin, so konnte er Sunia sagen, die Reise sei

königlicher Befehl. Doch anderseits kannte er Sunias eigensinnige, widerspenstige Natur und ihre Liebe zu ihm nur zu gut.
»Für die Königin ist das natürlich sehr schön«, würde sie sich empören. »Sie findet das ausgezeichnet, dich in diesen unruhigen Zeiten allein durch die Berge und Täler zu schicken! Ihr stehen so viele Männer zu Gebot, um ihre Befehle auszuführen, ich aber habe nur dich. Für mich bist du alles, und ohne dich bin ich verloren und mit mir unsere Kinder. Wie, wenn du nie zurückkommst?«
Er mußte zuerst mit Sunia sprechen. Die Königin konnte er leichter überzeugen als seine Frau. Er mußte einen günstigen Zeitpunkt wählen, einen Augenblick, wenn Sunia heiter und sanft war und erfreut über irgendeine häusliche Angelegenheit. Er sann eine Weile nach, und dann fiel ihm ein, daß sie sich ein neues Eishaus wünschte. Das alte auf dem hinteren Teil des Hofes war dem Einsturz nahe, und im letzten Sommer waren die Eisvorräte vom Winter zu früh geschmolzen. Dies würde er für ihren Haushalt tun. Ihr selbst wollte er chinesischen Jade kaufen, ein rötliches Stück, wie sie sich es schon lange wünschte und noch nicht besaß, weil die Jadehändler es nur ganz selten hereinbrachten. Sie hatte Haarnadeln aus weißem Jade und grüne Armreife und Ohrringe, nur roten Jade hatte sie noch nicht, und sie wünschte sich ein Stück als Knopf für eine goldfarbene Jacke. Er lächelte über sich selbst, daß er sich zu solchen Listen hergeben konnte, und über Sunias kleine Schwächen, die ihm die Möglichkeit dazu boten. Im Grunde liebte er diese kleinen Schwächen an seiner Frau; es gefiel ihm, hier und da eine kleine Unvollkommenheit in ihr zu entdecken.
Als er am gleichen Abend gerade von dem neuen Eishaus beginnen wollte, kam Sunia ihm unerwartet zu Hilfe, indem sie ihm erzählte, daß der ältere Junge an diesem Tag plötzlich verschwunden gewesen sei und die Dienstboten ihn den halben Morgen gesucht und seinen Namen gerufen hätten. Schließlich habe man aus dem alten Eishaus eine schwache Stimme vernommen. Das Kind war in die halboffene Tür gekrochen,

hatte sie hinter sich zugezogen, und die Erschütterung des Zuschlagens hatte lose Steine zum Herabfallen gebracht, die dann die Tür blockierten.
»Oh, mein Herz schlug zum Zerspringen«, stieß Sunia erregt hervor, nachdem sie die Geschichte erzählt hatte. »Stelle dir vor, wir hätten ihn erst im Winter, wenn wir frische Eisblöcke in das Eishaus hätten schichten wollen, dort gefunden – tot! Il-han, du mußt ein neues Eishaus bauen lassen. Wie schrecklich, wenn wir das Kind verloren hätten!«
»Beruhige dich«, sagte er besänftigend. »Zunächst einmal, wo war der Erzieher des Kindes?«
»Ich vergaß, dir zu sagen, daß er für drei Tage nach Hause gegangen ist, weil seine Verlobung stattfindet.«
»Und wo war dann der Diener, dessen Aufgabe es ist, dem Kind überallhin zu folgen?«
Sie unterbrach ihn. »Aber du weißt doch, daß jetzt Kimchee-Zeit ist und wir jede Hand zur Hilfe brauchen! Und gestern mußten noch Kohl und Rüben vom Land geholt werden, und –«
»Genug, genug«, sagte er. »Ich lasse alle Entschuldigungen –«
»Es sind keine Entschuldigungen!«
»– als begründet gelten«, fuhr er unbeirrt fort, »und ich werde unverzüglich ein neues Eishaus bauen lassen. Aber ich muß dir sagen, Sunia, daß ich für eine Weile nicht zu Hause sein werde, und wie kann ich, während ich fort bin –«
»Oh, warum?« jammerte sie.
»Laß mich zu Ende sprechen«, sagte er. »Wie kann ich, während ich fort bin, ruhig bleiben, wenn ich weiß, daß unser Sohn manchmal ohne Aufsicht bleibt? Sicher, das alte Eishaus wird sofort abgerissen, aber dieses Kind wird sich, so, wie es veranlagt ist, immer wieder in andere Gefahren bringen.«
»Weshalb gehst du dann?« fragte sie.
»Ich würde nicht gehen«, erwiderte er, »wenn ich es nicht als meine Pflicht betrachtete.« Und wie es seine Gewohnheit war, wenn er nicht weitersprechen wollte, erhob er sich und verließ sie.
Er ging in das Zimmer seines älteren Sohnes. Das Kind schlief

auf seinem flachen Bett, die Arme erhoben, und sein Gesicht war wunderbar friedlich. Dieser wilde Junge, der ihm das Herz manchmal so schwer machte, lag jetzt in solch ruhiger Unschuld da, daß Il-han hätte weinen mögen. Und dasselbe Kind konnte sich in einen Zornteufel verwandeln, Böses ersinnend und zerstörungswütig, so daß Il-han sich zuweilen sogar fragte, ob sein Sohn vielleicht besessen sei. Einmal hatte er ein Kätzchen erwürgt, nur weil es nicht zu ihm kommen wollte. Ein andermal hatte er so in die winzige Hand seines Bruders gebissen, daß sie blutete. Und eines Tages hatte er einen Stein genommen und den jungen Panzer einer Schildkröte zerschmettert. Il-han erschauerte, als er sich an diese Vorfälle erinnerte. Der Charakter seines Sohnes hatte allerdings auch eine andere Seite. In die verletzte Hand des Bruders hatte er eines seiner Lieblingsspielzeuge gedrückt. Einer Vogelbrut wegen hatte er bitterlich geweint, als der Wind ihr Nest heruntergeweht hatte und die jungen Vögel zu klein waren, um Futter aus seiner Hand anzunehmen. Und wie oft hatte er zärtlich und liebebedürftig die Nähe des Vaters gesucht. Durfte er dieses Kind verlassen? Ja, denn was er tat, war auch für das Kind. Für seine Söhne vor allem wollte er die Heimat gesichert wissen.
In dieser Nacht war er so still und ernst, daß Sunia ihn nicht anzusprechen wagte. Was er ihr gesagt hatte, erfüllte sie mit Bangigkeit, und bevor sie einschliefen, schmiegte sie sich eng an ihn, und Il-han drückte sie tief bewegt an seine Brust.

Als er sich anderntags bei der Königin anmelden ließ, hielt sie sich gerade im Gartenpavillon auf. Doch sie erklärte sich bereit, ihn zu empfangen, und so wurde er dorthin geführt. Sie stand in dem kleinen Raum neben einem mit Schnitzereien verzierten Tisch, auf dem sich Blumen und Herbstblätter häuften, und sie trug, passend zur Jahreszeit, einen weiten Rock aus rotbraunem Tuch und ein kurzes Jäckchen aus weinrotem Atlas.
Sie befand sich in guter Stimmung, wie er bemerkte, denn sie wehrte alle Förmlichkeit ab und gab sich völlig unzeremoniell.

»Tritt ein«, sagte sie. »Du siehst mich nicht ganz auf Besucher vorbereitet. Ich vertreibe mir die Zeit. Ich hoffe, du kommst nicht mit unangenehmen Dingen. Du bist immer so feierlich, daß ich nie weiß, was in deinem Kopf vorgeht. Bestimmt ist er voll von Geheimnissen.«

Sie lächelte, während sie so selbstsicher sprach, und von neuem stellte er fest, wie schön sie war. Doch hastig verdrängte er diese Gedanken.

»Majestät«, sagte er, »ich will Eure Freude durch nichts stören; ich habe nur eine Bitte vorzubringen.«

»Sprich«, sagte sie. Sie zog eine Nadel aus ihrem Haarknoten, nahm eine Chrysantheme damit auf und steckte die Nadel wieder in ihr dunkles Haar, und die Blume leuchtete dort wie ein Edelstein gegen die blasse Cremefarbe des Halses. Il-han wandte den Blick ab.

»Ich bitte darum, für den Zeitraum einiger Monate vom Dienst entbunden zu werden, Majestät. Ich kann nicht genau angeben, wie lange, denn was ich vorhabe, ist, unser ganzes Land zu bereisen, um die Menschen aller Schichten zu beobachten, ein Bild von ihrer Stärke, ihren Fähigkeiten und ihrer Stimmung zu gewinnen. Wenn ich dann zurückkehre, um Bericht zu erstatten, werde ich genau wissen, was ich sagen muß. Nur so kann ich erfahren, wie stark unser Volk für die Verteidigung unseres Landes ist.«

Er hatte sein Ansuchen mit ruhiger, respektvoller Stimme vorgebracht, und die Reaktion, die er damit bei der Königin auslöste, versetzte ihm einen Schock. Mit flinken Schritten war sie bei ihm und umklammerte mit beiden Händen seinen rechten Arm.

»Nein«, wisperte sie. »Nein – nein –«

Er wollte zurückweichen, aber sie ließ ihn nicht los. Er fühlte, wie ihm alles Blut aus dem Kopf wich, und es wurde ihm fast schwindlig. Was sollte dieses Benehmen bedeuten? Die Bestürzung spiegelte sich auf seinem Gesicht, und ihre Lider senkten sich unter seinem entsetzten Blick. Sie gab ihn frei, trat zur Seite und war wieder voller Würde.

»Ich habe Grund zu glauben –« begann sie mit gedämpfter

Stimme und sah dann unsicher um sich. Nein, niemand war in der Nähe. Bei seinem Erscheinen hatte sie ihre Hofdamen in den hinteren Teil des Gartens geschickt, wo sie in Sichtweite, jedoch außerhalb Hörweite blieben und ihr zudem den Rükken zugewandt halten mußten. Il-han wartete wie versteinert auf das, was sie sagen würde.
Sie beschäftigte sich wieder mit ihren Blumen. »Ich hörte Gerüchte, daß der Regent ein Komplott schmiede, um auf den Thron zurückzukehren«, sagte sie.
Scham und Erleichterung erfüllten ihn. Wie konnte er nur davon träumen, daß seine Königin sich wie irgendeine Frau benehmen würde? War es ihre Schuld, daß sie anmutig und schön war? Doch zugleich fühlte er sich auch beruhigt, weil er nun wußte, daß nicht einmal eine Königin ihn jemals Sunia entfremden könnte, denn er hatte in diesem kritischen Augenblick nichts anderes empfunden als den Wunsch, sich zurückzuziehen. Sein Herz war durch die Liebe zu seiner Frau von der Welt isoliert, und er war froh darüber. So konnte er sich jetzt mit wiedergefundener Ruhe anderen Dingen zuwenden.
»Majestät«, sagte er, »ich habe nichts von einer solchen Verschwörung gehört.«
»Es gibt vieles, wovon du nichts gehört hast«, gab sie scharf zurück.
Sie hielt ihm den Rücken zugekehrt, aber er sah ihre weiße Hand zwischen den Blumen zittern.
»Auch zu meinem Vater sind derartige Gerüchte nicht vorgedrungen, denn sonst hätte er mir davon erzählt, dessen bin ich gewiß.«
»Dein Vater ist ein Freund des Regenten«, sagte sie.
»Mein Vater ist ein Ehrenmann, Majestät, und ein Patriot.«
»Nicht einmal der König glaubt mir«, erwiderte sie leise, »wie durfte ich dann annehmen, du würdest mir glauben?«
»Woher stammen diese Gerüchte, Majestät?«
»Eine junge Zofe, meine Bedienung für die Nacht, ist mit einem der Wächter des Regentenpalastes verheiratet, und er hört viele Dinge.«
»Dienergeschwätz«, behauptete Il-han.

»Wie dem auch sei, ich wünschte, du gingst nicht.«
Er antwortete nicht. Sie blickte ihn über die Schulter hinweg an, und als sie seinen rebellischen Gesichtsausdruck sah, sprach sie weiter.
»Nein, ich erteile dir keinen derartigen Befehl. Geh, du sollst dein Vergnügen haben.«
»Majestät –«
»Geh, geh«, sagte sie ungeduldig, und er ließ sie mit ihren Blumen allein; sein Herz war beunruhigt, aber voll fester Entschlossenheit.
Ein Mann kann sein Land auf vielerlei Arten bereisen. Il-han wußte zum Beispiel, welch umfangreiche Vorbereitungen sein Vater getroffen hätte. Kleider, Bettzeug, Lebensmittel und Getränke, ein kleiner Ofen für die Kälte, Fächer gegen die Hitze und riesige Schirme aus Ölpapier gegen den Regen, Diener, eine Anzahl Pferde und für ihn selbst ein mit Baumwolle weich ausgepolsterter Wagen – all dies wäre notwendig gewesen. In jeder Stadt hätte bei seiner Ankunft die vornehmste Familie für seine Bewirtung und Bequemlichkeit Sorge getragen, er wäre mit Gelehrten, Dichtern und Künstlern zusammengetroffen, hätte Tee mit ihnen getrunken und Wein geschlürft, sie hätten gemeinsam endlose Verse verfaßt, und am Ende wäre sein Vater zurückgekommen, ohne mehr zu wissen als bei seinem Auszug, denn er trug seine Welt immer mit sich, und für ihn gab es keine Welt außer seiner eigenen. Il-han war ganz anders. Der Erzieher, dem er seine ganze Kindheit und Jugend hindurch anvertraut gewesen war, hatte es verstanden, einen nie gestillten Wissensdurst in ihm zu wecken, und es war ihm klar, daß er sich unter anderen Menschen wie ihresgleichen bewegen mußte, wenn er etwas von ihnen erfahren wollte.
So bestand er zu Sunias Erstaunen darauf, die Kleidung eines weder reichen noch armen Mannes anzulegen und nicht mehr mitzunehmen, als sein treuer Diener auf seinem Pferd transportieren konnte. Und an einem schönen, kühlen Morgen im Frühherbst, fünf Tage nach seiner Audienz bei der Königin, stand alles bereit für den Antritt der Reise. Obgleich es Il-han

bewußt war, welch schwere Aufgabe er sich gestellt hatte, befand er sich in gehobener Stimmung. Zum Vergnügen zu reisen, vermochte er nicht, denn das hätte wie die Spielerei eines Jungen ausgesehen, und um einer Laune willen hätte er seine Familie nicht verlassen. Seine Reise hatte jedoch einen Zweck, und wenn sie ihm daneben auch noch Vergnügen bereitete, so durfte er sich dieses Gefühls guten Gewissens freuen.
Die letzten Abschiedsworte waren gesagt. Für ein paar Minuten blieb er noch mit Sunia allein, während die anderen im Nebenraum warteten.
Er nahm sie in die Arme und drückte ihre warme, zarte Wange an sein Gesicht.
»Wie kannst du mich nur verlassen?« seufzte sie.
»Wie kannst du mich gehen lassen?« gab er zurück.
Sie versetzte ihm einen zärtlichen Stoß. »Ist alles meine Schuld?«
Wieder hielten sie einander umschlungen, als ob sie sich niemals trennen könnten.
»Was für ein Paar wir sind«, sagte sie schließlich.
Doch dann, in dem Bewußtsein, daß die Trennung unvermeidlich war, entzog sie sich ihm, und gemeinsam gingen sie in den Raum hinüber, in dem die Kinder warteten, das größere mit seinem Erzieher, das kleinere mit der Amme. Und wieder einmal wunderte sich Il-han, wie es möglich war, daß die Liebe zu seinem Land tiefer gehen konnte als jede andere.
Der älteste Sohn begann zu weinen, als er seinen Vater aufbruchsbereit sah, und Il-han zog ihn an sich und mahnte den Hauslehrer noch einmal an seine Pflichten.
»Du trägst die Verantwortung«, sagte er streng. »Das Kind darf dir nie aus den Augen kommen.«
»Verlasse dich auf mich, Herr«, erwiderte der junge Mann.
Während der Junge ihn noch umklammerte, nahm Il-han der Dienerin den Kleinen aus den Armen. Dieses Kind war mit einer ruhigen Natur gesegnet und immer zufrieden und gesund. In seinem runden Gesicht mit den rosigen Wangen standen blanke dunkle Augen. Er lächelte seinen Vater an und sah sich nach den versammelten Dienern und seiner Mutter um.

»Er weint nie, dieser hier!« erklärte seine Amme. »Er findet alles gut.«
»Ich freue mich, so einen wie ihn zu haben«, erwiderte Il-han und reichte ihr das Kind zurück.
Auch ihr gab er Ermahnungen. »Du bist für ihn verantwortlich«, sagte er.
»Herr, sei unbesorgt.«
Das Abschiednehmen war beendet; den Vater hatte Il-han bereits am Tag zuvor besucht, und es bestand keine Notwendigkeit, ihn noch einmal zu stören. Er trat zu dem wartenden Diener auf die Straße hinaus, und nachdem ihm noch die Nachbarn empfohlen hatten, auf seine Gesundheit zu achten, kein kaltes Wasser zu trinken und sich vor den Banditen in den Bergen zu hüten, saß er auf, und sie verließen durch das Nordwesttor die Stadt. Il-han wollte zuerst in den Norden, dann nach Osten und Süden und schließlich die Küste im Westen hinauf noch einmal in nördliche Richtung, bis zur Insel Kanghwa in der Mündung des Flusses Han.
Diese Insel bedeutete ihm viel, obgleich er sie nie gesehen hatte. Dort hatte die Geschichte seines Volkes ihren Anfang genommen. Ein Berggipfel auf Kanghwa, so glaubte das Volk, war die Stätte gewesen, wo der erste König, Tangun, dreitausend Jahre vor jener Zeitrechnung, die sie christlich nannten, vom Himmel gekommen war. Nach dieser heiligen Geburt hatte das Volk rund viertausend Jahre unter zahlreichen Königen in Frieden gelebt, bis vor mehr als siebenhundert Jahren die wilden Horden aus der Mongolei über den Yalu-Fluß eingefallen waren und das Land überschwärmt hatten. Der König und sein Volk hatten sich damals auf Kanghwa zurückgezogen, da sie die Angreifer nicht vertreiben konnten. Der König ließ eine Mauer auf der dem Festland zugewandten Seite der Insel errichten, und im Volk erzählte man sich, daß der in den Himmel zurückgekehrte Tangun seine drei Söhne zur Erde entsandt habe, um beim Bau dieser Mauer zu helfen. Man nannte sie auch später die Mauer der Drei Söhne.
So lautete die Legende, die Il-han aus seiner Kindheit kannte, denn sein Großvater hatte oft von Kanghwa gesprochen.

»Kanghwa ist das Bollwerk unserer Unabhängigkeit und die Geburtsstätte unseres Clans«, hatte sein Großvater zu ihm gesagt. »Dort hat in jeder Schlacht ein Kim zur Verteidigung unseres Landes gekämpft. Nachdem die Mongolen in ihr eigenes Land zurückgekehrt waren, herrschte bei uns für ein paar hundert Jahre Frieden, bis uns gewisse gesetzlose Stämme, die jenseits von China beheimatet waren, erneut angriffen. Wieder war Kanghwa unsere Festung. Diesmal wurde die Mauer vom Feind zerstört, doch wir unterwarfen uns nicht. Wir errichteten die Mauer von neuem, ein Kim befehligte den Bau, und wir schlugen die Feinde wieder zurück. Ja, mein Enkel, in Kanghwa liegt das Geheimnis unseres unbesiegten Geistes.«
Es verhielt sich wirklich so, denn sogar die Franzosen, als sie einmal versuchten, Seoul über den Han-Fluß, den einzigen Zugang zur Stadt, zu erreichen, waren von der Mauer der Drei Söhne aufgehalten worden; so konnten auch sie zurückgeschlagen werden, und die Hauptstadt war gerettet.
Berge und Täler, das Meer, Ackerland und Inseln, er wollte alles sehen und das wahre Gesicht seiner Heimat und seines Volkes kennenlernen.

Mit welchen Worten kann ein Mann der Liebe zu seinem Land Ausdruck verleihen? Noch bevor ihn seine Mutter empfing, hatte sich Il-hans Empfängnis bereits in der heimatlichen Erde vollzogen. Seine Vorfahren hatten ihn mit ihrem Leben erschaffen. Die Luft, die sie atmeten, das Wasser, das sie tranken, die Früchte, die sie aßen, alles war Teil der Erde, und aus ihrem Staub wurde er geboren. Mit dem Abschied von seiner Königin, seiner Gattin und den Kindern hatte Il-han für eine Zeitlang alle Liebe beiseite geschoben außer der einen, verzehrenden Liebe zu seinem Vaterland, und nun erschloß er sein ganzes Herz und seinen ganzen Geist den Menschen, denen er begegnete, den Szenen, die er sah, dem Leben, das er jetzt führte. Ohne andere Gesellschaft als seinen Diener war er Tag für Tag unterwegs, und bei Nacht schlief er, wo immer er sich zufällig befand, wenn die Dunkelheit hereinbrach.

Nach zwanzig Tagen hatte er die Kumgang-san- oder Diamantberge erreicht, die ihren Namen nicht trugen, weil es dort Edelsteine gab, sondern weil die an hochgelegenen Stellen errichteten buddhistischen Klöster den Ruhm genossen, mehr Erleuchtung zu verbreiten als die Sonne. Il-han war nie zuvor in diese Berge gekommen; er hatte bisher nur gehört von ihrer bizarren Form, die der unbarmherzige Wind und wolkenbruchartiger Regen zurechtgeschliffen hatten. Kahle Felsen waren es, und reißende, weißschäumende Bäche stürzten in Wasserfällen die dunklen engen Schluchten hinab, um sich mit den großen Flüssen zu vereinen, die in das Meer auf beiden Seiten mündeten.
Il-han hatte den Bericht gelesen, den etwa zweihundertfünfzig Jahre vor seiner Geburt ein bedeutender Geograph, Yi Chung-hwan, über die Berge des Landes verfaßt hatte. Sie bildeten drei große Ketten: die Täbäk-Kette, die das Land von Norden nach Süden wie das Rückgrat eines riesigen Tieres durchzog, drei kleinere, einander parallellaufende Ketten in der nordöstlichen Ecke und schließlich im Südwesten die dritte Kette, die nach Norden wies. Regen und der schmelzende Schnee spülten das Erdreich von den Bergen herab, und allwinterlich wurde der fruchtbare Boden in den Tälern angeschwemmt. Wie fruchtbar er war, das sah Il-han jetzt, während er nach Norden ritt. Auf den Feldern stand der Reis schon golden, und rötlichgelbe Persimonpflaumen reiften an den Bäumen. Wandte er dann den Blick zu den Bergen, so sah er hohe schlanke Pappeln aus der dort wieder kargen Erde wie Kerzen mit gelben Flammen aufragen; jede für sich, standen sie in grandioser Einsamkeit auf ihrem Platz.
Inmitten dieser harten Schönheit bewegten sich die Menschen wie Seher und Poeten. Hochgewachsene Männer in weißen Gewändern und schwarzen Hüten, große, schlanke Frauen in bunten, weiten Röcken und kurzen Jacken, Körbe oder Ölkrüge auf dem Kopf balancierend. Und überall gab es Kinder, die fröhlichen Kinder der Landbevölkerung. Abends kam er diesen Menschen nahe, wenn er nach Sonnenuntergang im ersten Dorf, das er erreichte, unter irgendeinem strohgedeck-

ten Dach um Nachtlager bat. Immer wurde er eingeladen zu dem, was die Familie zu bieten hatte – einem Topf Suppe, Weizen mit getrocknetem Sojabohnenkäse, einer Schale Reis, einer Kruste Weizenbrot, einem Gericht aus eingesalzenen Heringen und Krabben, Kimchee als Würze, und einer Tasse heißem Tee am Ende der Mahlzeit. Und wenn die Frauen dann im dunklen Hintergrund saßen, während die Kinder neugierig herumstanden, sprach er mit den Männern.
Die Unterhaltung war sehr einfach. »Habt ihr genug zu essen?« fragte er zuerst, und die Antwort lautete gewöhnlich: »Ja, genug, nur manchmal vor der Ernte reicht es nicht.«
»Habt ihr sonstige Klagen?« erkundigte er sich weiter.
Hier wurden sie immer vorsichtig, bis er ihnen versicherte, daß er nicht insgeheim zur Steuereintreibung hier sei oder von der Regierung geschickt. Es war stets dasselbe, worüber sie Beschwerde führten. Jeder Bauer wollte mehr Land, und jeden bedrückte es, daß seine Söhne keine Gelegenheit hatten, eine Schule zu besuchen.
»Wie kann euch die Schule zu Land verhelfen?« fragte er.
Ein alter Greis beugte sich aus dem Schatten nach vorn. »Lernen gibt einen klaren Verstand«, sagte er, »und Bücher erschließen dem Geist des Menschen den Himmel und die Erde.«
»Kannst du lesen?«
Der alte Mann berührte seine runzligen Augenlider. »Diese beiden Augen können nur die Oberfläche von dem, was Leben ist, sehen.«
Wenn dann die Dunkelheit hereinbrach und die Kerze tropfte, legten sie sich schlafen, und Il-han hatte seinen Anteil an der Matte auf dem Boden. Nur wenige Häuser verfügten über mehr als einen großen Raum und vielleicht noch einen oder zwei kleine, und in dem größeren verbrachte man das Leben. Nachts wurde für jeden ein Lager auf dem Boden bereitet, und so schliefen sie, die Eltern in der Mitte, das jüngste Kind an der Seite der Mutter und der älteste Sohn der Tür am nächsten. Ein jämmerliches Leben hätte es sein können, und doch war es das nicht, denn hier weinte nie ein Kind in der Nacht, das nicht sofort Trost gefunden hätte. Sogar Il-han,

an ein großes Haus mit vielen Zimmern gewöhnt, fühlte hier in den bescheidenen Häusern der Bauern eine Sicherheit, eine kreatürliche Verbindung mit den anderen, die die Nacht weniger dunkel machte. Dennoch ritt er am Morgen wieder gerne weiter.

Als er weiter nordwärts kam, veränderte sich die Landschaft. Die Täler wurden enger, die Felder kleiner, die Ernten dürftig. Er hörte von Banditen in den Vorbergen, und zweimal begleiteten ihn die Männer eines Dorfes bis zum nächsten, und er wußte sich geschützt, weil sie Verwandte unter den Räubern hatten. Die Antworten auf seine Fragen fielen jetzt knapp und schroff aus. Nein, sie waren nicht mit dem zufrieden, was sie hatten. Sie waren dem Verhungern nahe, und der König und die Königin vergaßen sie. Der Regent? Ein Tyrann. Nein, sie wollten ihn nicht zurückhaben. Was sie verlangten? Nahrung und Gerechtigkeit und Land.

»Wie wollt ihr mehr Land bekommen?« fragte er eines Nachts in einer Herberge, die für Pilger erbaut war. »Diese Berge stehen wie Mauern um euch herum. Kann man Felder aus Felsen schneiden?«

Darauf fanden sie keine Antwort, bis ein schlagfertiger Bursche rief, dann bliebe ihnen eben nichts anderes, als von Raub zu leben. »Wir berauben die Reichen für die Armen«, schrie er, »und ist das eine Sünde? Vor dem Himmel, so behaupte ich, ist es eine Tugend!«

Tatsächlich wurden oft Pilger ausgeplündert, und Il-han war froh, daß er als einfacher Mann auf einem Pferd unterwegs war und nur ein Diener ihm folgte. Doch selbst diese Männer, so fand er, waren nicht schlecht um des Bösen willen.

Während er durch die klare, reine, herbstliche Luft ritt, überlegte er, daß in einem so gebirgigen Land, in dem nur ein Fünftel der gesamten Fläche genutzt werden konnte, Boden das Kostbarste war. Wer Land besaß, verfügte über Macht, das erkannte er jetzt, nach all seinen Gesprächen mit den Bauern, noch klarer als zuvor.

»Herr«, sagte sein Diener eines Morgens, »heute müssen wir zu Fuß gehen. Wir kommen in die Berge.«

Sie hatten die Nacht in einem kleinen Dorf verbracht, das auf einem Felsen am Fuß des Gebirges erbaut war. Die Leute waren alle miteinander verwandt, und sie lebten von dem, was ihnen die Mönche in den Klöstern für die Nahrung bezahlten, die sie von entfernteren Dörfern herbeischafften. Da die Mönche weder Fisch noch Geflügel, noch Fleisch irgendeiner Sorte aßen, nicht einmal Hühnereier, bestand ihre ganze Kost aus Bohnen, Weizen, Hirse und Reis.
Il-han blickte zu den hohen Felsen hinauf. Die schmale Landstraße verengte sich zu einem Pfad, auf dem kein Pferd mehr Platz fand.
»Dann laß also die Pferde hier«, wies er den Diener an. »Sag dem Oberhaupt des Dorfes, daß wir bei unserer Rückkehr für die Pflege unserer Tiere gut bezahlen werden.«
Der Diener gehorchte, und bei Sonnenaufgang war Il-han bereits auf dem Weg zu der klippenartigen Bergwand. Hätte er Schwindelgefühl gekannt, so wäre er nach wenigen Stunden schon umgekehrt, denn dann hätte dieses Gesims, das zuweilen nicht mehr als drei Handbreit Platz bot, seine Kraft überfordert. Dennoch hielt auch er die Augen auf die Füße geheftet und blieb nur ab und zu stehen, um einen Blick auf die Umgebung zu werfen. Die Aussicht war furchterweckend. Über ihm ragten die Berge steil in den Himmel, die Gipfel in silbergraue Dunstschwaden gehüllt. Tief unten schäumten klare Wasser durch enge Schluchten, und tosender Widerhall umschloß ihn. Jede Unterhaltung war unmöglich, denn keine menschliche Stimme drang hier durch. Und hörte man einmal nichts vom Brausen des Wassers, so heulte der Wind zwischen den Felsen.
Den ganzen Tag waren sie unterwegs, und nur am Mittag legten sie eine Pause ein, um kalte Bohnen und etwas Brot zu verzehren. Es dämmerte schon, als sie das erste Kloster erreichten, wo sie ein Nachtlager finden konnten. Nach Westen gelegen, bot es im Licht des goldenen Abendglanzes einen Anblick, der alles lebendig werden ließ, was Il-han von einem Poeten in sich trug. Zuerst tauchte aus dem Halbdunkel der Felsschatten ein Streifen Grün auf, der sich hell von dem

düsteren Gestein abhob, und zwischen knorrigen Kiefern eine gewundene Felstreppe. Und plötzlich lag dann wie ein Juwel der alte Tempel vor ihm, die Dächer aus grauen Ziegeln, die Pfeiler zinnoberrot, die Mauern weiß. Il-han stieg die Stufen hinauf und wartete vor den mächtigen, mit Schnitzereien verzierten Türflügeln in der Mitte einer gepflasterten Terrasse. Als ob er geklopft hätte, wurde unmittelbar darauf die Tür geöffnet, und ein Mönch stand vor ihm, eine hohe Gestalt in grauem Gewand.
Der Mönch entbot ihm den buddhistischen Gruß: *»Na mu ah mi to fu.«*
Il-han antwortete mit dem buddhistischen Gebet, das ihn seine Mutter vor vielen Jahren, als er ein kleiner Junge war und sie ihn mit in den Tempel nahm, gelehrt hatte.
»Po che choong saing.«
»Tritt ein«, sagte der Mönch. »Du bist einer der Unseren.«
Schweigen umfing ihn in der weiten Halle, wo er sich einem großen Gold-Buddha gegenüber fand, der mit gekreuzten Beinen auf einem goldenen Lotos saß, die Hand erhoben. Mild und ruhig blickte das schimmernde Gesicht zu ihm nieder, und er fühlte, wie sich Frieden auf ihn herabsenkte.
Einen Monat lang verweilte Il-han unter den Priestern dieses Klosters. Er schlief in einer engen Zelle, und täglich bei Sonnenaufgang begab er sich zu dem Raum, wo in hanfenen, safrangelb gefärbten Gewändern der Abt auf einem schwarzen Kissen kauerte und die buddhistischen Schriften las.
Das Kloster war reich an Schätzen des Geistes, wie ihm der Abt erzählte, und bestand seit den Anfängen des Königreiches von Koryo, als der Mönch Chegwan dem König den Zusammenhang zwischen den Drei Königreichen und den Einheiten des Buddhismus offenbarte, von denen es ebenfalls drei gab – Lehrer, Schüler und Priester. Durch die unlösbare Verbindung dieser drei Einheiten war die Macht des Buddhismus erstarkt, und er hatte von Indien bis in das ferne China vordringen können, dann nach Korea und von dort aus nach Japan. In dieser Verbindung lag auch das Motiv für die Übersetzung der buddhistischen Schriften in die koreanische Sprache. Der

große Buddhist Tagak, Sohn des Königs Munjon und achtundzwanzigster Patriarch in direkter Nachfolge Sakymuni Buddhas, begab sich während der Sung-Dynastie selbst nach China, um die kostbaren Bücher zusammenzutragen.
»So haben wir uns auf die Zukunft vorbereitet«, erklärte der Abt. »Der Mongoleneinfall war damals schon prophezeit. Es ist immer der Norden, woher die Vernichter über den zivilisierten Menschen kommen. Errichtete nicht auch China die Große Mauer gegen den Norden? Nun, die Mongolen brachen über Korea herein, aber unter unserem Einfluß kämpfte das Volk einmütig gegen die barbarischen Horden.«
»Um sich schließlich doch Dschingis-Khan zu unterwerfen«, erinnerte ihn Il-han, »und die Bücher wurden verbrannt –«
»Es war keine Unterwerfung, nur ein Sichfügen«, erwiderte der Abt. »Unser König floh zwar auf die Insel Kanghwa. Wir aber, im festen Glauben an unsere Rettung durch Buddha, schnitten neue hölzerne Lettern. Hunderte von uns arbeiteten sechzehn Jahre hindurch und brachten so die heiligen Bücher wieder zusammen, und mehr als dreihunderttausend Seiten wurden neu gedruckt. Sie befinden sich hier, die umfassendste Sammlung buddhistischer Bücher in der ganzen Welt. Und unser Land blieb, geeint unter Buddha, unversehrt. Chegwan, der die Schule der Meditation begründete, saß neun Jahre lang mit dem Gesicht zur Wand gekehrt, um nicht in der Meditation gestört zu werden. Seine wertvollsten Erkenntnisse verdanken wir der inneren Läuterung und Erleuchtung, die sich mit stiller Meditation einstellt. Denn der Ursprung aller Lehre ist in unserem Herzen, und deshalb ziehen wir buddhistischen Mönche uns auch in die Berge zurück.«
»Und was, wenn Armeen in unsere Täler und über die Berge schwärmen?« rief Il-han aus.
»Im Silla-Zeitalter«, sagte der Abt, ohne seine freundliche Stimme zu heben oder zu senken, »wurde einer deiner eigenen Vorfahren Mönch, Prinz Kim Hsin-lo. Er reiste nach China, und als er den Jangtse-Fluß hinaufkam, rastete er beim Berg der Neun Blumen. Fünfundsiebzig Jahre lang saß er dann in Meditation versenkt, immer einen weißen Hund zur Seite,

und ein Strahlen ging von ihm aus, und die Leute erkannten seine göttliche Sendung. Am dreißigsten Tag des siebten Monats im sechsundsiebzigsten Jahr empfing er die große Erleuchtung, und der Tod nahm ihn an. Danach verweste sein Körper nicht, und Feuerzungen flackerten über seinem Grab. Weshalb? Weil er aus Liebe und Mitleid für die Verdammten in die Hölle hinabgefahren war.«

»Aber was nützt es uns jetzt?« rief Il-han aus. »Alle Meditation hat uns nicht zu erretten vermocht. Und ist es genug, in die Hölle hinabzusteigen, wie mein Vorfahre es tat? Er wäre besser hier in dieser Hölle geblieben, die wir nun in unserer Heimat haben. Vielleicht sind auch wir verdammt. Denke nur daran, daß unter der Koryo-Herrschaft sogar die buddhistischen Mönche, Priester und Äbte an der Macht und damit an Luxus und Korruption Geschmack fanden.«

Der Abt schwieg. Die Anklage entsprach der Wahrheit. Als die Herrscher schwach geworden waren, hatte man selbst die Tage religiöser Zeremonien nur noch als Gelegenheiten zu Völlerei und Trinkgelagen aufgefaßt. Konfuzianische Gelehrte, von der frischen Energie einer neuen Philosophie durchdrungen, hatten die Buddhisten für ihre Dekadenz angeprangert, und vor diesen jungen, gerechten Kräften mußten die alten weichen, und das Königreich war der Yi-Dynastie zugefallen. Danach bestimmte der Konfuzianismus die Wege des Staates und des Volkes, er wurde zur Religion, und die Mönche zogen sich für immer in diese Tempel in den Gebirgen des Nordens zurück.

Il-han verbrachte die Stunden des Tages unter den Mönchen. Erst wenn die Dämmerung kam, sonderte er sich ab und wanderte durch die Gärten, die auf den schmalen Felsplateaus angelegt waren. Ringsum, wohin er sich auch wandte, ragten die schroffen dunklen Berge in den Himmel. Die Schluchten waren sogar um die Mittagszeit mit Finsternis erfüllt, und die Schatten waren schwarz.

Eines Abends hörte er einen eigenartigen Gesang, einen menschlichen Schrei der Verzweiflung und Hoffnung zum

Himmel, und er trat näher und blickte in die Halle, aus der das Singen kam. Die Priester hockten mit gekreuzten Beinen auf Sitzkissen, die Augen geschlossen, und drehten ihre Gebetsketten aus Sandelholz und Elfenbein. Auf ihren tranceartig unbewegten Gesichtern lag der trübe Schein flackernder Kerzen. Nicht einer war jung – nicht einer! Das waren die Alten, die Geschlagenen, Männer, die sich vom Leben zurückgezogen hatten, und der Friede, in dem sie lebten, war der Friede des nahenden Todes. Ja, dies war eine Gruft für den menschlichen Geist und Körper.

Er kehrte sich ab und rief seinen Diener herbei.

»Wir gehen morgen bei Tagesanbruch von hier fort«, sagte er zu ihm.

»Herr, dem Himmel sei Dank!« erwiderte der Mann. »Ich fürchtete schon, du wolltest diesen traurigen Ort niemals mehr verlassen.«

Als Il-han später seine Zelle betrat, um die letzte Nacht darin zuzubringen, brannte das Talglicht auf dem Tisch, und er sah eine Gestalt mit gekreuzten Beinen auf dem Boden sitzen. Es war der junge Mönch, der morgens die Gewänder des Abtes zu ordnen hatte. Er erhob sich, als Il-han hereinkam.

»Herr«, sagte er, »ist es wahr, daß du uns morgen früh verläßt?«

»Vor Sonnenaufgang«, antwortete Il-han.

»Nimm mich mit, Herr, ich flehe dich an, nimm mich mit!«

Seine Augen glänzten im Kerzenlicht, und in seinem Gesicht stand ein Ausdruck sehnsüchtigen Verlangens. Il-han war bestürzt und überrascht.

»Wie könnte ich das?« fragte er. »Du hast die Gelübde abgelegt.«

»In meiner Unwissenheit«, stöhnte der junge Mönch. »Ich war ein einfacher Bauernsohn, und mit siebzehn rannte ich fort, und Christen nahmen sich meiner an und steckten mich in ihre Schule. Aber meine Seele war nicht befriedigt, und es zog mich zu unserem Herrn Buddha hierhin. Ach, und noch immer lechzt meine Seele vergebens nach Wahrheit. Ich habe viele Bücher gelesen. Aus Ost und West. Pilger gaben mir Bücher

westlicher Philosophen, Kant, Spinoza, Hegel, aber ich finde keinen Frieden. Wo ist die Wahrheit?«
»Wenn du sie hier nicht finden kannst«, sagte Il-han zu ihm, »so wirst du sie nirgendwo finden.«
Und er blieb allen Bitten des jungen Mönches gegenüber hart, schickte ihn fort und legte den Riegel vor die Tür.
Als er am nächsten Morgen den Abt aufsuchte, um ihm Lebewohl zu entbieten und für seine Gastfreundschaft zu danken, fühlte Il-han trotz aller Verschiedenheit ihres Denkens einen Trennungsschmerz. Unendlich viel von der Vergangenheit seines Vaterlandes wurde an dieser Stätte und in ähnlichen Tempeln in anderen Bergen bewahrt. Berge waren die schützenden Verstecke für die letzten Zeugnisse eines verlorenen Glanzes geworden. Was für ein Schicksal hielt die Zukunft bereit? Welche Kraft vermochte es, sein Volk zusammenzuhalten, jetzt, da die Liebe zu Buddha vergessen war?
»Bete für uns«, bat er den Abt. »Du, der du noch betest.«
»Ich werde beten«, sagte der Abt, und er erhob sich, um Il-han zu segnen. Auf Il-hans gebeugtem Haupt faltete er die Hände. »Buddha schütze dich, mein Sohn! Buddha leite deine Schritte! Buddha schenke dir Frieden! *Ah mi to fu* –«
Unter diesem Segen verließ Il-han den Berg und wandte sich nach Süden, dem Meere zu.

Im Osten Koreas fällt das Land steil zum Meer ab, und das Wasser nagt seit Urzeiten an Erde und Fels, so daß die Küste durch tiefe Einschnitte zerrissen ist. Il-han folgte den Wegen, die sich boten; meist waren es die holprigen, sandigen Pfade, die die Fischer auf dem Gang von ihren Hütten zu den Netzen benutzten. Diese Männer der See unterschieden sich sehr von Bauern oder Mönchen. Hart waren sie, ihre Stimmen rauh, die Haut salzüberkrustet und die Augen verengt durch Sonne und Sturm. Unerschrocken wagten sie sich mit ihren kleinen Segelbooten hinaus, den Unbilden des Meeres preisgegeben. Wenn sie nach Hause kamen, drehten sich ihre Gespräche um das Meer und das, was es hergab. Fische und Schaltiere. Während die Männer draußen waren, gruben ihre

Frauen und Kinder in den Hügeln hinter den Fischerdörfern nach Ginsengwurzeln, die hier in besonders guter Qualität gediehen. Sie waren kostbar, da man sie wegen ihrer kräftigenden Eigenschaften in Suppe und Tee sehr schätzte und mit einer Ginsengwurzel in einer Brühe aus Salzfisch Medizin für jegliche Krankheit herstellen konnte. Als Gemüse verwendeten die Fischerleute die jungen Sprossen wildwachsender Kräuter, die gedämpft wurden und dann in Essig und Sojasauce getaucht. Sie aßen selten Fleisch, und Il-han bekam auch tatsächlich in den vielen Tagen, die er durch diese Dörfer reiste, nur einmal Fleisch zu Gesicht, getrocknetes Rindfleisch, das er vor einem Haus hängen sah; als er sich nach der Herkunft erkundigte, erklärte der Eigentümer, daß die Kuh an einer Krankheit eingegangen sei. »Herr«, rief sein Diener entsetzt, »laß uns nur Fisch in dieser Gegend essen!«
Das Getränk der Küstenbewohner war ein hausgemachtes Gebräu, trüb anzusehen und von widerwärtigem Geruch. Und als Brennstoff sammelten Männer und Frauen, wie Il-han oft beobachtete, während er durch diese Gegend ritt, Kiefernnadeln und dürre Zweige, Stroh, Gras und trockenen Seetang. In ihrer ganzen Lebensweise zeigte sich, wie wenig ihnen Land bedeutete. Ihre Häuser waren kleiner und schmutziger als anderswo und die Bevölkerung unwissender. Eines Nachts wurde Il-han in dem kleinen Dorfgasthaus, wo er untergekommen war, von lauten Stimmen geweckt, und die Dörfler stürzten in sein Zimmer, in der Überzeugung, er müsse ein Dieb sein – nur weil er ein Fremder war. Sein Diener mußte sie erst heftig ausschelten, ehe sie sich wegschicken ließen.
»Aber wir haben es immer noch besser als das Landvolk, das sich mit dem Boden abmüht«, sagte eines Abends ein Fischer zu ihm, als er in einer Hütte beim Feuer saß.
»Wieso habt ihr es besser?« fragte Il-han.
Der Mann spuckte ins Feuer und erwog seine nächsten Worte. Es fehlten ihm zwei Finger, die ein Hai abgebissen hatte, ein kleiner Hai, wie er mit kurzem Lachen erzählte, sonst wäre nicht nur die ganze Hand, sondern auch der Arm verloren gewesen.

»Es geht uns besser«, erklärte er schließlich, »weil der Yangban-Adel das Meer nicht an sich reißen kann, wie er es mit dem Land tut. Die See ist noch immer frei. Sie gehört uns, weil sie dem Himmel gehört und nicht den großen Herren.«
Es waren schwerwiegende Worte. In den Fischerdörfern fand Il-han den gleichen Zorn, dem er schon unter der Landbevölkerung begegnet war, unterdrückt von der gleichen Hoffnungslosigkeit. Arm zu sein, war, so nahm man an, unvermeidlich. Niemand konnte entkommen. Aber hier am Meer machte die Freiheit die Armut noch ein wenig erträglicher, während der Bauer ohne Land auch noch der Sklave des Eigentümers war.
Il-han schlief schlecht in dieser Nacht. Der Geruch um ihn herum war Fischgeruch. Sehnsüchtig erinnerte er sich an den Duft von Weihrauch und sonnenbeschienenen Kiefern, der das Kloster durchzogen hatte. Hier vermochte nicht einmal der Meerwind die Luft zu reinigen; Fisch, der zum Trocknen aufgehängt war, Fisch, der durch die Feuchtigkeit verschimmelte, Fisch, für den Winter eingesalzen, Fisch, der im Sand verrottete. Sogar der Tee, den diese Familien brauten, schmeckte nach Fisch, und ihr Leben war so bedrückend zwischen nackten Bergen und wogender See, daß Il-han es nicht mehr länger bei ihnen aushielt.
Nachdem er Pusan an der südlichsten Spitze der Halbinsel hinter sich gelassen hatte, erreichte er bald den Naktong-Fluß, von dem er nur wußte, daß er irgendwo im Gebiet von Andong entsprang. Es stellte sich heraus, daß er sich nicht durchqueren ließ, und sie mußten mit einem der ungewöhnlich langen, schmalen Boote übersetzen. Überall sah man Fischer ihre Netze auswerfen; sie fingen Koi-Fisch und Karpfen, die wegen ihres Wohlgeschmacks sehr beliebt waren.
Einmal begegnete Il-han an einem schönen Tag einer Prozession von Buddha-Anhängern. Drei singende Mädchen wurden in geschlossenen Sänften vorangetragen, und in der Mitte der Schar thronte, alle überragend, ein Buddha-Standbild. Doch einer der Umstehenden bemerkte, derlei Umzüge zu den Tempeln seien nichts anderes mehr als ein unterhaltsamer

Zeitvertreib. Buddha, der Herr, so sagte der Mann, sei schon lange tot.

»Du hast recht«, erwiderte Il-han, »denn er lebt nicht mehr in den Herzen der Menschen.«

Es blieb nun noch sein letztes Ziel, Kanghwa. Dorthin begab er sich jetzt, und er hielt sich nicht länger als eine Nacht in jedem Gasthof auf, bis er seinen Bestimmungsort erreichte. In einem Fischerboot überquerte er den Kanal vor der Flußmündung, und dann setzte er endlich den Fuß auf die berühmte, sagenumwobene Insel.

»Folge mir in einigem Abstand«, befahl er seinem Diener. »Frage mich nichts. Was unsere Nahrung angeht, so kaufe, was wir unterwegs, ohne Zeit zu verlieren, verzehren können.«

So hielten sie es, und Il-han wandte sich zunächst dem Berggipfel zu, wo, wie es hieß, Tangun, der erste König, vom Himmel herabgekommen war. Der Weg war steil und das Gras schlüpfrig vom ersten Frost, doch Il-han, dem das viele Gehen die Muskeln gestählt hatte, blieb unermüdlich. Als er den Bergkamm erreichte, schichtete er Steine zu einem kleinen Hügel auf, und dann blickte er eine Weile selbstvergessen in das reine Blau über sich. Sein Geist konnte nicht glauben, doch sein Herz tat es, und er stand in Andacht und nahm etwas in sich auf, das er nicht zu deuten vermochte; er merkte nur, wie ihm Ruhe und Kraft zufloß. Bevor er abstieg, suchte er noch unter dem Geröll, bis er ein eigenartig zugespitztes Felsstück fand, womit er sein kleines Denkmal krönte.

Später sah er dann die Mauer der Drei Söhne. Siebenhundert Jahre hatte sie gestanden, erbaut und wiederaufgebaut, doch jetzt gehörte sie der Geschichte an. Neue Eindringlinge, wer immer sie sein mochten, würden mit neuen Waffen kommen, gegen die mit Mauern nichts auszurichten war, und der Kanal konnte, wenn auch eine Meile breit, nicht mehr als Wassergraben für eine Festung dienen. Kanghwa war nur noch ein Mahnmal, das an den Mut eines Volkes in der Vergangenheit erinnerte, eine Quelle der Kraft für die Zukunft.

Er hatte auch vorgehabt, ein paar Tage in dem alten Kloster

Chung Dong zu verbringen, aber er stellte jetzt fest, daß ihn eigentlich nichts mehr dorthin zog. Wozu waren solche Zufluchtsstätten in diesen Zeiten noch gut? Er sehnte sich nach seiner Familie, nach Arbeit und Pflicht.
Der erste Schnee fiel, als er den Rückweg zur Hauptstadt einschlug. Neue Tatkraft erfüllte ihn, seit sich ihm die Wesensart seines Volkes erschlossen hatte. Tapfere, starke Menschen waren es, die mit Mut und Fröhlichkeit alle Mühsal ertrugen. Kraft fanden sie in sich selbst und in einander. Sie konnten grausam sein, und sie waren gut. Sie kämpften gegen die Natur in Sturm und Kälte, aber sie kämpften Seite an Seite. Er liebte sie.
Seine erste Aufgabe war nun, die Königin aufzusuchen und ihr zu berichten, daß ihr Volk jedes Opfer wert war und man es nicht fremden Eindringlingen überlassen durfte. Das Land mußte um jeden Preis unabhängig bleiben. Was für ein Preis würde es sein? Die Zukunft mußte ihn bestimmen.

Auf halbem Wege zur Hauptstadt erreichten ihn die Unglücksnachrichten. Es war ein windstiller kalter Morgen, und er wurde von der Sonne geweckt, die durch das kleine Fenster seines Zimmers in einem Gasthaus flutete. Er hatte gut geschlafen, und es eilte ihm nicht mit dem Aufstehen. Eine Dienerin, die vor seiner Tür gewartet hatte, hörte ihn sich bewegen und kam mit einer Kanne heißem Tee herein. Sie kniete an der Seite seines Lagers nieder, goß Tee in eine Schale und stellte sie auf den niedrigen Tisch neben seinem Kissen. Es war eine Frau mittleren Alters, mit knorrigen, von der Winterkälte aufgesprungenen Händen. »Schlechte Nachrichten, schlechte Nachrichten, Herr«, verkündete sie munter.
»Was ist?« fragte er noch ein wenig schlaftrunken.
»Um Mitternacht kamen Boten aus der Hauptstadt vorbei«, plapperte sie. »Der Regent hat die Herrschaft wieder übernommen. Der König hat sich gefügt, aber die Königin nicht. Sie ist entkommen und hält sich verborgen, und der Regent hat der Armee Befehl gegeben, nach ihr zu suchen und sie zu töten.«

Er fuhr hoch, als stünde sein Lager in Flammen.
»Hinaus!« schrie er sie an.
Erschrocken wollte die Frau fortlaufen, als er ihr noch nachrief: »Ruf meinen Diener – er soll die Pferde satteln. Wir halten uns nicht mehr auf – kein Essen –«
Während er hastig in die Kleider fuhr, streckte sein Diener den zerzausten Kopf durch die Tür.
»Herr, was bedeutet deine Hast?«
»Keine Fragen«, herrschte er ihn an. »Unterwegs ist Zeit genug zum Reden. Führe die Pferde an das Tor. Erledige alles mit dem Wirt. Achte darauf, was du die Gäste murmeln hörst.«
»Herr, wer ist schon zu dieser Stunde auf?« entgegnete der Mann verstört.
Eher, als er es für möglich gehalten hätte, waren sie auf dem Weg. Es war ein prächtiger Morgen, und überall sah man Bauern ihren Winterarbeiten nachgehen; sie besserten Wege und Bewässerungsgräben aus und deckten Strohdächer neu. Il-han tat das Herz weh. Weshalb konnte in einem so schönen Land niemals Frieden sein? Warum kam es immer wieder zu Aufruhr im Inneren, wenn sie doch ohnehin fortwährend von außen her unter Druck standen? Wieviel Unzufriedenheit, wieviel Hader und Zwietracht war auf dieser kleinen, von der Natur so reich bedachten Halbinsel zu Hause! Der Regent hatte schon zu lange regiert – warum mußte er zurückkommen, um sich mit Gewalt zu holen, was ihm nicht mehr zustand?
Er ritt sein Pferd im schärfsten Trab, den er wagen konnte, während die Sonne am saphirblauen Himmel dem Zenit zuwanderte. Vor ihnen ragten graue Berge auf, die Kuppen mit Rauhreif und Schnee bedeckt, und ein Paß wand sich mitten hindurch. Dieser Einschnitt war es, dem sie zustrebten, und Il-han verschwendete keinen Gedanken an Essen, bis er am Mittag das eingefallene, bleiche Gesicht seines Dieners bemerkte. Der Mann war älter als er, erwachsen bereits, als Il-han noch ein Kind gewesen war.
»Jenseits des Passes gibt es ein Gasthaus«, sagte er zu ihm.

»Wir werden dort rasten, und vielleicht erfahre ich auch wieder etwas Neues, denn die Boten nehmen diesen Weg, wenn sie von der Hauptstadt zur Küste wollen.«
Bald darauf waren sie angelangt, und während der Mann die Pferde versorgte, setzte sich Il-han an einen Tisch im Gastzimmer und horchte auf die Unterhaltung der Anwesenden. Es waren primitive Männer, Lastträger und Boten, und ihre Reden waren zynisch und grob. Niemand wußte, wo sich die Königin aufhielt. Vielleicht verbarg sie sich, vielleicht war sie tot. Der Regent würde sie nicht schonen, das war sicher, denn sie war es ja gewesen, die ihn, weil sie China anhing, um seine Machtstellung gebracht hatte.
Hier mischte er sich ein.
»Wird sich nicht der König darum bemühen, zu erfahren, wo sie ist, und sie zu schützen versuchen?« fragte er mit träger, harmlos-neugieriger Stimme.
Ein Stimmentumult erhob sich. »Der König? Der König hat dem alten Regenten die Herrschaft übergeben. Ist nicht der Regent sein Vater? Und wird der Regent die Königin schonen, wenn sie es doch war, die sich damals gegen ihn gestellt und dem König auf den Thron verholfen hat?«
Er war erstaunt, diese ungebildeten Männer mit den Einzelheiten der Palastintrige vertraut zu finden. Sie waren freilich nicht ganz unwissend, obwohl keiner von ihnen seinen Namen schreiben oder Buchstaben der Hangul-Schrift lesen konnte. Aus der mündlichen Überlieferung in ihren Familien kannten sie die Geschichte ihres Landes ein wenig, und sie hörten den Klatsch der Palastdiener und -wachen. Il-han erfuhr jetzt, daß eine unzulängliche Reisernte das Volk unruhig gemacht hatte; da der Reis knapp war, hatte man dann die Rationen der Armee kürzen müssen, und so waren auch die Soldaten rebellisch geworden, und die Mittelsleute des Regenten hatten willige Zuhörer an ihnen gefunden. Auf diese Weise war es dem Regenten gelungen, sich wieder des Thrones zu bemächtigen.
Die Lastträger und Fuhrleute genossen es, sich in Einzelheiten über das Unglück zu ergehen, und Il-han hörte schweigend zu,

scheinbar mit Essen und Trinken beschäftigt, während er in Wirklichkeit nicht imstande war, einen Bissen hinunterzuwürgen. Ein wettergegerbter Fuhrmann sprach am lautesten von allen.
»Die Königin schlief«, brüllte der magere, verschmutzte Bursche, dem der Kittel in Fetzen herunterhing.
»In ihrem eigenen Palast oder beim König?« fragte jemand.
»In ihrem eigenen Palast!« kicherte der Fuhrmann. »Er kommt zu ihr, du Narr, wie ein Bettler – auf den Knien rutscht er herein, sagen sie, heulend und flehend.«
»O nein, so ist das nicht«, ließ sich ein anderer vernehmen. »Die Königin ist diejenige, die winselnd zum König kriecht.«
Il-han konnte es nicht mehr ertragen. »Erzähle doch endlich weiter«, schrie er den Fuhrmann an und war froh, daß nichts an seinem Äußeren seine Herkunft verriet.
Der Mann nahm den Faden seiner Rede wieder auf.
»Sie schlief, die Königin, und ihre Frauen auch, und eine Wache rannte herein, um ihr zu sagen, daß das Tor genommen sei.«
»Und der König?« erkundigte sich Il-han.
»Der König? Er? Er erwartete seinen Vater am Tor, sagt man, und er warf sich fast in den Staub, um den Regenten willkommen zu heißen.«
»Du, sag uns«, schrie ein junger Mann, »war die Königin nackt? Ich habe gehört, daß sie nackt schläft.«
»So? Nun, dann war sie sicher nackt«, brüllte der Fuhrmann mit rohem Lachen, »und wenn eine Königin nackt ist, sieht sie nicht anders aus als jede andre Frau.«
Ihre widerwärtigen Reden bedeuteten für Il-han eine Folter. Die Königin, seine Königin, diese majestätische Schönheit, von gemeinem Verräterpack hier in einer Schenke zur Nacktheit entblößt! Waren solche Männer nicht Verräter, wenn sie Freude an dem Unglück ihrer Königin fanden?
»Sie muß tot sein«, sagte er ernst. »Wie hätte sie aus solch einer Lage entkommen können?«
»Ha«, ließ sich der Fuhrmann wieder hören. »Du kennst unsere Königin nicht.« Er senkte die Stimme und fuhr genie-

ßerisch fort: »Eine Dienerin stand da, händeringend und jammernd, und veranstaltete ein rechtes Weibergetue. Doch die Königin schlug sie ins Gesicht und hieß sie still sein.
›Zieh deine Kleider aus und hilf mir schnell hinein‹, sagte sie zu ihr. Ja« – der Fuhrmann nickte und grinste – »so war es. Und als die Rebellen den Palast stürmten und in den Raum kamen, in dem sie geschlafen hatte, stand die Dienerin nackt da, und die Königin war fort.«
»Haben sie das Mädchen für die Königin gehalten?« wollte ein junger Mann wissen. Seine Augen glitzerten bei der Vorstellung der Szene.
»Sie zog gerade die Kleider der Königin an, als man sie ergriff, und sie sagte, sie sei die Königin. ›Nehmt eure Hände weg von mir‹, rief sie, wie es die Königin getan haben könnte, und sie warteten wirklich, bis sie fertig war, und dann führten sie sie fort.«
Il-han nahm seine Teeschale und trank sie aus. Dann sagte er, als ob ihn alles gar nicht kümmerte: »Ich wollte, ich wäre dabeigewesen, als sie merkten, daß sie hinters Licht geführt worden waren. Eine Dienerin statt der Königin! Das muß ein Spaß gewesen sein!«
Der Fuhrmann, der eben erst aus der Hauptstadt gekommen war, wußte auch darüber Bescheid. »Man hat sie dem Regenten gebracht, und als er sah, wen man da statt der Königin eingefangen hatte, fluchte und fauchte er und ließ die Leute ins Gefängnis werfen und die Dienerin erwürgen.«
Il-han stand auf. »Ich muß wieder weiter«, erklärte er.
Nicht einmal zu seinem Diener sagte er im Weiterreiten etwas von der Furcht, die sein Herz beschwerte. Der Regent wußte natürlich, daß der Kim-Clan der Königin gedient hatte. Seit sie neben dem König den Thron bestiegen hatte, waren die Kims vor allen anderen bevorzugt worden, und unter ihnen stand Il-han selbst am höchsten in ihrer Gunst. Würde der Regent jetzt nicht Rache nehmen? Und wenn man ihn, Il-han, nicht in seinem Hause fand, würden dann nicht seine Frau, die Kinder und sein alter Vater umgebracht? Rache war das Vorrecht des Tyrannen.

»Wir wollen nirgendwo mehr einkehren«, sagte er zu dem Diener. »Besorge uns frische Pferde. Wir reiten, bis wir die Hauptstadt erreichen.«

Die Stadt war ruhig, als er durch das mächtige Südtor ritt. Auf den Straßen kamen und gingen die Leute, als wäre alles unverändert. Niemand blickte ihn offen an, und niemand gab auch nur das kleinste Zeichen des Erkennens. Seine Kleidung war von der Reise zerrissen, und er war unrasiert, aber das konnte keine Entschuldigung sein. Hier mußte man ihn kennen. Wagte niemand, ihn anzusprechen?
Auf den Märkten herrschte Betrieb – Fisch und Fleisch, süßes Backwerk und Gemüse wurden wie immer feilgeboten, und sorglose Kinder schossen zwischen den Erwachsenen hin und her. Vor seinem Haus stieg Il-han ab und warf dem Diener die Zügel zu. Er fand das äußere Tor offen, die innere Pforte jedoch war verriegelt, und vorsichtig spähte der Torhüter durch das kleine Fenster. Selbst jetzt tat sich die Pforte noch nicht auf, und als Il-han einen Blick hindurchwarf, sah er den Mann auf das Haus zulaufen, wo er offenbar die Nachricht von der Ankunft seines Herrn verkünden wollte. Er wartete ungeduldig, bis der Türhüter endlich zurückkam und die Pforte gerade weit genug öffnete, um ihn einzulassen, wonach er sogleich wieder den eisernen Riegel vorschob.
»Buddha sei Dank, daß du da bist, Herr«, sagte er.
»Ist meine Familie hier?« fragte Il-han.
»Ja – und auch dein verehrungswürdiger Vater ist gesund und wohlauf.«
Der erste Raum empfing ihn mit behaglicher Wärme, aber er fand niemand darin vor. Er horchte. Im Haus herrschte Stille. Nicht einmal die Stimme eines Kindes war zu hören. Er wollte gerade weitergehen, als eine Schiebetür zurückglitt und Sunia mit ungläubigem Gesicht vor ihm stand. Einen Augenblick blieb sie regungslos, und dann schrie sie auf.
»Oh –«
Sie lag in seinen Armen, den Kopf an seiner Brust, und hielt ihn umschlungen. Nach einer Weile blickte sie zu ihm auf.

»Du weißt, was geschehen ist?« fragte sie leise, und als er nickte, fuhr sie fast unhörbar fort: »Sie ist hier.«
Er hob die Augenbrauen. »Sie?«
»Die Königin!«
Einen Moment war er sprachlos. Die Königin? Wie konnte sie in seinem Haus Zuflucht suchen und das Leben seiner Kinder aufs Spiel setzen?
»Niemand weiß es«, flüsterte Sunia weiter. »Unsere Leute glauben, sie sei eine Dame des Hofes. Sie sagt allen, sie habe gesehen, wie man die Königin tötete, und sie könne nichts essen. Den ganzen Tag liegt sie in ihrem Bett und weint, als gälten ihre Tränen der Königin. Niemand kommt ihr nahe. Sie hat die Vorhänge zugezogen. Nachts bringe ich ihr Essen.«
»Wie lange wird man diese Geschichte glauben?« murmelte Il-han.
Sie mußten ihr Gespräch abbrechen, denn jetzt wollten die Kinder, von ihren Betreuern hereingeführt, den Vater begrüßen. Sie waren beide sehr gewachsen in all den Monaten, und das kleinste konnte bereits gehen, wenngleich noch mit vorsichtig weit auseinandergestellten Füßen. Il-han sah, daß ihm für den Augenblick nichts anderes übrigblieb, als seine Besorgnis zu verbergen und sich willkommen heißen und feiern zu lassen. Nach und nach fand sich auch die ganze Dienerschaft ein, um ihre Verbeugungen zu machen und ihre Freude über seine glückliche Heimkehr laut kundzutun, und er spielte den ruhigen Herrn und Gebieter, auf den alle vertrauen durften. Was im Palast vorgefallen war, erwähnte niemand.
Er sprach mit jedem einzelnen, und für alle hatte er ein Zeichen der Anerkennung. Die Dienerschaft erhielt Geldgeschenke, seinen beiden Söhnen gab er kleine Jadetiere, die er auf der Reise erstanden hatte, und dem Erzieher ein altes Buch mit Poesie, das der Abt des Bergklosters ihm überlassen hatte.
»Und nun brauche ich ein Bad«, sagte er dann, »und den Barbier und frische Kleider. Es ist schön, heimzukommen; ich wünsche mir nur, daß ich mein Haus niemals mehr verlassen muß.«

Nachdem er sich ausgeruht und erfrischt hatte, kam Sunia zu ihm und saß an seiner Seite, während er aß, und seine Söhne wurden noch einmal zu ihm geführt, ehe sie zu Bett gehen mußten. So ging der Abend vorüber, und die Nacht brach herein, und unablässig dachte Il-han an die Königin, die in einem der inneren Räume verborgen war. Sie mußte zu einem sicheren Zufluchtsort gebracht werden. Obwohl er seine Dienerschaft für zuverlässig hielt, so mochte doch einer der Frauen, die am Flußufer die Wäsche des Hauses wuschen, irgendwelches Geschwätz entschlüpfen. Eine von ihnen brauchte nur zu sagen: »Im Haus meines Herrn ist eine fremde Dame. Sie liegt den ganzen Tag im Bett und zieht die Vorhänge zu, und sie ißt gar nichts.«
»Und jetzt«, bat er Sunia, als das Haus still war, »jetzt bring mich zu ihr.«
Die Königin saß in der Kleidung einer Frau aus dem Volk neben einem kleinen Tisch, in den Händen ein Stück roter Seide, das sie bestickte. Das Licht zweier Kerzen beschien ihre ruhig sich bewegenden Hände. Sie sah nicht von ihrer Arbeit auf, als die Tür zurückglitt; erst als Sunia und er hereinkamen, hob sie die Augen.
»Majestät!«
Das Wort stahl sich ihm leise über die Lippen. Sie blickte ihn an, und dann ließ sie die Hände auf den Tisch sinken.
»Ich mache für deinen zweiten Sohn ein Paar Schuhe«, sagte sie.
Il-han erwiderte nichts. Sie traten näher und knieten vor ihr nieder.
»Wir müssen dieses Haus noch heute nacht verlassen«, flüsterte er. »Hier seid Ihr nicht sicher, und ich kann Euch nicht schützen. Ich bin vielleicht nicht einmal in der Lage, meine eigene Familie vor dem Schlimmsten zu bewahren. Legt warme Kleidung an und löscht die Lichter, als wolltet Ihr schlafen gehen. Ich hole Euch später hier ab, und wir werden zu Pferd einen entfernten Ort zu erreichen suchen. Ich habe einen Freund in Chung-jo –«
Sie antwortete nicht. Minutenlang hielt sie ihre großen dunk-

len Augen auf ihn geheftet. Dann faltete sie das Stück roter Seide und steckte die Nadel hindurch.

»Ich werde mich bereit halten«, sagte sie. Sie fügte kein weiteres Wort hinzu.

Er und Sunia erhoben sich und gingen in ihre eigenen Räume. Was gab es in solchen Zeiten noch zu sagen – selbst zwischen ihm und Sunia? Sie bereitete ein Bündel mit warmen Kleidern vor und packte etwas gedörrte Lebensmittel dazu, falls er und die Königin es nicht wagen sollten, in Gasthäusern einzukehren, oder Schneefälle sie an irgendeinem abgelegenen Ort zurückhielten.

Sie stellte nur eine Frage, während Il-han seine Hauskleider mit wärmeren vertauschte. »Solltest du nicht deinen Diener mitnehmen?«

Er zögerte. »Er ist ein treuer Mann, aber er war all diese Monate von seiner Familie getrennt. Der Ritt ist auch nicht ganz gefahrlos, falls wir entdeckt werden –«

Sie unterbrach ihn. »Es wäre schrecklich zu wissen, daß du allein bist. Wenn du überfallen und getötet würdest, wer würde mir die Nachricht bringen?«

Nur mühsam hielt sie die Tränen zurück, ihr Gesicht zuckte, und sein Herz wurde weich. Seinen ganzen Willen mußte er aufbieten, um ihr Kraft einzuflößen. Er nahm ihre Hand und hielt sie fest.

»Ich brauche deinen Mut«, sagte er. »Aller Mut, den ich selbst habe, reicht nicht aus für das, was vor mir liegt. Deine Tränen machen mich schwach. Es ist meine Pflicht, der Königin zu dienen, denn in ihr liegt die einzige Hoffnung unseres Landes. Glaubst du, ich könnte dich sonst verlassen – oder sie schützen? Sie muß am Leben erhalten werden, sie muß zurückkehren, sie muß den König wieder von seinem Vater fortlocken. Glücklicherweise liebt er sie, wie es heißt, und stützt sich auf sie. Glücklicherweise liebt er seinen Vater nicht. Er sehnt sich danach, gegen ihn zu rebellieren, und haßt sich selbst, weil er zu schwach dazu ist. So habe ich jedenfalls immer gehört. Nur ein paar Monate, Sunia, und die Königin wird zurück sein und der Thron wenigstens für eine Weile gesichert.«

»Warum mußt ausgerechnet du es tun?« murmelte sie verstört.
»Weil sie mir vertraut«, sagte er.
Sie blickte ihn über ihre Schulter hinweg an. »Es wäre gut, wenn du deinen pelzgefütterten Mantel mitnähmest – ich will ihn dir bringen«, sagte sie.
Als die kalten Stunden nach Mitternacht angebrochen waren, bat er Sunia, die Königin aus ihrem Zimmer abzuholen. Niemand von ihnen sprach, während sie gleich darauf durch das stille Haus gingen, die Königin in pelzgefütterte Gewänder gehüllt und einen Seidenschal um den Kopf geschlungen, der wie ein Schleier über ihr Gesicht fiel. Auf der nachtdunklen Straße vor dem Tor erwartete sie der Diener, den Il-han, um Sunia wenigstens in diesem einen Punkt nachzugeben, angewiesen hatte, sich mit drei Pferden bereit zu halten und keine Fragen zu stellen, was immer er auch vermute.
Il-han half der Königin in den Sattel. Nun wandte er sich zu Sunia. »Geh hinein, Licht meines Herzens«, sagte er. »Geh und schlafe und träume, ich sei wieder zu Hause. Ich komme bald wieder. Soweit ein Mensch etwas versprechen kann, verspreche ich es dir.«
Einen Augenblick hielten sie sich umschlungen. Dann kehrte sich Sunia entschlossen von ihnen ab und ging gehorsam in das Haus zurück. Er wartete, bis er sie den Eisenriegel vorlegen hörte. Erst nachdem er sie in Sicherheit wußte, saß er auf, und sie ritten fort – fast lautlos auf dem holprigen Pflaster, denn vorsorglich hatte der Diener die Hufe der Pferde mit Lappen umwickelt. Als sie am Stadttor anlangten, hielt die Wache eine Laterne hoch, um zu sehen, wer da aus der Stadt fliehen wollte. Die Königin schob ihr Tuch beiseite, und der Mann, sprachlos bei ihrem Anblick, öffnete ihnen.

In dieser Nacht und während der folgenden Tage mied Il-han die gepflasterte Hauptstraße nach Chung-jo. Er führte sein Pferd über Landstraßen und Bergpfade und rastete auch nicht in Gasthäusern, wenn die Dunkelheit hereinbrach, sondern bei irgendwelchen Bauern in einem Dorf. Niemals zuvor war die Königin mit dem Volk, das sie regierte, in direkte Berüh-

rung gekommen, und Il-han lernte die verschiedensten Seiten ihrer Natur kennen. So verwunderte sie sich am ersten Abend über die Entdeckung, daß ein Bauernhaus nur einen Raum aufwies, denn die ein oder zwei anderen Räume waren kaum mehr als Verschläge, und plötzlich wurde sie ganz Königin.
»Wie?« fuhr sie Il-han an. »Soll ich mitten unter all diesem übelriechenden Volk liegen?«
»Denke daran, daß du jetzt eine einfache Frau bist, mit deinem Bruder unterwegs, um entfernte Verwandte zu besuchen.«
Und sofort fügte sie sich. »Ich habe mir immer einen Bruder gewünscht«, sagte sie sanft.
Es war gut, daß er sie ermahnt hatte, in Gegenwart von Fremden nicht zu sprechen, denn ihre wohlklingende Stimme und ihre reine Aussprache hätten überall verraten, daß sie keine gewöhnliche Reisende war.
»Sei zurückhaltend«, empfahl er ihr, »denke daran, daß Frauen schweigen sollten, es sei denn, Vater, Bruder oder Ehemann sprechen sie an. Niemand wird etwas argwöhnen, wenn du nicht sprichst.«
Nun, da sie sich etwas geborgener fühlte, hatte sie in Blick und Lächeln bisweilen wieder etwas von ihrer alten selbstsicher-spielerischen, fröhlichen Art, und Il-han war sich klar darüber, daß er dieser starken, eigenwilligen Frau gegenüber nur mit Kühle und Unerschütterlichkeit bestehen konnte. Er wußte genau, daß sie ihm Folterqualen hätte bereiten können, wenn er in seiner Liebe zu Sunia nicht so fest gewesen wäre. Sie war die schönste Frau, die er je gesehen hatte, und sie machte von der Waffe ihrer Schönheit Gebrauch, wie es nur eine Königin wagen konnte, die genau wußte, daß sie jeden Mann, der sich etwas gegen sie herausnahm, vergiften oder köpfen lassen konnte. Er glaubte nicht, daß sie je zu gemeinen Mitteln greifen würde, doch er wußte auch, daß ein Mann einer Königin niemals trauen durfte. So erwies er ihr stets den schuldigen Respekt und näherte sich ihr nicht weiter, als es einem Untertanen zukam.
»Und halte dir vor Augen«, sagte er eines Abends zu ihr, als

sie sich beklagte, sie könne die derbe Kost nicht essen, die die Bauern ihr vorsetzten, »halte dir vor Augen, daß dies dein Volk ist und daß sie diese Dinge essen, bis sie sterben, und niemals etwas Besseres zu Gesicht bekommen als ein- oder zweimal im Jahr ein Stückchen Schweinefleisch. Und wenn der Raum, in dem sie wohnen, dich beengt und die Gerüche zu schlecht für dich sind, dann denke daran: Es ist dein Volk, und ihm stehen keine Paläste zur Verfügung.«
»Habe ich einen Palast?« kam ihre traurige Frage.
»Ja«, erwiderte er fest. »Und wenn du den Mut nicht verlierst, dann wirst du innerhalb eines Jahres wieder dorthin zurückkehren.«
Auf diese Weise hielt er sie aufrecht, und er bemerkte zu seiner Freude, daß sie nach und nach immer menschlicher und gefestigter wurde. Sie lernte, die Leute zu beobachten und ihre Lebensweise zu studieren, statt sich von ihnen abzuwenden, und auf diese Weise gewann in ihr unmerklich die wahre Königin über die Frau die Oberhand.
Sie erreichten Chung-jo an einem kalten Winterabend. Sein Freund war ein armer Dichter, in dessen Haus es keine Bediente gab, und so öffnete er selbst, nachdem Il-han mit dem Peitschengriff an das Tor gepocht und seinen Namen genannt hatte.
»Il-han! Komm herein, komm schnell herein –«
Seine Freude war offenkundig; sie hatten zusammen eine Schule besucht und sich seit Jahren nicht getroffen.
Il-han warf seinem Diener die Zügel zu und trat durch die Pforte, um dem Freund zu erklären, was ihn hergeführt hatte.
»Ich habe eine hochgestellte Persönlichkeit bei mir«, flüsterte er. »Sie braucht ein sicheres Versteck. Und ich bin zu dir gekommen, weil ich weiß, daß die Frau in deinem Haus sie aufnehmen und irgendwo verbergen wird.«
Der Dichter traute seinen Ohren nicht. Gerüchte aus der Hauptstadt hatten den Tod der Königin verkündet. Jedoch, so hieß es andererseits, niemand hatte ihre Leiche gefunden.
»Du willst doch nicht sagen –« stieß er keuchend hervor.
»Doch, genau das will ich sagen!« bestätigte Il-han. »Laß

mich sie nun hereinbringen. Sie ist halb erfroren wie wir alle. Sie braucht Ruhe, und sie muß etwas zu sich nehmen.«
Er wartete, ob der Freund etwas einzuwenden hätte gegen die große Gefahr, in die er sich begab, wenn er der Königin Schutz bot. Doch dieser Mann war ein echter Poet, arm, weil ihm die Welt des Geistes alles bedeutete, und mutig, da er wenig zu verlieren hatte.
»Ich will es nur meiner Frau sagen«, erklärte er. »Führe du sie inzwischen in mein Haus, die Tür ist offen.«
Mit diesen Worten ging er voran, und Il-han half der Königin vom Pferd und geleitete sie hinein.
»Ich habe dieses Versteck gewählt, weil mein Freund ein besonders gütiger Mensch ist«, sagte er zu ihr. »Und es ist günstig, daß er arm ist. Bei ihm gehen nicht viele Leute ein und aus. Aber ich bitte dich darum, dich ganz diesem Haushalt einzugliedern. Hier bist du nicht die Königin. Mache dir den Gedanken zu eigen, du gehörtest zu dieser armen, freundlichen Familie.«
Die vielen Tage beschwerlicher Reise hatten die Königin bescheiden gemacht. Sie wußte nun bereits etwas von der Art ihres Volkes und hatte gesehen, wie es lebte. Nie mehr würde sie mit Geld, Juwelen und feinen Seiden so verschwenderisch umgehen wie früher. Sie hatte von Natur aus einen noblen Geist, und sie war jetzt verwandelt.
»Ich werde an alles denken«, versprach sie.
Il-han hatte sich keine Vorstellung davon gemacht, wie schwierig es sein würde, die Königin in diesem Haus zu lassen, bis die Frau des Dichters erschien, um sie, halb betäubt von soviel Ehre, mit vielen Verneigungen zu begrüßen. Ihr Gatte hatte sie angewiesen, Namen und Titel der Königin nicht zu erwähnen, und sie gehorchte, aber sie war überwältigt.
»Wenn du mir folgen willst«, murmelte sie.
Die Königin neigte den Kopf und wandte sich dann flehend an Il-han: »Du bleibst doch einen oder zwei Tage?«
»Nicht einmal eine oder zwei Stunden«, erwiderte Il-han. »Ich muß unverzüglich zurück und meine Pläne für deine Wiedereinsetzung vorbereiten.«

»Wir haben von deinen Plänen überhaupt nicht gesprochen«, entgegnete sie.
»Weil ich nichts sagen werde, was dich belasten könnte. Du sollst hier in Ruhe leben und dieser Familie helfen, wie es eine Freundin tun würde. Nutze diese Zeit, um zu lernen, was es heißt, arm zu sein.«
»Ist das der Abschied?« fragte sie, und er sah Angst in ihren weitgeöffneten Augen.
»Wir sehen uns bald wieder«, sagte er.
Er blickte ihr nach, als sie neben der Frau des Dichters herging. Plötzlich drehte sie sich um und kam noch einmal zu ihm zurück. Fragend hob er die Augenbrauen, doch sie griff wortlos in ihren Ausschnitt und drückte ihm dann etwas in die rechte Hand.
Er warf einen Blick darauf und erkannte sofort, was es war.
»Das kann ich nicht nehmen«, stieß er flüsternd hervor.
Es war ihr persönliches Siegel aus chinesischem Jade, in den ihr königlicher Name eingraviert war.
»Du mußt«, sagte sie leise. »Vielleicht findest du es einmal nötig, meinen Namen an irgendeiner hohen Stelle zu gebrauchen, um dein – oder mein – Leben zu retten.«
Verwirrt stand er da, während sie zu der wartenden Frau zurückging. Es bewegte ihn tief, daß sie ihm soviel Vertrauen schenkte, und er wußte in diesem Augenblick, daß er ihr – mehr als ihr treuester Untertan – für immer ergeben sein würde.
Dann widmete er sich noch für eine Weile seinem Freund, während der Diener die Pferde fütterte und sie rasten ließ.
»Weshalb willst du so eilig fort?« fragte der Dichter betrübt.
»Es ist besser, daß keine Pferde vor deinem Tor stehen, wenn die Dämmerung kommt«, antwortete Il-han. »Und besser, wenn ich und mein Diener nicht in deinem Haus sind. Eine Frau ist leichter zu verbergen als ein Mann. Ah – ehe ich es vergesse – deine Frau soll ihr, falls sie es braucht, ein paar einfache Kleidungsstücke leihen. Sie besitzt nicht mehr als das, was sie augenblicklich trägt. Und sollte jemand fragen, wer sie ist, so kannst du erklären, sie sei eine entfernte Ver-

wandte, gerade verwitwet, die zu euch gekommen sei, weil sie kein Zuhause mehr habe.«
»Ich bin noch ganz verwirrt«, sagte der Dichter. »Es wird einige Zeit dauern, bis ich mich wieder gefaßt habe.«
»Ich werde zurückkommen, ehe viele Monde vergangen sind«, versicherte Il-han.
Der Dichter hielt seinen Arm fest. »Warte noch – meine Frau möchte wissen, was sie ißt.«
»Sie ißt alles«, antwortete Il-han fest und ging fort.

Die Königin blieb in dem bescheidenen Haus des Dichters viele Stunden sich selbst überlassen. Sie verstand, daß dies nicht auf Feindschaft, sondern nur auf den Respekt vor ihrer Person zurückzuführen war. Die Frau des Poeten hielt sich zwar immer in ihrer Nähe auf, aber sie war vor Ehrfurcht stumm, wenn nicht die Königin sie ermutigte. Und der Dichter verließ nur selten seine abseitsstehende Hütte, wo er auf einer Strohmatte vor einem niedrigen Tisch hockte, in Büchern las oder seine Gedichte pinselte. Jeden Morgen allerdings präsentierte er sich ihr, erkundigte sich mit einer Verbeugung nach ihrem Wohlergehen und zog sich zurück.
Oft kreisten ihre Gedanken um ihr Geschick. Die Mutter hatte ihr, erinnerte sie sich, ruheloses Umherwandern vorausgesagt, denn sie war bei Sonnenaufgang, während gerade ein Hahn krähte, zur Welt gekommen. Bisher hatten sich alle Weissagungen bewahrheitet, die sich von den vier Grundpfeilern ihres Schicksals, der Stunde, dem Tag, dem Monat, dem Jahr, in dem sie geboren war, ableiten ließen. Sie war eine Frau, die immer ihren Willen durchsetzen mußte – sie leugnete es nicht –, aber sie hatte auch Stärke gezeigt. Wenn sie daran dachte, begann sie unwillkürlich über den König nachzugrübeln. Sie hatte ihn für schwach gehalten, doch in manchen Augenblicken zweifelte sie jetzt. Vielleicht hatte er sein wahres Ich vor ihr verborgen. Er war der Sohn einer energischen Mutter, und er hatte während seiner Kindheit die Gewohnheit geheimen Widerstands gegen seinen Vater entwikkelt, den er zugleich liebte und haßte; er hatte gelernt, Ent-

schlüsse zu fassen, ohne mit irgend jemand darüber zu sprechen, bis sie in die Tat umgesetzt waren. Die Wiederkehr des Regenten – war sie vielleicht mit Einwilligung des Königs geschehen? Denn einen bloßen Gewaltakt des machtgierigen Regenten hätte der König, der überall in der Hauptstadt auf wachsame Augen und Ohren zählen durfte, doch leicht verhindern können! Und falls er zugestimmt hatte, was war der Grund? Haßte er sie, seine Königin? Lehnte er sich gegen sie auf, und hatte er seinen Vater nur gewählt, weil er gegen eine chinesische Oberhoheit war, während sie diese begünstigte? Wann war dann diese Wandlung in ihm vorgegangen?
Die Tage verstrichen, und die Königin wurde über ihren Grübeleien immer ruheloser. Auf Botschaften von Il-han durfte sie nicht hoffen. Er hatte sie darauf vorbereitet, daß keinerlei Kontakt möglich sein werde. »Sobald du ungefährdet zurückkehren kannst«, hatte er gesagt, »wird deine Sänfte vor dem Tor sein. Steige ein, ohne eine Frage zu stellen. Ich werde es sein, der sie sendet.«
Doch bisher hatte sie vergeblich gewartet. Einmal war sie in ihrer zornigen Ungeduld sogar zum Tor gegangen, obgleich sie wußte, wie gefährlich das sein konnte. Sie sah die Gruppe strohgedeckter Bauernhäuser, aus denen das Dorf bestand, und einen Bach, der aus den Bergen sprudelte, und daneben die Zickzacklinie einer gepflasterten Landstraße. Schweren Herzens war sie wieder hineingegangen und hatte sich zur Geduld ermahnt. Sie mußte warten und weiter warten, bis eines Nachts die Frau des Dichters sie wecken und ihr zuflüstern würde: »Die Sänfte ist vor der Tür.«

Kim Il-han war nicht müßig, obgleich er Vorsicht walten ließ und sich nicht aus dem Haus wagte, um seine Familie schützen zu können, falls der Regent zu Gewaltmaßnahmen griff. Seinem Vater ließ er die Nachricht zukommen, er fühle sich nicht wohl, seine Krankheit sei von den Ärzten nicht zu bestimmen, und er halte es für seine Pflicht, nicht in die Nähe seines Vaters zu kommen, bevor er sicher wisse, daß er ihn nicht gefährde. Nichtsdestoweniger gingen täglich Botschaften zwischen den

beiden Häusern hin und her. Auch sein Vater hielt sich zurück und ließ sagen, er sei etwas unpäßlich und dürfe sich nicht vor die Tür begeben. Sie wußten natürlich jeder vom anderen, wie ihr Leiden zu verstehen war. Es waren gefährliche Zeiten für die Familie der Kim.
Schritt für Schritt plante Il-han die Wiedereinsetzung der Königin. Sein Werkzeug wurde dabei der Erzieher seines Sohnes. Eines Abends, als alles schlief, rief er den jungen Mann in sein Zimmer, und ohne das Wagnis einzugehen, ihm seine ganze Absicht zu enthüllen, sandte er ihn aus, um ein paar Staatsmänner, denen er vertrauen konnte, in sein Haus zu bitten. Sie fanden sich ein, nicht alle zugleich, sondern dieser heute und der andere morgen, und woben ein Netz zwischen ihren Häusern, und immer war der Hauslehrer ihr Bote.
»Du mußt mir vertrauen«, sagte Il-han zu ihm. »Ich arbeite an unser aller Rettung.«
»Willst du die Königin wiedereinsetzen?« fragte der Erzieher. »Die Zeiten sind nicht mehr dieselben«, fügte er hinzu.
Il-han blickte ihn prüfend an. Er sah ein hageres junges Gesicht mit einem empfindsamen Mund, doch klaren, fordernden Augen.
»Nichts währt ewig«, erwiderte er nach einer Weile. »Falls sie zurückkommt, muß auch sie sich ändern.«
»Ich vertraue dir, Herr«, sagte der junge Mann, »wenn du weißt, daß sich vieles wandeln muß«, und er nahm die Briefe an sich, die Il-han ihm gegeben hatte, und ging, um seinen Auftrag auszuführen.
Der erste Schritt war klar. Der Regent mußte beseitigt werden. Er mußte aus dem Lande geschafft und über das Meer an einen Ort gebracht werden, von wo er nicht zurückkehren konnte, weil er sich dort in den Händen von Feinden befand. Wer waren seine Feinde? Die Chinesen – Kaiserin Tzu-hsi. Il-han plante keinen Anschlag gegen das Leben des Regenten, denn die Anwendung solch grausamer Mittel hätte nur das Volk gegen die Königin eingenommen. War der Regent erst einmal fort, so war der nächste Schritt, die Sänfte zum Hause des Dichters zu schicken und die Königin wieder in ihren Palast einziehen zu lassen.

Von seinem stillen Heim aus, während die Kinder in den Gärten spielten und Sunia die Blumen pflegte und die Arbeit der Dienerinnen überwachte, spann Il-han seine Fäden. Er hatte die Fähigkeit, zu bestimmen, ohne daß es so aussah, als befehle er. Er brachte nur, wann immer es die Gelegenheit ergab oder er eine schaffen konnte, unter den Staatsmännern seine Gedanken zum Ausdruck – hier in einer Frage, dort in einer Bemerkung, einer Anregung, die andere voll Eifer aufgriffen.

Seine Freunde waren friedliebende Männer, und Il-han hätte ihnen niemals Gewalttaten vorgeschlagen. Statt dessen empfahl er, die alten freundschaftlichen Bande mit den Chinesen wieder zu verstärken.

»Unsere Nachbarn im Reich der Mitte«, sagte er eines Tages bei einer Beratung, »sind immer bereit, uns zu helfen. Laßt uns jetzt ihre Feindschaft gegen Japan zu unserer Waffe machen.«

Er sprach diese Worte an einem vorsommerlichen Frühlingstag. Die Tür zum Garten stand offen, und das Bienengesumme um die gelben Blüten eines Dattelpflaumenbaumes zeigte an, daß hier ein Schwarm unterwegs war, der mit seiner Königin ein neues Leben beginnen wollte. War es nicht ein Symbol, dachte Il-han plötzlich, ein Symbol für das, was er selbst für sein koreanisches Volk anstrebte?

Seine Gäste warteten schweigend, eine Runde weißgekleideter Herren mit milden Gesichtern unter dem schwarzen, straff zusammengedrehten Haar. Il-han fuhr fort: »Wir wollen die Chinesen auffordern, ihre Streitkräfte in unserer Stadt zu verstärken. Mit dieser neuen Armee werden wir die Japaner, die jetzt unter der Gunst des Regenten zu mächtig werden, zum Schweigen bringen.«

»Aber wie sollen die Chinesen die Ordnung bei uns wiederherstellen?« Der die Frage aufwarf, war ein Gelehrter, bekannt dafür, daß er allem Neuen und dem westlichen Denken offenstand.

»Sie müssen nur eines tun«, antwortete Il-han.

»Und was wäre das?«

»Die Person des Regenten fortschaffen. Ihn nach China bringen. Ihn einsperren – nicht in einem Gefängnis, sondern in einem Haus. Und ihn dort behalten, vielleicht für immer – bis er stirbt.«
Er ließ seinen ruhigen Blick von einem überraschten Gesicht zum anderen wandern.
Die Kühnheit, die Einfachheit dieses Planes verblüffte alle. Sie schwiegen, erwogen, was er gesagt hatte, und er beobachtete ihre Mienen. Bedenken wichen aufkeimender Hoffnung und schließlich der Zustimmung. Die Träume der alten Männer beschränkten sich dabei auf die Rückkehr des Hauses Min und den wiederhergestellten Frieden. Die jüngeren hingegen erhofften sich von der Beendigung des internen Haders Zeit und Gelegenheit für neue Pläne und Wege.
»Wenn ihr mir beipflichtet«, sagte Il-han, »dann nickt mit dem Kopf.«
Einer nach dem anderen nickte. Il-han nahm seine Schale und trank den Tee aus, und alle taten dasselbe.
»Wie willst du erreichen, was du vorschlägst?« fragte einer der Männer, als die Schalen niedergesetzt waren.
»Ein Bote wird genug sein«, erwiderte Il-han.
»Welcher Bote wagt es aber, einen solchen Auftrag zu übernehmen?« fragte ein anderer.
»Ich kenne einen Mann«, sagte Il-han.
Am selben Abend, nachdem seine Gäste gegangen waren, sprach Il-han mit dem jungen Hauslehrer. »Du mußt sofort nach Tientsin. Hier ist mein Brief. Ich habe ihn mit dem Siegel der Königin versehen. Ja, ich besitze das Siegel! Sie gab es mir, als wir uns verabschiedeten. Händige den Brief unserem Abgesandten in Tientsin aus. Er ist ein Kim, wie du weißt – mein Vetter dritten Grades. Er soll ihn lesen, und dann fragst du ihn, wie lange es dauern wird, bis die chinesische Armee uns erreichen kann. Sage ihm, es solle keine zu große Armee sein – es handelt sich darum, uns zu helfen, nicht, uns zu besetzen! Viertausend Mann sind genug, oder ein paar hundert mehr, wenn man Krankheit und Tod berücksichtigen will.«

Er öffnete das Geheimfach seines Pultes und nahm einen kleinen Beutel aus grobem dunklem Leinen heraus. »Hier ist Silber, genug für deinen Hin- und Rückweg. Wo willst du den Brief verbergen?«
»In meinem Haarknoten«, sagte der junge Mann.
Il-han lachte. »Gut! Du mußt dann nur aufpassen, daß kein Feind dich köpft.«
Sie trennten sich, und anderntags erklärte Il-han, er habe den jungen Mann nach Norden gesandt, um Ginseng-Wurzel für den Export nach China einzukaufen. Da Ginseng kostbar war, sein Export von alters her zu den Geschäften des Hauses Kim gehörte und die Händler in China nie zufriedengestellt waren, glaubte man ihm.

»Ich bin mit dir verheiratet«, sagte Sunia, »aber du nicht mit mir.«
Es war nach Mitternacht. Sie lagen im Bett, von der Stille des schlafenden Hauses umgeben. Er war am Ende des Tages in dieses Zimmer gekommen, um einmal für ein paar Stunden nur seiner Frau zu gehören, ihrem gütigen, einfachen Wesen ganz nahe zu sein. Für seine Heimat und die Königin hatte er getan, was er konnte, es blieb ihm jetzt nichts, als zu warten.
Wortlos hatte er Sunia in die Arme genommen, und eine Weile waren sie still beieinandergelegen, bis es dann aus seinem Inneren wie eine Flutwelle aufstieg und er mit brennender Glut sich selbst und ihr die Erfüllung schenkte. Und nach dem sanften Nachgeben des Anfangs kam sie ihm mit solch instinktiver Leidenschaft entgegen und war so in Einklang mit ihm, daß er beglückt aufseufzte. Wo gab es noch einmal eine Gattin, eine Frau wie diese? Sie stellte keine Frage, sie sagte kein Wort.
Und jetzt, der Höhepunkt war kaum überschritten, sprach sie diese ungeheuerliche Behauptung aus. Sie sei mit ihm verheiratet, er aber nicht mit ihr!
Er überlegte einen Augenblick. In welcher Weise sollte er erwidern? Zornig? Witzig? Erheitert? Er beschloß, so zu antworten, als ob er ihre Bemerkung nicht ernst nähme.

»Ah, willst du einen kleinen Streit mit mir anfangen?« erkundigte er sich in zufriedenem, trägem Ton.
Sie richtete sich auf und begann ihr langes dunkles Haar zu flechten.
»Hier gibt es nichts zu streiten«, sagte sie. »Ich spreche die Wahrheit.«
»Dann muß ohnehin alles, was ich einwende, unwahr sein«, entgegnete er. »Was also soll ich sagen?«
»Nichts.« Ihre Stimme klang schwach, wie aus weiter Ferne, und sie war sehr beschäftigt mit ihrem Haar. Er wartete, bis sie fertig war, und faßte dann nach ihrem Zopf, um sie sanft an seine Schulter zurückzuziehen.
»Kann es sein«, forschte er, »kann es wirklich sein, daß du auf eine Königin eifersüchtig bist?«
Scheu drückte sie ihr Gesicht gegen ihn.
»Kannst du dir vorstellen«, fuhr er zärtlich fort, »kannst du auch nur einen törichten Moment lang träumen, ich könnte jemals eine Königin in meine Arme nehmen und sie festhalten, wie ich dich halte, und ihren Körper lieben, wie ich deinen liebe?«
Sie begann zu lachen. »Nein, aber ...«
Das Lachen erstarb, und sie hielt ihr Gesicht weiter an seiner nackten Schulter versteckt.
»Wenn du mir nichts erklären willst«, sagte er schließlich, »dann darfst du nicht böse sein, wenn ich nicht weiß, wovon du sprichst!«
Sie setzte sich auf und drehte ihm ihren nackten Rücken zu, einen schönen, geraden Rücken, die Taille weich und schmal, der Nacken zart, die Haut hell und glatt.
»Eine Frau besteht noch aus anderen Dingen als nur aus ihrem Körper.«
»Sage mir, was sie außerdem noch hat«, versuchte er sie zu necken.
»Wenn du dich über mich lustig machst, spreche ich kein Wort mehr.«
»Ich mache mich nicht lustig – ich warte nur.«
Sie schwieg und sah nur ab und zu in seine Richtung, um zu

sehen, ob er sie auslachte. Er setzte ein ernstes Gesicht auf und erlaubte seiner Hand nicht die geringste Zärtlichkeit.
»Du warst noch nie so wie heute, so –« Sie stockte, um das rechte Wort zu finden.
»Wie?« wollte er wissen.
»So – so heftig. Du hast etwas Neues gefühlt.«
»Nichts Neues, nur mehr. Bedenke, daß mir viele Tage lang keine Minute Zeit für dich – oder für die Kinder – geblieben war.«
»Doch, es war etwas Neues«, beharrte sie.
Er richtete sich auf. »Die Wunder des weiblichen Geistes!« rief er aus. »Die gewundenen Gänge, auf denen er sich verliert – und den Mann in die Irre wandern läßt! Sag mir, was du denkst. Was habe ich getan? Willst du vielleicht von mir behaupten, ich träumte von einer Geisha oder von einer der Dienerinnen?«
»Nein«, antwortete sie, und ihre Stimme war nur ein Hauch. Sie stand auf, ging zu der Fensterwand und schob sie auf. Es regnete, und sie spürte die tropfengesättigte Luft in ihrem Gesicht.
Er ging ihr nach und schob die Tür wieder zu. »Bist du nicht bei Sinnen?« fragte er heftig. »Möchtest du dir den Tod holen?«
»Vielleicht will ich das«, sagte sie.
Sie setzte sich auf eins der Kissen neben dem niedrigen Tisch und holte die Teekanne aus ihrer wattierten Umhüllung. Dann goß sie etwas heißen Tee in eine Schale und nahm sie in beide Hände, um sich zu wärmen, während sie daran nippte.
»Sei vernünftig«, drängte er. »Ich habe weder Zeit noch Lust, Verwicklungen zwischen uns aufkommen zu lassen. Habe ich dich als Ehemann vernachlässigt? Dann muß ich dich um Verzeihung bitten. Aber zuerst muß ich wissen, wofür mir verziehen werden soll.«
»Es geht hier gar nicht um Verzeihung«, sagte sie, auf ihre Teeschale hinunterblickend. »Vielleicht weißt du ja selbst nicht einmal, was mit dir geschieht.«

»Und was ist es, das mit mir geschieht, du weise Hellseherin?« Sie hob die bekümmerten Augen. »Die Königin beherrscht dich«, sagte sie. »Sie hat dich durch ihre Hilflosigkeit in ihrer Gewalt – durch ihre hohe Stellung – durch ihre Schönheit und ihre Macht – und ihre Einsamkeit. Eine einsame Frau stellt für einen Mann immer eine Versuchung dar, und noch mehr eine Königin! Du fühlst dich geschmeichelt. Die hohe Ehre überwältigt dich. Du, ausgewählt, bevorzugt von der Königin? Wie kann eine Frau, die nur eine – eine – Frau ist, es mit einer Königin aufnehmen? Sie beherrscht alle deine Gedanken – ja – das tut sie – sage nichts!«
Er war aufgesprungen, aber sie schob ihn fort. »Laß mich, Il-han! Es ist wahr. Für einen Mann wie dich, mit deinen Geistesgaben – oh, es gibt andere Wege, um einen Mann wie dich zu bezaubern, als mit dem Körper, ich weiß das sehr gut. Und ich bin nicht gelehrt wie du – neben dir bin ich nicht einmal besonders klug. Sie wirst du nie besitzen, aber ich bin dein Besitz, und ich werde dir natürlich wie ein armseliges Geschöpf erscheinen. Immer, wenn du sie gesehen hast, nach jeder Audienz, kommst du nach Hause wie ein Mann, der aus wunderbaren Träumen zurückkehrt. Und jetzt, da du es bist, der sie verborgen hält, nur du, der weiß, wo sie sich befindet – oh, ich bin sicher, daß du jetzt wirklich träumst.«
Ihre Stimme hatte sich in Zorn gesteigert und verstummte traurig.
Il-han war bestürzt. Er ließ sich auf das Bett zurücksinken und verschlang die Hände unter dem Kopf. Was konnte er auf eine solch ungeheuerliche, beleidigende Behauptung erwidern? Und anderseits kannte er Sunias Fähigkeit, die Dinge ganz instinktiv so zu sehen, wie sie waren, und er überlegte, ob sich ihr vielleicht doch etwas Wahres enthüllt haben konnte, das ihm selbst entgangen war. Er dachte tatsächlich fortwährend an die Königin. Ihre Person war ihm heilig und teuer, nicht als Frau, sondern als Symbol des Volkes, dem er sein Leben geweiht hatte. Aber er war ein Mann. Und er konnte nicht bestreiten, daß er in ihrer Gegenwart immer verzaubert war. Er konnte jede noch so schöne Geisha sehen

und verspürte keinen Wunsch, sie noch einmal zu betrachten. Wenn indessen eine Frau wie die Königin mit Anmut und Intelligenz zu sprechen verstand, dann erschien ihm auch ihr Körper von Glanz umgeben, und sein Blick wurde unwiderstehlich angezogen.
Er seufzte und schloß die Augen. Er hatte keine Zeit, sich mit der Erforschung seines Innenlebens zu befassen. Und was lag schon daran?
Es war seine Aufgabe, die Königin wieder in ihre Rechte einzusetzen, und er wollte das tun. Und auf dem Thron war sie Königin, nur Königin.
»Willst du mir zuhören?« fragte er Sunia. »Willst du dir von mir sagen lassen, was mich beschäftigt, was in unserem Land geschehen muß und was meine Pflicht ist? Willst du mich anhören, Sunia? Als meine Frau?«
Sie setzte die Teeschale ab. »Ja, ich werde dich anhören.«
»Es muß«, sagte er, »Einigkeit unter unserem Volk herrschen, sonst können uns die großen, hungrigen Nationen so leicht verschlingen, wie eine Kröte ein Maulvoll Ameisen aufleckt. Und ich muß in diesen Zeiten einen klaren Kopf bewahren. Alle Parteien wollen gehört werden, aber dann muß ich, Schritt für Schritt, meinen eigenen Weg gehen. Ich glaube, Sunia, daß wir uns am Ende mit dem Westen anfreunden müssen. Wir müssen neue Verbündete finden. Für den Augenblick jedoch muß uns China gegen Japan beistehen, damit die Königin – und der König – wieder auf den Thron zurückkehren können.«
Wie scharf war ihr Wahrnehmungsvermögen! »Weshalb stockst du, wenn du vom König sprichst?« wollte sie sogleich wissen. »Du nennst die Königin zuerst, und dann stotterst du. Was ist mit dem König?«
»Komm her zu mir«, sagte er. »Ganz nahe.«
Verwundert gehorchte sie, und als sie neben ihm lag, flüsterte er: »Ich glaube, der König steht nicht zu seiner Königin. Er ist es, der dem Regenten wieder an die Macht verhalf.«
Es war genug gesagt worden. Mochten auch Sunias Gedanken noch nicht ganz ausgelöscht sein, so wußte sie doch jetzt, daß

für Il-han das Schicksal des Vaterlandes über allem stand, daß es sein Lebensinhalt war.
Viele lange Tage und noch längere Nächte brachte die Königin im Haus des Dichters zu. Wenn sie die Einfachheit um sich herum betrachtete und sah, wie zufrieden diese beiden Menschen trotz ihrer Armut waren, dann kam ihr oft in den Sinn, was Konfuzius einmal gesagt hatte: »Und wenn ich auch gewöhnlichen Reis esse und nur Wasser trinke, wenn auch mein gebeugter Arm mein Kissen ist, so mag das Glück dennoch mein sein, denn unrechtmäßig erworbener Reichtum und eitle Ehren sind nur vorüberziehende Wolken.« Und noch etwas anderes nahm sie wahr, während sie den Dichter und seine Frau in dem einförmigen Kreislauf ihres Lebens beobachtete – daß die Frau wie ein Teil des Mannes schien, ihr ganzes Dasein in ihm beschlossen lag.
»Bist du es nie überdrüssig, deinen Mann zu bedienen und nur für ihn dazusein?« fragte sie eines Tages.
Die Frau mahlte gerade Weizen zwischen zwei Steinen, und nun hielt sie inne und wischte sich mit dem Rocksaum den Schweiß von der Stirn.
»Wer würde ihn versorgen, wenn ich es nicht täte, und was habe ich sonst zu tun?«
»Das ist wahr«, sagte die Königin. »Aber langweilt es dich nie? Träumst du nicht manchmal von einem anderen Leben?«
»Was für ein anderes Leben?« antwortete die Frau. »Er ist doch mein Leben, und ich tue nichts als meine Pflicht.«
Die Königin blieb beharrlich. »Was ist denn der Inhalt deiner Träume?«
Die Frau überlegte. »Ich träume davon, genug Geld zu haben, um einen Ochsen kaufen zu können. Ich könnte den Ochsen auf das Feld führen, statt selbst den Pflug zu ziehen. Und mein Mann würde ein schönes weißes Gewand bekommen, wie er es als Dichter statt des flickenbesetzten Fetzens, den er jetzt trägt, verdiente. Ja, ich würde vielleicht sogar zwei weiße Gewänder kaufen, und er brauchte auch wirklich einen neuen Hut. Ich bessere seinen Hut zwar immer aus, so gut ich es kann – mit Haaren, die ich dem Pferd unseres Nachbarn

aus dem Schwanz ziehe – aber ein neuer wäre doch schön für ihn, denn er trägt den Hut seines verstorbenen Vaters, aber sein Kopf ist viel schmaler, und deshalb sitzt der Hut auf den Ohren auf. Aber was kann ich tun?«
»Ja, wirklich, was«, erwiderte die Königin mitfühlend.
Während der langen Nacht, die unausweichlich diesem Tag folgte, dachte sie zum erstenmal an den König als ihren Gatten. Würde es sie glücklich machen, ihn unablässig zu bedienen? Nein. Er schickte nach ihr, und sie ging, wenn er es befahl. Obgleich sie ihn nicht liebte, haßte sie ihn auch nicht, und meist vermochte sie sich gleichgültig zu ihm zu begeben. Der König war ein heißblütiger Mann, doch glücklicherweise war sie ebenfalls eine leidenschaftliche Frau, und so störte es nicht weiter, daß keine Liebe zwischen ihnen war. Nur vor der Schwangerschaft schreckte sie ein wenig zurück, besonders seit sie wußte, daß ihr Sohn, der Thronfolger, für immer den Verstand eines Kindes behalten würde. Wenn sie den Vater geliebt hätte, wäre sie dem Kind vielleicht trotzdem eine liebevolle Mutter gewesen. So aber blieb der Junge in einem abgelegenen Teil des Palastes der Obhut von Dienern überlassen. Manchmal sah sie ihn in einem der Gärten spielen und sprach eine Weile freundlich mit ihm, doch immer verließ sie ihn bald wieder mit dem Gefühl, daß sie in Wahrheit kinderlos und allein war.
Und jetzt lag sie hier auf ihrem armseligen Bett in diesem armseligen Haus und wehrte sich gegen die Tränen. Du hast es dir geschworen, ermahnte sie sich selbst, du hast es deinem eigenen Herzen gelobt, daß du niemals mehr weinen würdest, aus welchem Grund es auch immer sei.
Die Nacht ging zu Ende, und es sollte die letzte gewesen sein, die ihr so lang geworden war. Denn am nächsten Tag verbreitete sich im Land ein Gerücht, das schließlich auch zu dem Dorf und dem Dichter vordrang: die Kaiserin von China hatte eine Armee zur Befreiung der Königin entsandt. Und in den frühen Morgenstunden des darauffolgenden Tages wurde die Königin von der Frau des Dichters geweckt und in ein anderes Zimmer geführt, in dem der Dichter sie erwartete. Er

verschloß die Schiebetüren und löschte die Lampe auf dem Tisch. In der Dunkelheit flüsterte er dann ihren aufmerksam lauschenden Ohren die bedeutungsschwere Nachricht zu.
»Die kaiserlich chinesischen Armeen sind in der Hauptstadt einmarschiert! Viertausendfünfhundert Mann, und nicht nur mit guten Schwertern, sondern auch mit ausländischen Waffen versehen! Sie haben die Palastgarde überwältigt. Der Regent befindet sich bereits in ihren Händen, und er soll nach China verbracht und dort gefangengehalten werden. Nur der König ist geblieben.«
Sechs Tage wartete die Königin und fünf schlaflose Nächte. Am siebten Tag erschien die Frau des Dichters ruhig in dem Zimmer, wo sie mit ihrer Stickerei saß.
»Majestät«, sagte sie, »die königliche Sänfte ist vor der Tür.« Mit diesen Worten kniete sie nieder und legte ihre Stirn auf die gefalteten Hände.
Die Königin hob sie auf und ließ sich dann ankleiden und zur Tür begleiten. Es war die Stunde der Dämmerung, eine günstige Zeit, denn die Dorfbewohner waren mit ihrer Mahlzeit beschäftigt, und die Träger mit ihrer Bedeckung hatten auf ihrem Herweg Nebenpfade benutzt. Überdies fiel leichter Schnee, und das reichte hin, um die Leute in den Häusern zu halten. Trotzdem mahnte der Anführer der Wache die Königin zur Eile, nachdem er ihr seine Ehrerbietung bezeigt hatte.
»Majestät, ich habe Befehl, keine Zeit zu verlieren. Wir sind nachts unterwegs, und wir müssen in den Bergen und in den Tälern – hinter jedem Felsen – mit Feinden rechnen.«
Die Königin nickte beistimmend. Sie wandte sich noch einmal dem Dichter und seiner Frau zu, und dann umfaßten ihre Augen mit einem langen Blick die Sänfte. Tiefe Freude erfüllte sie. Ja, es war ihre eigene Sänfte, ein Hochzeitsgeschenk des Königs. Sie war aus feinstem Holz hergestellt und hatte goldlackierte Paneele, in der Mitte mit verschiedenfarbigen Edelsteinen verziert, und die Fenster waren aus handbemaltem chinesischem Glas. In jeder Ecke befand sich ein goldenes konfuzianisches Kreuz – etwas, worum sie den König eigens gebeten hatte. »Damit ich«, so hatte sie ihm erklärt, »überall

sicher bin, in welche der vier Himmelsrichtungen der Welt ich auch immer reise.«
So war sie also wirklich befreit worden! Sie stieg ein und setzte sich auf die weichen Kissen aus Goldbrokat. Der Vorhang wurde herabgelassen, und sie spürte, wie die Sänfte hochgehoben und in die Nacht hinein fortgetragen wurde.
Es war wieder Nacht, als sie einige Tage später in der Hauptstadt ankam. Außer den Blinden gab es niemand auf den Straßen. Es war gesetzlich festgelegt, daß nur die Blinden sich bei Nacht außerhalb der Häuser aufhalten durften, und nun sah man sie hier und da schweigend ihres Weges gehen, und ihre Stöcke klopften auf das Pflaster.
Die Stimmung der Königin schlug plötzlich um. Sie fühlte sich wieder allein, und sie fröstelte. Sie kehrte jetzt in den Palast zurück, aber konnte es noch dasselbe sein wie früher? Und was war mit der Dienerin, die mit ihr die Kleidung getauscht und selbst die königlichen Gewänder angelegt hatte, welche ihren Tod bedeuteten? Ohne Zweifel war sie getötet worden, und ihr sanfter Geist würde für immer in den Gemächern des Palastes umgehen.

»Ist die Königin wohlbehalten zurückgekehrt?« fragte Sunia am Morgen.
»Ja, sie ist zurückgekehrt«, antwortete Il-han.
Sunia hatte gerade die ersten Pflaumenblüten entgegengenommen, die vom Treibhaus auf dem Land gebracht worden waren. Sie waren weiß und fast geruchlos, aber sie strömten köstliche Frische aus. »Du hast es mir nicht sagen wollen, nicht wahr?« fragte sie weiter, über einen Zweig gebeugt.
»Du schliefst wie ein Kind«, erwiderte Il-han. »Und du weißt, wie es mir widersteht, ein Kind zu wecken. Wer kann sagen, wohin die Seele im Schlaf wandert? Ich sah einmal einen Mann in Wahnsinn erwachen, weil die Seele den Körper verlassen hatte und ihren Weg zurück nicht schnell genug finden konnte.«
Sie lachte. »Und du neckst mich, weil ich an Hausgeister glaube!«

In diesem Augenblick stürzten die Kinder auf der Flucht vor ihren Betreuern herein. Schwer atmend erschien dahinter die Kinderfrau. Sie ergriff den jüngeren an seiner Jacke und hielt ihn fest. Il-han beobachtete die Szene.
»Es wird Zeit, daß dieser Kleine einen eigenen Hauslehrer bekommt«, bemerkte er.
»Nicht vor Ende des nächsten Sommers, ich bitte dich«, sagte Sunia.
Der ältere Sohn kam an ihre Seite und schmiegte sich an sie. Er war in den vergangenen Monaten sehr gewachsen, doch sein eigenwilliges Gesicht mit den lebhaften, kecken Augen hatte sich nicht verändert. Als der jüngere seinen Bruder bei der Mutter sah, lief er auf den Vater zu, während die Kinderfrau schweigend abseits stand.
Il-han nahm das Kind auf die Arme. Ein schlanker Junge war es, wie ein Mädchen so zart und folgsam, und er lächelte jetzt, als er mit seiner kleinen warmen Hand über die Wange des Vaters strich.
»Gehst du wieder fort?« fragte er.
»Nur zum Palast«, antwortete Il-han.
»Warum gehst du zum Palast?«
»Weil die Königin zurückgekommen ist.«
Jetzt drängte sich der ältere hinzu. »Ziehst du deine Hoftracht an, Vater?«
»Ja. Deshalb bin ich auch gerade zu eurer Mutter gekommen. Ich möchte, daß sie mir hilft.«
»Ich will dir helfen!« rief das Kind. »Ich und die Mutter.«
Und gleich darauf waren sie mit der komplizierten Hoftracht beschäftigt, und Sunia erteilte Ratschläge, während ein Diener und zwei Frauen die verschiedenen Kleidungsstücke holten und sie Il-han anlegten, der starr wie eine Bildsäule dastand und nur ab und zu vor Ungeduld stöhnte. Über die weißseidenen Untergewänder wurde die knöchellange blaue Atlastunika gezogen, die auf der rechten Brust von einem Seidenband zusammengefaßt wurde und deren ovaler Halsausschnitt einen weißen Baumwollkragen sehen ließ. Ein Gürtel, der vorn und hinten in eckiger Form hervortrat, wurde von

einer starken Seidenkordel gehalten. Unterhalb der Brust war wie ein kleiner Schild ein rundes, mit echtem Goldfaden reichbesticktes Stück Atlas angebracht. Von dem Goldgrund hoben sich zwei mit Silberfäden aufgestickte Kraniche ab, die den hohen Rang bezeichneten – niederem Adel war nur ein Kranich gestattet. Il-hans Füße steckten in weißen Baumwollstrümpfen und schwarzen Samtschuhen. Auf den Kopf kam, nachdem das Haar gekämmt und neu hochgedreht worden war, ein hoher schwarzer, kegelförmiger Hut, der an den Seiten zwei kleine wie Flügel geformte Ohren zeigte, Symbole der Bereitschaft, königliche Befehle jederzeit schnell entgegenzunehmen.
Als Il-han fertig angekleidet war, sah er seine beiden Söhne von Ehrfurcht überwältigt; sie standen vor ihm wie zwei junge Tempeldiener vor einer Buddhastatue.
Sunia lachte. »Ist er euer Vater oder nicht?« fragte sie ihre Söhne.
»Er ist mein Vater«, erklärte der ältere stolz, der jüngere hingegen weinte und versteckte sein Gesicht in den Röcken der Kinderfrau.
Inzwischen war der Erzieher auf der Suche nach seinem Schüler hereingekommen, und Il-han schickte nun alle mit Ausnahme von Sunia fort.
Als sie gegangen waren, wandte er sich an seine Frau.
»Sunia«, begann er. »Erlaubst du mir, daß ich der Königin einen Besuch abstatte?«
Verdutzt blickte sie ihn an. »Treibst du Spaß mit mir?«
»Nein, ich frage dich etwas«, sagte er.
»Und wenn ich mit Nein antworte? Du würdest doch auf jeden Fall gehen.«
»Das würde ich nicht.«
Sie lachte plötzlich leise. »In ganz Korea gibt es keinen zweiten Mann mehr wie dich«, erklärte sie.
»Weshalb sagst du das?«
»Weil es wahr ist«, entgegnete sie. »Und jetzt geh und berichte der Königin, daß ich dich zu diesem Besuch befohlen habe. Ich treibe dich sogar aus dem Haus, so –«

Und sie tat, als wollte sie ihn fortschieben. Sie lachte, aber ein Stachel saß in ihrem Herzen, denn sie spürte noch immer, daß die Königin eine Macht auf ihn ausübte, die sie nicht begreifen konnte.
Während Il-han sich in seiner Sänfte zum Palast bringen ließ, dachte er über die beiden Frauen nach, die er von allen am besten kannte, seine Gattin und seine Königin. In seiner Jugend hatte er ein paar jener Mädchen kennengelernt, deren Aufgabe es war, zu singen, zu tanzen und mit Männern Unterhaltung zu pflegen. Doch sie konnte man eigentlich nicht als richtige Frauen bezeichnen, sie standen irgendwie zwischen Mann und Frau, weit entfernt von beiden. Und außer ihnen hatte er kaum eine andere Frau auch nur gesehen, bevor ihm Sunia zur Gattin gegeben wurde. Damen von hoher Abkunft blieben hinter verhangenen Sänften verborgen, und was die Frauen anging, die unbedeckten Kopfes auf Straße und Feld anzutreffen waren, so blickte kein Mann sie an, wenn er nicht Tätlichkeiten provozieren wollte. Diesen Frauen aus dem Volk war ein heißer Stolz auf ihre Würde zu eigen, und ihre Männer hielten zu ihnen. Nur ein Halbwüchsiger oder ein Wahnsinniger wagte es, sich ihnen zu nähern.
Il-han seufzte bei diesen Gedanken. Er wünschte, sein Besuch hätte dem Palast des Königs gegolten. Doch der Königin war er verpflichtet, und dies königliche Paar war so weit voneinander entfernt wie die Kaiserin von China vom japanischen Kaiser.
Als er ihr gegenüberstand, nahm er sofort wahr, daß sie sich verändert hatte. Sie war schmaler geworden, und sogar die Weite ihres Brokatrockes und des kurzen losen Jäckchens vermochte die Schlankheit ihres Körpers nicht zu verbergen. Auch ihr Gesicht wirkte weniger rund und mädchenhaft als früher. Er fühlte sich aufs neue ergriffen von ihrer Schönheit, der sanften Traurigkeit in ihren Augen, die er immer so lebendig gesehen hatte, und der Blässe ihrer zarten Haut. Still und fern saß sie auf ihrem thronartigen Kissen. Zum erstenmal gebot sie ihm weder zu knien noch sich zu setzen. Aus irgendeinem Grund behandelte sie ihn kühl.

Er machte seine Verbeugungen und wartete dann, bis sie das Wort ergriff.
»Alles hier im Palast ist unverändert«, begann sie. »Und alles ist anders.«
»Darf ich fragen, Majestät, ob schon eine Unterredung mit dem König stattgefunden hat?«
»Wir haben uns noch nicht gesehen«, erwiderte sie, »aber ich habe gehört, daß er heute nach mir schicken will. Und deshalb wollte ich dich vorher sprechen. Ich muß wissen, wie du die Lage beurteilst. Und ich kenne dich; du wirst die Wahrheit sprechen. Ach, das kann ich von keiner zweiten lebenden Seele sagen. Ich weiß, daß ich mich auf mich selbst nicht mehr verlassen kann. Ich bin nicht klug genug. Aber wer hätte auch nur im Traum daran denken können, daß ich einmal gezwungen würde, aus meinem eigenen Palast zu fliehen? Ich war in einem fernen Land, weit fort – sehr weit...«
Sie blickte in dem prächtigen Raum umher, als sähe sie ihn zum erstenmal.
»Majestät«, sagte Il-han, »ich vermag es nicht ganz zu bedauern, daß Ihr die Lebensweise des Volkes, seine strohgedeckten Hütten und seine karge Nahrung kennengelernt habt.«
»Sie leben trotz allem glücklicher als ich hier«, warf sie ein. »Die Frau des Dichters – wie gut hat sie es, keine schwerere Bürde zu tragen als ihre täglichen Pflichten in dem kleinen Haus, die sie für einen Mann erfüllt, den sie liebt!«
»Sie hat das Glück, daß ihr Leben ihrer Natur entspricht«, erwiderte Il-han. »Und Ihr wißt sehr gut, Majestät, daß Ihr nicht in einem kleinen Haus wohnen könntet. Ihr seid von edlem Blut, und der Palast ist Euer Heim, das Volk Eure Verpflichtung. Das entspricht Eurer Natur.«
Sie seufzte und lächelte und seufzte wieder. »Du willst mir nicht erlauben, irgend jemand zu beneiden oder auch nur mich selbst zu bemitleiden. Belehre mich also weiter. Was muß ich noch wissen?«
Noch immer hatte sie ihn nicht zum Sitzen aufgefordert, und er stand mit gesenktem Kopf vor ihr, so daß er nur den Saum

ihres weiten Rockes und die nach oben gerichteten Spitzen ihrer goldenen Atlasschuhe sah.
»Der Regent«, begann er, »lebt nun in einer Peking nicht allzu nahen Stadt als Gefangener in einem Haus. Er hat es bequem, aber er wird bewacht, und er kann nicht entkommen. Ich stehe mit dem großen chinesischen Staatsmann in Verbindung –«
»Li Hung-chang? Unter allen Chinesen ist er einer der wenigen, denen ich nicht traue!«
Il-han entgegnete fest: »Er ist lediglich klug genug, um zu erkennen, daß wir, während China seine eigene Unabhängigkeit nicht einbüßen wird, die unsere verlieren können, da es uns nicht zu schützen vermag. Aus diesem Grund müssen wir tun, was er uns rät, und die jüngste westliche Nation als unseren Verbündeten annehmen. Der Vertrag mit den Vereinigten Staaten muß nun endlich ratifiziert werden, damit die Amerikaner einen Repräsentanten hierher an den Hof entsenden können –«
»Das wagst du mir zu sagen!«
»Ich sage es, weil ich muß. Wir brauchen einen Freund, der Chinas Stelle einnimmt, denn wenn wir keinen haben, wird Japan eingreifen und uns besetzen.«
»Japan? Niemals! Denke an die Niederlagen, die Hideyoshi vor dreihundert Jahren erlitten hat!«
»Heute sind die Japaner stärker als wir.«
»Sie waren auch damals stärker als wir, aber unser Admiral Yi mit seinen eisernen Schildkrötenschiffen –«
»Die Japaner verfügen heute über moderne Schiffe und westliche Waffen, und sie haben aus ihrem Land keine von der Welt abgekehrte Nation gemacht wie wir. Sie haben westliche Länder besucht und von ihnen gelernt. Und sie bereiten einen Krieg gegen China vor – das ist sicher!«
»Ich kann nicht glauben, daß eine Handvoll Inseln einen so törichten Traum gegen einen riesengroßen Kontinent hegen könnte.«
»Majestät, ich bin kein Christ, aber die Christen kennen eine wunderliche Geschichte von einem Riesen, den niemand zu töten wagte, bis ein blutjunger Hirte ihn mit einem Kiesel-

stein aus seiner Schleuder so gut gezielt traf, daß er ihn tötete. Heutzutage ist es nicht Größe, die Macht bedeutet – es ist der junge Mann mit dem Kieselstein. Eines Tages werden die neuen Nationen eine Waffe erfinden, nicht größer als ein Kinderball, und diese Waffe wird einen Kontinent zerstören.«
»Sprich mir nicht von den Christen«, erwiderte sie scharf. »Es sind Unruhestifter, wo immer sie auftauchen. Wir sollten keinen von ihnen schonen.«
»Es gibt jetzt zu viele von ihnen, das ist wahr«, pflichtete er ihr bei. »Sie schwärmen überallhin aus, und sie führen die Kieselsteine der Revolution mit sich. Aber wir können sie jetzt nicht mehr töten, Majestät. Wir müssen sie freundlich aufnehmen, nicht ihrer Religion wegen, sondern weil sie uns westliches Wissen bringen. Wir müssen alles von ihnen lernen außer der Religion. Wir können ihre Heimat nicht besuchen, und so müssen wir sie um unsertwillen hierherkommen lassen.«
»Wenn sie hier erscheinen«, erklärte sie, »werde ich sie nicht empfangen. Und ich will dafür sorgen, daß auch der König sie nicht empfängt. Sie sollen das Leben von Ausgestoßenen führen.«
Er hob die Augen und sah sie lange an, und sie erwiderte seinen Blick. Dann stand sie auf. »Ich bin doch erschöpfter, als ich glaubte«, sagte sie. »Du bist entlassen.«
Mit diesen Worten klatschte sie in die Hände, und ihre Hofdamen erschienen aus dem Nebenraum und geleiteten sie fort.
Unschlüssig stand Il-han da. Er hatte sie zornig gemacht, und es deprimierte ihn. Aber er hatte seine Pflicht getan. Jetzt blieb noch der König. Sollte er sich an ihn wenden? War sein Vater vielleicht schon bei ihm gewesen? Er überlegte kurz und beschloß, erst seinen Vater aufzusuchen, ehe er den König um eine Audienz bat.

Als er eine Stunde später im Haus seines Vaters anlangte, erfuhr er zu seiner Bestürzung, daß sein Vater krank war. Der erste Diener selbst öffnete ihm das Tor und verneigte sich vor ihm.
»Herr«, sagte er, »wir haben nach dir gesucht. Dein Vater

rüstete sich heute morgen, um vor dem König zu erscheinen, doch nachdem er etwas zu sich genommen hatte, wurde er plötzlich bewußtlos. Der Arzt ist hier –«

Il-han schob den Mann beiseite und ging mit weitausholenden Schritten durch das Tor und in das Schlafzimmer seines Vaters. Alle anderen Gedanken waren wie fortgeblasen, ihn erfüllte nur noch die Furcht vor dem, was ihn erwarten mochte. Sein Vater war alt, und dennoch hatte Il-han aus irgendeinem Grund nie an seinen Tod gedacht, so stark war die Natur dieses Mannes, eine unerschrockene, halsstarrige, schwierige Natur, und doch eine, die man lieben mußte.

Er betrat das Zimmer, wo die Diener weinend um das Lager standen. Der Arzt kniete an der Seite seines Vaters und fühlte ihm den Puls. Il-han wartete, bis der Arzt aufstand und sich verbeugte.

»Herr«, sagte er, »dein erhabener Vater leidet an den Ermüdungserscheinungen des Alters und Stockungen des Blutes. Er braucht ein heilsames Anregungsmittel. Ich möchte ihm einen Sud aus *sanghwatung* verschreiben. Es gibt nichts Besseres zur Kräftigung des Körpers. Dein Vater hat sich vor Tagesanbruch erhoben, um sich auf die Audienz vorzubereiten. Es ist bei seinem Alter kein Wunder, daß er ohnmächtig wurde.«

Il-han ließ Sunia die Nachricht zugehen, daß er bei seinem Vater bleiben werde, bis dieser das Bewußtsein wiedererlangt habe und seine Seele wohlbehalten in den Körper zurückgekehrt sei. Doch die Stunden verrannen, und der alte Mann erwachte nicht. Statt dessen trat eine Lähmung auf der linken Seite ein, und der Atem ging keuchend. Auch nachdem man ihn in einen anderen Raum gebracht hatte, um einen Wechsel zu schaffen, trat keine Besserung ein. Mit jeder Stunde stieg Il-hans Unruhe, und endlich entschloß er sich zum äußersten Schritt. Er bestellte seinen Diener zu sich.

»Ich habe den Eindruck«, sagte er zu ihm, »daß es meinem Vater immer schlechter und nicht besser geht. Er ist nicht fähig zu schlucken und kann daher nicht einmal den Aufguß trinken. Du mußt jetzt zu dem ausländischen Arzt gehen,

diesem Amerikaner, der beim Osttor wohnt. Bitte ihn zu kommen und sein Gutachten abzugeben.«
Der Diener stand schreckerstarrt. »Herr, du willst doch nicht wirklich wagen –«
»Ich wage alles, wenn ich damit vielleicht meinen Vater retten kann. Geh und widersprich mir nicht.«
Der Mann gehorchte, und nach der Wasseruhr war noch keine Stunde vergangen, als der ausländische Arzt das Zimmer betrat. Er war groß, mit einem schwarzen Rock und schwarzen Hosen bekleidet, und er hatte einen sandfarbenen Bart, der ihn zusammen mit den merkwürdig blauen Augen und dem kurzgeschnittenen Haar zu einem wahrhaft abschreckenden Anblick machte. Seine Augenbrauen waren buschig, und im Kerzenlicht schimmerte auch auf seinen Händen dichter Haarwuchs. Einen Augenblick bereute Il-han, was er getan hatte. Wie konnte er einem Mann vertrauen, dessen Erscheinung so barbarisch wirkte? Sogar der Geruch des Mannes war eine wilde, scharfe Ausdünstung, die Il-han an einen Wolf erinnerte.
Der Mann selbst schien vollkommen ruhig. Er verbeugte sich auf etwas linkische Weise vor Il-han und setzte sich dann neben seinem Patienten nieder.
»Was ist diesem alten Mann zugestoßen?« erkundigte er sich.
Er stellte seine Frage in einfachem Koreanisch, wie es die ungebildeten Leute gebrauchten, aber Il-han war überrascht, ihn überhaupt in irgendwelchen verständlichen Worten sprechen zu hören.
Er kehrte sich seinem Diener zu.
»Erkläre es diesem Fremden«, gebot er ihm.
Während der Mann gehorchte, betrachtete Il-han den Arzt genauer. Er hatte zwar gewußt, daß es Ausländer in der Hauptstadt gab, doch persönlich war ihm noch keiner begegnet. Das also war ein Amerikaner! Und bei einer solchen Rasse mußten er und seine Landsleute Freundschaft suchen! Was hatten sie miteinander gemein? Konnte es Freundschaft zwischen einem Tiger und einem Hirsch geben? Als der Diener geendet hatte, stand der Arzt auf und wandte sich an Il-han.

»Dein Vater leidet an einem Blutgerinnsel im Hirn.«
Il-han war so überrascht, daß er sich dazu hinreißen ließ, seine Worte an den Mann selbst zu richten, statt über seinen Diener mit ihm zu sprechen. »Wie kannst du das sagen, wenn du nicht in den Schädel meines Vaters zu blicken vermagst?«
»Ich kenne die Krankheit«, erwiderte der Mann. »Die Symptome sind eindeutig. Ich lasse dir eine Medizin hier, aber ich muß dir sagen, daß dein Vater wahrscheinlich noch vor Ende der Nacht sterben wird. Er ist dem Tod schon jetzt sehr nahe.«
Il-han war entsetzt über solche Rede. Den Tod zu erwähnen, auszusprechen, daß er kommen werde – das bedeutete fast, ihn herbeizurufen.
Bebend vor Zorn wandte er sich an den Diener. »Bringe diesen Fremden fort. Bezahle ihn, begleite ihn bis zur Straße und verriegle das Tor!«
»Ich will kein Geld«, sagte der Fremde stolz, entnahm seiner schwarzen Tasche ein Fläschchen, das er auf den niedrigen Tisch stellte, und verließ das Zimmer mit so großen Schritten, daß der Diener zu laufen gezwungen war, um ihm folgen zu können. Il-han warf die Flasche aus dem Fenster in den Gartenteich.
In der Nacht, zwei Stunden vor Tagesanbruch, starb sein Vater, ohne das Bewußtsein wiedererlangt zu haben. Der Augenblick des Todes konnte genau bestimmt werden, denn Il-han hatte einen Streifen weicher Baumwolle auf die Lippen seines Vaters gelegt und das schwache Vibrieren der Baumwolle ständig beobachtet. Plötzlich hörte es auf, und Il-han informierte seinen Diener, der die Zeit nach der Wasseruhr auf einem bereitliegenden Papier festhielt.
Il-han stand auf und verhüllte den Körper seines Vaters mit einer gesteppten Atlasdecke. Dann winkte er seinen Diener zu sich heran.
»Unterrichte den Haushalt meines Vaters«, befahl er, »und erinnere alle daran, daß der Sitte gemäß eine Stunde lang kein Wehklagen zu hören sein darf, damit die Seele meines Vaters auf ihrem Flug nicht gestört wird. Inzwischen begibst du dich in mein Haus zurück und holst meine Söhne und ihre

Mutter und alle diejenigen, die zu ihrer Betreuung notwendig sind. Wir bleiben bis zum Begräbnis hier.«
»Herr«, erwiderte der Diener, »bevor ich gehorche, gewährst du mir die Ehre, die erhabene Seele zur Rückkehr einladen zu dürfen? Der Mantel aus Baumwolltuch liegt schon bereit – er ist angefertigt worden, als dein Vater seinen sechzigsten Geburtstag beging.«
Il-han erwog diese Bitte. Es stand eigentlich nur einem Mitglied des Haushalts oder einem entfernten Verwandten, der den Toten nie gesehen hatte, zu, diesen Brauch zu vollziehen, und er hätte es seinem Diener abschlagen können, wenn der Mann nicht in diesem Hause aufgewachsen wäre. Er hatte Il-han als Kind betreut und ihm die ganze Jugend hindurch gedient und war erst von hier fortgegangen, als Il-han einen eigenen Haushalt gründete.
»Gut, übernimm du dies«, sagte er.
So stieg der Diener auf das Dach des Hauses, begab sich zu der Stelle, unter der das Totenbett seines früheren Herrn stand, und bereitete sich auf den feierlichen Ritus vor.
Es war um die Stunde der Morgendämmerung, und durch die Berge schoben sich in langen hellen Streifen die Strahlen der aufgehenden Sonne. Ein frischer Wind wehte. Ein schöner Tag für den Tod, dachte der Mann und hob dann den Mantel hoch, den Kragen in der linken, den Saum in der rechten Hand. Das Gesicht zur Sonne gewandt, schwenkte er den Mantel dreimal. Beim erstenmal verkündete er mit lauter Stimme den vollen Namen des vornehmen Toten. Beim zweitenmal seinen höchsten Rang. Beim drittenmal gab er seinen Tod bekannt. Anschließend lud er mit neuen Rufen die dahingegangene Seele zur Rückkehr ein.
Nachdem dies alles getan war, stieg er hinunter und ging ins Haus, und dort breitete er den Mantel über den Toten und bejammerte ihn eine Weile in lauten Tönen. Dann hob er mit Hilfe der anderen den Leichnam auf ein besonderes Lager, das nach Süden hin ausgerichtet und mit einem Wandschirm umstellt war.
Nun machte sich der Haushalt an die Vorbereitung der Zere-

monien. Il-hans Vater hatte, seit seine Frau vor vielen Jahren gestorben war, allein gelebt. Trotz der Einsamkeit hatte er keine neue Ehe geschlossen und sich nicht einmal eine junge Frau ins Haus genommen. Seine Bediensteten hatten für ihn gesorgt. Jetzt gingen sie an ihr trauriges Werk – die Frauen legten allen Schmuck beiseite, und Männer wie Frauen lösten ihr langes Haar. In der Küche ließ der Koch Reis in dünner Suppe gar werden, denn trockener Reis durfte während der Trauertage nicht gekocht werden. Im Totengemach wusch man den Toten mit weichem weißem Papier und warmem wohlriechendem Wasser. Sein Haar wurde gekämmt und lose festgehalten, und dann wurden die ausgekämmten Haare wieder darin verteilt, wie überhaupt alles, was von dem Körper im Lauf des langen Lebens getrennt und aufbewahrt worden war, ihm nun zurückgegeben wurde: die abgeschnittenen Nägel und Haare und vier Zähne, die ihm gezogen worden waren. In zwei Beuteln untergebracht, ruhten diese Dinge jetzt neben dem Körper, damit der Mensch in seinem nächsten Leben so vollständig sein konnte wie bei seiner Geburt.
Mit einem Weidenholzlöffel wurde der Mund geöffnet, eine Perle hineingelegt und drei Löffel voll klebriger Reis hinzugegeben, um sie festzuhalten. Es war die Todesperle, die nur in den riesigen Venusmuscheln des Naktong-Flusses gedieh, eine seltene Perle, vollkommen rein und ohne jeden Glanz; sie fand sich nicht öfter als einmal unter zehntausend Muscheln und war so wertvoll, daß sie vor dem Begräbnis wieder entfernt und von Generation zu Generation weitergereicht wurde. Die Perle im Mund des toten Gelehrten hatte einem Kim gehört, der fünf Generationen vor ihm gelebt hatte, und eines Tages würde sie auch in Il-hans Mund und nach ihm in den seines ältesten Sohnes gelegt werden. Nachdem der feierliche Akt vollzogen war, tat ein Diener Baumwollkügelchen in die Ohren des Toten und bedeckte das stille Gesicht mit einem Tuch aus handgewebtem Leinen.
Sodann mußten neue Kleider für den Leichnam angefertigt werden und ein Polster, eine Decke sowie ein Kissen für den Sarg. Die Leute, die den Dienst an den Toten verrichteten,

mußten geholt werden und ebenfalls der Geomant, dessen Aufgabe es war, über den Platz für das Begräbnis zu bestimmen, einen Platz, der sich nach Wind und Wasser zu richten hatte. Dann wurde der Sarg gebaut. Man fertigte ihn aus Kiefernholz, denn die immergrüne Kiefer galt als Symbol der Männlichkeit. Seine einzelnen Teile wurden mit Holznägeln zusammengefügt und die Spalten mit Honig und Harz ausgestrichen, Wände und Boden mit weißem Tuch bespannt und auf den Boden ein Polster gelegt. Auf die Innenseite des Deckels schrieb man das Wort »Himmel« und in die vier Ecken »Meer«.

In diese letzte Wohnung bettete Il-han seinen Vater, und der Sarg wurde auf seinen Ehrenplatz, eine erhöhte Plattform, emporgehoben. Nachbarn, Freunde und Verwandte erschienen nun, um den Verstorbenen zu betrauern. Mit jedem Ankömmling vereinte sich Il-han zur gemeinsamen Totenklage, deren Ablauf und Dauer streng vorgeschrieben war. Danach wurde den Gästen Wein und Essen gereicht. Am nächsten Tag bei Sonnenaufgang verbrannte Il-han Weihrauch und brach erneut in Wehklagen aus, und dem Toten wurden Speisen gebracht, als lebte er. Dasselbe wiederholte sich am Abend, und damit waren alle Zeremonien dem Brauch gemäß vollzogen.

Als Il-han später allein in dem Zimmer saß, in dem er einst mit seinem alten Hauslehrer die Bücher des Konfuzius studiert hatte, wurde er sich einer neuen Einsamkeit bewußt. Beim Tod seiner Mutter war er noch ein kleines Kind gewesen, und so hatte der Verlust keine tiefe Wunde geschlagen, zumal die Mutter seit seiner Geburt krank und schwächlich gewesen war. Sein Vater war in jenen Tagen seine Familie und zugleich sein bester Freund. Es hatte auch später nie eine Entfremdung zwischen ihnen gegeben, da der Vater politische Ämter ausschlug und sich im Verlauf der Jahre immer mehr in seine Bücher vergrub. Zu Il-han hatte er oft gesagt, er könne die Zwietracht, die allenthalben herrsche, nicht teilen, dieses Ringen um Macht zwischen einzelnen Personen, die Intrigen des Hoflebens, die Feindseligkeiten unter den Natio-

nen. So begnügte er sich damit, in seiner Gesinnung lauter zu bleiben, und er war der Überzeugung, daß er für seine Mitbürger nichts Besseres tun könne, als sich Betrügereien und persönlicher Profitgier fernzuhalten. Bei anderen verurteilte er diese Fehler allerdings nicht, und er wich auch nicht von der Tradition ab. Er erwog es zum Beispiel gar nicht, die Ländereien der Kim mit den Bauern, die sie bestellten, zu teilen. Als Il-han im Ungestüm der Jugend einmal vorschlug, er solle die Sünden der Vergangenheit, durch die der Kim-Clan wie andere Yangban-Sippen große Teile des Bodens an sich gerissen hatten, wiedergutmachen, entgegnete sein Vater, daß jede Generation für ihre eigenen Sünden verantwortlich sei, und er glaube selbst keine begangen zu haben.
Um die Mitte des nächsten Tages traf Sunia mit den Kindern und der Dienerschaft ein. Sunia war blaß, doch sie erlaubte sich keine Tränen, als sie den Gatten begrüßte. Die Kinder hatten verstörte Augen, und Il-han nahm sie auf den Arm, zuerst seinen älteren, dann seinen jüngeren Sohn, und versuchte sie zu beruhigen. Er sei froh über ihre Ankunft, sagte er zu ihnen; ihr Großvater könne jetzt nicht mit ihnen sprechen, aber sie sollten einstweilen in den Garten laufen und mit dem Äffchen spielen, das dort an einen Baum angekettet war, und später werde er nach ihnen sehen.
»Sunia«, begann er, als sie allein waren, »du mußt die Königin aufsuchen, um ihr den Tod meines Vaters mitzuteilen. Sage ihr, daß ich selbst kommen werde, sobald die Riten vollzogen sind.«
Sie hatte ihn mit zärtlichen, kummervollen Augen betrachtet, doch bei seinen Worten verschwand der sanfte Ausdruck in ihrem Gesicht.
»Sogar jetzt denkst du zuerst an sie«, sagte sie.
»Weil es meine Pflicht ist«, erklärte er ihr.
»Dann gehe du selbst zu ihr.«
Und damit kehrte sie ihm den Rücken zu und ging an das andere Ende des Raumes, der sich dort auf einen kleinen, abgeschlossenen Garten öffnete. In einem Teich, nicht größer als eine große Schale, schwammen ein paar Goldfische herum,

und die feingefältelten Flossen glänzten durch das klare Wasser hindurch im Licht der Sonne.
Il-han wurde plötzlich von Zorn auf alle Frauen gepackt. Ob Königin oder Bürgersfrau, jede dachte zuerst an sich selbst und daran, ob ihr Mann sie liebe. Sein Verstand sagte ihm, daß er ungerecht war, denn Frauen mußten an Liebe denken – wie sonst würden Kinder geboren? Kinder ersehnten sie, und deshalb suchten sie die Liebe der Männer vor allem anderen. Aber Sunia hatte keinen Grund, sich über Mangel an Liebe oder Kinderlosigkeit zu beklagen. Gewiß, er wollte auch nicht vergessen, daß er monatelang von zu Hause fort und nach seiner Rückkehr von vielen Sorgen belastet gewesen war. Und damit beruhigte er sich wieder. Sunia würde sich schließlich doch überzeugen lassen, und vielleicht vermochte sie, wenn sie der Königin diesmal im Palast gegenüberstand, endlich das ganze Ausmaß ihrer Torheit einzusehen.
Da er es für die Sache des Mannes als des Stärkeren hielt, den Frieden zu schließen, ging er nun auf sie zu, legte ihr die Hände auf die Schultern und drehte sie zu sich herum. Ihre Augen füllten sich mit Tränen, und ihre Lippen zuckten, als sie zu ihm aufblickte.
»Tu, worum ich dich bitte«, sagte er in gütigem Ton. »Sie ist auch deine Königin. Und ich habe ihren Palast nach der letzten Unterredung im Zorn verlassen, solchem Zorn, daß ich nahe daran war, um eine sofortige Audienz beim König zu bitten. Dann wollte ich zuerst mit meinem Vater sprechen, aber als ich hierherkam, fand ich ihn – wie du schon weißt. Ich bin jetzt, mit alledem, was mich belastet, und dem Kummer im Herzen nicht in der Lage, der Königin gegenüberzutreten. Tu du es für mich, meine Frau.«
Sie hob die Hände und strich über seine Wangen, und er wußte, sie würde gehorchen. Während sie sodann ihre Vorbereitungen traf, befahl er seinem Diener, ihr vorauszugehen und eine Audienz bei der Königin für sie zu erbitten, indem er den Notfall erklärte, und er ließ ihre Sänfte mit den weißen Bändern aus grober Baumwolle behängen, die einen Todesfall in der Familie anzeigten.

Nachdem er Sunia in die Sänfte geholfen hatte und der Vorhang herabgelassen war, der sie vor neugierigen Blicken schützte, kehrte er ins Haus zurück und ließ die obersten Diener seines Vaters zu sich rufen. »Ich habe aus Staatsgründen beschlossen«, erklärte er, »mit dem Begräbnis meines verehrten Vaters nicht lange zu warten. Die Probleme unserer Nation sind noch nicht gelöst, obwohl die Königin zurückgekehrt ist. Falls wir die Bestattung hinauszögerten, bis neun Tage verstrichen wären, so müßte sie, wie ihr sehr gut wißt, drei Monate aufgeschoben werden, und bis dahin könnten wir Krieg haben. Laßt uns also den siebten Tag wählen.«
Die vier Diener tauschten bestürzte Blicke. Es waren ältere Leute, seit langem in den Diensten seines Vaters, und sosehr sie sich davor scheuten, seinem Sohn und Erben den Gehorsam zu verweigern, so wollten sie doch auch ihrem toten Herrn die gebührende Ehre erweisen, und unziemliche Hast war ihnen zuwider.
»Junger Herr«, sagte der älteste, »dein verehrungswürdiger Vater hat ein solches Vorgehen nicht verdient. In gewöhnlichen Familien mögen sieben Tage hinreichen, um ein paar einfache Trauerkleider anzufertigen – für dieses Haus aber würden sie eine Herabsetzung bedeuten. Je länger die Zeitspanne zwischen Tod und Begräbnis, desto angesehener die Familie. Erst gestern ist dein Vater – von uns gegangen. Und heute erst ist der Totenpriester erschienen, um dem ehrwürdigen Körper die sieben zeremoniellen Bänder in der vorgeschriebenen Folge um Schulter, Ellbogen, Handgelenke und Daumen, Hüften, Knie, Waden und Fußknöchel zu legen und, wenn der Herr stirbt, das Band um die Hüfte in der Form des Schriftzeichens *sim* zu verschlingen, das –«
»Ich weiß, ich weiß«, unterbrach ihn Il-han ungeduldig.
Doch der Diener wandte sich nur mit der gleichen unerbittlichen Langsamkeit des Alters einem neuen Thema zu. Er hatte Il-han noch als mutwilligen Jungen und ungestümen jungen Mann vor Augen, und wenn er auch nach außen hin höflich war – im Inneren zeigte er noch keine Neigung, sich zu fügen.

»Und bedenke, wieviel Trauerkleidung anzufertigen ist. Für die ganze Familie bis zu den Vettern achten Grades und anschließend noch für die Dienerschaft des Hauses! Ich habe das alles aufgeschrieben –«
»Lies es mir vor«, forderte ihn Il-han auf.
Der Diener gab dem Rangnächsten ein Zeichen, und dieser zog eine Papierrolle aus seiner Jacke, entfaltete sie und las mit lauter Stimme vor.
»Für die Hauptleidtragenden – dich, junger Herr, und deine beiden Söhne – Untergewänder aus grober Baumwolle, Gamaschen aus rauhem Leinen, Schuhe aus Stroh. Darauf einen langen Überrock aus demselben groben Baumwollstoff, einen Hanfgürtel um die Taille, einen Bambushut, ein Kopfband aus grobem Leinen und als Gesichtsschirm ein Leinentuch, an zwei Bambusstöcken befestigt. Ich hoffe, junger Herr, daß deine beiden Söhne fähig sind, die Schirme vor ihr Gesicht zu halten, aber falls nicht –«
»Weiter, weiter«, drängte Il-han ungeduldig. Diese alten Männer machten ein Fest aus dem Begräbnis seines Vaters!
Der Mann gehorchte. »Die Damen der ersten Generation werden grobes Leinen und Strohschuhe tragen. Ihre juwelengeschmückten Haarnadeln müssen sie ablegen; sie bekommen dafür Holznadeln. Was die nächsten weiblichen Anverwandten betrifft, so ist ihre Kleidung dieselbe. Nur Bambushüte, Strohschuhe oder Kopfbänder sind bei ihnen unnötig, und ihre Gürtel dürfen weiß sein. Für entfernte männliche Verwandte sind lediglich die Gamaschen und eine gedrehte Hanfkordel vorgeschrieben. Alle müssen jedoch weiß gekleidet sein. Keine Farben – auch bei den Kindern nicht.«
Il-han hielt es nicht mehr aus. »In Buddhas Namen«, rief er, »wann soll das alles fertig werden?«
Die vier Männer waren gekränkt. Sie hielten die Augen auf die Wand hinter seinem Kopf geheftet und warteten darauf, daß der erste Diener antworte.
»Herr«, sagte dieser würdevoll, »das alles wird am vierten Tag nach dem Tod, wenn Trauer angelegt werden muß, bereit sein.«

»Dann soll das Begräbnis am siebten Tag stattfinden«, entschied Il-han und klatschte in die Hände, um anzuzeigen, daß sie entlassen seien.

Um die gleiche Zeit stand Sunia vor der Königin. Bei ihrer Ankunft war sie in das Vorzimmer geführt worden, wo sie eine lange Weile wartete, zu lange, wie sie mit Entrüstung dachte, und in ihren Vermutungen gab sie übertriebener Putzsucht die Schuld. Doch als die Königin, zwei Hofdamen zur Seite, schließlich erschien, waren die unfreundlichen Gedanken wie fortgewischt, und Sunia empfand nur noch Bewunderung. Mehr als einmal hatte sie von Il-han zu erfahren versucht, wie die Königin in ihren Hofgewändern aussehe, doch er hatte es ihr nie erzählt.
»Woher soll ich es wissen?« hatte er erwidert. »Ich gebe mir Mühe, nie höher als bis zu ihren Knien zu blicken, und wenn möglich, lasse ich es überhaupt bei dem Rocksaum bewenden.«
»Ah, also kommt es doch vor, daß deine Augen höher wandern«, hatte Sunia halb im Scherz weitergedrängt.
»Nicht, wenn ich es vermeiden kann.«
»Aber manchmal kannst du es nicht vermeiden?«
Hier wurde er ärgerlich, oder zumindest tat er so.
»Was immer du mir auch entlocken möchtest, ich werde es nicht sagen«, hatte er erklärt.
Und nun sah sie die Königin endlich in ihrem vollen Glanz, und es war, als begegnete sie ihr zum erstenmal, so sehr schien sie durch ihre Gewänder und die Umgebung verändert – sogar größer wirkte sie jetzt mit ihrem majestätisch erhobenen Kopf. Ihre Gesichtszüge waren vollkommen, eine gerade Nase, hohe Backenknochen, feingeschnittene, volle Lippen, ein rundes Kinn, ein schlanker Hals, große dunkle Augen, die offen und furchtlos in die Welt blickten. Ihre Haut war milchigweiß, die Wangen rosig wie die eines jungen Mädchens, die Lippen rot. Selbst für eine Königin war sie eigentlich zu schön; dennoch fühlte sich Sunia getröstet, denn diese Art Schönheit, stolz, selbstbewußt und leidenschaftlich, machte einen Mann eher zum Diener, als daß sie sein Herz gewann.

Und so, von ihrer Eifersucht etwas befreit, betrachtete sie die Königin mit lebhaftem Interesse.
Die Königin lächelte. »Bevor ich dich in deinem Haus sah, hatte ich mir ein ganz unrichtiges Bild von dir gemacht.«
Sunia lachte. »Welches Bild, Majestät?«
»Ich meinte, du müßtest klein sein«, sagte die Königin, während ihr Blick auf Sunia ruhte. »Klein und zart und wie ein Kind. Statt dessen – könnten wir Schwestern sein!«
Oh, was für eine kluge Frau, dachte Sunia bei sich, wie klug, die Distanz zwischen uns zu überbrücken, welch schlaue Art, mein Herz zu gewinnen! Und wie erfolgreich war die Methode, denn sie fand sich tatsächlich von ihr angezogen, trotz ihrer Überzeugung, daß man einer Königin niemals trauen dürfe. Doch nun besann sie sich auf ihren Auftrag.
»Majestät«, sagte sie, »der Vater meiner Kinder schickt mich, damit ich Euch vom Tod seines Vaters Nachricht gebe.«
Mit einer Handbewegung entließ die Königin ihre beiden Hofdamen und kam auf Sunia zu. »O nein«, stieß sie betroffen hervor. »Ich hörte schon Gerüchte, aber ich glaubte es nicht. Ich dachte auch, er würde in diesem Fall sicher sofort kommen, um es mir zu sagen.«
»Er hat viele Pflichten als einziger Sohn«, erklärte Sunia. »Und er bittet um Vergebung, daß ich statt seiner komme.«
Die Königin ließ sich neben einem viereckigen Tisch aus der Koryo-Zeit nieder, auf dem eine bestickte Seidendecke lag.
»Setz dich hierher zu mir«, befahl sie Sunia. »Erzähle mir alles.«
Sunia gehorchte ein wenig verwirrt. »Alles?« Was verstand die Königin darunter?
»Der Tod trat gestern ein, ganz plötzlich«, sagte sie. »Glücklicherweise hatte er – der Vater meiner Kinder – seinem Vater vorher gerade einen Besuch machen wollen und konnte sich sofort an sein Lager begeben. Ärzte wurden gerufen, unser eigener und auch der westliche.«
»Doch nicht dieser Amerikaner!« Die Königin zeigte sich entsetzt. »Ich kann nicht glauben, daß mein getreuer Höfling fähig wäre ...«

»Er wollte alles versuchen, Majestät. Und der Fremde sagte ihm den Tod voraus, obwohl er ihn nicht verhindern konnte.«
»Natürlich, natürlich!« Die Königin zog ein seidenes Tuch aus ihrem Ärmel, um sich die Augen zu wischen. »Und wie geht es ihm?« erkundigte sie sich.
»Ihm?« fragte Sunia unschuldig.
»Meinem Höfling.«
»Der Vater meiner Kinder ist in Trauer, aber er kennt seine Pflicht Euch gegenüber, Majestät.«
Sunias Ton war merklich kühl, und sie machte nun Anstalten, sich zu erheben, doch die Königin nahm sie bei den Händen und zog sie wieder neben sich.
»Du darfst jetzt noch nicht fortgehen«, sagte sie. »Wir wollen Freundinnen sein. Schwestern. Weißt du, daß ich hier im Palast ganz allein bin? Ich habe keine Freundin außer der Königinmutter, und sie ist alt und lebt nur noch in vergangenen Zeiten. Ich wollte, ich hätte es so gut, aber man läßt mich nicht in Frieden. Dein – dein Gatte sagt, daß die Zeiten sich geändert haben und daß ich immer auf der Hut sein müsse, und er will sogar, daß ich einen Botschafter aus dem Westen – einen Amerikaner – in meinem Palast empfange. Hat er dir alle diese Geheimnisse erzählt?«
»Nein, Majestät«, antwortete Sunia.
Die Königin strich sich zerstreut mit den Handflächen über die Wangen. »Ich wünschte sehr, er täte es«, murmelte sie. »Ich wünschte, ich müßte nicht diese ganzen Veränderungen allein ertragen.«
Sunia faßte sich ein Herz. »Ist nicht der König ...«
»Oh, sprich nicht vom König«, unterbrach sie die Königin ungeduldig und ließ die Hände sinken. »Wann sehen wir uns denn, er und ich? Und wenn er mich rufen läßt, so geht es ihm nicht um eine Unterredung.«
Schweigend hielt sie eine Weile die Augen auf Sunia geheftet. »Du weißt vielleicht«, sagte sie dann, »daß ich lange in dem strohgedeckten, armseligen Haus eines Dichters war. Nur er und seine Frau wohnten dort, und sie hielten mich verborgen. Ich sah, wie sie lebten. Sie waren Freunde, er und sie. Wenn

ich mich in mein kleines Zimmer zurückgezogen hatte, dann konnte ich sie miteinander sprechen und lachen hören. Sie redeten über ganz belanglose Dinge, zum Beispiel, wo die graue Katze ihre Jungen versteckt habe oder ob sie am nächsten Tag ein Stück Fleisch kaufen könnten. Und dann las er ihr vielleicht ein neues Gedicht vor, und sie hörte zu und sagte, es sei das schönste Gedicht, das er je geschrieben habe. Und nachts legten sie sich im selben Bett zum Schlafen nieder –«
Sie wandte den Kopf ab und preßte Sunias Hand zwischen ihren Händen. »Weshalb ich dir dies alles erzähle, weiß ich nicht. Es ist ganz töricht. Geh zu dem Vater deiner Kinder zurück und sage ihm, er möge sich Zeit lassen. Ich will geduldig warten, bis er seine Sohnespflichten erfüllt hat. Sage ihm auch, daß ich inzwischen in keiner Sache irgendeinen Schritt unternehmen werde.«
Sie erhob sich, lächelte Sunia an und gab ihre Hand frei. Die beiden Hofdamen erschienen wieder, um ihre Königin aus dem Audienzsaal zu geleiten.

»Nun?« fragte Il-han, als Sunia zurückkehrte.
Er hatte sich im Garten bei den Kindern aufgehalten, und sie betraten zusammen das Haus. Während er seine Frage an sie richtete, zog er die Schiebewände zu.
»Ja«, antwortete sie, »ich habe die Königin besucht.«
»Aber hast du ihr auch meine Botschaft ausgerichtet?«
»Natürlich«, erwiderte sie, »und sie läßt dir bestellen, du sollst in Ruhe deine Sohnespflichten erfüllen – sie wolle geduldig warten, bis du kommen könnest.«
»Ist das alles?«
Nachdenklich blickte sie ihn an. Was sollte sie sagen? Es war nicht alles. Sie konnte sagen, daß die Königin sogar noch schöner sei, als sie sie in Erinnerung hatte, sie konnte sagen, daß die Königin sich ihr gegenüber verhalten habe, als seien sie Schwestern, sie konnte sagen – sie konnte nichts sagen.
»Das ist alles«, schloß sie. Und während sie nun schwieg, betrachtete sie ihn mit halbgeschlossenen Lidern.
»Warum siehst du mich so an?« wollte er wissen.

Sie lächelte. »Wie sehe ich dich denn an?«
»Als ob du mir etwas verschwiegen hättest.«
Wieder lächelte sie, aber sie entgegnete nichts, und er wandte sich unwillig von ihr ab. »Frauen können es offenbar nicht lassen, sich zu verstellen und sich alles mögliche einzubilden und dergleichen. Du ergötzt dich daran, mir Kopfzerbrechen zu verursachen!«
Und mit diesen Worten ging er hinaus.

Am Tage vor der Bestattung seines Vaters begab sich Il-han zu der Stelle, die für das Grab vorgesehen war. Es gehörte zu seinen Pflichten, anwesend zu sein, während das Grab markiert und ausgegraben wurde. Der Platz lag außerhalb der Stadtmauer, denn das Gesetz ließ keine Beerdigung innerhalb der Mauern der Hauptstadt zu. Il-han ritt seinem Diener voraus, der ihm auf einem kleineren Pferd folgte. Es war ein warmer Frühlingstag, die Kirschbäume standen schon in der Blüte, und ihr milchiges Weiß und Rosa hob sich als ein zartes Farbenmeer vom Grau der felsigen Berge ab. Überall lockte das schöne Wetter die Leute aus den Häusern. Kinder, deren nackte Arme den wattierten Winterkleidern bereits entschlüpfen wollten, rannten umher, alte Männer saßen pfeiferauchend in der Sonne, und alte Frauen suchten nach den ersten grünen Kräutern, die, mit ein paar Stückchen Fleisch oder Geflügel gekocht, mit dem täglichen Reis gegessen werden konnten.
Der erfahrenste Geomant der Stadt hatte den Platz für das Grab ausgewählt und wartete nun dort. Il-han ritt durch das Tal und einen niedrigen Hügel hinauf, wo der Geomant in einer geschützten, sonnenbeschienenen Mulde schon das Grab markierte. Die Totengräber waren bei ihm. Il-han stieg vom Pferd und nahm die Stelle gründlich in Augenschein, bevor er seine Einwilligung zum Ausheben des Grabes gab. Während das ernste Werk getan wurde, ließ Il-han seine Blicke über die Stadt schweifen. Es war eine große Stadt, ein unermeßliches, bunt zusammengewürfeltes Gewirr aus den Häusern der Armen und den Palästen der königlichen Familie und des Adels

in ihren parkartigen, mit Kiefern und Kirschbäumen bestandenen Gärten. Hier in der Hauptstadt trafen die Extreme seines Landes und seines Volkes aufeinander. Wie lange konnte eine solche Teilung noch anhalten, während sie von außen bedroht wurden? Nur die engste Gemeinschaft innerhalb des Landes vermochte Angriffe von außen abzuwehren. Il-han stieß einen tiefen Seufzer aus – wie gut, daß sein Vater tot war. Doch was nützte der Tod? Seine beiden Söhne lebten und konnten der Zukunft nicht ausweichen, die er fürchtete, und wie sollte er ihnen helfen, wenn nicht, indem er versuchte, ihnen ihr Land ungeteilt und unabhängig zu erhalten?
»Herr«, sagte der Geomant. »Findet das Grab so deine Billigung?«
Er drehte sich um, ging zu dem Grab und blickte hinein. Der Boden war hier sehr karg, und um die Grube zu schaffen, mußten viele Felsbrocken ausgehoben werden, die man rundherum aufgestapelt hatte. Auf der Seite lagen die beiden Grabsteine, auf denen bereits die hervorragenden Verdienste seines Vaters als Dichter und Patriot eingemeißelt standen und von denen der eine am Fuß des Sarges miteingelassen, der andere aufgestellt werden sollte, um für alle Zeiten Zeugnis abzulegen.
»Ja, es ist gut so«, antwortete Il-han.
Er erwartete jetzt die Überbringer der Opfergaben für den Geist des Berges, der den Körper seines Vaters aufnehmen mußte. Bald erschien auch schon der feierliche Zug; die Schalen mit den Speisen wurden in der richtigen Ordnung dargebracht, und damit waren die Riten abgeschlossen. Il-han blieb nur noch die Aufgabe, seinem toten Vater zu berichten, daß das Grab bereit sei, und gleich nach seiner Rückkehr trat er vor das Lager des Dahingegangenen, um auch diese letzte Pflicht zu erfüllen.
Am Morgen des siebten Tages verkündete ihm sein Diener, die Unterkünfte in der Nähe des Grabes und die Bahre seien fertiggestellt und die Banner vollzählig. Il-han erwiderte nichts, sondern neigte nur bestätigend den Kopf. Er hatte sich während dieser Tage von seiner Familie abgesondert, nur

ganz wenig einfachste Kost zu sich genommen und die buddhistischen Schriften sowie die klassische konfuzianische Literatur studiert, um so seine Seele und seinen Geist zu läutern.
Am Nachmittag, um die Stunde der Dämmerung, jener günstigen Zeitspanne zwischen Tag und Nacht, in der der Geist seines Vaters nicht gestört würde, versammelten sich alle, stellten sich in der richtigen Ordnung auf, und der Trauerzug setzte sich in Bewegung. An der Spitze schritten zwei Fackelträger, große Reisigfackeln über die Erde schleifend, so daß sie einen Funkenregen nach sich zogen. Ihnen folgten in zwei Reihen die Laternenträger, die schmiedeeiserne, mit feinster roter und blauer Seide bespannte Laternen hielten, und dahinter ging der erste Bannerträger, in den Händen ein Seidenbanner, auf das der Name des vornehmen Toten und die vielen Ehren, die er im Lauf seines Lebens angehäuft hatte, geschrieben standen.
In der Mitte der Prozession sah man den Schrein, auf drei Seiten von Klageweibern umringt, und anschließend wieder Laternenträger, deren Aufgabe es war, den Katafalk selbst zu beleuchten. Dieser wurde von einer Schar Männer getragen, die eine Trauerweise sangen, um im Gleichschritt zu bleiben, und da der Verstorbene reich und eine hochgeehrte Persönlichkeit gewesen war, schritt ein Mann voraus, der eine Glocke schwenkte, und zahlreiche Bannerträger mit den Bannern derjenigen, die den Abgeschiedenen zu ehren wünschten, umgaben den Katafalk. Il-han saß in einer Sänfte, und hinter ihm, ebenfalls in Sänften, Sunia, seine Söhne sowie die entfernten Verwandten und Trauernden.
Langsam nahm der Zug seinen Weg durch die Straßen zum Wasserspeienden Tor. Die Dunkelheit war schon hereingebrochen, als sie am Fuße des Hügels anlangten, wo sie in eigens zu diesem Zweck erstellten Hütten die Nacht verbringen mußten. Es waren sogar einfache Betten bereitgestellt, doch Il-han fand keinen Schlaf. Viele Male legte er sich nieder, um sich bald darauf wieder zu erheben, bis er schließlich in die kalte Mondnacht hinaustrat.
Il-han fühlte mit tiefem Ernst, daß nun bis zu seinem eigenen

Tod alle Verantwortung der vorangegangenen Generation ihm übertragen war. Mit seinem Vater hatte ein Zeitalter geendet, ein Zeitalter, in dem seine Nation sich von der Welt abzuschließen getrachtet hatte, um auf diese Weise in Frieden zu leben. Jetzt war ein solcher Friede nicht mehr möglich. Fremde Schiffe kamen aus fernsten Meeren – Streit entbrannte zwischen einem jungen, neuen Japan und einer alten, untergehenden Dynastie in China ... Und der Koloß im Norden? Il-han wandte den Kopf und sah über einer scharfen Bergspitze den Stern des Nordens stehen, blutrot in diesem Augenblick.

Am Morgen legte der Trauerzug das letzte Stück Weg bis zum Grab zurück. Nun wurde der Sarg feierlich auf Querstangen gestellt und in weißes Tuch gehüllt, um sodann von Il-han und einigen Helfern hinabgelassen zu werden. Von allen verderblichen Dünsten und bösen Geistern befreit, nahm das offene Grab seinen Eigentümer auf, während Weihrauch verbrannte, die Frauen nach Osten blickten und die Trauernden die zeremonielle Totenklage anstimmten. Dann füllten Il-han und die Männer das Grab mit Erde. Mit dumpfem Geräusch fielen die Schollen auf den Sarg.

Am Ende, als alles getan war, verkündete Il-han dem Geist des Berges, daß sein Vater jetzt in seinem Bereich zur Ruhe gebettet sei, und während er mit klarer, lauter Stimme die Worte sprach und die Szene, die er überschaute, sich unauslöschlich in seine Erinnerung eingrub, sagte er in seinem Herzen dem Vater ein letztes Lebewohl.

Als die ersten Trauertage vorbei waren, erbat sich Il-han eine Audienz beim König. In den langen stillen Stunden der Zurückgezogenheit, die der Respekt für seinen Vater forderte, hatte er sorgfältig seine Aufgabe bedacht. Dank seiner Unabhängigkeit konnte er zwar Verpflichtungen ablehnen, doch stand ihm das Recht zu, sich jederzeit mit Rat an seine Herrscher zu wenden, und da er jetzt an seines Vaters Stelle gerückt war, fand er es nur schicklich, daß er zuerst den König aufsuchte.

Ein Bote übermittelte im Palast seinen Wunsch, und der König wählte für die Privataudienz den Morgen des siebten Tages im siebten Monat. An diesem Sommertag ließ sich Il-han nun um die festgesetzte Stunde in seiner Sänfte zum Palast tragen, und sein Diener ritt ihm voraus, um seine Ankunft am Tor zu melden.

König Kojong, der sechsundzwanzigste Monarch der Yi-Dynastie, stand noch immer in der Blüte seines Mannestums. Seine Mutter, Königin Cho, und sein Vater, der Regent Taiwunkun, hatten sich schon früh voneinander entfernt, und in der Leere zwischen ihnen war er aufgewachsen. Jeder der beiden war stark, der Vater durch seinen männlich-aggressiven Willen und die Mutter in ihrer weiblichen Starrheit. Beide hatten ihn zu ihrem Spielball gemacht, und so war er nur langsam zum Erwachsenen herangereift. Noch jetzt kam es vor, daß er gegen diese widerstreitenden Einflüsse kämpfen mußte, zu denen sich überdies ein dritter gesellt hatte: seine Verheiratung mit einem schönen Mädchen aus dem einflußreichen Hause der Min.

Insgeheim galt seine Neigung den zierlichen, zarten, nachgiebigen, kindlichen Frauen. Statt dessen war er nun an eine starke, selbstbewußte Frau gebunden, die niemals ein Kind gewesen zu sein schien. Doch sie faszinierte zugleich jenen Teil von ihm, der noch immer jünglingshaft war und den er einerseits zu überwinden suchte, von dem er jedoch andererseits fürchtete, daß er sein eigentliches Wesen darstellte.

Er war kein ungebildeter Mann. Als Kind war er in den Lehren des Konfuzianismus und des Buddhismus und in der Geschichte seines Landes unterrichtet worden. Über den Westen allerdings war ihm nicht viel bekannt, denn sein Vater, der Regent, hatte nur eines im Sinn getragen – das Land von der Außenwelt abzuschließen. Leider wußte er, der Sohn und jetzige König, daß dies nicht länger möglich war. So unglaublich es auch schien, die Waffe des Westens war immer die Religion gewesen, eine Religion, die, wie sein Vater ihm erklärt hatte, auf einem Aberglauben basierte, der anfänglich von einer kleinen unbedeutenden Volksgruppe verkündet worden war. Juden nannten sich diese Leute, und einer ihrer eigenen Revolutionäre wurde von ihnen selbst getötet. Für die Koreaner, hatte sein Vater gesagt, bestehe keine Notwendigkeit, ausländische Revolutionäre zu importieren, da sie selbst mehr als genug davon besäßen. Mit dieser Rechtfertigung hatte sein Vater die Ermordung der fremden Priester, die der Gefahr zum Trotz immer wieder in das Land eindrangen, gutgeheißen. Jetzt hielt man seinen Vater, den Regenten, in China gefangen, und er, der König, konnte selbst bestimmen, was zu tun war. Ohne Zweifel mußte er zunächst mit seiner Königin zu einer Einigung gelangen. Sie hielt noch immer an ihrer Loyalität China gegenüber fest und wollte nicht anerkennen, daß Japan die weitaus überlegenere Macht war. Erst am Abend zuvor hatten sie sich wieder über diese Angelegenheit gestritten. Seit ihrer Rückkehr war sie ihm zu ihren Gunsten verändert erschienen; er hatte sie bei ihrem ersten formellen Besuch sanfter gefunden, als sie sich je seit der Enttäuschung über das schwachsinnige Kind gezeigt hatte. Sie war noch immer schön, und er hatte gemeint, in ihrem Benehmen etwas von der Sehnsucht der Frau zu entdecken, die weiß, daß ihre Jugend fast vorüber ist, ein schwaches Verlangen, die Spur eines Wunsches. Und deshalb hatte er sie gestern aufgefordert, mit ihm zu speisen, denn er dachte, vielleicht könnte die Vergangenheit doch noch einmal so weit wiederaufleben, daß sie einen Sohn empfinge, solange es noch Zeit war.

Doch es wurde ein verdorbener Abend. Sie hatten wieder die alten Meinungsverschiedenheiten ausgetragen und sich schon frühzeitig voneinander verabschiedet, unter zeremoniellen Verbeugungen und jeder des anderen überdrüssig. Nachdem sie gegangen war, hatte er sich eine der Palastdamen, die ihm zu seiner Zerstreuung zur Verfügung standen, kommen lassen. Und jetzt, am Morgen danach, wurde ihm verkündet, daß der Sohn seines alten Freundes zur Audienz erschienen sei, offenbar gesonnen, an die Stelle seines Vaters zu treten. Er kannte Kim Il-han als Ratgeber der Königin, und so hatte er es nicht eilig. Volle zwei Stunden vergingen, ehe er seinen obersten

Kammerherrn zu ihm schickte, um ihm mitteilen zu lassen, daß die Audienz gewährt sei. Diese Verzögerung würde die mögliche Arroganz seines Untertanen dämpfen, sagte er sich, doch er beschloß, sich bei der Begegnung zwanglos und freundlich zu geben.

Um die Mittagsstunde schritt er in den Audienzsaal und nahm seinen Platz auf dem Thron ein, der hier nicht viel mehr als ein reichverzierter niedriger Sessel war, damit der König die Füße nach japanischer Art hochziehen konnte. Er wählte jetzt allerdings die westliche Art, sich zu setzen, und schlug die Beine übereinander. Er hatte zwar nie einen Mann aus dem Westen gesehen, jedoch von dieser Sitte gehört, und er wußte, daß ein Untertan jedes Detail im Benehmen seines Monarchen beobachten würde, stets bereit, aus allem auf dessen Einstellung zu schließen.

Nun trat Il-han ein und ließ sich vor dem König auf die Knie nieder. Er legte die Hände flach nebeneinander auf den glatten Boden, beugte dann den Kopf tief, bis seine Stirn sie berührte, und wartete.

»Du kannst dich erheben«, sagte der König liebenswürdig.

Il-han stand auf, die Augen gesenkt.

»Du magst sprechen«, fuhr der König im gleichen freundlichen Ton fort.

Ohne den Blick zu heben, begann Il-han: »Majestät, ich komme als Sohn meines nun verstorbenen Vaters. Ich komme wie er als nichtbeamteter Bürger, doch als einer, der zusammen mit anderen für das Volk verantwortlich ist und Euch deshalb zu Diensten steht.«

Der König hörte ihn an und bedeutete ihm dann durch eine einladende Geste, auf dem Sitzkissen vor dem Thron Platz zu nehmen.

»Wir wollen die Förmlichkeit beiseite lassen«, sagte der König. »Ich vertraue dir, weil du der Sohn deines Vaters bist. Er war ein kluger Mann. Er erklärte mir einmal, die drei Nationen, die uns umgeben, seien mit den Bällen vergleichbar, die ein Jongleur in Bewegung zu halten habe, und wir müßten die Jongleure sein. Stimmst du zu?«

»Majestät, ich würde sogar noch mehr solcher Bälle hinzufügen«, erwiderte Il-han. »Die westlichen Völker haben uns ihr Interesse zugewandt. Wie viele Bälle sich für unser Spiel daraus ergeben, vermag ich nicht zu sagen. Doch sicher sind es mehr als drei.«

Der König brachte seine gekreuzten Beine ungeduldig in eine andere Stellung. Er trug an diesem Tag nicht seine Staatsgewänder, doch um seinen Hals hing eine schwere Kette aus Jadestücken, auf Gold aneinandergereiht. Mit dem Jadekreis in ihrer Mitte, in den das Emblem der Kraniche unter einer Kiefer eingeschnitten war, beschäftigte sich jetzt seine rechte Hand. Die andere berührte seinen Mund, und ab und zu nahm er seine volle Unterlippe zwischen Daumen und Zeigefinger, tief in Gedanken versunken.

»Bist du bereit, ein Amt zu übernehmen?« fragte er schließlich. »Willst du, sagen wir einmal, Premierminister sein? Kanzler? Was du willst...«

Il-han hob den Kopf, um dem königlichen Blick zu begegnen, und nahm einen rücksichtslos-entschlossenen Zug wahr, der ihn erschreckte. Der König hatte schmale Augen unter kurzen, starken schwarzen Brauen. Es waren nicht die Augen eines Dichters oder Denkers, sondern die eines Mannes, der zu handeln gewohnt war.

»Ich bitte um Vergebung«, antwortete er und kehrte wieder zu der Betrachtung des Kranichemblems zurück, mit dem die kräftige dunkle Hand noch immer beschäftigt war, »wenn ich ein Amt ausschlage. Sobald ich ein Amt hätte, könnte ich nicht mehr frei sprechen, mich bewegen, beobachten, Bericht erstatten, um Audienz bitten. Ich wäre nicht mehr frei genug, um so von Nutzen zu sein, wie ich es erhoffe.«

Der König lachte. »Was du meinst, ist, daß du es vorziehst, mir nicht verpflichtet zu sein! Nun, es gibt nicht viele deinesgleichen.«

Er klatschte in die Hände, und einige Diener traten ein.

»Bringt uns Speisen und Getränke«, befahl er.

Nachdem sie gegangen waren, fuhr er fort: »Laß uns jetzt einmal die Lage unseres schönen Landes diskutieren. Ich weiß gut, weshalb Li Hung-chang möchte, daß wir einen Gesandten der Vereinigten Staaten akzeptieren. Das ist seine Waffe gegen die Japaner, von denen Krieg droht. In einem solchen Krieg würden wir ihr Ausgangspunkt für den Angriff auf China sein. Diese Vereinigten Staaten, was kannst du mir über sie sagen?«

Die Frage kam Il-han allzu plötzlich und setzte ihn in Verlegenheit.

»Majestät, ich muß mich erkundigen. Ich erinnere mich nur noch an die Seeleute, die vor ungefähr fünfzehn Jahren in unsere Nähe kamen. Man sagte, sie seien sehr unzivilisiert gewesen und hätten unsere Frauen belästigt, worauf sie von dem aufgebrachten Volk getötet wurden.«

»Nicht sofort«, berichtigte ihn der König. »Zuerst hat man sie eingesperrt. Später erschienen andere mit Booten, um sie zu befreien, und das gelang ihnen auch. Sie entführten allerdings dabei einige unserer Männer als Geiseln, und erst daraufhin griffen unsere Leute in ihrem Zorn das Schiff an, töteten acht von den Amerikanern, nahmen die übrigen gefangen und steckten das Schiff in Brand – eine ganz verdiente Aktion, wie mir berichtet wurde.«

Hier schwieg der König eine Weile nachdenklich, um sodann seine Darstellung noch in einer Weise zu ergänzen, die für Il-han überraschend war.

»Vielleicht spielt die Wahrheit darüber heute keine Rolle mehr«, sagte er, »aber du darfst sie dennoch wissen. Mein Vater war es, der den Befehl zu dem Angriff auf das Schiff gab. Er fürchtete, es bringe neue katholische Priester, um diejenigen zu rächen, die mein Vater in früheren Jahren hatte enthaupten lassen. Mein Vater glaubt und hat immer geglaubt, daß die westlichen Religionen den Frieden stören, wohin sie auch kommen. Er hat das in China und in Japan beobachtet und deshalb während seiner Regierungszeit allen Priestern verboten, bei uns an Land zu gehen, und sie hinrichten lassen, wenn sie heimlich eindrangen. Leider haben sie vereinzelte Angehörige unseres Volkes schon dazu verleiten können, Christen zu werden.«

Hier hielt er inne, und Il-han wußte, daß er an jenen Kim – einen von Il-hans Vorfahren – dachte, der hingerichtet worden war, weil er sich zum katholischen Glauben bekannt hatte.
»Ich bin dem Beispiel meines Vaters gefolgt«, erklärte der König weiter. »Als ich noch sehr jung war, habe ich mich geweigert, jenen Amerikaner, der sich Low nannte und mit einer ganzen Flotte in unserem Hafen anlegte, zu empfangen. Aber heute weiß ich nicht . . .«
Die Diener trugen jetzt die Speisen auf und warteten neben dem Tisch, um zu servieren. Doch der König schickte sie fort.
»Sie stehen da wie Standbilder«, bemerkte er zu Il-han, nachdem sie gegangen waren, »aber sie sind es nicht. Ihre Augen sehen, ihre Ohren hören, und ihre Zungen sind geschwätzig. Und nun sage mir, was du denkst.«
»Majestät, es ehrt mich, daß Ihr mir Eure Gedanken mitteilt. Als Untertan sollte ich zuhören und schweigen.«
»Sprich«, befahl der König. »Ich bin von lauter Menschen umringt, die nicht sprechen wollen. Mit Ausnahme der Königin. Sie kennt keine Furcht! Ich behaupte, daß sie sogar Buddha, wenn er hier in Fleisch und Blut wiederauferstünde, sagen würde, wie er sich zu verhalten habe.«
Der König hatte trotzig gesprochen; er war sich bewußt, daß seine Worte einem Untertanen gegenüber unpassend waren, und sie bereiteten ihm gerade deshalb noch mehr Genuß.
Il-han lächelte ein wenig und ging nicht auf das Thema ein. Statt dessen sagte er: »Majestät, von allen westlichen Völkern scheinen mir die Amerikaner noch die am wenigsten verdorbenen zu sein. Sie sind ein junges Volk, sie haben keine Erfahrungen, und sie wissen von sich selbst, was es heißt, für die Unabhängigkeit zu kämpfen. Ich habe gehört, daß sie vor mehr als hundert Jahren Krieg führten gegen das Land, das sie regierte, und siegten.«
»Was willst du damit sagen?« fragte der König.
»Ich will sagen, daß wir die Amerikaner, wie Li Hung-chang es rät, akzeptieren müssen«, antwortete Il-han.
Der König ballte die Fäuste und schlug auf den Tisch, daß die

Schüsseln klirrten. »Durch einen Vertrag, der uns noch mehr fortnimmt!« schrie er.
»Durch einen Vertrag«, bestätigte Il-han.
Die beiden Männer blickten einander fest in die Augen. Der König war es, der schließlich unterlag. Er stand auf. »Ich kann nichts essen«, erklärte er, kehrte Il-han den Rücken und verließ den Raum.

Am späten Abend, als sie sich in ihr Schlafgemach zurückgezogen hatten und im Schein eines Talglichts still nebeneinanderlagen, berichtete Il-han Sunia einiges von dem, was in der langen Unterredung mit dem König gesagt worden war, und schließlich erzählte er ihr auch, daß er ein hohes Amt in der Regierung angetragen bekommen und abgelehnt habe. Er bereute seine Weigerung nicht, aber er war nicht sicher, ob sie, von einfacherer Natur als er – das glaubte er jedenfalls –, nicht vielleicht doch heimlich andere Frauen beneidete, deren Männer im öffentlichen Leben standen. Er hatte einen gewissen Ruf als Gelehrter, als ein Mann, der furchtlos tat, was er wollte, und von sich wies, was ihm nicht gefiel – doch war dies genug? Ihre Antwort lehrte ihn indessen, daß er unrecht gehabt hatte, und wieder einmal wunderte er sich, wie es möglich war, daß ein Mann mit einer Frau leben, Söhne mit ihr haben und sie noch immer so wenig kennen konnte.
»Du hast ganz richtig gehandelt, ein Amt auszuschlagen«, erwiderte sie ohne Zögern.
»Und warum denkst du so?«
»Oh, der Grund ist ganz einfach. Du vergißt immer die kleinen Dinge. Bewundernswert bist du nur in den großen. Du sprichst mit Königen und Königinnen, aber du kannst keine zwei Diener in diesem Haus auseinanderhalten. Zuweilen zweifle ich, ob du deine eigenen Kinder aus einer großen Schar herausfinden würdest. Jetzt wirst du Zeit haben, deine Söhne kennenzulernen – und auch mich.«
Sie lachte belustigt.
»Du beschreibst einen sehr törichten Mann. Ich hoffe doch, daß ich ein wenig besser bin.«

Sie drehte sich ihm zu, stützte den Kopf in die Hand und sah auf sein rebellisches Gesicht hinunter. »Wie ich schon gesagt habe, bist du nur in kleinen Dingen töricht. Würdest du diese kleinen Dinge überlegen meistern, dann stündest du vermutlich den großen töricht gegenüber. Ich bin ganz zufrieden mit dir, so wie du bist – mehr noch, ich weiß sehr gut, daß ich dankbar sein muß, denn ich bin eine vom Glück besonders begünstigte Frau.«
Nun lachte er. »Eine Frau bekommt nur das, was sie verdient.«
Ihr Wortgeplänkel wurde von einer Welle der Leidenschaft abgelöst, die sie beide plötzlich durchflutete, und als sie sich nach einer langen Weile voneinander lösten, waren sie sich näher als je zuvor. In friedlichem Schweigen hing jeder seinen Gedanken nach, und bald darauf schlief Il-han ein.
Als er eine Stunde später erwachte, fand er, daß Sunia noch immer mit offenen Augen neben ihm lag und sichtlich über irgend etwas nachgrübelte. Und während sie ihm dann eine Schale Tee reichte, um die er sie gebeten hatte, da er Durst verspürte, kam sie mit dem heraus, was sie beschäftigt hatte.
»Während der Trauerzeit kannst du außerhalb des Hauses nichts tun, und du mußt mir versprechen, die Ruhe zu benutzen, um den Charakter deiner Söhne zu studieren. Ich merke, daß sie sich sehr voneinander unterscheiden, aber ich kann nicht herausfinden, wodurch. Das wäre das erste.«
Er trank den Tee und gab ihr die Schale zurück.
»Dann gibt es also ein zweites? Und zweifellos auch noch ein drittes! Hat ein Mann einmal ein wenig freie Zeit, so darf er sicher sein, daß seine Frau sie für ihn auszufüllen weiß.« Er fühlte sich plötzlich hellwach, entspannt, belustigt, und zärtlich blickte er sie an.
»Versuche nicht, mich abzulenken, bitte«, sagte sie streng. »Du sollst mir zuhören. Il-han, ich meine, du müßtest einige dieser Amerikaner kennen, bevor du sie dem König empfiehlst. Du hast eine wichtige Aufgabe. Du berätst unseren Herrscher. Woher willst du wissen, ob die Amerikaner gut oder schlecht sind? Wie, wenn du den König zu etwas Fal-

schem verleitest und unser Volk leiden muß, nur weil du zuwenig wußtest?«
Sie war eine erstaunliche Frau. Er hätte geschworen, daß sie sich für nichts außerhalb ihres Haushalts interessierte, und nun setzte sie ihm diesen einfachen, weisen Schluß vor. Denn, so unangenehm der Gedanke war, sie hatte recht. Er kannte Chinesen, Japaner, auch ein paar Russen, aber fast keine Amerikaner.
Seine gelöste, zärtliche Stimmung wich ernsten Überlegungen. »Schlafe jetzt«, sagte er zu ihr. »Du hast genug gesprochen, um mich den Rest der Nacht und viele andere Nächte lang wachzuhalten.« Und er drückte die Flamme der Kerze zwischen Daumen und Zeigefinger aus.

Sunias Wunsch erfüllte sich. In diesen Tagen der Trauer um den Toten widmete sich Il-han den Lebenden. Jeden Morgen setzte er sich dazu, wenn der Hauslehrer seinen älteren Sohn unterrichtete, freute sich an der raschen Auffassungsgabe, die das Kind bewies, sobald es etwas interessant fand, und ärgerte sich über die Faulheit, die es zeigte, sofern es kein Interesse hatte. Doch mischte er sich niemals ein. Er sah, daß der Erzieher den Jungen gut verstand und ihn auch nicht tadelte, wenn sein Blick von den Büchern abschweifte. Statt dessen hieß er ihn dann in den Garten laufen oder gab ihm einen Pinsel und farbige Tuschen, damit er ein Bild male.
»In einem Bild«, erklärte er Il-han, als sie allein waren, »entdecke ich die verborgenen Gedanken und Gefühle eines Kindes.«
»Was malt er?« fragte Il-han.
Sorge spiegelte sich auf dem Gesicht des jungen Mannes. »Er malt das Gewalttätige, Wilde. In diesem ruhigen, vornehmen Haus malt dein Sohn eine Katze mit einem Vogel zwischen den Zähnen, einen Teufel, der aus dem Bambus hervorspäht, oder einen Habicht, der eine blutende Maus in den Fängen hält.«
Il-han hörte das mit Bestürzung. »Niemand hat dieses Kind je rauh behandelt. Wie kann er auf solche Gedanken kommen?«

»Ich vermute, daß es von den Zeiten herrührt, in denen wir leben«, erwiderte der Erzieher. »Er hört von Räubern in der Stadt und von Banditen in den Bergen, er hat mich viele Male gefragt, warum die Königin fast ermordet worden sei, und er weiß schon etwas von den Streitereien unter den Adelsfamilien. Wenn er sich im Haus deines Vaters auf dem Land aufhält, schließt er Freundschaft mit den Söhnen der Bauern, die dein Land bestellen, Herr, und das sind wilde Kinder. Ich bemühe mich, ihn von ihnen fernzuhalten, aber er entwischt mir immer wieder, und ich finde ihn später im Dorf, das Gesicht und die Hände so schwarz wie die seiner Spielgefährten. Er ist dann oft unhöflich zu mir und benutzt gewöhnliche Ausdrücke, die er von den anderen gehört hat. Tatsächlich hat er mir mehr als einmal gesagt, er wünschte, er wäre der Sohn eines Bauern, damit er frei auf der Straße herumlaufen und tun könnte, was er wollte.«
Il-han fühlte Gewissensbisse. Während er mit der Königin und dem König beschäftigt war, hatte sein Sohn sich unter den Armen und Ungebildeten Gesellschaft gesucht. Noch am gleichen Tag, nachdem der morgendliche Unterricht und das Mittagsmahl vorüber waren, nahm er seinen Sohn an der Hand und führte ihn zu dem Bambushain hinunter.
»Laß uns nachsehen, ob die jungen Schößlinge schon wieder durchbrechen«, sagte er.
Als sie in den Schatten der Pflanzung traten, wo die Bambusrohre so dicht standen, daß die Sonne nur in dünnen Strahlen hindurchsickern konnte, sahen sie, daß die aufwärtsstrebenden Schößlinge bereits das Erdreich gelockert hatten. Hier und da zeigte sich schon eine blaßgrüne, zartgefiederte Spitze über der Erde.
»Weißt du noch«, wandte sich Il-han an seinen Sohn, »wie du einmal die Schößlinge abgebrochen hast?«
Ein wenig trotzig nickte das Kind. Mit festem Griff hielt Il-han seine Hand umschlossen.
»Damals warst du zu klein, um mich richtig zu verstehen. Ich erklärte dir, daß auch ein hohles Rohr lebt und daß es immer wieder von neuem aus den alten Wurzeln hervorkommt. Ich

sagte dir auch, daß der Bambusschößling in unserem Land als Symbol für den starken, hochstrebenden Geist eines Mannes gilt. Vielleicht ist der Mann ein großer Dichter, ein Künstler, vielleicht ist er ein noch unbekannter Führer mitten unter dem Volk oder auch ein Revolutionär. Es ist leicht, diese Bambusschößlinge zu zertreten. Es ist leicht, etwas zu zerstören, aber schwer, es neu zu schaffen. Denke immer daran.«
Schon eine Weile hatte der Junge versucht, dem Vater seine Hand zu entziehen, und kaum fühlte er sich jetzt freigegeben, als er auch schon fortrannte. Zutiefst beunruhigt blickte Il-han der kleinen, schmalen Gestalt nach. Von diesem Tag an achtete er auf seinen Sohn, und immer wenn er sah, daß er seinen kleinen Bruder stieß oder das, was der jüngere aus Steinen oder kleinen Holzklötzen gebaut hatte, einriß, nahm er ihn fest bei den Händen, hielt sie ihm auf den Rücken und erinnerte ihn: »Es ist leicht zu zerstören, aber es ist schwer, neu zu schaffen. Wirf du nicht ein, was dein Bruder baut.«
Sunia verfolgte das eines Tages. »Es ist nicht genug, daß er nichts zerstört«, meinte sie. »Man müßte ihm helfen, selbst etwas zu schaffen.«
Wieder hatte sie ihm zu denken gegeben. Und dann beschloß er, seinem Sohn einmal die Geschichte ihres Vorfahren Kim Chong-ho zu erzählen, des ersten koreanischen Kartographen. Auch er, in der Provinz Kuang Hwang-hai aufgewachsen, war ein unruhiger Junge gewesen. Er war oft über Berge und an Flüssen entlanggewandert, und eines Tages begann er sich dafür zu interessieren, wo die Flüsse ihre Quellen hatten, wie die Berge lagen, wie die gewundene Küstenlinie verlief und wie viele Inseln es draußen gab.
»Daraufhin«, so berichtete Il-han seinem Sohn, »fragte er alle Leute, wo er eine Karte unseres Landes finden könne, die ihm zuverlässig über diese Dinge Auskunft gebe. Doch was er sich wünschte, existierte nicht. Er studierte alle Karten, die er auftrieb, reiste im Lauf der Jahre hierhin und dorthin, um sie zu überprüfen – überall fand er Berge und Flüsse in buntem Durcheinander, die Küstenlinien gerade, wo sie Einschnitte und Buchten hätten aufweisen sollen, und die Quellen der

Flüsse an irgendeinem willkürlich angenommenen Ort eingezeichnet. So beschloß Kim Chong-ho, später selbst Landkarten zu zeichnen, und als er dann ein Mann war, kam er hierher nach Seoul und bat die Herrscher um Unterstützung seiner Pläne. Aber niemand interessierte sich für Landkarten, niemand wußte ihre Nützlichkeit zu schätzen. Er war entmutigt, doch er ließ nicht von seinem Vorhaben ab. Das ganze Land bereiste er, nahm Messungen vor, zeichnete und schrieb auf, was er vorfand, bis er die erste vollständige Karte von Korea in Händen hatte. Nun mußte sie gedruckt werden, und da ihm noch immer niemand half, kaufte er selbst Holzblöcke, in die er die Karte einschnitt. Dann trug er Farbe auf, drückte die Blöcke auf Papier ab, und die Landkarte war fertig! Leider allerdings geriet Kim Chong-ho daraufhin in den Verdacht, irgendeinem Feind zu helfen, und der König ließ alle Karten und die Holzblöcke verbrennen. Doch Kim Chong-ho hatte sein Werk im Gedächtnis behalten, und nun beschloß der König, daß er hingerichtet werden müsse, und so geschah es auch.«

Als der Junge das hörte, wurde sein Gesicht blaß. »Wie haben sie ihn denn getötet?«

»Ist das wichtig?« fragte Il-han.

»Ich möchte es aber wissen«, beharrte sein Sohn eigensinnig.

»Man hat ihm den Kopf abgeschlagen«, erklärte Il-han kurz.

Der Junge überlegte einen Augenblick, um schließlich mit kühler, unbeteiligter Stimme zu bemerken: »Da gab es sicher viel Blut.«

»Ohne Zweifel«, erwiderte Il-han, »aber das ist wirklich nicht wesentlich. Ich habe dir diese Geschichte erzählt, weil ich möchte, daß du von unserem mutigen, rechtschaffenen Vorfahren weißt, der so etwas Gutes und Nützliches wie eine Landkarte schuf, und damit du erkennst, wie unklug es war, ihn zu vernichten. Nicht einmal der König war gebildet und weitsichtig genug, um das einzusehen.«

Il-han war nicht sicher, ob sein Sohn ihm noch zugehört hatte. Plötzlich fühlte er die Hand des Kindes in seinem Nacken.

»Was ist denn?« fragte er.

»Der Knochen«, sagte sein Sohn, und seine großen Augen blickten starr und dunkel. »Sie müssen eine Säge benutzt haben, um den Knochen durchzuschneiden.«
Da stieß Il-han die kleine Hand beiseite und ging fort. In der folgenden Nacht schlief er schlecht. Er erwachte auch einmal und hörte den Nachtwächter in der Ferne, der auf Brände zu achten hatte. In den Hütten der Armen konnte ein Feuer, das in der Mitte eines Raumes brannte, leicht ein Strohdach in Flammen setzen, und auch in den Häusern der Reichen genügte ein fehlerhaftes Heizrohr oder glühende, von einem Diener achtlos auf den Hof geworfene Asche, um die Stadt zu gefährden. Allnächtlich schritt deshalb der Brandwächter die Straßen ab, seine zwei Bambusstöcke gegeneinanderschlagend, damit die Leute wußten, daß er über ihre Sicherheit wachte. Il-han hörte den Mann näher kommen, das Klappern laut werden und sich dann wieder verlieren. Doch dieses Geräusch war es nicht, was ihn aufgeweckt hatte – es war die nagende Sorge in ihm, eine Sorge, die er am Tag beiseite geschoben hatte und die jetzt in der Dunkelheit wieder übermächtig geworden war. Er konnte die Hand, die kleine kühle Hand, die seinen Nacken betastet hatte, nicht vergessen.
Der jüngere Sohn war ganz anders. Dieses Kind vermochte weder eine Fliege zu zerquetschen noch eine Katze am Schwanz zu ziehen. Il-han hatte seine beiden Kinder, solange sie noch unter der Obhut der Amme standen, nur wenig beachtet. Tatsächlich schenkte er seinem zweiten Sohn nach dem kleinen Verdruß über das verkürzte Ohr zum erstenmal wieder seine ganze Aufmerksamkeit, als der Kleine seinen ersten Geburtstag beging, der zu den drei wichtigsten Tagen im Leben eines Menschen gehörte – der zweite war der Hochzeitstag und der dritte der sechzigste Geburtstag. Il-han vergaß niemals, wie hübsch der kleine Junge an diesem Tag ausgesehen hatte. Sunia hatte die Dienerinnen neue Kleider für ihn anfertigen lassen, hellblaue Seidenhöschen, eine pfirsichfarbene Jacke mit rot, blau und grün gestreiften Ärmeln, darunter eine blaue Weste mit Jadeknöpfen, und für den Kopf die spitze Kappe, die an den Seiten die chinesischen Zeichen

für Glück und langes Leben aufgestickt trug und – wie Il-han wohl bemerkt hatte – so geschnitten war, daß sie die Ohren bedeckte. Dann waren die Gäste mit den Geschenken für das Kind gekommen. Il-han erinnerte sich gut an die Szene, als sein kleiner Sohn, auf dem warmen Boden sitzend, die Auswahl unter den Dingen traf, die Sunia vor ihn hinlegte: ein kurzes, breites Schwert, ein Buch, einen Schreibpinsel, eine Laute und verschiedene andere Dinge. Der Kleine hatte alles eine Weile betrachtet, und schließlich hatte er die Hand ausgestreckt und nach dem Schwert gegriffen; aber er vermochte es nicht aufzuheben und brach in Tränen aus, als es ihm immer wieder mißlang.
In diesen Tagen nun betrachtete sich Il-han seinen jüngeren Sohn genau. Im Gegensatz zu seinem älteren Bruder, der offenbar von irgendeinem Vorfahren die Anlage zu breiten Schultern und ungewöhnlicher Körpergröße geerbt hatte, war er zart gebaut und sah Il-hans Vater sehr ähnlich. Er hatte dieselben großen träumerischen Augen, feingezeichnete Brauen und eine hohe Stirn. Sunia meinte zuweilen, die Seele des alten Mannes sei mit seinem Tode in dieses Kind eingegangen, so gesetzt und ruhig war es in allen Bewegungen, ohne deshalb an Anmut zu verlieren. Es spielte gern mit kleinen Tieren, mit Vögeln, Schmetterlingen und Goldfischen und liebte Lampions, Papierdrachen und Musik. Mit den Klängen, die Sunia der Harfe entlockte, vermochte sie ihn jeder trüben Stimmung zu entreißen und seine Tränen zu trocknen.
Das waren die Eigenschaften, die Il-han in seinem zweiten Sohn bemerkte, aber er wußte, daß es noch eine Weile dauern würde, bis das Kind seine ganze Persönlichkeit entfalten konnte. Was die Mißbildung des Ohres anging, so beschloß Il-han, jetzt bald einen ausländischen Arzt zu befragen. Damit hatte er noch einen Grund mehr, sich nach Beendigung der Trauerzeit um die Bekanntschaft einiger Männer aus dem Westen zu bemühen, würde er doch auf diese Weise vielleicht auch auf einen Arzt stoßen.
Ehe er allerdings seine Absicht verwirklichen konnte, überbrachte ihm ein Kurier die Aufforderung, vor dem König zu

erscheinen. Wieder einmal legte Il-han seine Hoftracht an und begab sich in den Palast, wo er sogleich empfangen wurde.
»Wir wollen uns nicht mit Förmlichkeiten aufhalten«, sagte der König, als Il-han sich zu der zeremoniellen Begrüßung anschickte. »Du mußt dich darauf vorbereiten, eine Reise nach den Vereinigten Staaten zu unternehmen.«
Il-han kniete bereits, und die letzten Worte des Königs lähmten ihn fast. Sein Mund wurde trocken.
»Majestät«, murmelte er, »wann soll das sein?«
»Wenn wir einen Vertrag mit den Amerikanern schließen wollen«, antwortete der König, »so muß ich über ihr Land und sie selbst unterrichtet sein. Ich habe drei junge Männer für diese Mission ausgewählt, und du sollst sie begleiten und darauf achten, daß sie sich richtig benehmen und ihren Auftrag gut ausführen. Du magst stehen.«
Il-han erhob sich, die Arme verschränkt und den Kopf gesenkt. »Majestät, wird diese Reise bald stattfinden?«
»Eine gewisse Eile ist geboten«, erwiderte der König, »denn der Vertrag mit den Vereinigten Staaten soll umgehend, noch ehe du mit den anderen unser Land verläßt, ratifiziert werden. Ich habe gehört, daß die alte Kaiserin in Peking unwillig über Li Hung-chang ist und erklärt, ein Abkommen mit uns könne, wie bisher, nur über China geschlossen werden. Wir müssen uns gerade deshalb jetzt selbst mit den Amerikanern in Verbindung setzen und damit unsere Handlungsfreiheit als souveräne Nation begründen.«
»Und wer wird entsendet, Majestät?«
»Als erster«, antwortete der König, »mein Schwager, Prinz Min Yong-ik, der Thronfolger.«
Il-han kannte den Prinzen sehr gut. Durch Adoption war er ein Neffe der Königin und stand auf ihrer Seite. Bei der Revolte hatte der Regent seine Hinrichtung befohlen, aber er war entkommen, indem er die Gewänder eines buddhistischen Mönches anlegte und sich in den Bergen verbarg.
Der König fuhr fort: »Der zweite ist Hong Yong-sik, der Sohn unseres Premierministers. Ihn schicke ich, weil er schon als Botschafter in Japan war und ihm nicht alles außerhalb

Koreas fremd ist. Der dritte ist ein Mann, den ich ständig in meiner Nähe halte, da ich ihm vertraue, So Kwang-pom.«
Auch ihn kannte Il-han. Die Mitglieder seiner Familie waren Jahrhunderte hindurch stets als weise und gerecht geachtet worden. So Kwang-pom verfocht hartnäckig die Überzeugung, daß Korea unabhängig von China sein müsse, und er hatte auch eine Partei Gleichgesinnter gegründet. Einmal war er sogar heimlich nach Japan gefahren, um nach der Rückkehr dem König in aller Offenheit zu berichten, welche Veränderungen in Japan vorgingen, daß es neue Waffen herstelle und sogar von einem Krieg gegen China träume.
Alle drei Männer waren noch jung, um die dreißig Jahre alt, aber dieser dritte war der modernste und kühnste von ihnen, während Yong-ik als Oberhaupt der Min und Günstling der Königin genau die entgegengesetzte Richtung vertrat.
»Neben dir«, erklärte der König weiter, »habe ich noch zwei andere ausgewählt, Chai Kyung-soh, der in militärischen Angelegenheiten erfahren ist, und Yu Kil-chun, der ebenfalls lange in Japan gelebt hat.«
Il-han neigte den Kopf. »Wie könnte ich mich königlichem Befehl widersetzen?«
Der König erkannte diese Antwort mit einem leichten Kopfnicken an, und damit war die Unterredung beendet. Il-han kehrte, noch halb betäubt, in sein Haus zurück.
Zwei Wochen nach jener Audienz, an einem schon fast sommerlichen Frühlingstag, befand sich Il-han in Hoftracht erneut auf dem Weg zum Palast. Das Wetter war so schön, daß er den Vorhang der Sänfte hatte heben lassen, um die milde Luft und den Sonnenschein zu genießen. Anlaß zu dieser königlichen Vorladung war die Ratifizierung des Vertrages mit den Vereinigten Staaten, eine feierliche Zeremonie, der Il-han als Sonderrepräsentant beiwohnen sollte. Lange war dieser Moment hinausgeschoben worden. Der Vertrag war schon vor der Revolte des Regenten in Vorbereitung gewesen. Shufeldt, ein amerikanischer Kommodore, hatte seinerzeit die einzelnen Klauseln mit den Koreanern ausgehandelt, und der chinesische Staatsmann Li Hung-chang hatte durch Yuan Shih-k'ai, den

er als seinen dauernden Stellvertreter zur Wahrung der chinesischen Oberhoheit nach Seoul entsandt hatte, seine Zustimmung zu allem gegeben – obgleich der Vertrag andererseits ausdrücklich versicherte, Korea sei eine unabhängige Nation und habe vor der Ratifizierung keine Absprache mit China nötig. So weit waren die Dinge gediehen, als der Regent die Königin zur Flucht trieb und das Land in Aufruhr versetzte. Und nun hatte der wieder an die Macht gelangte König endlich die Unterzeichnung des Vertrages angeordnet.

Für Il-han rückte damit gleichzeitig seine große Reise nahe. Er hatte Sunia noch nichts davon gesagt, denn er wußte nur zu gut, wie sie sich um ihn sorgen würde. Jetzt allerdings durfte er nicht mehr länger zögern, und er hatte sich vorgenommen, noch an diesem Abend mit ihr darüber zu sprechen.

Zwei Stunden nach Mittag an diesem neunzehnten Tag des fünften Monats im Sonnenjahr 1883 – dem sechsten des Mondjahres – stand Il-han in der großen Halle des königlichen Außenministeriums neben Ming Yong-wok, der diesem Amt präsidierte, und vier weiteren Ministern.

Zur festgesetzten Stunde betraten zehn Amerikaner den Saal, hochgewachsene Männer in Marineuniform – rotgoldenen Jacken über schwarzen Hosen.

Als sie näher kamen, wurde der Name des ranghöchsten Offiziers ausgerufen.

»General Lucius H. Foote, Außerordentlicher Gesandter und Bevollmächtigter Minister der Vereinigten Staaten von Amerika für das Königreich von Korea!«

Er überreichte Präsident Min den englisch ausgefertigten Vertrag und nahm dafür die koreanische Fassung entgegen. Der bedeutende Akt nahm nicht mehr als ein paar Sekunden in Anspruch. Noch auf dem Heimweg vermochte Il-han es kaum zu begreifen, wie ein simples Papier, zwischen zwei Männern ausgetauscht, von einem Augenblick auf den anderen zwischen zwei Nationen über das weite Meer hinweg eine freundschaftliche Brücke schlagen konnte.

»Ich werde sterben, während du fort bist«, sagte Sunia.
»O nein, du wirst nicht sterben«, widersprach Il-han.
Es war um Mitternacht, und sie hatten sich gerade zu Bett begeben. Stille lag über dem ganzen Haus. Nur das Quaken der Frösche drang aus dem Garten herein.
Sunia entgegnete nichts auf Il-hans Worte. Die Hände unter dem Kopf verschlungen, lag sie neben ihm, und das Mondlicht ließ ihr Gesicht sehr blaß erscheinen.
»Du wirst keine Zeit haben zu sterben«, fuhr er fort. »Solange ich nicht da bin, mußt du meinen Platz bei der Königin einnehmen. Du mußt sie besuchen, ihre Klagen anhören, Rat erteilen, ihr mit Verständnis zur Seite stehen.«
»Das tue ich nicht«, erklärte Sunia.
»Doch, du wirst das tun, denn ich will es«, erwiderte Il-han. »Außerdem möchte ich, daß du die Bekanntschaft der Frau des neuen amerikanischen Gesandten suchst, damit du sie der Königin später als deine Freundin vorstellen kannst.«
»Ich kenne nicht einmal ihren Namen«, sagte Sunia widerspenstig. »Und ich habe noch nie mit Amerikanern zu tun gehabt. Dieser Gesandte – wie sieht er überhaupt aus?«
»Wie irgendein Mann«, erklärte Il-han, »außer, daß er einen kurzen roten Bart und rotes Haar hat und rote Augenbrauen über blauen Augen.«
Die Vorstellung erheiterte Sunia offensichtlich, und als Il-han merkte, daß ihre Neugier geweckt war, beschrieb er ihr die Amerikaner genauer, ihre Größe, ihre Nasen, ihre langen Hände und Füße, die Beinkleider, das kurzgeschnittene Haar.
»Wirken sie sehr barbarisch?«
»Nein«, antwortete Il-han, »nur fremd. Aber sie scheinen auf ihre eigene Weise zivilisiert zu sein.«
So brachte er sie langsam dazu, sich in seine Reise zu fügen. Doch leicht war es nicht, und die ganzen Sommermonate hindurch, während sie ihre Vorbereitungen traf, seine Kleidung für Hitze und Kälte richtete und allerlei Pakete mit gedörrten Lebensmitteln, Ginsengwurzel und anderen Heilpflanzen zusammenstellte, kamen immer wieder dunkle Nachtstunden, in denen sie sich weinend an ihn klammerte. Sie bestand auch

darauf, daß wenigstens sein Sarg vor seiner Abreise ausgesucht werden müsse, für den Fall, daß er unterwegs den Tod fände. Um ihr den Willen zu tun, wählte er schließlich einen guten Sarg aus Kiefernholz, den er im Torhaus aufstellen ließ, obwohl er sie gleichzeitig ihrer Ängstlichkeit wegen auslachte.
Kurz vor der Abreise, als sich Il-han zum letztenmal in den Palast begab, empfahl er der Königin seine Gattin.
»Laßt Eure bescheidene Dienerin meinen Platz einnehmen, Majestät«, sagte er. »Erlaubt ihr, Eure Befehle auszuführen. Erzählt ihr, was Ihr mir selbst sagen würdet; sie verdient Euer Vertrauen. Und nun habe ich, bevor ich gehe, nur noch eine Bitte vorzubringen.«
»Ich verspreche dir nicht, sie zu erfüllen«, erwiderte die Königin. Sie war nicht in bester Stimmung, denn sie stand der Freundschaft mit den Amerikanern sehr ablehnend gegenüber und hatte sich der Reise heftig widersetzt.
Il-han beachtete ihre schlechte Laune nicht. »Ich bitte darum, Majestät, daß die Gattin des amerikanischen Gesandten zu einem Besuch im Palast eingeladen wird.«
Mit einer heftigen Bewegung stand die Königin auf. »Wie?« rief sie. »Du vergißt dich!«
»Die Zeit wird kommen, da dies geschehen muß, Majestät«, sagte er geduldig. »Wäre es nicht besser, es jetzt aus eigenem Antrieb zu tun als später unter Zwang?«
Erregt schritt sie eine Weile auf und ab, und ihre weiten Röcke schwangen hinter ihr her. Dann ging sie plötzlich auf die Tür zu, die in ihre Privatgemächer führte, und verließ den Audienzsaal, ohne Il-han noch eines Blickes zu würdigen.
Eine Zeitlang wartete er, aber sie erschien nicht wieder. Nur eine Hofdame kam, verneigte sich vor ihm und plapperte papageienhaft: »Ihre Majestät sagt dir Lebewohl und wünscht dir eine gute Reise.«
Auf dem Weg zu seinem Haus stellte Il-han ein wenig erstaunt fest, daß er einen stechenden Schmerz in seiner Brust spürte, so als hätte ihm ein Mensch, den er liebte, unerwartet eine tiefe Wunde geschlagen. Doch er durfte sich jetzt nicht von den Launen einer Frau, selbst wenn es sich dabei um die

Königin handelte, bedrücken lassen. Er trug die gewaltige Bürde seines Volkes.

Am fünfzehnten Tag im neunten Monat des gleichen Sonnenjahres kamen Il-han und seine Landsleute in der Hauptstadt der Vereinigten Staaten an. Während der langen Seereise hatte Il-han die Sprache der Amerikaner studiert – als einziger, denn die anderen sahen keine Notwendigkeit, etwas zu erlernen, was sie niemals mehr gebrauchen würden. Er aber hatte mit Hilfe eines jungen katholischen Dolmetschers seine Lippen an die fremdartigen Silben gewöhnt, und in Washington vermochte er nun bereits Schilder sowie die Überschriften in den Zeitungen zu lesen und sogar ein paar Wörter zu verstehen.
Für ihn gab es keinen Zweifel mehr darüber, daß sein Volk von den Amerikanern viel zu lernen haben werde. Schon das dampfbetriebene Schiff war ein einziges Wunder gewesen, und der Zug, mit dem sie später den Kontinent durchquerten, hatte Il-han durch die ungeheure Geschwindigkeit vollends überwältigt. Fünf Tage dauerte diese atemberaubende Fahrt, die ihm auch eine eindrucksvolle Vorstellung von der Weite des Landes gab. Er staunte über die Tatsache, daß es so dünn besiedelt war.
In der Hauptstadt fand er sich nun noch größeren Wundern gegenüber, Lampen zum Beispiel, denen ein unsichtbares Gas als Brennstoff diente, Wasser, das heiß und kalt der Wand entströmte. Allerdings mußte man auch manche Unbequemlichkeit in Kauf nehmen. So brachte er es nicht fertig, in einem dieser hohen Betten zu schlafen; zweimal fiel er heraus wie ein Kind, ehe er sich schließlich die Matratze auf den Boden legte. Das Essen war schlechthin ungenießbar, und er vermißte Sunias Kimchee sehr, die Gewürze und die Qualität dessen, woran er gewöhnt war. Zudem gab es noch Eßgeräte wie spitzzackige Gabeln und scharfe Messer, mit denen umzugehen für ihn unmöglich war, ganz abgesehen davon, daß er die bluttriefenden Fleischstücke ohnehin nicht hinunterzuwürgen vermochte. So hielt er sich an Speisen, die er mit dem

Löffel schlürfen konnte. Dies alles waren jedoch unbedeutende Kleinigkeiten.
Bald hatte Il-han mit Hilfe eines jungen Marineoffiziers, der der koreanischen Delegation als Begleiter beigegeben worden war, sich in der Stadt zurechtzufinden gelernt. George C. Foulk hieß der junge Mann, doch als Il-han ihn so ansprechen wollte, wehrte er lachend ab.
»Nennen Sie mich George«, sagte er.
Er hatte vier Jahre in China und Japan gelebt und sogar einmal ein paar Monate in Korea verbracht, so daß er Chinesisch, Japanisch und etwas Koreanisch sprach, und Il-han, der das Glück hatte, nur in nichtamtlicher Funktion hier zu sein und selbst entscheiden zu können, ob er an offiziellen Besuchen teilnehmen wollte oder nicht, durchstreifte oft mit ihm die Stadt, während die anderen sich ihren Pflichten widmeten. Aufmerksam lauschte er den Erklärungen, die der junge Mann dabei über Geschichte, Wissenschaft und Kunst gab, und bewahrte alles, was er sah und hörte, in seinem Gedächtnis, um es später in der Heimat nutzen zu können.
Bei der Zusammenkunft mit dem Präsidenten des Landes, Chester A. Arthur, mußte Il-han als Sonderbeauftragter des Königs von Korea natürlich zugegen sein. Sie fand in einem großen Hotel in New York statt, wo sich der Präsident gerade aus irgendeinem Anlaß aufhielt. Die Delegierten waren im gleichen Hotel in prächtigen Räumen untergebracht worden, um den festgesetzten Termin abzuwarten, und hatten sich mit ihren kostbarsten Gewändern auf die Stunde vorbereitet. Il-han, der Ranghöchste nach Min Yong-ik, dem Leiter der Delegation, trug seine Staatskleidung: ein weites Gewand aus geblümter pflaumenfarbener Seide über einer weißseidenen Untertunika, das Kranichemblem vor der Brust, einen breiten Gürtel aus Goldplatten und den hohen Hut des Yangban-Adels.
Der Präsident empfing sie im Salon seiner Zimmerflucht – ein dickleibiger Mann in engen grauen Beinkleidern und einem langen, nach hinten abgeschrägten Rock. Zu seiner Rechten stand etwas abseits Außenminister Frelinghuysen und zu sei-

ner Linken Unterstaatssekretär Davis sowie verschiedene andere Herren, unter ihnen auch George Foulk. Die Mitglieder der koreanischen Delegation stellten sich in einer Reihe vor dem amerikanischen Würdenträger auf, knieten alle zugleich nieder und verneigten sich mit erhobenen Händen, bis sie mit der Stirn den teppichbelegten Boden berührten. So verharrten sie einen Augenblick und gingen dann auf den Präsidenten zu. Frelinghuysen geleitete nun den Prinzen vor den Präsidenten, und die beiden Männer drückten sich die Hand, blickten sich in die Augen und murmelten ein paar höfliche Redensarten, jeder in seiner Sprache. Nachdem anschließend auch die anderen Koreaner vorgestellt worden waren, wechselten der Prinz und der Präsident formelle Begrüßungsworte, die übersetzt wurden, und damit war der zeremonielle Akt bereits zu Ende. Am selben Tag noch schiffte sich die koreanische Delegation in Begleitung der amerikanischen Offiziere, die zu ihrer Betreuung abgeordnet waren, nach Boston ein, um dort einige Fabriken zu besichtigen.

Mir fehlt die Zeit – so schrieb Il-han ein paar Tage später an Sunia –, um dir von allen Sehenswürdigkeiten zu berichten, die uns gezeigt worden sind. Mein Kopf ist voll davon, und ich werde mein ganzes Leben brauchen, bis ich dir alles erzählt habe. Ich habe große Güter gesehen, wo man mit Maschinen die Arbeit von Menschen und Tieren verrichtet – Korea ist Jahrhunderte hinter diesen Amerikanern zurück! Wir haben Fabriken besichtigt, in denen Stoffe hergestellt werden; wie können wir mit unseren Handwebstühlen uns je mit Maschinen messen, auch wenn unsere Stoffe, vor allem unsere Seiden, feiner sind? Ich habe Krankenhäuser besucht, Telegrafenämter und Schiffswerften, die großen Läden der Juweliere und andere Geschäfte. Das Postamt – oh, wenn wir mit solcher Schnelligkeit und Pünktlichkeit rechnen könnten! Ein Brief wird mit Dampfzügen von heute bis morgen nach einem hundert Meilen weit entfernten Ort befördert! Es gibt hier auch Zuckerraffinerien, in denen man mit Maschinen schneeweißen Zucker herstellt, eigene Wagen zur Feuerbekämpfung, die die Brände in den großen Städten löschen, ehe hundert Häuser zerstört sind, große Zeitungsbüros und, was mich besonders beeindruckte, eine Militärakademie, wo man junge Männer zu Offizieren für die Armee heranbildet. Dies alles und noch viel mehr habe ich gesehen, und wenn wir schon alt sind, werde ich dir noch immer Neues zu berichten haben.

Zum Abschluß, nachdem ihnen auch ein Einblick in die Regierungspraxis gewährt worden war, statteten die Koreaner dem Präsidenten in Washington noch einen zweiten Besuch ab, und am letzten Tag trennten sie sich dann. Einige kehrten sofort auf der direkten Route in die Heimat zurück, vier jedoch hatten die Einladung des Präsidenten angenommen, die Heimreise auf einem amerikanischen Kriegsschiff anzutreten. Unter diesen war auch Il-han, denn er wollte die Gelegenheit nutzen, von George Foulk, der auch hier als Begleiter fungierte, noch genauere Informationen über die Geschichte und das politische Leben der westlichen Völker zu erlangen. Er vermochte jetzt schon Bücher teilweise zu verstehen, und wo er versagte, half ihm der junge Mann bereitwillig mit Erläuterungen, so daß er sogar gelegentlich etwas, was ihm für den König und die Königin interessant erschien, übersetzen konnte. Nur Prinz Min wollte mit derlei Schriften nichts zu tun haben. Er erklärte, Korea könne es niemals mit westlichen Ländern aufnehmen und müsse seine Stärke auch weiterhin im Althergebrachten suchen. Und damit zog er sich wieder zu den konfuzianischen Büchern zurück, die er vorsorglich mitgenommen hatte.
In Marseille unterbrachen sie die Rückreise noch einmal, fuhren siebzehn Tage lang durch wieder andere Länder und nahmen schließlich so viele Eindrücke auf, daß Il-han, damit sich all das Neue nicht später in seiner Erinnerung verwirrte, täglich niederzuschreiben begann, was er für wesentlich hielt.
Es war Frühling, fast Sommer schon, der letzte Tag des fünften Monats im Sonnenjahr 1884, als ihr Schiff die Heimat erreichte und im Hafen von Chemulpo vor Anker ging. Dort

konnten sie zwischen Sänften und Pferden wählen, um zur Hauptstadt zu gelangen. Il-han entschied sich für den Ritt, und George Foulk schloß sich ihm an. Unterwegs achtete keiner von beiden auf die Schönheit der sonnenbeschienenen Landschaft. Sie führten lange, ernste Gespräche miteinander, deren immer wiederkehrendes Thema Il-hans Befürchtung war, der Einfluß Prinz Mins könnte Reformen im Wege stehen.

»Unsere einzige Hoffnung«, sagte er, »liegt darin, daß wir uns von der Vergangenheit lösen und der Gegenwart zuwenden. Ich weiß jetzt, daß ein kleines Land durch Wissenschaft und Maschinen erstarken kann. Wir müssen unsere fähigsten jungen Männer auswählen und in dein Land schicken, damit sie dort lernen und nach ihrer Rückkehr hier als Lehrer wirken können. Wir müssen Universitäten gründen. Doch wie kann ich den König überzeugen, wenn Prinz Min so mächtig ist? Bei der Königin ist es ohnehin unmöglich, denn der Prinz ist ihr Verwandter. Ich sage schon jetzt etwas voraus – und bete gleichzeitig darum, daß es sich nicht bewahrheite. Der Prinz, so fürchte ich, wird vorgeben, an dem, was er gesehen hat, interessiert zu sein, aber das entspricht nicht seiner wahren Überzeugung. Er wird sogar zum Schein für Reformen plädieren, um sie insgeheim zu verhindern. Das ist meine größte Sorge.«

Vor dem Eingang zu seinem Haus stieg Il-han vom Pferd und klopfte an die Pforte. Er war allein, denn Foulk hatte sich von ihm getrennt, um die amerikanische Botschaft aufzusuchen. Das Tor öffnete sich zuerst nur einen Spalt, schwang jedoch sogleich weit auf, als der Ankömmling erkannt wurde.

»Herr – Herr!« rief der Diener im Niederknien und beugte die Stirn in den Staub. »Du hast uns gar nicht benachrichtigt! Wir wußten nicht, wann wir dich erwarten dürften.«

»Ich hätte die Stunde vorher nicht sagen können, nicht einmal den Tag«, erwiderte Il-han. Er hob den Mann auf, während er sprach, und dann betrat er seinen Garten und schritt auf das Haus zu. Alles war still, und als die Dienerschaft auf ihn zugelaufen kam, fragte er nach ihrer Herrin und seinen Söhnen.

»Herr, deine Söhne lassen Drachen steigen, an der Stadtmauer«, wurde ihm berichtet, »und unsere Herrin macht einen Besuch bei der Königin.«
»Geht sie oft in den Palast?« erkundigte sich Il-han.
»Sie steht bei der Königin in hoher Gunst«, sagte eine Dienerin.
So blieb Il-han nichts übrig, als geduldig Sunias Rückkehr abzuwarten. Er füllte die Zeit, indem er sich Badewasser und frische Gewänder bringen ließ, und während er sich so erfrischte, genoß er die erste Freude der Heimkehr. Alles, was er um sich herum sah, erschien ihm noch besser, als er es in Erinnerung hatte. Nachdem sein Barbier und die Diener entlassen waren, schlenderte er in den Garten. Die Dattelpflaumen zeigten sich in ihrer vollen gelben Blütenpracht, die Goldfische schwammen fröhlich in den Teichen herum, ein Vogel sang im Bambushain. Dort wartete er auf Sunia, und als er sie endlich sah, wie sie mit wehenden apfelgrünen Röcken auf ihn zulief, breitete er die Arme aus. Niemand konnte sie hier beobachten. Oh, es tat gut, sie wieder so nahe zu fühlen, ihren warmen Körper, ihre zarte Wange an ihn geschmiegt!
»Du hättest mir schreiben müssen«, stieß sie atemlos hervor. »So ist mir alle Vorfreude entgangen. Wie kann ich jetzt glauben, daß du hier bist?«
Sie bog sich zurück, um ihn anzusehen, seine Arme zu betasten, seine Hände zu pressen, ihn wieder zu umschlingen. »Du bist älter geworden«, rief sie aus. »Ich glaube auch, du bist noch schlanker.« Dann wurde plötzlich ihr Blick starr. »Dein Haar ist geschnitten!«
»Ich habe es mir –« begann Il-han, doch ihr betroffener Gesichtsausdruck ließ ihn innehalten.
»Du willst sagen, du bist nicht – du wärst lieber nicht – mit mir verheiratet!«
Wie sollte er es ihr erklären? Es traf zu, daß ein verheirateter Mann nach der Sitte das lange Haar auf dem Kopf zusammengedreht tragen mußte. Seine Erwiderung klang ziemlich schwach.
»Die Zeiten sind anders geworden.«

Sie betrachtete ihn zweifelnd, doch plötzlich zuckte ein Lächeln um ihre Mundwinkel.
»Du möchtest dich unterscheiden von den übrigen Männern hier, du möchtest jemand sein, der eigenwillig ist und tut, wozu er Lust hat. Oh, du hast dich nicht ein bißchen verändert, auch mit abgeschnittenen Haaren nicht.«
Wieder umarmten sie sich voll Leidenschaft, um dann Hand in Hand ins Haus zurückzugehen.
»Bevor die Kinder heimkommen«, sagte Sunia, »will ich dir erklären, weshalb du so lange auf mich warten mußtest.«
Sie erzählte ihre Geschichte, und Il-han hörte zu, voll Staunen über den Wechsel, der sich auch bei ihr vollzogen hatte. Dies war nicht mehr die scheue, mädchenhafte Frau von früher.
Während Il-hans Abwesenheit hatte General Foote versucht, sich dem König und der Königin vorzustellen, doch die Königin hatte sich geweigert, ihn zu empfangen, und es erreicht, auch den König davon abzuhalten.
»Oder«, so hatte sie sich Sunia gegenüber heftig geäußert, »soll etwa der König eine andere Stellung als ich beziehen? Mag der Außenminister diesen Foote empfangen, nicht wir, die wir von reinem königlichem Blut sind. Wir stehen zu hoch über ihm. Ist er vielleicht ein Yangban in diesem Land oder auch nur in seinem eigenen?«
Als sie hörte, daß die Amerikaner keine Yangbans kannten, wurde sie nur noch widerspenstiger. »Um so mehr Grund«, erklärte sie, »keinen von ihnen in unseren Palästen zu empfangen.«
Dabei blieb es, bis Sunia einen schlauen Plan entwarf. Sie hatte inzwischen zu einem freundschaftlichen Verhältnis mit der Königin gefunden und wußte nun schon, womit sie zu locken war. So machte sie eines Tages der Gattin des Gesandten einen Besuch, ganz allein, nur von einer Dienerin begleitet. Es war ein merkwürdiges Haus, in dem die Amerikaner wohnten; alles darin bot einen ungewohnten Anblick für Sunia – die hohen Tische und Stühle, die dicken Wollmatten auf dem Fußboden, die mit fremden Landschaften und den Porträts unbekannter Personen dekorierten Wände. Die Ame-

rikanerin empfing Sunia sehr freundlich; sie hieß sie mit ausgestreckten Händen willkommen, und sie bot ihr einen Platz auf einem Stuhl an, von dem Sunias Füße allerdings frei über dem Boden schwebend herabhingen, so daß sie schon fürchtete, hinunterzufallen, bis Madame Foote eine Dienerin anwies, ihr einen Schemel unter die Füße zu schieben.
Die fremde Dame konnte zu Sunias größter Überraschung ein wenig Koreanisch, wenngleich sie es sehr eigenartig aussprach, und sie gab sich ungezwungen und heiter und stellte viele Fragen, die Sunia auch immer freier beantwortete, bis sogar ein fast herzlicher Kontakt zustande kam. Später fragte die Amerikanerin, ob Sunia das Haus sehen wolle, und als sie bejahte – sie brannte vor Neugier – wurde sie überall herumgeführt. Schlimm wurde es nur, als sie sich gezwungen sah, aus dem oberen Stockwerk wieder herunterzukommen, was ihr erst gelang, als sie sitzend von Stufe zu Stufe weiterrutschte. Die seltsamsten Dinge hatte sie gesehen – eine Maschine, die feine Stiche nähen, eine andere, die Briefe schreiben konnte, Betten auf hohen Pfosten, durch Netze gegen die Moskitos geschützt, einen eisernen Küchenherd und noch so vieles mehr, daß sie es kaum im Gedächtnis behalten konnte.
Von alledem berichtete sie der Königin, und als sie dann gefragt wurde, wie die Fremde gekleidet sei, antwortete sie: »Sie trägt einen Rock, der auf dünnen Reifen ruht, so daß er weit absteht, und ihr Oberkörper thront darauf wie ein Buddha auf einem Berg.«
Dies erheiterte die Königin ungemein. Eine Weile blickte sie nachdenklich vor sich hin, und schließlich sagte sie: »Vielleicht lade ich sie doch einmal ein, sich hier zu zeigen.«
»Majestät, ich wünsche nichts sehnlicher!« erwiderte Sunia. »Es ist allein schon lustig, sie gehen zu sehen. Ihre Füße bleiben unsichtbar, und man meint, sie bewegte sich auf Rädern hin und her. Und ihre Taille, Majestät! Sie ist so schmal.« Ihre Hände formten einen kleinen Kreis.
Die Königin staunte.
»Wie ist das möglich? Besteht ihr Körper aus zwei Teilen?«
Auch Sunia hatte sich darüber gewundert und von einer

Dienerin des Hauses, bei der sie sich heimlich erkundigte, die Auskunft erhalten, ihre Herrin zwänge sich in ein eisenhartes Behältnis. Das erklärte sie nun der Königin, die ihre Neugier daraufhin nicht mehr zu bezähmen vermochte, und so wurde Madame Foote eingeladen. Die Königin schickte sogar ihre eigene Sänfte, um sie abzuholen. Allerdings kam die Dame ihrer weiten Röcke wegen kaum hinein.
»Was wir auch versuchten«, so berichteten die Träger später grinsend, »sie konnte nicht einsteigen. Wir mußten alle lachen, sogar ihr Mann lachte und sie selbst auch. Aber sie wollte es unbedingt erzwingen und quetschte sich schließlich doch in die Sänfte – rückwärts, wie ein Maultier zwischen die Wagendeichseln. Dann standen ihre Röcke so weit heraus, daß wir den Vordervorhang nicht herablassen konnten, und so trugen wir sie durch die Straßen. Die halbe Stadt säumte unseren Weg, denn es hatte sich herumgesprochen, und die Leute kamen aus ihren Häusern gelaufen.«
Auf diese Weise gelangte die Fremde also zum Palast. Beim Aussteigen ergaben sich neue Schwierigkeiten für sie; man mußte sie buchstäblich herausziehen. Wie eine Glocke standen ihre Röcke um sie herum, ein hübscher Anblick, so erzählte Sunia, denn ihr Kleid war aus kostbarer goldfarbener Seide, hinten überaus lang, so daß es auf dem Boden schleifte, und vorn reich mit Spitze verziert; sogar von ihren Ärmeln fiel Spitze über ihre Hände.
Als der König von der Ankunft der Gattin des Gesandten hörte, erklärte er, sie unbedingt sehen zu wollen, und die Königin erfüllte ihm seinen Wunsch. Sunia mußte die Amerikanerin empfangen und durch das Vorzimmer in den Thronsaal führen, wo sie der König und die Königin erwarteten. Von Sunia hatte sie gelernt, wie das königliche Paar zu begrüßen war, und tatsächlich vollzog sie die vorgeschriebenen Förmlichkeiten erstaunlich geschickt. Der König trug eine Robe aus dunkelroter Seide, die Königin einen langen, weich fallenden Rock aus blauer Seide und eine kurze gelbseidene Jacke, mit vielfarbigen Blumen bestickt und mit Knöpfen aus Bernstein und Perlen. Ihr langes schwarzes Haar war im

Nacken von juwelenbesetzten goldenen Filigrannadeln zu einem lockeren Knoten zusammengefaßt. Auch über dem Scheitel trug sie erlesenen Schmuck, und von ihrer Taille hingen glänzende Seidenquasten, an denen allerlei kostbarer Tand befestigt war.

Das königliche Paar erhob sich nun und wandte sich mit höflichen Worten an die Fremde, die so ungezwungen und lebhaft in ihrer einfachen Sprache antwortete, daß gleich eine gelöste, heitere Stimmung herrschte. Dann nahmen König und Königin wieder Platz, und für den Gast wurde ein Ebenholzschemel gebracht, da sie mit ihren Reifröcken auf einem Kissen nicht sitzen konnte.

»Die Königin«, erzählte Sunia, »war so angetan von der Amerikanerin, daß sie ankündigte, sie werde ein Fest in den Palastgärten für sie veranstalten.«

»Nun, und fand es statt?« fragte Il-han, der sich nur wundern konnte über Sunias diplomatisches Geschick.

»Noch nie hat es solch ein Fest gegeben«, rief Sunia aus, und dann beschrieb sie es, und ihre Hände flatterten wie Vögel, um ihre Worte zu unterstreichen.

Das Fest, so berichtete sie, übertraf tatsächlich alles je Dagewesene. Zweihundert hochgewachsene Eunuchen in prächtigen Uniformen eskortierten die Königin und ihren Gast durch die Gärten. Alle Bäume standen in Blüte, Aprikosen, Pflaumen und Kirschen, und sogar Chrysanthemen, ganz ungewohnt zu dieser Zeit, leuchteten in dichten Gruppen unter goldlackierten Pagoden und Pavillons. Kleine Teehäuser und Miniaturtempel waren auf Geheiß der Königin errichtet worden, und überall ertönte Musik, in den Bambushainen, unter den blühenden Bäumen und zwischen den Weiden, die sich über die Teiche neigten. Buntschillernde Vögel, die die Königin von den Inseln im Süden hatte heranschaffen lassen, flogen singend umher, und Dienerinnen, nicht minder leuchtend gewandet, huschten wie Schmetterlinge über die Wege.

Die Fremde war in einer neuen Robe erschienen, mit noch weiteren Röcken als beim erstenmal, und ihre Arme waren nackt; sie trug allerdings Handschuhe aus weichem weißem

Leder, die so lang waren, daß sie wie Ärmel wirkten. Die Hofdamen bettelten darum, diese Handschuhe einmal probieren zu dürfen, aber ihre kleinen Hände verloren sich darin. Sie spielten auch an den Diamanten des Gastes herum, befühlten ihre eingeschnürte Taille und wollten wissen, welche Salben ihre Haut so weiß und zart machten.
So nahm der Tag seinen Lauf, denn es brauchte einen ganzen Tag, um alles zu sehen, was die Königin an Überraschungen für ihren Gast befohlen hatte. Musiker saßen in den Pagoden, schlugen die Lauten und zupften auf zweisaitigen Violinen, von Gongs tönten gedämpfte Lieder. Auf dem Deck eines Segelbootes, das über einen See glitt, tanzte eine Gruppe Mädchen die alten Legenden, Akrobaten zeigten ihre Kunst an den Ästen der Bäume, die die Ufer säumten, und überall in den weiten Gärten waren Schauspielertruppen verstreut, die zur Unterhaltung der Königin und ihres Gastes kleine Stücke aufführten.
»Wirklich, wir waren alle närrisch vor Fröhlichkeit«, berichtete Sunia, »und als die fremde Dame sich von der Königin verabschiedete, umarmten sie sich wie Schwestern, und die Königin wollte sie fast nicht gehen lassen. Es war ein Glück, daß das Fest zuerst kam –«
Sunias Gesicht wurde ernst, und sie hielt inne.
»Was geschah denn später?« fragte Il-han.
»Du kennst die jähen Stimmungswechsel bei der Königin«, sagte Sunia. »In einem Augenblick ist sie noch ausgelassen und freundlich und im nächsten eine grausame Hexe.«
Er nickte. »Was hat sie getan?«
»Du weißt, daß der Regent viele von ihren Verwandten ermorden ließ.«
Il-han nickte wieder.
»Nun«, fuhr Sunia fort, »lange vor diesem fröhlichen Fest hatte die Königin insgeheim beschlossen, den Tod all jener anzuordnen, die die Rückkehr des Regenten unterstützt hatten.«
»Nein!« rief Il-han entsetzt aus.
»Doch«, sagte Sunia. »Aber einige waren bereits geflohen,

und um die Zeit des Festes hatte sie gerade verfügt, die Frauen und Kinder dieser Flüchtigen hinzurichten.«
Il-han bedeckte die Augen mit den Händen.
»Ja, das tat sie, und es wäre auch so gekommen, wenn ich nicht nach dem Fest zu Madame Foote gegangen wäre, gleich als ich es erfahren hatte. Ich bat sie, die Königin zu einer Änderung ihres Entschlusses zu bewegen.«
»Woher wußtest du es?« fragte Il-han und hob den Kopf.
»Von deinem Diener«, antwortete sie. »Er hatte es von einem Eunuchen des Palastes gehört. Auf meine Benachrichtigung hin erschien dann Madame Foote unangekündigt zwei Tage nach dem Fest vor der Königin.«
Sunia seufzte, schüttelte den Kopf und biß sich auf die Unterlippe.
»Sie hatte mich gebeten, sie zu begleiten, und so sah und hörte ich alles. Oh, diese Königin! Ihr Gesicht war hart wie weißer Marmor, und ihr Herz wollte sich nicht erweichen lassen, was auch die Fremde vorbrachte. ›Warum bist du hierhergekommen?‹ schrie sie. ›Verlasse den Palast! Ich will dein Gesicht nie mehr sehen!‹ Das alles sagte sie, doch je heftiger sie wurde, um so sanfter gab sich die Frau des Gesandten. Zuletzt kniete sie vor der Königin nieder, nahm ihre Hand und begann von Buddha zu sprechen, der uns geboten hat, niemals Leben zu verletzen, nicht einmal das eines Wurmes, damit es nicht von seinem aufstrebenden Weg abgehalten würde, und sie sprach auch von dem edlen Konfuzius, der uns gelehrt hat, daß die wahrhaft Großen sich den Kleinen gegenüber immer barmherzig zeigen, daß in solcher Barmherzigkeit ihre Größe liegt.«
Il-han unterbrach sie. »Und hörte die Königin zu?« Seine Stimme war nur ein rauhes Flüstern.
»Ja, sie hörte schließlich zu«, antwortete Sunia, »aber erst, als die Fremde von unseren eigenen Göttern anfing. Sie hörte zu, und ihre Augen wurden weich, und nach einer langen Weile erklärte sie, daß sie das Leben aller Verurteilten schonen wolle. Daraufhin weinte Madame Foote, und auch die Königin weinte; sie gaben sich die Hand, und die Königin bat

sie, Korea nie mehr zu verlassen. Sie ließ sie sogar in ihrer eigenen Sänfte nach Hause bringen und gab sie ihr zum Geschenk – dieselbe Sänfte, die du geschickt hast, um sie aus ihrem Exil heimzuholen.«
Sunia hatte lange erzählt. Die Sonne verschwand schon hinter der Mauer, und sie hörten die Stimmen der Kinder am Tor.
Zärtlich und stolz blickte Il-han Sunia an. »Du hast alles sehr gut gemacht, besser, als ich selbst es gekonnt hätte. Von jetzt an will ich mein ganzes Leben mit dir teilen und keine Geheimnisse vor dir haben, solange ich lebe.«
Sie reichten sich die Hand, und Sunias Augen füllten sich mit Tränen. Seine Worte der Anerkennung wogen für sie schwerer als Worte der Liebe.

Il-hans Befürchtungen wurden Wirklichkeit. Zuerst konnte es dem König nicht schnell genug mit der Vorbereitung von Reformen gehen. Immer wieder schickte er nach Il-han, um jede Einzelheit von alledem, was dieser in Amerika gesehen hatte, zu erfahren, und als er hörte, wie die Amerikaner lebten und wie sie regiert wurden, richtete er fast täglich ein neues Gesuch an die Amerikaner; er bat um Offiziere, die die Ausbildung einer neuen Armee überwachen sollten, um Lehrer, die den Koreanern Kenntnisse über Maschinen vermitteln könnten, andere, die ihnen in Fragen der Verwaltung zur Seite ständen, um Berater eigentlich für alle Gebiete – so daß George Foulk sogar einmal im Vertrauen zu Il-han sagte, die Amerikaner sähen sich durch diese Ansinnen etwas in Verwirrung gebracht und vor den übrigen westlichen Nationen in Verlegenheit gesetzt.
»Sie blicken bereits jetzt mit Mißtrauen auf uns«, erklärte er. »Sie meinen, wir seien dabei, uns in eurem Land einzunisten, um es an uns zu reißen, während wir eine solche Absicht gar nicht haben.«
Fast jedesmal schieden sie bekümmert voneinander, doch immer wieder trafen sie sich, Koreaner und Amerikaner, um jeder vom anderen zu lernen. Il-han erzählte niemand außer Sunia, was er von Foulk hörte, und er und Sunia waren sich

einig darüber, daß es noch zu früh war, mit dem König darüber zu sprechen, und nicht ratsam, es vor die Königin zu bringen. Aber er wußte, daß die Königin und Prinz Min insgeheim unermüdlich tätig waren, um die Verwirklichung der Reformen zu hintertreiben, während der König fieberhaft den Aufbau einer neuen Nation vorbereitete, bevor die Japaner stark genug waren und es zu einem Krieg zwischen dem eroberungslüsternen Japan und China oder zwischen Rußland und Japan kommen konnte.
Trotz dieses Ränkespiels blieb der König beharrlich; er kam gar nicht auf den Gedanken, die Königin könnte gegen ihn arbeiten. Sie zeigte sich so sanft, kam auch gefügig zu ihm, wenn er ihr Erscheinen wünschte, und er glaubte sie genauso gewandelt, wie er selbst es war, als er einmal während einer ihrer seltenen gemeinsamen Nächte davon zu sprechen begann, was er plante. Sie lauschte bewundernd und beipflichtend und ermutigte ihn, nur um später in ihrem eigenen Palast mit Prinz Min wieder gegen ihn zu intrigieren. Sie tat dies nicht in böser Absicht. Sie und der Prinz liebten ihr Land auch – auf ihre Weise –, und sie handelten in der ehrlichen Überzeugung, daß Korea sich an China als den alten Beschützer und Oberherren halten müsse.
Sogar Il-han ließ sich bis zu einem gewissen Grad täuschen, was er später selbst nicht mehr begreifen konnte, als alles anläßlich eines großen Essens, das Hong Yong-sik zur Feier der vom König befohlenen Einführung des neuen Postsystems gab, zur Enthüllung kam. Hong Yong-sik hatte nach seiner Rückkehr so lange auf den König eingewirkt, bis der König ihm die Leitung der nationalen Postorganisation anbot. Hong hatte nicht nur das Amt angenommen, sondern er war zugleich auch der Führer all jener geworden, die dem alten Regime und vor allem Prinz Min entgegenstanden.
Das Bankett, von Musik umrahmt, hatte eine festliche, gelöste Stimmung verbreitet. Ehrengäste waren der amerikanische Gesandte, Prinz Min, Il-han und George Foulk, und neben ihnen waren noch andere Amerikaner, darunter ein Arzt namens Allen, und koreanische Yangbans anwesend.

Als das Festmahl seinen Höhepunkt erreicht hatte, hörte man plötzlich einen Aufschrei.
»Feuer!«
Und schon erschallte das Wort im ganzen Saal. »Feuer – Feuer!«
Alle sprangen auf, als erster aber Prinz Min, denn es gab ein Gesetz, wonach jeder hohe Offizier bei einem Brand in seiner Umgebung anwesend sein und nach besten Kräften Hilfe leisten sollte. Il-han argwöhnte sofort, daß es sich bei dem Ruf nur um ein Signal handelte, und er lief dem Prinzen nach, um ihn zu warnen. Es war zu spät. Am unteren Ende des Tisches, wo die weniger prominenten Gäste saßen, waren bereits einige Männer aufgesprungen, die hinter dem Prinzen herrannten. Sie rissen sich ihre prächtigen bunten Seidengewänder herunter, unter denen gewöhnliche Baumwollkleider zum Vorschein kamen, fielen in der offenen Tür über den Prinzen her und hieben mit kurzen Schwertern immer wieder auf ihn ein. Dann ergriffen sie die Flucht, indem sie über die Mauern kletterten und sich auf der anderen Seite hinabließen.
Prinz Min taumelte in den Saal zurück. Sieben Hiebe hatten an seinem Kopf klaffende Wunden hinterlassen, Arterien waren durchgetrennt worden, und das Blut strömte über sein Gesicht. Il-han sprang vor, um den Fallenden aufzufangen. Mit Hilfe des amerikanischen Gesandten bettete er den Prinzen auf einige Kissen. Die Dienerschaft rannte jammernd herum, zu nichts zu gebrauchen, aber der amerikanische Arzt, den General Foote gleich herbeirief, vermochte das Blut in kurzer Zeit zu stillen, indem er Aderpressen aus hastig zerrissenen Kleidungsstücken anlegte und sie mit denselben Eßstäbchen festhielt, mit denen die Gäste noch ein paar Minuten vorher Delikatessen zum Mund geführt hatten.
Der Prinz war jetzt bewußtlos. Nach einer Weile erklärte der Arzt jedoch, es bestehe Hoffnung, ihn am Leben zu erhalten, und er sandte nach Medizinen und Instrumenten, um die Wunden zu nähen. Il-han und der amerikanische Gesandte blieben, bis tatsächlich einige Zuversicht berechtigt erschien. Dann allerdings drängte Il-han den General zur Heimkehr.

Der Amerikaner nahm Il-hans Begleitung an, und die beiden Männer machten sich zusammen mit George Foulk zu Fuß auf den Weg, denn es war kein Träger für die Sänften mehr aufzutreiben. Il-han erwähnte mit keinem Wort seine Befürchtung, daß dieser Mordversuch der Anfang einer neuen Revolte gegen die Königin sein könnte. Endlich langten sie bei der amerikanischen Botschaft an, und Il-han sah nun zum erstenmal Madame Foote. Sie stand im Eingang des Hauses, weite, karmesinrote Röcke bauschten sich um sie herum, und der volle Lichtschein einer Laterne, die ein Diener hielt, fiel auf ihre Züge.
Ein Aufschrei entrang sich ihr, als sie ihren Mann in seiner blutbespritzten Kleidung sah. »Du bist verletzt!«
»Es ist nicht mein Blut«, beruhigte er sie. »Es ist Prinz Mins Blut. Man hat versucht, ihn zu ermorden, aber der Anschlag ist mißlungen.«
Il-han hatte die Worte verstanden, und er wollte sich jetzt eigentlich zurückziehen, aber der tiefe Eindruck, den diese beiden Menschen mit ihren klugen Gesichtern auf ihn machten, und die Erinnerung, wie gütig sich Madame Foote gezeigt hatte, als sie die Königin von sinnlosem Morden abhielt, ließen ihn zögern.
»Exzellenz«, wandte er sich an den Gesandten, und George Foulk übersetzte, was er sagte. »Ich muß Sie warnen. Ich glaube, dies ist tatsächlich der Ausbruch eines Brandes, den wir vielleicht nicht niederhalten können. Erlauben Sie mir, daß ich den König bitte, seine Garde zu schicken, damit sie Sie in den Palast eskortiert, wo er Sie schützen kann.«
Doch das schreckliche Erlebnis hatte die stolze Haltung des Amerikaners nicht zu erschüttern vermocht. Er straffte sich und zog die Hand seiner Gattin durch seinen rechten Arm.
»Ich danke Ihnen, mein Freund«, erwiderte er, »aber wir dürfen unseren Platz nicht verlassen, meine Frau und ich. Ich habe unter allen Umständen die Unverletzlichkeit der Gesandtschaft meiner Regierung zu demonstrieren. Hier muß ein Zentrum des Friedens sein, mag auch der Pöbel außerhalb unserer Mauern toben.«

Nachdem George Foulk dies in koreanischer Sprache wiederholt hatte, blieb Il-han nichts anderes, als sich zu verneigen und zu gehen. Bevor er sich umdrehte, streifte er das Paar noch einmal mit einem Blick. Das Gesicht der Frau zeigte den gleichen ruhigen, entschlossenen Ausdruck wie das des Mannes. Il-han beneidete sie um den unerschütterlichen Glauben, den sie in sich selbst und in ihre Regierung setzten.
Bei der Rückkehr in sein Haus fand er Sunia nicht vor. Weinend und verstört erwartete ihn sein Diener.
»Ich habe sie angefleht, nicht fortzugehen, Herr«, jammerte der Mann. »Ich habe gesagt, daß du bestimmt bald zurückkommen würdest.«
»Sie hat sich doch nicht etwa auf die Suche nach mir begeben!« rief Il-han entsetzt.
»Sie wollte zur Königin«, berichtete der Diener schluchzend. »Sie dachte, du seist vielleicht in ihren Palast gegangen, um sie zu retten.«
Der Erzieher war hinzugetreten und mischte sich nun ein. »Herr«, sagte er ganz verstört, »es ist der König, der in Gefahr ist.«
»Woher weißt du das?« fragte Il-han.
»Ich habe es gehört – ich habe es gehört – es ist im Augenblick nicht wichtig, woher. Man spricht davon, daß der König den japanischen Gesandten um Hilfe gebeten hat und japanische Soldaten den Palast umstellt haben. Die Kämpfe sind schon in vollem Gange.«
Il-han kehrte auf der Stelle um. »Nimm dich meiner Söhne an«, befahl er nur noch, dann rannte er fort. Auf den Straßen tobte und schrie die Menge – einmal hörte man den Namen des Königs, einmal den der Königin. Die Massen waren viel zu erregt, um Il-han überhaupt zu bemerken oder sich darum zu kümmern, wer es war, der sich in dem Gedränge seinen Weg erkämpfte. Vor den Palasttoren sprach er mit dem wachhabenden Offizier und nannte seinen Namen, und da man ihn als königstreu kannte, durfte er passieren. In den Palastgärten lagen überall Tote und Verletzte; wohin Il-han den Blick wendete, er begegnete nichts als traurigen menschlichen

Überresten. Besorgt beugte er sich im Vorbeigehen über jedes Gesicht. Das eine oder andere erkannte er – es waren alles Anhänger der Königin, Männer, die sie in ihrem Entschluß, sich auf seiten Chinas zu halten und gegen Reformen zu opponieren, bestärkt hatten.

Noch bevor er den Eingang zum Palast erreicht hatte, entstand auf der Straße neuer Tumult, und er hörte Schüsse und das Kriegsgeschrei chinesischer Stimmen. Er wußte sofort, was geschehen war. Yuan Shih-k'ai, der chinesische General, den Kaiserin Tzu-hsi damit betraut hatte, die Macht ihres Thrones in Korea aufrechtzuerhalten, hatte Soldaten abkommandiert, um den Palast und das königliche Paar zu schützen. Was konnte das anderes bedeuten, als daß es hier zu einem Gefecht zwischen Chinesen und Japanern kommen würde? In höchster Eile rannte Il-han in den Palast und lief in den Thronsaal, wo er den König und die Königin in ihren Staatsroben vorfand, von einem Häuflein japanischer Soldaten umgeben.

»In Buddhas Namen«, rief die Königin aus, »warum bist du gekommen?«

»Majestät«, stieß Il-han atemlos hervor und warf sich vor dem königlichen Paar nieder, »ich war in Sorge um Euch.«

»Deine Frau war schon vor dir hier«, entgegnete die Königin, »und ich habe sie unter Bedeckung wieder nach Hause geschickt. Wenn ich sterben soll, so will ich allein sterben.«

»Du wirst nicht allein sterben«, sagte der König.

Ehe er noch ein Wort hinzufügen konnte, sprang die Tür auf, und chinesische Soldaten, ausländische Feuerwaffen und kurze chinesische Schwerter in den Händen, schwärmten in den Saal. Angesichts dieser Übermacht ergriffen die anwesenden Japaner die Flucht. Hunderte von Chinesen verfolgten sie, als sie versuchten, aus der Stadt zu gelangen und sich zu dem japanischen Kriegsschiff durchzuschlagen, das im Hafen vor Anker lag, und tatsächlich erreichten auch nur wenige dieses Ziel. In ihrer Raserei fielen die Chinesen dann über die Frauen und Kinder der in Seoul lebenden Japaner her, erschlugen sie, zerhackten ihre Leichen in Stücke und warfen sie ins Wasser.

Die Kämpfe wogten mit solcher Heftigkeit, daß sogar die Briten sich zu den Amerikanern flüchteten, und in der ganzen Stadt wehte nur noch die amerikanische Flagge unerschütterlich im Wind. In der Gesandtschaft hielt man eine ernste Beratung ab, denn die Amerikaner befürchteten, der entfesselte Mob werde auch sie am Ende angreifen. Sie kamen zu dem Schluß, daß in diesem Falle nur durch Madame Foote eine Rettung zu erwarten sei. Sie war beim Volk sehr beliebt, weil jeder wußte, wie sie damals für die Familien der Aufständischen eingetreten war. Falls die Gesandtschaft gestürmt wurde, sollte sie deshalb allein in einem leeren Raum sitzen, alle wertvollen Dokumente neben sich, und die Eindringlinge bitten, sie und um ihretwillen auch ihre Landsleute zu schonen.
Il-han erfuhr erst später durch George Foulk von diesen Dingen, denn die Gefahr ging an der amerikanischen Gesandtschaft vorüber, und die Flagge durfte weiter ungestört über ihren Mauern wehen.
Er hielt sich während der entscheidenden Stunden bei dem König und der Königin auf; die Chinesen sicherten zwar den Palast nach allen Seiten, aber er wollte doch nicht gehen, bevor in der Stadt nicht wieder Ruhe eingekehrt war. Als die Königin endlich daran denken konnte, in ihren eigenen Palast zurückzukehren, kniete er vor ihr nieder.
»Hebe den Kopf«, befahl sie, und er gehorchte.
»Steh auf«, fuhr sie fort.
Lange ließ sie den Blick auf ihm ruhen.
»Dies wird sich wiederholen«, sagte sie. »Achte darauf – und komme nächstes Mal früher, wenn du mein Leben retten willst.«
»Ja, Majestät«, antwortete er.
Er wartete, bis sie gegangen war, und wandte sich dann an den König, der sogleich die Hand hob, um ihn davor zurückzuhalten, erneut niederzuknien.
»Leid und Trauer herrschen«, sagte er, »wenn sich ein Königreich zwischen einen Mann und seine Frau drängt.«
Er ließ die Hand sinken und neigte den Kopf, und Il-han wußte sich verabschiedet, für lange Zeit, für immer viel-

leicht – denn es war ihm auf einmal klar, daß er in dem Bemühen, vermittelnd zwischen den verschiedenen Parteien zu wirken, das Vertrauen aller verloren hatte.

Als er vor dem Tor seines Hauses anlangte, fand er es verbarrikadiert wie bei einer Belagerung. Er schlug dagegen, aber niemand öffnete.
»Wir müssen es weiter versuchen«, sagte er zu seinem Diener, und sie vollführten mit ihren vier Fäusten ein derartiges Getöse, daß überall in der Straße Türen aufgingen, die jedoch, sobald man gesehen hatte, worum es sich draußen handelte, in aller Hast wieder zugeschlagen wurden.
Il-han spürte sein Herz vor kalter Angst erstarren. Hatte ein unbekannter Feind aus irgendeinem Grund an seiner Familie Rache geübt? Daß er Gegner besaß, wußte er, denn er hatte zuerst die Sache der Königin und später die des Königs vertreten und sich mit diesen Diensten zweifellos auf beiden Seiten Feindschaft zugezogen. Er zermarterte sich den Kopf über die Frage, was er nun unternehmen sollte, doch plötzlich öffnete sich das Tor einen Spalt, und der Wächter spähte heraus. Als er sah, wen er vor sich hatte, hielt er das Tor ein Stückchen weiter auf, so daß Il-han und der Diener gerade eintreten konnten, und verriegelte es dann sofort wieder.
»Was bedeutet das?« fragte Il-han. In tiefstem Schweigen lag das Haus vor ihm, nichts von der üblichen Geschäftigkeit war zu hören, kein Laut, kein Lachen der Kinder, kein Willkommensgruß von Sunia.
»Herr«, flüsterte der Wächter. »Man hat uns vor Sonnenuntergang gewarnt, daß das Haus in der Nacht überfallen werden würde.«
»Gewarnt?«
»Ja. Der Erzieher sagte es unserer Herrin. Er ist gleich nach dir fortgegangen, und als er zurückkam, brachte er die Nachricht mit.«
»Weißt du mehr darüber?«
Der Mann schüttelte den Kopf. »Nein, nichts. Die Herrin hieß uns nur, in Eile alles zum Aufbruch zu rüsten, und so

packten wir Kleider und Nahrung in Bündel und Körbe, und alle außer mir verließen das Haus. Die Herrin hat mich angewiesen, dein Pferd gesattelt bereitzuhalten und dich dann zu begleiten.«

»Wie kann ich jetzt fort aus der Stadt? Alles ist in Aufruhr, und jeden Augenblick kann vom Hof nach mir geschickt werden.«

»Herr«, drängte der Diener, »darüber kannst du beschließen, wenn du erst wieder mit unserer Herrin vereint bist. Jetzt müssen wir gehen, denn es kann bald schon zu spät sein. Du wagst dein Leben, wenn du dich nicht schnell in den Schutz deines Landhauses begibst!«

Als Il-han noch immer zögerte, begann der Diener leise zu weinen.

»Verwirre mich nicht mit Tränen«, wies Il-han ihn streng zurecht. »Ich habe jetzt an mehr zu denken als nur an mein eigenes Leben oder sogar das meiner Söhne.«

Hierauf brach der Mann in lautes Schluchzen aus. »Und kannst du noch irgend jemand dienen, wenn du tot bist? Dein Vater hat einmal genau wie du hier gestanden, und er handelte weise – er beschloß, sich unter sein Strohdach zurückzuziehen und als Lebender zu protestieren, statt durch den Tod zu verstummen.«

»Mein Vater?« rief Il-han ungläubig aus.

»Geh in sein Haus«, sagte der Diener. »Sieh dich unter seinen Büchern um, und du wirst herausfinden, wer er war. Du hast ihn nie gekannt.«

Il-han wußte selbst nicht, was ihn an diesen Worten so bewegte. Er nickte nur, um sein Einverständnis kundzutun, und gleich darauf galoppierten sie davon.

Kurz nach Mitternacht langten sie vor dem hölzernen Tor an, das in die Lehmmauer, die den ganzen Besitz umrundete, eingelassen war. Von den wenigen Dienern, die seinen Vater hier so viele Jahre hindurch betreut hatten, lebten noch immer einige, so auch der alte Torwächter. In seiner wattierten Jacke saß er zusammengekauert auf der steinernen Schwelle und

starrte in die Dunkelheit. Ein kalter Wind blies. Als Il-han vom Pferd stieg, schrak der Mann auf, zündete das Licht in seiner Papierlaterne an und hielt sie hoch.
»Es ist dein Herr«, sagte Il-hans Diener.
»Wir haben auf dich gewartet«, erwiderte der Alte hüstelnd. Er öffnete das Tor, und Il-han schritt in den Hof. Sunia hatte das Hufegeklapper der Pferde gehört und stand bereits unter der Haustür. Die Talglichter in dem Raum hinter ihr brannten. Il-han trat ein und schloß die Tür.
»Ich dachte schon, du würdest niemals kommen«, sagte sie.
»Der Weg wollte kein Ende nehmen«, antwortete er. »Erzähle mir, was sich zugetragen hat.«
Doch bevor sie sprechen konnte, klopfte es, und auf ihren Hereinruf erschien der Erzieher.
Zum erstenmal bemerkte Il-han, daß er nicht mehr den jungen Mann von früher vor sich hatte. Ohne ein Zeichen von Scheu oder Unsicherheit kam er näher und blickte Il-han offen ins Gesicht.
»Herr«, sagte er, »soll ich gleich sprechen oder warten, bis du ein Bad genommen und gegessen hast?«
»Wie könnte ich mich mit solchen Dingen beschäftigen, solange ich nicht weiß, was geschehen ist?« erwiderte Il-han.
»Ich weiß nicht«, begann der Hauslehrer, »ob du davon gehört hast, daß eine neue Revolution sich im ganzen Land ausbreitet wie Feuer im Steppengras. Die Bauern können ihr bisheriges Los nicht mehr länger ertragen.«
Ein dunkler Verdacht stieg in Il-han auf. »Ich vermute fast, du sprichst von der Tonghak-Bewegung.«
»Das ist nur ein Name für den Zustand der Verzweiflung, Herr«, erwiderte der andere. »Ich habe heute deine Familie geschützt, denn ich bin dir dankbar, daß du mir all die Jahre hindurch ein sicheres Obdach geboten hast wie dein Vater dem meinen. Doch nun muß ich dich warnen – der Aufruhr ist erst in seinen Anfängen. Niemand vermag vorauszusagen, was die hoffnungslosen Bauern, die sich unter dem Tonghak-Banner zusammengeschlossen haben, tun werden.«
»Wer bist du?« fragte Il-han verstört. »Bist du ein Tonghak?«

»Ja.« Der junge Mann trat zurück, verschränkte die Arme und blickte Il-han furchtlos in die Augen.
»Das verstehe ich nicht! Du hast in meinem Haus jede Bequemlichkeit gehabt und die beste Behandlung erfahren. Niemand hat dich unterdrückt oder kontrolliert. Weshalb hast du dich mit diesen Tonghak-Rebellen zusammengetan?«
»Herr, ich bin Patriot. Ich identifiziere mich mit unserem Volk. Wer wüßte besser als du, daß die Bauern diejenigen sind, die für alles bezahlen? Über Industrien wie die westlichen Länder verfügen wir ja nicht. Wenn der König Geld für seine modernen Ideen braucht, für die neue Armee, das Postsystem, Maschinen, ganz zu schweigen von Diplomaten und Reisen von Delegationen wie die, an der du teilgenommen hast, woher nimmt er es? Er besteuert die Bauern! Und wer bezahlt für die Korruption am Hofe selbst? Und für die Korruption außerhalb des Hofes? Denn jeder unbedeutende Beamte unterhält doch einen kleinen Hofstaat, so wie die Königin ihre Verwandten und Günstlinge. Wer zahlt für alles? Das Landvolk, das die Äcker bestellt, die obendrein meist Eigentum irgendeines Großgrundbesitzers sind. Aber er ist es nicht, der für die Steuern aufkommt, o nein, der armselige Bauer, der das Land gepachtet hat, ist dafür zuständig! Herr, quält dich nie dein Gewissen?«
Il-han starrte ihn an, als hätte er einen Irrsinnigen vor sich. »Trifft mich etwa die Schuld an alledem?« fragte er.
»Du bist schuldig«, erklärte der Erzieher mit fester Stimme und unerbittlichem Gesicht, »weil du deine Augen vor den Tatsachen verschließt. Viele Monate lang bist du durch das Land gereist und hast im Grunde nichts gesehen. Hast du je von einem Russen namens Tolstoj gehört?«
»Ich kenne keine Russen«, antwortete Il-han.
»Tolstoj ist ein Mann wie du, ein Grundbesitzer«, erklärte der andere. »Doch sein Gewissen wurde geweckt. Er erkannte plötzlich, daß die Leute, die praktisch seine Leibeigenen waren, Menschen waren wie er, und er begann zu leiden. Herr, du mußt leiden! Damit du soweit gelangst, habe ich dich gerettet.«

Il-han war nicht gesonnen, solche Reden hinzunehmen. »Inwiefern hast du mich gerettet?« fragte er in stolzem, abweisendem Ton.
»Genauso, wie mein Vater deinen Vater gerettet hat«, antwortete der Erzieher. »Als aufgebrachtes Volk deinen Vater töten wollte, überredete mein Vater die Leute, daß sie ihn sich unter dieses Dach zurückziehen ließen.«
»Mein Vater war ein guter Mensch«, sagte Il-han.
»Ein guter Mensch, ja, aber er erhob seine Stimme nicht gegen die Korruption anderer. Genau wie du. Weder vor dem König noch vor der Königin bist du je für dein Volk eingetreten.«
»Und was hätte ich deiner Ansicht nach sagen sollen?«
Zum erstenmal geriet die Sicherheit des jungen Mannes ins Wanken. »Ich weiß es nicht.«
Er senkte den Blick, biß sich auf die Lippen und schwieg ein paar Sekunden. Dann hob er die Augen wieder. »Du bist es, der das eigentlich wissen sollte. Ich habe heute auf der Versammlung der Tonghaks erklärt, daß du von der Liste jener, deren Tod man verlangt, gestrichen werden müßtest. Aber ich schwor bei meinem Leben, daß du den Mut aufbringen würdest, gegen die Korruption in der Regierung zu sprechen, gegen die erdrückende Steuerlast und gegen die Händler aus Japan, die das Land mit ihren minderwertigen, billigen Waren überschwemmen. Und vor allem gegen die japanischen Gauner, die sich an die Grundbesitzer heranmachen und Land von ihnen verkauft bekommen, weil die Bauern nicht einmal mehr die Abgaben auf ihre Ernten entrichten können.«
Die Worte trafen Il-han wie Hammerschläge. Nach einer langen Weile seufzte er tief. »Heute nacht brauche ich Ruhe«, war das einzige, was er hervorzubringen imstande war.
»Aber morgen?« drängte der Hauslehrer.
»Morgen will ich darüber nachdenken«, versprach Il-han.
Als der andere endlich gegangen war, fühlte sich Il-han so erschöpft, daß er nur hilfesuchend zu Sunia blicken konnte.
»Du brauchst kein Wort zu sprechen«, sagte sie. »Dein Bad ist heiß, das Essen steht bereit, und dann mußt du schlafen.«
Sanft schob sich ihre Hand in die seine.

Um die Mittagszeit des anderen Tages bestellte Il-han den Erzieher wieder zu sich. Er mußte erfahren, was der andere ihm noch zu sagen hatte, vor allem, um sich ein Bild von seiner Persönlichkeit machen zu können, denn – eine neue Sorge – sein älterer Sohn war alt genug, um bereits irgendwelche Ideen empfangen zu haben. Il-han hatte eine schlaflose Nacht hinter sich, und er war mit seinen Gedanken an einem Punkt angelangt, von dem aus betrachtet ihm sein ganzes bisheriges Leben sinnlos erschien. Er hatte seine einzige Pflicht darin gesehen, sich dem König und der Königin zur Verfügung zu halten. Auch seine Reisen hatte er mehr für das Königshaus unternommen als um des Volkes willen. Gab es tatsächlich eine unüberbrückbare Kluft zwischen Volk und Herrscher? Und bedeutete es zwangsläufig, daß man nur einer der beiden Seiten dienen konnte?

»Ich kann dich nicht mehr einfach als den Hauslehrer meines Sohnes betrachten«, nahm er nun das Gespräch auf. »Du bist jemand, den ich nicht kenne. Dein Familienname ist Choi, aber wie heißt du selbst?«

»Sung-ho«, antwortete der junge Mann. Er lächelte ein wenig bedauernd. »Ich wünschte, ich könnte mich nach dem großen Ta-san nennen, aber einer solchen Ehre bin ich nicht würdig, und so muß ich bei dem Namen bleiben, den mein Vater für mich ausgesucht hat.«

»Vielleicht wirst du einen berühmten Namen daraus machen«, sagte Il-han.

Sung-ho lächelte wieder.

»Ich habe eine Frage an dich«, fuhr Il-han dann fort.

»Frage mich alles, was du willst.«

Il-han sah, wie sicher der Mann war, wie klar sein Blick. Ohne jede Schüchternheit, bereitwillig, aber selbstbewußt, saß er ihm in straffer Haltung gegenüber.

»Rührt es von deinem Einfluß her, daß mein älterer Sohn lieber hier auf dem Land als in der Stadt lebt?«

»Anfangs lag es einfach daran, daß es in der Stadt während des Sommers zu heiß ist«, antwortete Sung-ho. »Aber es war auch unvermeidlich, daß ich deinen Sohn geformt habe. Aller-

dings habe ich dabei mich mitgeformt, denn hätte ich nicht hier so oft den Sommer verbracht, so wäre ich vielleicht nie mit dem Landvolk vertraut geworden.«
»Sind die Leute auf meinem Besitz Tonghaks?« fragte Il-han unruhig.
»Ja. Zumindest alle, die jung sind.«
Auf Il-hans Gesicht erschien ein verzerrtes Lächeln. »Heißt das, daß ihr alle eines Nachts über mich herfallt und mir den Kopf abschlagt?«
»Nein«, erwiderte Sung-ho hart. »Es heißt aber, daß wir uns an dich halten werden, damit du für uns sprichst.«
War das eine Nötigung? Il-han goß zwei Schalen Tee ein, um Zeit zum Nachdenken zu gewinnen, und reichte eine davon Sung-ho – nicht mit beiden Händen allerdings, wie er es bei einem Gleichgestellten getan hätte. Zu seiner Überraschung nahm Sung-ho sie aber auch nicht mit beiden Händen entgegen, wie es einem Höherstehenden gegenüber Sitte war, sondern nur mit einer Hand.
»Unter dem Mantel der Tonghak-Sekte verbergen sich alle Arten von Schurken und Rebellen, Diebe, die ihre Steuern nicht bezahlen, und Schuldner, die ihre Gläubiger nicht befriedigen wollen«, stellte Il-han fest.
Doch damit konnte er Sung-ho nicht einschüchtern. »Ist es gerecht, zu verlangen, daß die Tonghaks von aller Korruption frei seien, wenn der Yangban-Adel selbst korrupt ist?«
Und Il-han war es, der sich geschlagen geben mußte. »Ich kann nicht abstreiten, daß es so ist.«
Sung-ho milderte seinen Ton ein wenig. »Dich nehme ich bei alledem immer aus. Ich kenne dich als ehrenhaften Mann, und ich habe das beeidet, um dein Leben zu retten.«
Il-han lachte. »Du sorgst dafür, daß ich nicht vergesse, was ich dir schulde.«
»Ja, ich lasse es dich nicht vergessen«, bestätigte Sung-ho, und kein Lächeln zeigte sich dabei auf seinem Gesicht.
In diesem Augenblick hörte man die Stimmen der Kinder, zorniges Geschrei und Klagelaute, die Tür wurde aufgerissen, und Il-han sah sich seinem älteren Sohn gegenüber, der einen

dolchartig zugespitzten Bambusstock in der Hand hielt und seinen schluchzenden Bruder, an Händen und Füßen mit einem Strick gefesselt, hinter sich herschleifte.
»Was tust du?« schrie Il-han, packte den älteren und schlug ihn ohne weitere Befragung links und rechts ins Gesicht, worauf nun auch dieser in lautes Geheul ausbrach, während Sungho den jüngeren auf die Füße stellte und das Seil entfernte.
»Du!« stieß Il-han zwischen zusammengebissenen Zähnen hervor. »Ein wildes Tier bist du!«
»Nein«, schluchzte das Kind. »Ich bin ein Tonghak, und er ist ein Yangban, der Geld stiehlt –«
Aufgebracht wandte sich Il-han an Sung-ho. »Du hast aus meinem älteren Sohn einen Verbrecher gemacht!«
Sung-hos Augen hielten seinem harten Blick stand.
»Verzeih mir«, sagte er. »Ich gehöre nicht in dein Haus.«
Mit diesen Worten zog er sich zurück, und Il-han bekam ihn nie mehr zu Gesicht.
Er schickte einen Diener zu Sunia, damit sie sich der weinenden Kinder annehme, und sie erschien auch sofort, doch nur, wie Il-han mit Mißfallen bemerkte, um ihren älteren Sohn zu trösten.
»Kümmere dich nicht um diesen«, protestierte er. »Er würde seinen Bruder töten, wenn er könnte.«
»Wie kannst du so etwas behaupten?« empörte sie sich. »Er ist noch ein Kind.«
Endlich allein, ließ Il-han sich auf einem Platz nieder, von wo aus er den Garten überblicken konnte, und versank in tiefes Grübeln.

Er spürte, wie sich unter dem Strohdach dieses Hauses, in dem sein Vater sein Leben als Gelehrter und Einsiedler beschlossen hatte, wieder etwas von dem Geist der Vergangenheit auf ihn herabsenkte. Würde er mit seinem eigenen Leben das seines Vaters wiederholen müssen? Er war bemüht gewesen, der nationalen Zwietracht aus dem Wege zu gehen. Er hatte einen gemäßigten mittleren Kurs verfolgt – sowohl bei der Königin als auch bei dem König –, die alten Bindungen ge-

achtet und sich gleichzeitig allem Neuen gegenüber aufgeschlossen gezeigt. Und indem er sich so hatte treiben lassen, nie gegen, stets mit dem Strom schwimmend und jeder Reform zugeneigt, sofern sie nur dem Wohle des Landes diente, war er an demselben Punkt angekommen, an dem sich auch sein Vater vor langen Jahren einmal befunden hatte. Sein Vater war allerdings auf ganz anderen Wegen dorthin gelangt; er war immer der Vergangenheit treu geblieben, und so hatten ihn nur diejenigen gehaßt, die von der Zukunft träumten. Ihn, den Sohn, haßten jetzt alle, die Anhänger der Königin sowohl als auch die des Königs. Gab es in seiner Heimat keinen Platz mehr für ihn? Und was sollte er seine Söhne lehren? In seinem eigenen Haus hatten die Tonghak-Ideen gären können, während er ahnungslos seinen Mittelweg gegangen war. Er fühlte sich unsicher und verloren, und auch am Ende des Tages konnte er noch keinen klaren Gedanken fassen.
»Alles, was ich von mir weiß«, bemerkte er Sunia gegenüber, »ist, daß ich Koreaner bin. Ich muß erst einmal mich selbst kennenlernen. Bisher habe ich dazu nie Zeit gehabt. Doch jetzt will ich die Türen dieses Hauses gegen die Welt abschließen und mit mir selbst allein sein.«
Als echte Frau hörte sie sich solche Überlegungen still an, erwiderte allenfalls ein paar belanglose, ermutigende Worte und begann ihrerseits das alte Haus mit ihrer Geschäftigkeit zu erfüllen. Nach so vielen in der Stadt verbrachten Jahren hier zu leben, stellte kein geringes Problem dar, denn nichts war dafür vorbereitet. Die Küchenräume waren alt, die Kessel durchgescheuert, Mäuse und Ratten huschten überall herum, Eidechsen schlüpften aus den Wänden, Spinnen woben ihre Netze zwischen den geschwärzten Deckenbalken, das Bettzeug in den Wandschränken zeigte Stockflecken, und die Sitzkissen in den Zimmern waren zerschlissen. Außerdem mußte die Erziehung der Kinder bedacht werden.
»Du mußt sie unterrichten«, sagte Sunia einmal zu Il-han, »oder einen Lehrer für sie suchen.«
Aber wer würde es wagen, jetzt in dieses Haus zu kommen, um ein solches Amt zu übernehmen? So blieb Il-han am Ende

nichts anderes übrig, als es selbst zu tun, damit seine Söhne nicht als unwissende Tölpel aufwuchsen. Er fand es allerdings schwierig und gab den Kindern zunächst nur morgens zwei Stunden Unterricht. Erst mit der Zeit gelangte er zu einer klaren Auffassung darüber, worauf es bei diesem Unterricht ankam, und zu einer sinnvollen Methode, indem er seinen eigenen historischen Studien entsprechend täglich eine einfache Lektion zusammenstellte. Er schöpfte dabei aus den reichen Quellen der väterlichen Bibliothek, von der er erst jetzt so richtig erkannte, wie umfangreich sie war. In vier aneinanderstoßenden Zimmern bargen Regale Schriftrollen und Bücher. Jeder Raum war einem bestimmten Gebiet gewidmet: einer der Literatur, ein zweiter der Geschichte, im dritten waren Mathematik, Wirtschaft und Kalender vereint und im vierten Philosophie und – seit alters untrennbar damit verbunden – Politik.
Il-han wußte, daß sein Volk schon allein durch die geographischen Bedingungen gespalten war. Die Menschen des rauhen Nordens waren derber als die des Südens. Unruhestifter nannte man sie, geborene Revolutionäre, diese Bauern, die den anderen voraus hatten, daß sie meist auf eigenem Boden saßen und überdies keine Reisfelder bepflanzten, sondern Weizenanbau auf trockenen Äckern betrieben. Sie verachteten die Leute im Süden und bezeichneten sie als schwach und träge, falsches, ehrgeizloses Gesindel, das sich für reiche Grundbesitzer abschufte. Diese Trennung ging so tief, daß es sogar bei dem Adel in der Hauptstadt ein südliches und ein nördliches Lager gab, je nachdem, in welchem Teil der Stadt sich der angestammte Familiensitz befand. Manchmal war die Noron-Partei, der Norden, in der Regierung am Ruder, dann wieder mußte sie es an die Namin-Partei abtreten, den Süden. Il-han war als Kind streng in Namin-Kreisen gehalten worden, und wenn Sunias Familie nicht auf der gleichen Seite gestanden hätte, so würde keine der beiden Familien auch nur die Möglichkeit einer Heirat zwischen ihnen erwogen haben. Nun, während er täglich die Bücher der Bibliothek studierte, stellte er fest, daß diese Spaltung sogar ihr Gutes

hatte, denn die jeweils unterlegene Partei bekämpfte die andere planvoll und mit aller Tatkraft, und dieser Widerstand fand in bedeutenden Dichtungen und Musikschöpfungen seinen Ausdruck. Vieles von der großen Literatur seines Volkes hatte seine Wurzeln in der Zwietracht.

Der Gedanke erschien Il-han so wesentlich, daß er sich eines Tages bemühte, ihn seinen Söhnen in einfacher Sprache zu vermitteln.

»Heute«, begann er, »will ich euch die Geschichte von Ta-san erzählen, und paßt gut auf, denn ich werde sehr böse, wenn ich später merke, daß ihr sie nicht verstanden habt.«

»Ist die Geschichte wahr?« wollte sein älterer Sohn wissen.

»Wahr«, antwortete er, »und sehr bedeutungsvoll für uns in der jetzigen Zeit, obwohl Ta-san schon lange tot ist. Mein Vater, euer Großvater, hat ihn noch gekannt und von ihm gelernt.«

»Ihr müßt wissen«, sagte er zu seinen Söhnen, »daß unser Land als erstes der Welt den Buchdruck mit beweglichen Lettern hatte.«

Einen Augenblick hielt Il-han inne, abwartend, ob sein älterer Sohn frage, was bewegliche Lettern seien. Als nichts derlei kam, fuhr er ohne Erklärung fort; er war der Überzeugung, daß es die natürliche Wißbegier eines Kindes zerstöre, wenn man seine Fragen beantwortete, bevor er sie stellte.

»Ta-san hatte das Glück, die vielen Bücher, die es gab, lesen zu können, was dem einfachen Volk versagt blieb – einmal, weil es die Buchstaben nicht kannte, und zum anderen, weil man ihm nicht erlaubte, sich zu bilden. Nun, Ta-san las nicht nur die Bücher im Haus seines Vaters, sondern auch die, die es im Königspalast gab. Er hatte alle Prüfungen mit solch hohen Auszeichnungen bestanden, daß sogar der König auf ihn aufmerksam wurde. Bald übertrug ihm der König viele bedeutende Aufgaben, so unter anderem die Erbauung Suwons, einer zweiten Hauptstadt, wo der König Zuflucht suchen wollte, falls Seoul einmal von Feinden angegriffen würde. Während Ta-san Pläne für die neue Stadt zeichnete, ersann er übrigens auch einen Weg, wie man große Steine und

Baumstämme mittels eines Seiles und einer Rolle hochheben konnte. Er machte viele derartige Erfindungen. Eines Tages fielen ihm ein paar Bücher in die Hände, die von anderen Ländern berichteten. Bis dahin hatte er geglaubt, alles Wissen läge bei uns und in China, und nun begegnete er in diesen neuen Büchern sogar einem neuen Gott! Leider erfreute er mit seiner Lektüre aber auch seine Feinde, denn es war verboten, solche Bücher zu lesen. Jetzt konnten sie behaupten, er sei ein Verräter, und er mußte sein schönes Stadthaus verlassen und in ein Haus auf dem Lande ziehen, weit fort. Dort wohnte er dann, las und schrieb und –«
»Wie du, Vater«, warf sein jüngerer Sohn ein.
Il-han hatte angenommen, das Kind höre gar nicht zu; jetzt schenkte er ihm einen prüfenden Blick.
»Wie ich«, stimmte er zu. »Und in gewisser Weise war Ta-san nun seinem Land nützlicher als je zuvor. Zwar waren die Noron gerade an der Macht, und er gehörte zu den Namin, wie unsere Vorfahren. Aber was er schrieb, diente später, als er wieder frei war, vielen als wertvolle Wissensquelle.«
Il-hans Leben gewann durch die Beschäftigung mit seinen Söhnen sehr an Tiefe. Gelehrsamkeit hatte für ihn nun gar nichts Abstraktes mehr. Als er zum Beispiel Ta-sans Plan für einen gemeinschaftlichen Landbesitz studierte, überlegte er, wie er ihn auf seine eigenen Pächter anwenden könnte. Ta-san hatte erklärt, die Bauern sollten Kollektivarbeit verrichten und ihr Land zusammenlegen. Die Ernten, so sagte er, müßten dann nach Abzug der Steuern entsprechend der Arbeit, die jeder einzelne geleistet habe, aufgeteilt werden.
Il-han vermochte dem Plan als Ganzes nicht beizustimmen, aber er fand es erstaunlich, daß Ta-san schon vor so langer Zeit unter dem strengen Regime der Yi derartig revolutionäre Gedanken formuliert hatte, auch wenn sie nie zur Ausführung gekommen waren. Lange grübelte er nun über ein gerechtes Verhalten seinen Pächtern gegenüber nach. Hier saß er behaglich in seinem Haus und nahm das Geld ein, das sie für ihn verdienten, während sie weiter in engen Hütten wohnten und sich von einfachster Kost nährten. Falsch, falsch, sagte ihm

sein Herz – und gefährlich, fügte sein Verstand hinzu. Wo aber sollte ein einzelner Mann beginnen? Schließlich fand er einen Weg, wie er sein Gewissen beruhigen konnte. Nach der Ernte ließ er seine Pächter auf dem Dreschplatz vor dem Tor zusammenrufen.

Es war eine zerlumpte Schar braungebrannter Männer mit schwieligen Händen. Keiner sprach, und alle waren ängstlich, denn weshalb sollte ein Gutsherr seine Pächter zu sich bestellen, wenn nicht, um ihnen zu sagen, daß der Pachtzins erhöht werde? Il-han nahm ihre Besorgnis wahr und beeilte sich, sie zu zerstreuen.

»Ich wollte euch für die Ernte danken«, begann er, »die überdurchschnittlich gut ist, was, so glaube ich, wenigstens zum Teil eurer Arbeit zuzuschreiben ist. Im übrigen gebührt dem Himmel Dank für den nötigen Regen und Sonnenschein.«

Noch immer blickten sie ihn mißtrauisch an, seine guten Absichten offenkundig bezweifelnd, und auf einmal fürchtete er sich vor ihnen. Wie tief war die Kluft zwischen ihm und ihnen – und es gab keine Brücke!

»Ich will euch nicht aufhalten«, fuhr er fort. »Ich möchte euch nur sagen, daß euer Ernteanteil in diesem Jahr verdoppelt wird.«

Sie konnten es nicht fassen. Sorge und Ungläubigkeit stand auf ihren Gesichtern. Wer hatte schon einmal von einem Gutsherrn gehört, der den Anteil des Pächters verdoppelt hätte? So viel Glück war zu ungewöhnlich.

Il-han sah ihre Zweifel, und er ärgerte sich über ihre Undankbarkeit. Alle schwiegen. Während er wartete, verhärtete sich sein Herz.

»Das ist alles, was ich zu sagen habe«, schloß er, drehte sich um, ging mit langen Schritten in sein Haus und verriegelte die Tür hinter sich.

Später, als er in Ruhe über die kurze Begegnung nachdachte, machte er sich Vorwürfe wegen seines Zornes. Warum sollten sie Dankbarkeit verspüren? Jahrelang hatten sie sich für einen kärglichen Ernteanteil abgerackert. Selbst eine Verdoppelung dieses Anteils war noch nicht genug. Die Ungerechtigkeit in ihrem Dasein war jahrhundertealt. Sie konnte nicht an einem Tag von einem Mann allein beseitigt werden.

Unmerklich wechselten Il-hans Söhne von der Kindheit ins Knabenalter über, und der ältere strebte sogar schon der nächsten Stufe zu, obgleich er mit seinen dreizehn Jahren noch immer wild und ungeduldig war und ständig Zank mit seinem Bruder suchte, dessen Abwehr darin bestand, daß er sich von ihm fernhielt und Il-hans Nähe suchte – teils aus Schutzbedürfnis, teils weil er sich wie sein Vater zu Büchern und zur Dichtkunst hingezogen fühlte. Er hatte auch eine tiefe Beziehung zur Musik, und er lernte die Kono-Harfe so gut spielen, daß es den Neid seines Bruders wachrief. Dieser war andererseits der hübschere von beiden, ein hochgewachsener, starker Junge, der sich über den zarten Körperbau seines jüngeren Bruders lustig machte und selbst den kleinen Fehler an dessen Ohr nicht mit seinem Spott verschonte, bis Il-han eines Tages seine lang gehegte Absicht verwirklichte und die Unvollkommenheit von dem gleichen amerikanischen Arzt, der einst Min Yong-iks Leben gerettet hatte, beseitigen ließ.
Wenn Il-han manchmal auf die ersten Jahre seines Exils zurückblickte, wollte es ihm scheinen, als ob alle seine Taten, Gedanken und Gefühle während dieser Zeit zusammengenommen nur zwei greifbare positive Ergebnisse hervorgebracht hätten. Einmal, daß seine Söhne sich gut entwickelt hatten und es ihm gelungen war, ihren Verstand über alle Erwartungen hinaus zu bilden, und zum anderen, daß aus seiner Zurückgezogenheit ein Buch hervorgegangen war, dem er einige Bedeutung zumaß. Tag für Tag hatte er darin alle kritikwürdigen Vorkommnisse, von denen er hörte, aufgezeichnet. Er bezog seine Informationen aus allen möglichen Quellen, vornehmlich aber von Freunden, die ihn zuweilen noch heimlich besuchten, oder von Angehörigen der Tonghak-Sekte, die er um Choi-Sung-hos willen oft in seinem Haus empfing. Sung-ho selbst zeigte sich niemals mehr, und erkundigte sich Il-han nach ihm, so begegnete er nur einem Kopfschütteln und Achselzucken.

Was er von all diesen Menschen erfuhr, schrieb er nieder. Kein Fall von Bestechung und Intrige, der ihm zu Ohren kam, entging seiner Chronik. Wurden zum Beispiel neue Gouverneure für die Provinzen ernannt, so fand er heraus, wieviel Geld sie auf ihrer Reise verbrauchten, mit welchen Frauen sie unterwegs ihre Nächte zubrachten, wer von ihnen wofür bestochen wurde und wer sie an ihrer neuen Wirkungsstätte willkommen hieß, von wem die Gastmähler und die Tanzmädchen für sie finanziert wurden, ob sie mit japanischen Spionen oder überhaupt mit Japanern, Chinesen oder Russen insgeheim Verbindung unterhielten, ob und wohin sie Reisen unternahmen, wie lange sie ihren Posten fernblieben, wer ihre Gastgeber waren, welche Vergünstigungen von ihnen erbeten wurden und ob sie sie gewährten.
Nachdem Il-han ein paar Jahre so verfahren war, schrieb er nieder, was seiner Ansicht nach geschehen sollte, damit Gerechtigkeit und Rechtschaffenheit doch noch zum Siege gelangten.
Er hatte es sich zur Gewohnheit gemacht, Sunia abends aus seinem Buch vorzulesen. Manchmal war sie allerdings so müde von ihren Haushaltpflichten, daß ihr die Augen zufielen. Er weckte sie nie; ihr schlafendes Gesicht enthüllte ihm dieselben Spuren der Jahre, die er auch bei sich entdeckte, wenn er in den Spiegel blickte.
An anderen Tagen zeigte sie sich dafür wieder besonders aufmerksam, bewundernd, voller Sehnsucht nach der Welt, die er hier als Kontrast zur Wirklichkeit malte. Eines Abends jedoch, als er aufsah, um sie nach ihrer Meinung zu fragen, bemerkte er, daß sie weinte.
»Sunia«, rief er bestürzt, »habe ich etwas Unrechtes geschrieben?«
Sie wischte sich die Tränen aus den Augen und versuchte zu lächeln. »Nein, alles ist ganz vollkommen. Aber – aber – oh, es hört dich ja niemand! Ob dieses Buch überhaupt jemals einen Leser findet? Ich kann es nicht ertragen, wie du hier dein Leben vergeuden mußt!«
Er gab keine Antwort. Was von ihr ausgesprochen wurde,

hatte auch ihn schon oft beschäftigt. War sein Leben hier umsonst? Für seine Zeit, für sein Volk vielleicht, aber nicht für ihn selbst. Er hatte Klarheit über sein eigenes Ich gewinnen wollen. Dieses Ziel hatte er erreicht. Er schloß das Buch.
»Es ist Zeit, schlafen zu gehen«, sagte er. »Es ist schon spät.«

Eines Abends erschien ein Besucher zu Fuß vor dem Tor des Landhauses. Dem Pförtner war er fremd, und er musterte ihn argwöhnisch, ehe er ihn eintreten ließ, und vertraute ihn der Aufsicht dreier Diener an, während er sich zu seinem Herrn begab.
Il-han hatte gerade eine Stunde klassischer konfuzianischer Literatur mit seinen Söhnen hinter sich. Morgens studierten sie jetzt Mathematik und Geschichte, an den Nachmittagen Literatur, und abends, bevor sie zu Bett gingen, las er ihnen dann noch aus dem *Buch der Lieder* oder dem *Buch der Verwandlungen* vor und erläuterte dabei in leicht faßlicher Weise den Sinn der klangvollen, ehrwürdigen Worte. Die drei Abschnitte dieses Studienplanes nahmen nur einen knapp bemessenen Teil des Tages in Anspruch, denn Il-han wußte, wie leicht die Gedanken der Jungen abschweiften, aber er glaubte, daß er mit diesem System ein Höchstmaß an Bildung und Erziehung erreichte, und er hegte den Traum, sein Leben könnte sich doch noch in seinen Söhnen zum Wohle seines Volkes fortsetzen.
Nun hatte er seine Söhne schlafen geschickt und wollte sich eben seinen eigenen Studien zuwenden, als ihm der Pförtner gemeldet wurde. »Herr«, sagte der Mann nach einer respektvollen Verneigung, »ein Fremder ist gekommen. Ein Ausländer.«
Der Schreibpinsel entfiel Il-hans Hand. »Wie ist er gekleidet?«
»Wie du, Herr«, antwortete der Torwächter. »Und er spricht unsere Sprache. Aber sein Gesicht ist nicht unser Gesicht.«
»Hat er dir seinen Namen genannt?«
»Er sagte, du würdest ihn sofort erkennen, wenn er vor dir stünde.«
Sie blickten einander an, Herr und Diener, von demselben Gedanken durchzuckt. War dies eine List, um einen Anschlag

auf Il-han zu verüben? Von allen, die der König damals nach Amerika entsandt hatte, lebte nur Il-han unbehelligt in seinem Haus. Min Yong-ik, kaum von seinen Wunden genesen, hatte das Exil wählen müssen und verbarg sich irgendwo, heimatlos, abgewiesen selbst von den Chinesen, denen er zu dienen versucht hatte. Hong Yong-sik, der es versäumt hatte, sich beim Eindringen der chinesischen Soldaten den fliehenden Japanern anzuschließen, war vor den Augen des Königs in Stücke zerhauen worden. Kwang-pom war nach Japan entkommen, wo er nun bereits zehn Jahre lebte, ein Verräter in den Augen der Zurückgebliebenen. Andere befanden sich im Gefängnis oder hielten sich in der Verborgenheit abgelegener Dörfer auf.

»Herr«, sagte der Pförtner leise, »ich kann ihm ein Messer in den Leib stechen und ihn in den Teich werfen.«

Il-han klappte sein Buch zu und stand auf. »Ich will mir diesen Fremden selbst ansehen«, erklärte er.

Er ging in den Garten und schritt den gewundenen Pfad entlang, der zwischen Maulbeerbäumen zu dem kleinen Pförtnerhaus führte. Als er gebückt durch die niedrige Tür eintrat, sah er im flackernden Schein der Rindertalgkerze undeutlich das Profil eines Mannes, der seitlich von ihm an der Wand lehnte und in das Licht starrte. Als Il-han näher kam, hob er den Kopf.

»Hast du all die Jahre hindurch hier gelebt?«

Il-han erkannte ihn sofort, obgleich die Züge hager geworden und die Augen gealtert waren. Es war George Foulk. Er streckte beide Hände aus, und der Amerikaner ergriff sie.

»Ich glaubte immer, du seist tot!« rief Foulk aus. »Ermordet mit deiner ganzen Familie! Nur durch Zufall habe ich vor kurzem erfahren, daß du dich hier aufhältst. Mein Freund, ich muß mit dir sprechen. Es ist so vieles geschehen, seit wir uns zum letztenmal sahen.«

Im Schutz der Dunkelheit geleitete Il-han den Amerikaner durch einen Seiteneingang in das Haus. Dort befahl er seinem Diener, den Zutritt zu seinem Arbeitszimmer jedermann zu verwehren, auch Sunia, denn er wollte es ihr ersparen, eines

Tages, wenn man vielleicht ein Geständnis von ihr zu erpressen suchte, zugeben zu müssen, daß sie den Amerikaner in seinem Haus gesehen habe.
»Ich wollte dir sagen, daß ich Korea verlasse«, erklärte Foulk leise, als die Schiebewände geschlossen waren und sie nebeneinander Platz genommen hatten.
Eine Weile sprach keiner der beiden Männer, sie wechselten nur einen langen Blick.
»Sogar du«, murmelte Il-han schließlich. »Dann sind wir ganz verloren. Das heißt doch, daß die Amerikaner uns aufgeben, oder nicht?«
»Nicht die Amerikaner«, entgegnete Foulk. »Mein Volk weiß gar nichts von deinem. Das ist es ja, was wir uns vorwerfen müssen. Wir haben keine Ahnung. Und so hat auch meine Regierung nichts zur Rettung deines Volkes getan, denn aus Unwissenheit resultiert Gleichgültigkeit, und Gleichgültigkeit ist eine Wüste, in der eine ganze Nation sterben kann. Ich bringe es nicht fertig zu bleiben, um dein Volk sterben zu sehen. Ich – liebe Korea.«
»Erzähle mir, was alles geschehen ist«, bat Il-han.
Er hörte eine Geschichte, die er nicht geglaubt hätte, wenn ihm nicht die absolute Zuverlässigkeit und Freundestreue Foulks, die jegliche Unwahrheit ausschaltete, bekannt gewesen wären.
Sie ging auf das Jahr zurück, in dem der Vertrag mit den Vereinigten Staaten geschlossen wurde, worin diese Korea als souveräne Nation, unabhängig von China, bezeichneten. Als solche konnte Korea, was im weiteren auch geschehen war, den Amerikanern Handelsrechte einräumen. Das nächste war dann die Ankunft des amerikanischen Gesandten Foote mit seiner Gattin, einem Sekretär und dem Übersetzer Saito gewesen.
»Ein Fehlgriff, dieser Saito«, warf Il-han ein. »Ihr hättet keinen japanischen Übersetzer anstellen dürfen. Wer weiß, welche Worte er in japanischem Interesse zufügte oder wegließ?«
»Ein Fehlgriff, dieser Saito«, bestätigte Foulk und fuhr mit seinem Bericht fort.

»Die Amerikaner merkten sehr bald«, sagte er, »daß der König und sein Kabinett zu schwach waren, um die Souveränität zu praktizieren, trotz wirklich befähigter Männer, die zur Verfügung standen. Sogar solch aufrechte Patrioten wie du, Il-han Kim, waren daran gewöhnt, sich vor Chinesen oder Japanern zu beugen. Ihr habt nicht an eure eigene Stärke geglaubt und euch gefürchtet.«
»Ich erinnere mich«, erwiderte Il-han langsam. »Der König äußerte einmal, daß er die Einschaltung der Amerikaner mit unsagbarer Freude begrüßt habe.«
»Aber wie sollten wir gegen eure jahrhundertealte Furcht ankommen? Der König hat sich in allem auf uns gestützt. Das hat nicht nur China verärgert, sondern auch die anderen westlichen Mächte. England und Deutschland wollten ihre Verträge nicht ratifizieren. Meine Regierung fürchtete schließlich Komplikationen und gab zuerst Foote und später, nachdem er fort war, mir die ausdrückliche Weisung, daß wir den König nur persönlich beraten dürften, es sei denn, es ginge uns eine neue Mitteilung zu. Aber wie hätten diese Männer im fernen Washington, diese vorsichtigen, bedächtigen Männer, die Bedeutung und die ungeheuren Schwierigkeiten deiner Heimat erfassen sollen? Wenn man zuwenig weiß, tut man zuwenig.«
Er biß sich auf die Lippen und wandte den Kopf ab. »Meine Regierung schickte nicht einmal genug Geld, um die Ausgaben der Gesandtschaft zu decken«, stieß er verbittert hervor. »Der Gesandte hatte keine Mittel, um einen Büroangestellten zu engagieren, und der Sekretär arbeitete ohne Gehalt. Wir konnten kein Grundstück für ein angemessenes Gesandtschaftsgebäude kaufen. Wir hätten Konsulate unterhalten müssen, wie sie andere Nationen eingerichtet hatten, die über unsere Sparsamkeit lachten. Und darf es jemand wundern, wenn sie lachten?«
Er seufzte, stand auf und wanderte hin und her.
»Ich sollte dir diese Dinge nicht erzählen – es ist unsere ureigenste Angelegenheit. Ich könnte auch alles ertragen, aber euer König hört nicht auf, mich zu bedrängen, mich um ame-

rikanische Ratgeber zu bitten. Er hat hundert Pläne – keine schlechten – er ist ein fähiger Mann, euer König – er könnte die Nation aufbauen, wenn er eine Chance hätte, wenn unsere Regierung nur Bescheid wüßte, wenn sie nur zu erkennen vermöchte, was sie wegwirft: die Gelegenheit, ihm bei der Schaffung eines starken, unabhängigen Korea – eines Bollwerks in Asien – zu helfen!«

»Weshalb fährst du nicht nach Hause und berichtest dort?« fragte Il-han. Die dunkelsten Empfindungen bestürmten ihn, Sorge um sein Volk, Angst davor, daß die Amerikaner tatsächlich als Hilfe ausscheiden könnten, Verzweiflung für den König. Sie mußten den gierigen Nachbarländern geradezu in den Schlund fallen, sofern sich ihnen keine Hand in Freundschaft entgegenstreckte. Wer aber sollte sie noch schützen, wenn es die Amerikaner nicht taten?

»Und zudem«, fuhr Foulk fort, ohne auf die Frage Il-hans einzugehen, »wurde unser Gesandter in einen niedrigeren Rang eingestuft. Statt Außerordentlicher Gesandter und Bevollmächtigter Minister war er plötzlich nur noch Ministerresident und Generalkonsul. Natürlich reichte er daraufhin sein Entlassungsgesuch ein.«

»Was für eine Dummheit!« stieß Il-han leise hervor. »Wie konnte uns eure Regierung diesen Mann schicken und ihn später degradieren?«

»Er fand auch keinen Nachfolger«, sagte Foulk. »Und nun bin nur noch ich übrig.«

»Seit wann bestanden diese Schwierigkeiten zwischen eurem Gesandten und eurer Regierung?« erkundigte sich Il-han.

»Schon lange – sehr lange. Bereits vor dem Abend, an dem Min Yong-ik beinahe getötet wurde.«

»Und du hast mir nie etwas gesagt!«

»Ich schämte mich«, entgegnete Foulk, »und ich hatte noch immer Hoffnung, es würde uns gelingen, diese Leute in Washington zu überzeugen.«

»Wann hat euer Gesandter Korea verlassen?« fragte Il-han.

»Im Jahr nach jenem Bankett. Seither habe ich dieses Amt verwaltet, ohne Rang und ohne Hilfe. Jetzt gebe ich auf.

Aber ich möchte, daß ein Koreaner die Gründe erfährt, einer, dem ich vertrauen kann.«
Und er berichtete Il-han, wie es dazu gekommen war, daß er schließlich alle Hoffnung verloren hatte. Nachdem er allein zurückgeblieben war, hatte er sich zuerst der Aufgabe gewidmet, von seinen Vorgesetzten die Entsendung jener Berater zu erreichen, um die der König so sehr bat.
»Das Vordringlichste für Korea in seiner gegenwärtigen beklagenswerten Situation, so schrieb ich nach Washington, seien fähige militärische Instruktoren – möglichst viele. Was geschah? Drei Leute empfahl das Außenministerium! Und diesen verweigerte man dann noch die Ausreise, weil der König selbst die Kosten übernehmen wollte und die Instruktoren nur mit privaten Mitteln unterhalten werden durften, wie es hieß. Woher sollte ich diese Mittel bekommen? Ich selbst war ja in Schwierigkeiten. Da ich als Geschäftsträger amtierte, wurde mir mein Marinesold nicht mehr ausbezahlt, und von den Bezügen, die mir zugesagt worden waren – die Hälfte dessen, was dem Gesandten hier zur Verfügung gestanden hatte –, habe ich nie etwas gesehen. Und dann begann dieser Deutsche, dieser von Mollendorf, mir entgegenzuarbeiten, um deutsche Berater in Korea einzuschleusen und das Land damit unter deutschen Einfluß zu bringen –«
»Er hatte natürlich keinen Erfolg!«
»Nein, aber als es ihm nicht gelang, Deutsche zuzuziehen, brachte er Russen unter, zumindest bei der Armee, worauf sich zum erstenmal Chinesen und Japaner zusammentaten und sich dem König in seiner Bitte um die Entsendung amerikanischer Instruktoren anschlossen – aus Furcht vor Rußland. Ja, und nun werden die amerikanischen militärischen Berater nächstes Jahr eintreffen – vier Jahre zu spät! Der König hat das Vertrauen zu meinem Land und meiner Regierung längst verloren. Kann man es ihm verdenken?«
Il-han wollte etwas sagen, doch Foulk war noch nicht zu Ende. »Vor sechs Monaten habe ich bereits um meine Abberufung nachgesucht, aber meine Depeschen werden überhaupt nicht gelesen, und so ist auch bis jetzt niemand zu meinem

Nachfolger bestimmt worden! Und dein Volk –« Er hielt inne, stützte die Ellbogen auf den niedrigen Tisch und bedeckte die Augen mit den Händen. Als er fortfuhr, zitterte seine Stimme. »Dein ruhmreiches Volk blickt trotz alledem noch immer auf mich als den Repräsentanten der Vereinigten Staaten, dem Leitstern seiner Hoffnung auf Unabhängigkeit! Und ich mußte deinen Landsleuten sagen – dem Führer der neuen Unabhängigkeitspartei – ein mutiger Mann – ich will seinen Namen nicht einmal hier aussprechen – ich sagte ihm, daß meine Regierung offenbar nur daran interessiert ist, die Entschädigungssumme für die *General Sherman,* die sie vor so vielen Jahren eingebüßt hat, zu kassieren.«
Eine Weile schwieg Foulk, dann nahm er seinen Bericht wieder auf. »Ich kann die Bürde, mein Land hier zu vertreten, nicht mehr länger tragen. Noch immer bin ich ohne Schreibhilfe, ohne Sekretär. Und ich verfüge nicht einmal über ausreichende Mittel, um die dringendsten Rechnungen für die Gesandtschaft zu bezahlen. Das alles hat mich krank gemacht. Meine Gesundheit ist angegriffen. Ich – überzeuge dich selbst –«
Er streckte die Hände aus, und Il-han sah, wie dünn seine Gelenke waren. Die Knochen standen hervor, und straff spannte sich die Haut über die geschwächten Muskeln.
Was konnte Il-han sagen? Er nahm die Hände des Freundes in die seinen und beugte den Kopf, bis seine Stirn sie berührte. Tränen strömten ihm über die Wangen. So blieben sie einen langen Augenblick.
Dann erhob sich Foulk und ging leise hinaus, ohne noch ein Wort gesprochen zu haben.
Eine Weile später – wie lange, hätte Il-han nicht sagen können – glitt die Tür auf, und Sunia erschien. »Willst du nicht jetzt zu Bett gehen?« fragte sie schüchtern.
»Nein«, antwortete Il-han, ohne aufzublicken.
Sie schob die Tür wieder zu und entfernte sich.
Die Stunden verrannen. Il-han hatte jedes Gefühl für seine körperliche Existenz verloren. Haßte er die Amerikaner? Er hätte sie hassen können, wären nicht die Erinnerungen an

seinen Besuch in ihrem Land gewesen. Ein sympathisches Volk, das die vielfältigen Annehmlichkeiten seines Lebens genoß und außergewöhnlicher Freundlichkeit fähig war, wenn auch keiner Freundschaft, wie er jetzt gewahr wurde. Für Freundschaft, für wirklich tiefe menschliche Bande war es noch ein zu junges Volk. Freundlichkeit aber, so angenehm sie empfunden wurde, war etwas Oberflächliches. Töricht, eine Tiefe zu erwarten, deren die andere Seite nicht fähig war. Verständnis setzt Wissen und Fühlen voraus – die Amerikaner wußten aber weder etwas von der traurigen Geschichte seines Volkes, noch kannten sie das Gefühl ständiger Bedrohung, der ein kleines Volk ausgesetzt war, das durch Zufall seinen Platz zwischen Giganten hatte. Der König hatte zuviel erwartet. Sie alle, auch Il-han, hatten zuviel von den Amerikanern erwartet. Es war ihren eigenen mangelhaften Kenntnissen über fremde Völker zuzuschreiben, daß sie die leichthin aus Freundlichkeit gegebenen Versprechungen mit der Loyalität echter Freundschaft verwechselt hatten. Nein, Il-han konnte sie nicht hassen. Doch ohne sie, das wußte er, war sein Volk dem Untergang geweiht.
Was konnte er nur tun? Sein Herz drängte ihn, vor den König und die Königin zu treten und um jeden Preis seine Dienste anzubieten. Gleichzeitig war er sich klar darüber, daß dies nur dem Wunsch entsprang, sich von der drückenden Last dessen, was er wußte, zu befreien. Der König war kein Narr – er mußte inzwischen erkannt haben, daß er sich auf Ausländer nicht verlassen konnte. Und die Königin hatte den Amerikanern ohnehin nie vertraut. Das Land glich einem Schiff auf See, das mit gebrochenem Steuerruder und einem hilflosen Kapitän dahintrieb. Er und alle anderen Koreaner konnten nur den Sturm vorüberziehen und das Schicksal den Kurs entscheiden lassen. Und er hoffte, er hoffte voll versöhnlicher Güte, daß dem freundlichen amerikanischen Volk die entgangene Gelegenheit nicht eines Tages schmerzlich zu Bewußtsein kommen möge, daß es nicht die Kosten dafür bezahlen müsse.
»Vater!«

Il-han hörte die Stimme seines älteren Sohnes und stellte bestürzt fest, wie fremd sie ihm klang. Es war nicht mehr die hohe Stimme eines Kindes, sondern die rissige, rauhe Stimme eines Jungen, der im Begriff stand, ein Mann zu werden.
»Komm herein, mein Sohn«, sagte er.
Der Junge trat ein, und Il-han betrachtete ihn nachdenklich. Bestimmt war er größer als gestern, seine Hände waren kräftiger, die Knochen stärker. Auch sein Gesicht hatte sich verändert.
»Warum siehst du mich so an, Vater?«
»Du wächst heran.«
»Das tue ich schon lange, Vater.«
»Weshalb ist es mir dann bisher nie aufgefallen?«
»Weil du immer nur in deine Bücher schaust, sogar wenn du uns Unterricht gibst«, erklärte der Junge. »Vater!«
»Was ist?«
»Ich möchte eine Schule in der Stadt besuchen.«
»Was sagst du da?«
Il-han klappte sein Buch zu. »Bin ich dir als Lehrer nicht gut genug?«
Sein Sohn blickte ihm mit seinen schwarzen Augen unerschrocken ins Gesicht. »Du lehrst aus alten Büchern, und ich will die neuen kennenlernen.«
Il-han lag schon eine scharfe Erwiderung auf der Zunge, als er sich plötzlich daran erinnerte, daß er in seiner Jugend seinem Vater den gleichen Vorwurf gemacht hatte. In der Stimme seines Sohnes erkannte er die eigene wieder, und so beherrschte er sich. »Gibt es denn solche Schulen in der Stadt?«
»Ja, Vater, und auch ein paar Lehrer aus Amerika.«
»Es sind Christen!«
Der Junge zuckte die Achseln. »Es gibt auch Schulen mit japanischen Lehrern.«
»Willst du von Japanern unterrichtet werden?«
»Ich will nur lernen.«
Es traf Il-han bitter, daß sein Sohn ihn nicht mehr als geeigneten Lehrer ansah, aber diesen persönlichen Schmerz hätte er nie eingestanden. So fuhr er fort, das Problem als solches

zu erörtern. »Zeitgemäße Bildung – das ist schön und gut, aber die traditionelle ist deshalb noch nicht wertlos.«
»Wir haben genug von diesem alten Zeug hören müssen«, entgegnete sein Sohn anmaßend.
Il-han vergaß sich. Seine Hand schnellte hoch, und er schlug dem Jungen ins Gesicht, der daraufhin hochrot und mit zornflammenden Augen aufstand, sich verneigte und das Zimmer verließ.
Il-han seufzte tief. Er fühlte sich plötzlich sehr matt, und sein Herz klopfte wild. Dieser Sohn – als er hinausging, hatte er wie ein Mann ausgesehen mit seinen breiten Schultern und den langen Beinen – oh, er hätte ihn nicht schlagen dürfen! Was war jetzt zu tun? Als Vater konnte er vor dem Sohn doch keine Reue zeigen! Die ältere Generation bat die jüngere nun einmal nicht um Verzeihung. Und wie, wenn sein Sohn überdies recht hatte und er für diese verworrenen Zeiten nicht mehr der richtige Lehrer war? Was wußte er tatsächlich schon von der Welt außerhalb seines friedlichen Hauses?
Er schob das Buch, in das er ein Gedicht geschrieben hatte, beiseite. Seit einiger Zeit suchte sein sorgenbeschwerter Geist immer Zuflucht bei der Poesie, doch er gab sich keiner Selbsttäuschung hin: Die Dichtkunst war ein Betäubungsmittel, ein Mantel für die Hilflosigkeit, vielleicht auch überhaupt nur Trägheit. Lange saß er in Nachdenken versunken, erforschte seine Seele, klagte sich an, unterwarf seinen Geist einer Demut, die für seinen Stolz kaum zu ertragen war.
Tagelang sprach er danach nicht mit seinem Sohn. Den Unterricht führte er für beide Söhne fort wie bisher, obwohl sich der ältere nie beteiligte, keine Frage stellte, seinen Vater nicht anblickte, nur immer stumm erschien und seinen Platz einnahm. Nachdem zehn Tage so vergangen waren, bestellte Il-han ihn einmal allein zu sich.
»Yul-chun«, begann er, zum erstenmal seinen Namen gebrauchend, »ich habe deinen Wunsch, in der Stadt eine Schule zu besuchen, erwogen. Du weißt, daß ich hier wie ein Verbannter lebe. Ist die Stadt nicht gefährlich für dich, wenn es bekannt wird, daß du mein Sohn bist?«

»Nein, Vater«, erwiderte Yul-chun. »Denn ich habe Freunde dort.«
Il-han war verblüfft. »Wie kannst du Freunde haben, wenn ich keine besitze?«
»Ich habe Freunde«, wiederholte Yul-chun störrisch.
Sie blickten einander an. Sein Sohn hatte also Freunde, von denen er, der Vater, nichts wußte! Eine Generation vorher hätte ein Vater darauf bestanden zu wissen, wer die Freunde seines Sohnes waren und wie sich diese Freundschaften gebildet hatten. Aber diese jetzige war eine neue Generation, eine, die sich sehr weit von der Vergangenheit entfernt hatte, und Il-han stellte keine Frage; denn wie wollte ein Vater heute Gehorsam erzwingen?
»Schön«, sagte er nur. »Dann geh.«
»Ich werde bei meinen Freunden wohnen«, erklärte Yul-chun.
»Schön«, antwortete Il-han wieder. »Hinterlasse bei deiner Mutter, wo das Haus ist. Und du wirst Geld brauchen.«
Er zog das Geheimfach seines Schreibpultes auf, entnahm ihm einen kleinen Lederbeutel, in welchem er Geld für den täglichen Bedarf verwahrte, und händigte ihn seinem Sohn aus. »Gib mir Bescheid, wenn du mehr brauchst.«
Er sprach den unfreundlichen Gedanken, der ihn durchzuckte, nicht aus: Bei seiner ganzen Unabhängigkeit nimmt er doch Geld von mir. Er empfand sehr wohl den bitteren Trost, der in dieser Tatsache lag, und er brauchte jeden Trost.
Als sein Sohn ihn verlassen hatte, ging er hinaus, um Sunia zu suchen, und fand sie im Vorratshaus damit beschäftigt, das Abwiegen des Reises zu überwachen. Ihr dunkles Haar, Augenbrauen und Wimpern waren mit Reisstaub weiß überpudert. So wird sie einmal aussehen, wenn sie alt ist, dachte er, und eine Sekunde lang schmerzte es ihn. Dann nahm er sie beiseite und erklärte ihr leise, daß er mit ihr sprechen müsse.
Sie wartete noch, bis der Pächter das Gewicht angesagt hatte, um Il-han dann in den Garten zu folgen. Auf einem Steinsitz im Schatten der Bambuspflanzung ließen sie sich nieder.
»Unser älterer Sohn möchte eine Schule in der Stadt besuchen«, begann er.

Sie wischte sich mit einem Tuch den Reisstaub vom Gesicht und erwiderte nichts.
»Bist du nicht überrascht?« fragte er.
»Nein«, meinte sie. »Ich weiß es schon lange.«
»Und du hast es mir nicht erzählt?«
»Ich sagte ihm, er müsse ein Jahr warten«, antwortete sie, »und er solle dir keine Aufregung bereiten, solange er zu jung sei, um das Haus zu verlassen.«
»Und jetzt hältst du ihn nicht mehr für zu jung?«
»Ich glaube, er ist zu alt, um bei uns zu bleiben«, entgegnete sie.
»So hast du das also die ganze Zeit gewußt und vor mir geheimgehalten. Wie viele solcher Geheimnisse hast du?«
Sie lachte, wurde aber gleich wieder ernst. »Ich verfolge nur ein Ziel bei allem, was ich tue: dich in Frieden zu lassen. Wenn ich dir von jeder Laune, jedem Hirngespinst, jeder hitzigen Forderung deiner beiden Söhne berichten würde, kämst du nicht mehr zur Ruhe und zur Arbeit.«
»Arbeit«, wiederholte er traurig. »Habe ich überhaupt eine Arbeit? Eine Beschäftigung, sollte man besser sagen!«
»Arbeit«, beharrte sie. »Eines Tages wird alles, was du in deinen Büchern niederschreibst, von Nutzen sein. Wo gibt es noch einen zweiten Chronisten wie dich?«
Sie hatte eine überaus tröstende Art, ihm Selbstvertrauen einzuflößen.
»Ich hoffe, daß du recht hast«, sagte er. »Wollen wir ihn dann also ziehen lassen?«
»Ja, denn wir können ihn nicht halten.«
Einen Augenblick sann er nach. »Was ist nur geschehen, daß die Jungen den älteren Leuten nicht mehr gehorchen?«
»Sie sehen den Zusammenbruch um sich herum. Sie wissen, daß wir versagt haben. Sie haben keinen Respekt mehr vor uns.«
Sie sprach die unbarmherzigen Worte mit solcher Ruhe aus, daß ihm fast angst wurde. Er erhob sich.
»Du hast recht. Wir müssen ihm erlauben zu gehen, sonst verläßt er uns für immer.«

Und damit kehrte er in sein stilles Zimmer zurück, wo er sich sogleich daran begab, die Schriftzeichen eines Gedichtes aneinanderzufügen, das sich in seinem Geist zu formen begann. Hier in diesen Gedichten kamen seine geheimsten Gedanken zum Ausdruck, seine Enttäuschung, seine Einsamkeit, seine Sehnsucht nach einer Zukunft, an die er andererseits nicht glaubte, denn er war überzeugt, daß nichts mehr das Schicksal aufzuhalten vermochte, das er für sein Volk und für seine Heimat voraussah.

Es überraschte ihn, wie leicht sich das Familienleben auf das Fehlen eines Mitglieds umstellen ließ. Eine Ruhe breitete sich aus, die Sunia zuweilen sogar als zu groß empfand, zumal der jüngere Sohn ihr nie Anlaß zu Beschwerden gab.
»Ich vermisse die Unarten seines Bruders«, stellte sie fest. »Nichts geschieht mehr, seit er fort ist. Niemand zerbricht etwas, ich bekomme nicht mehr alle möglichen Tiere ins Haus geschleppt, die Böden werden nicht beschmutzt, keine Kleider zerrissen, keine Schuhe verloren. Ich höre keine Klagen über das Essen. An ein so friedliches Leben bin ich nicht gewöhnt.«
»Ich hoffe, er setzt nicht dafür die ganze Stadt in Aufruhr«, sagte Il-han.
Insgeheim bereitete es ihm Vergnügen, Yul-chun ein- oder zweimal im Monat nach Hause kommen zu sehen, sämtliche Kleidungsstücke schmutzig und kein Geld in der Tasche.
»Sicher steckst du voll neuzeitlicher Wissenschaft«, bemerkte Il-han sarkastisch.
»Dein Haar muß dringend geschnitten werden«, sagte Sunia und lief, um die Schere zu holen.
»Ich will nicht, daß du meine Haare schneidest, Mutter!« schrie Yul-chun hinter ihr her. »Die anderen sagen, ich hätte einen bäurischen Haarschnitt.«
»Doch, ich werde sie schneiden!« rief sie zurück.
Und sie tat es auch unfehlbar, ihn an den Ohren festhaltend und seinen Kopf unter ihren Arm geklemmt, was er sich halb lachend, halb zornig gefallen ließ.
»Ich komme nie mehr nach Hause, wenn du mich so behan-

delst«, klagte er, während er sich in dem Spiegel an der Wand betrachtete.
»Dann laß dir die Haare vorher schneiden«, erwiderte sie energisch.
Sie wußte sehr gut, daß es das Geld seines Vaters und ihre Liebe war, die ihn heimzogen. Er brauchte ihr zärtliches Schelten und den scheinbar derben Ton, in dem sie mit ihm umging, und es gefiel ihm, daß sie seine Kleider durchsah, fehlende Knöpfe annähte, sich darüber beschwerte, wie schmutzig seine Strümpfe seien und wie zerrissen seine Schuhe. Kurz, er mußte einfach bestätigt sehen, daß sie seine Mutter war und blieb, wie weit er auch fortging. Und Il-han beobachtete dies alles ein wenig bekümmert und dachte über den Unterschied zwischen Vaterliebe und Mutterliebe nach. Mit seiner ganzen Lehrtätigkeit und seiner Sorge um die geistige und charakterliche Erziehung hatte er nicht erreicht, daß sein Sohn ihm die gleiche Liebe entgegenbrachte wie seiner Mutter, deren ganzes Interesse seinem körperlichen Wohlbefinden galt.
Seit sein Sohn sich in der Stadt aufhielt, schickte Il-han hin und wieder seinen Diener in die Stadt, damit dieser ihm alles Neue berichte, was er sah und aus belauschten Gesprächen des Volkes erfuhr. Auf diese Weise hörte er auch, daß die Zahl der Tonghak-Anhänger ständig wuchs und es trotz aller Unterdrückung durch die Truppen des Königs hier und da in den Provinzen zu immer bedenklicheren Unruhen kam. Als schließlich ihr Anführer gefangengesetzt wurde und das Todesurteil über ihm schwebte, gerieten die aufgestauten Leidenschaften der Landbevölkerung erneut in Wallung. Die Bauern hatten um diese Zeit bereits jegliches Vertrauen in die Regierung verloren, denn sie sahen, wie der König unter dem Druck fremder Nationen stand, und sie wußten, daß die Königin sich ausschließlich damit beschäftigte, Ränke zu schmieden, um die Chinesen an der Macht zu halten, wenn es durch die chinesisch-japanischen Zusammenstöße in Korea zum Krieg zwischen den beiden Ländern käme.
Im Frühling, im dritten Sonnenmonat, hielten die Tonghak-

Rebellen eine Zusammenkunft in der Nähe der Hauptstadt ab und wählten eine Abordnung von vierzig Männern, die den König aufsuchten, um die Entlassung ihres Anführers aus dem Gefängnis und Maßnahmen zur Verbesserung ihrer harten Lebensbedingungen zu verlangen. Der König war klug genug, ihnen höflich zu begegnen und die gewünschten Zusagen zu geben, so daß sie friedlich abzogen. Doch daraus entstanden neue Schwierigkeiten, denn die ausländischen Mächte, deren Gesandte wie Geier jeden seiner Schritte verfolgten, zeigten sich erbost darüber, daß er die Tonghaks empfangen hatte, weil diese unter anderem die Forderung nach einer gegen das Ausland gerichteten Politik aufgestellt hatten und wollten, daß der König alle Fremden des Landes verweise. So sah sich der König zwischen seinem Volk und den Ausländern gefangen und tat nichts.

Monate vergingen, und als die Tonghaks sahen, daß der König nichts unternahm, erreichte die Stimmung unter ihnen den Siedepunkt. Zwanzigtausend versammelten sich unter dem Vorwand, ein religiöses Fest zu begehen, in Poum und verkündeten ihre Forderung nach Befreiung von der Korruption der Yangbans und gleichzeitig von der Unterdrückung durch fremde Mächte. Sehr bald hatte sich ihr Ruf im ganzen Land fortgepflanzt. Nun gab es in der Stadt Kobu im Gebiet von Pyonggap einen Präfekten, der alle anderen Yangbans an Korruptheit übertraf. Zuerst zwang er die Bauern, die Mauern eines großen Bewässerungsreservoirs zu reparieren, und nachdem das geschehen war und sie das Wasser wieder für ihre Felder benutzen wollten, erhob er eine hohe Steuer darauf und behielt das Geld für sich. Das entfachte die Volkswut, und die Bauern rissen den Damm ein, den sie repariert hatten, stürmten in die Stadt, besetzten sie und verjagten den Präfekten aus seinem Palast.

Der König und sein Kabinett entsandten daraufhin Truppen gegen die Aufständischen. Als Il-han durch seinen Diener davon hörte, beauftragte er einen Mann, den Soldaten als Beobachter zu folgen. Der Mann kehrte nach vielen Tagen zurück und berichtete, daß zunächst die Regierungstruppen überwäl-

tigt worden waren und die Tonghaks die Eroberung weiterer Städte vorbereitet hatten. Erst vor den zahlenmäßig weit überlegenen chinesischen Hilfstruppen, die der verstörte König sich zur Unterstützung erbeten hatte, waren die Rebellen gewichen.
»Und, Herr«, sagte der Mann, als er geendet hatte, »wen, glaubst du, sah ich während der Kämpfe?«
Eine bange Ahnung schnürte Il-han die Kehle zu.
»Den jungen Herrn, und er war mit dem Erzieher zusammen, der so viele Jahre in deinem Haus gelebt hat!«
Mitleidig wandte er sich ab, als er Il-hans Gesichtsausdruck bemerkte.

Die Zeiten verschlimmerten sich noch. Eine chinesische Armee, fünfzehnhundert Mann stark, mit acht Feldgeschützen ausgerüstet, landete im Golf von Assan und marschierte auf die Hauptstadt vor. Der Kaiser von Japan schickte daraufhin fünftausend Soldaten, die sich den Chinesen stellten. In der koreanischen Hauptstadt entbrannte die Schlacht, und die Verträge, die Korea als unabhängig erklärt hatten, wurden Staub. Die zahlenmäßig Überlegenen gewannen. Die Japaner vertrieben die Chinesen, und anschließend wandten sie sich gegen die Rebellen und schlugen den Tonghak-Aufstand nieder. Nicht genug damit, zerrten sie den Anführer aus dem Gefängnis und richteten ihn hin. Seine Anhänger mußten sich in sicheren Schlupfwinkeln verbergen.
Über alles das wurde Il-han von den verschiedenen Männern unterrichtet, die er regelmäßig aussandte, damit sie ihm Nachrichten brächten. Den Erzieher erwähnten sie nicht mehr; Yul-chun kam nach Hause wie gewöhnlich und verlor kein Wort über die Angelegenheit, und auch Il-han sagte nichts darüber, obgleich er dieses Schweigen als quälend empfand. Doch es bedrückte ihn eine noch größere Sorge. Der König war jetzt von den Japanern abhängig – wie aber stand es mit der Königin? Sie war es, die Il-hans Gedanken beschäftigte. Sie würde in ihrer freundschaftlichen Haltung zu China niemals wankend werden, und der Haß, den sie in der augen-

blicklichen Situation gegen die Japaner hegen mußte, konnte sie in dieser Überzeugung nur bestärken. Unter keinen Umständen würde sie sich ihnen unterwerfen.
Er wußte nur zu gut, daß er der Königin kaum zu helfen vermochte. Es wäre außerdem die reine Torheit gewesen, wenn er, den man als ihren früheren Berater kannte, sich zu diesem Zeitpunkt aus dem Exil hervorgewagt hätte. Er mußte immer damit rechnen, in irgendeiner Seitenstraße oder einem der Gänge des Palastes ermordet zu werden, ohne daß es jemand erfuhr. Es fehlte ihm nicht an Mut, aber mit einem so sinnlosen Tod konnte er niemand nützen.
Die Nachrichten, die er in der nächsten Zeit von seinen privaten Spionen erhielt, erfüllten ihn mit wachsender Besorgnis. China und Japan schlugen sich unerbittlich um den Preis seiner Heimat, ihres Handels und ihrer zentralen Position in diesem Teil der Welt, und die Japaner begannen die Auseinandersetzungen bereits auf chinesischem Boden auszutragen. Gleichzeitig benutzten sie den Krieg als guten Grund, Korea mit Reservetruppen zu überschwemmen, und jeden Tag hörte Il-han von neuen Ausschreitungen gegen seine Landsleute.
»Die Starken sind jetzt zu stark geworden«, meinte Il-hans weiser alter Diener.
Es war ein heißer Hochsommertag, und Il-han saß im Garten unter einem Dattelpflaumenbaum. Die Pflaumen waren noch klein und grün, und der Baum hing übervoll, so daß gelegentlich Früchte abfielen, die Il-hans jüngerer Sohn gegen eine am Baumstamm befestigte Zielscheibe warf.
Il-han beobachtete dieses Spiel, während er seinem Diener zuhörte. »Ich warte schon eine Weile darauf, daß eine andere Nation es sieht«, bemerkte er nun und klatschte in die Hände, weil sein Sohn die Mitte der Zielscheibe getroffen hatte. »Die mißgünstige Politik unter den Großen kann für uns von Vorteil sein. Niemand wird wünschen, daß Japan zu mächtig wird.«
»Ah, sehr wahr«, erwiderte der Diener. Dann trat er näher und senkte die Stimme. »Der russische Zar hat heute den japanischen Kaiser durch seinen Gesandten hier darauf aufmerk-

sam machen lassen, daß die chinesischen Gebiete, die Japan sich in letzter Zeit angeeignet hat, zurückgegeben werden müßten.«

»Aber wird das auch geschehen?« fragte Il-han.

»Ist Japan stark genug, um gegen Rußland zu kämpfen? Eines Tages, ja – jetzt noch nicht. Das hört man überall auf den Straßen und in den Läden. Japan muß nachgeben und wird China dafür um so mehr hassen, und dieser Krieg wird weitergehen. Zu einem Krieg mit Rußland kommt es vielleicht in zehn Jahren.«

Der Diener wartete, ob sein Herr etwas sagen würde, doch Il-han vermochte nicht auszusprechen, was ihn mit einemmal wie eine Zentnerlast bedrückte. Er wußte nun, daß das Urteil über die Königin gefällt war.

Im zehnten Monat desselben Sonnenjahres, zwei Tage vor dem Herbstfest, berichteten Il-hans Spione, es sei Stadtgespräch, daß die Garde im Palast der Königin durch neue Leute ersetzt werde. Nach außen hin erscheine alles wie gewöhnlich, aber alte Bedienstete der Königin, die mehr Einblick hatten, erzählten, daß Waffen und Ausrüstungen aus dem Palast unter dem Vorwand, sie würden anderswo benötigt, entfernt und durch unbrauchbare ersetzt worden seien. Auf die gleiche Weise sei man gegen die Sicherheitsvorkehrungen im Palast des Königs vorgegangen, und das zu einer Zeit, da der König des wirksamsten Schutzes bedurfte. Am Nachmittag des siebten Festtages beobachtete einer von Il-hans Männern, daß die Tore und Pforten zum Palast der Königin nicht geschlossen und offenbar unbewacht waren.

»Hast du mit jemand darüber gesprochen?« fragte Il-han.

»Wie konnte ich das?« erwiderte der Mann. »Niemand schien etwas Absonderliches daran zu finden.«

»Sattle mein Pferd«, befahl Il-han.

Er wollte der Sache selbst nachgehen. Dann überlegte er. Sollte er es Sunia sagen? Besser nicht, beschloß er. Heimlich wie ein Dieb suchte er sein Zimmer auf und vertauschte seine Kleider mit alten, die Sunia für arme Leute beiseite gelegt

hatte. Doch noch ehe er sich fertig umgezogen hatte, hörte er ihre eiligen Schritte, und die Tür glitt zurück.
»Ah – so willst du dich also aus dem Haus stehlen!« rief sie. »Und weshalb hast du diese alten Fetzen hervorgekramt, die nur noch für Bettler gut genug sind?«
Mit einem kläglichen Lächeln blickte er sie an. »Wie machst du es nur, daß dir keine meiner Handlungen entgeht? Wie, wenn ich nun lediglich in den Garten wollte und – einen Baum setzen – oder –«
»Treib nicht deinen Spott mit mir«, sagte sie. »Du pflanzst niemals Bäume. Warum solltest du es jetzt plötzlich tun?«
Er sah, daß er sie nicht täuschen konnte. »Sunia, die Königin ist in Gefahr.«
Die Zornröte schoß ihr in die Wangen, und ihre dunklen Augen brannten. »Und warum hältst du dich für den einzigen, der ihr beistehen kann?«
»Zumindest will ich selbst sehen –«
»Sie selbst sehen, meinst du wohl!«
»Sunia!«
»Sprich meinen Namen nicht aus!« schrie sie. »Die Königin bedeutet dir mehr als wir alle, die wir deine Familie sind! Man wird deine Söhne umbringen, doch das wiegt vermutlich für dich nicht, obwohl du von mir keine Söhne mehr haben wirst – aber wahrscheinlich kümmert dich das ebensowenig.«
Sie war außer sich. Er kleidete sich fertig an und antwortete nichts. Als er sich zu gehen anschickte, lief sie zur Tür, um ihn aufzuhalten. Er schob sie wie ein Kind aus dem Weg und verließ unbeirrt das Haus.
Erst gegen Abend erreichte er das Stadttor, aber es stand offen und unbewacht, und Il-han passierte es, ohne einen Menschen zu sehen. Unbehelligt ritt er in den nördlichen Teil der Stadt und fand sich bald auf der breiten Zugangsstraße, die zu den königlichen Palästen führte. Unter den Ministerien zu beiden Seiten bemerkte er einige neue Bauten. Neu waren auch eine Anzahl Baracken, die von japanischen Soldaten bewacht wurden. Vor den hohen Mauern, hinter denen die Paläste lagen, stieg Il-han ab, band sein Pferd an einen Baum und betrat

ungehindert durch die Pforte an der Westseite die königlichen Gärten. An einem kleinen See vorbei kam er zuerst zu dem in europäischem Stil erbauten Haus, das dem König gehörte und in dem er sich zuweilen aufhielt. Ganz in der Nähe lag die eigentliche Residenz des Königs, an die sich nach Osten hin der Palast der Königin anschloß. Links hatte die königliche Garde ihre Quartiere. Il-han war bis jetzt keinem Gardesoldaten begegnet, aber es war noch immer heiß, und es konnte gut möglich sein, daß einige von ihnen in den Palästen schliefen.

In einem kleinen Kieferngehölz setzte er sich hinter einem mächtigen Baum auf einen Stein und wartete. Falls nichts geschah, wollte er ungesehen wieder heimkehren, sollte sich aber ereignen, was er befürchtete, so war er da, um zumindest einen Versuch zur Rettung der Königin zu unternehmen. Den König, das wußte er, würde man nicht töten, denn die Frage der Nachfolge konnte eine Revolution über das Land bringen. Den ganzen Abend hindurch rührte er sich nicht von der Stelle, lauschend und wartend, während die Dunkelheit sich niedersenkte und die Geschöpfe der Nacht mit ihren vielfältigen Stimmen hervorkamen. Manchmal meinte er Marschtritte zu hören, aber er fand nichts Beunruhigendes daran, da er vorher die japanischen Wachsoldaten gesehen hatte.

Als schon ein guter Teil der Nacht verstrichen war und Il-han bereits überlegte, ob er nicht nach Hause zurückreiten sollte, drang plötzlich ein Ruf an sein Ohr, und dann hörte er Schreie. Einen Überfall auf den Palast vermutend, stürzte er in die Dunkelheit hinaus. Durch seine Hast verfing er sich mit dem Fuß in einer Wurzel und fiel, und es kostete ihn Mühe, sich wieder aufzuraffen. Mit verstauchter Hüfte humpelte er weiter. Nun hörte er auch die Leute der königlichen Garde. Er hielt sich abseits, aber er war immerhin nahe genug, um aus dem wilden Durcheinander fragender Stimmen nach einer Weile die Auskunft heraushören zu können, es sei nichts geschehen, und bei dem Schrei habe es sich lediglich um einen Marschruf der Japaner in der Nähe der westlichen Mauer gehandelt.

Daraufhin verschwanden die Gardesoldaten wieder in ihren Unterkünften. Il-han war jedoch noch nicht beruhigt und verbarg sich in der Nähe hinter einem Felsenschrein, der in einem Steingarten stand. Er mußte nicht lange warten. Der Lärm hatte den Obersten der Garde alarmiert, der sich mißtrauisch zum Hauptportal an der Straße begab, vermutlich um das Kriegsministerium aufzusuchen. Aus seinem Versteck beobachtete Il-han, wie am Tor plötzlich Fackeln aufflammten und japanische Soldaten den Obersten umringten, und er mußte erleben, daß sich seine schlimmsten Befürchtungen bewahrheiteten. Acht Schüsse fielen, der Oberst brach zusammen, und die Soldaten zogen ihre Schwerter, zerhackten den Toten in Stücke und warfen die Leichenteile in den See.

Jetzt galt es keine Zeit mehr zu verlieren, wenn Il-han noch etwas zur Rettung der Königin tun wollte. Doch die Folgen seines Sturzes behinderten ihn sehr, und er kam nur langsam vorwärts, während die Japaner bereits in einem schreienden, brüllenden, tobenden Knäuel auf den Palast der Königin zudrängten, mit aufgepflanzten Bajonetten die fliehende Dienerschaft überrennend. Die von neuem aufgeschreckte königliche Garde gab hastig ein paar Schüsse ab, mit denen sie sieben oder acht Soldaten tötete, bevor sie von den Nachstürmenden niedergehauen wurde.

Den Soldaten hatten sich inzwischen Bettler und allerlei zum Plündern bereites Gesindel angeschlossen. Unter sie mischte sich Il-han und suchte verzweifelt, sich nach vorn zu drängen, obschon ihm nicht klar war, was er jetzt noch für die Königin unternehmen konnte.

Die Horde brach in den Palast ein, und die Soldaten packten jede fliehende Frau brutal bei den Haaren und schrien, ob sie die Königin sei. Ganz gleich, was die Opfer antworteten, die Soldaten erschlugen sie und warfen ihre Köpfe aus den Fenstern. Weiter drängte der wilde Haufe, bis der letzte Raum erreicht war, und dann vernahm Il-han, eingekeilt in der Menge, zwei Schüsse und einen leisen Aufschrei, und er wußte sofort, daß er die Königin gehört hatte. Der Schrei erstarb in einem langen, stöhnenden Klagelaut. Il-han senkte den Kopf

und biß sich auf die Lippe, bis er Blut schmeckte. Er konnte nun nichts mehr tun. Die Königin war tot.
Die Menge blieb stehen, Blicke wurden gewechselt, und dann stahl sich einer nach dem anderen fort; die Plünderer, um zu rauben, und die Mörder, um rechtzeitig zu entkommen, bevor jemand feststellen konnte, wer die Verantwortlichen waren. Als sich Il-han schließlich allein sah, ging er zu der Toten und blickte auf das vertraute, trotz der Altersspuren unverändert schöne Antlitz seiner Königin hinunter. Er bückte sich und nahm ihre noch warme Hand. Blut sickerte aus ihrem zarten Hals und der linken Brust, und er drückte den Saum ihres weiten Rockes gegen die Wunden. Kein Flecken zeigte sich, die rote Seide färbte sich nur tiefer.
Stunden verrannen. Die Sonne ging auf, der Morgen kam, und Il-han saß noch immer neben der regungslosen Gestalt in dem ausgestorbenen Palast. Um die neunte Stunde erschien ein Gärtner an der Tür.
»Wer bist du, Bruder?« fragte er.
»Ich bin einer ihrer Diener«, antwortete Il-han.
Der Mann trat näher und starrte auf das bleiche Gesicht der toten Königin hinunter. »Sie liebte weißen Lotos«, sagte er schließlich, »und jetzt ist ihr Gesicht so weiß wie eine Lotosblüte. Was sollen wir mit ihr anfangen, Bruder? Wir können den Leichnam nicht hier liegen lassen.«
»Hast du ein Gefährt?« fragte Il-han.
»Ich habe einen Ochsenkarren«, erwiderte der Mann.
»Bring ihn vor die nächstgelegene Tür und hilf mir sie hineinheben«, sagte Il-han.
Der Gärtner verschwand und kehrte kurz darauf zurück, und sie trugen ihren federleichten Körper hinaus, legten ihn auf den Ochsenkarren, der Mann deckte ihn mit Stroh zu, kletterte hinauf, und der Ochse zog den Karren fort, während Il-han in weitem Abstand folgte, sehr langsam, denn seine Hüfte war geschwollen, und Tränen liefen ihm über das Gesicht. Doch es war noch nicht genug. Der Karren hatte das Tor fast erreicht, als er von Soldaten und herumlungerndem Gesindel angehalten und durchwühlt wurde. Dabei entdeck-

ten sie die tote Königin, und sie zerrten ihren Leichnam unter dem Stroh hervor, hackten ihn mit Schwertern und Messern in Stücke, schichteten das Stroh darüber auf und setzten ihn in Brand.
Il-han meinte, das Herz müsse ihm brechen. Er verbarg sein Gesicht unter dem Hut und hinkte fort von diesem Feuer, auf die Straße hinaus. Sein Pferd war verschwunden, aber der Gärtner hatte einen unbeobachteten Augenblick genutzt, um sich mit seinem Ochsenkarren davonzumachen, und Il-han bat ihn nun, er möge ihn nach Hause fahren.
Alles, was von der schönen Königin übrigblieb, war der kleine Finger ihrer linken Hand, der durch Zufall den Flammen entging. Der Gärtner, den Il-han am nächsten Tag nach Gebeinen suchen ließ, damit sie eine würdige Bestattung fänden, entdeckte ihn unter einem Stein. Was sonst noch vorhanden gewesen sein mochte, war längst von den in den Palastgärten herumstreunenden Hunden verschleppt worden. Der Mann schlug den Finger sanft in ein Lotosblatt ein und begab sich in den Palast des Königs.
»Ich ging in den Audienzsaal«, berichtete er Il-han, »wo der König auf seinem Thron saß, umgeben von seinen Ministern, und den alten Regenten wieder zu seiner Rechten. Nachdem mich der König angehört hatte, bedeckte er die Augen mit der Hand. Er wollte das Lotosblatt nicht entgegennehmen, aber er hieß einen Minister es für ihn tun und es in einem goldenen Kästchen bewahren, und er sagte, die Königin müsse ein großes Begräbnis bekommen, und eine Gruft solle gebaut werden.«
Auch Sunia war zugegen, als der Gärtner Il-han aufsuchte, und nachdem er gegangen war, nahm sie Il-hans Hand und umschloß sie fest. Lange saßen sie schweigend nebeneinander, bis Il-han mit einem tiefen Seufzer sanft ihre Hand zurücklegte.
»Ich danke dir«, sagte er leise. »Ich danke dir für dein großmütiges Herz.«
Zwei Jahre vergingen, ehe die Astrologen endlich den Ort für das Grab der Königin festgesetzt hatten. Sie entschieden

sich für einen Platz ein paar Meilen außerhalb der Stadt, und der König verfügte, daß dort tausend Morgen Land zu beschlagnahmen und alle Häuser niederzureißen seien – das Gebiet umfaßte Dörfer, Berge, Hügel, Bäche und Felder. Dann ließ er Tausende und aber Tausende von jungen Bäumen pflanzen und gab Unsummen dafür aus, einen prachtvollen Garten, so wie ihn die Königin geliebt hätte, anzulegen. Hoch über allem entstand aus Marmor ein Grabmal, umrundet von einer ebenfalls aus Marmor gehauenen Balustrade. Eine spiegelblank polierte weiße Marmorplatte war für die Opfergaben vorgesehen, die man dem Geist der Königin darbringen wollte, und daneben hatte man wunderbar gemeißelte Steinlaternen und Marmorstatuen aufgestellt.
Als das Werk vollendet war, gab der König bekannt, wann das Begräbnis stattfinden sollte. Es war ein schöner Tag, und von nah und fern strömten Zuschauer herbei. Trotz ihrer Launen und Extravaganzen hatte das Volk die Königin um ihrer Schönheit, ihres Frohsinns, ihres Mutes, ihres genialen Geistes und auch um ihrer unbeugsamen, eigensinnigen Art willen geliebt. Für das Volk verkörperte sie jetzt ein Symbol dessen, was das Land einmal gewesen war und nie mehr sein konnte.
Il-han stand allein weitab und beobachtete die prunkvolle Szene. Konnte die Nation noch auf Fortbestand hoffen, nun, da die Königin tot war? Er fand keine Antwort auf seine Frage. Sein Herz lag wie tot in ihm. Er spürte es nicht schlagen. Die Königin, die er verehrt hatte, die Frau, die er – hatte er sie geliebt? Er hätte es nicht sagen können. Vielleicht wußte Sunia es besser als er, doch er wollte sie nicht fragen. Mochte das Geheimnis in dieser Gruft liegen, die etwas Zu-Ende-Gegangenes enthielt, was nie mehr leben würde. Er glaubte nicht an Wiederauferstehung.

ZWEITER TEIL

Man schrieb das Jahr 4243 nach Tangun von Korea und 1910 nach Jesus von Judäa. Es war Winterende, am zehnten Tag des ersten Mondmonats um Mitternacht.

Il-han schlug die Augen auf und war sofort völlig wach, durch lange Gewohnheit geübt. Er erhob sich vorsichtig, um Sunia nicht zu stören. Der Ondul-Boden war kalt. Brennstoff war zu knapp, um nachts ein Feuer zu unterhalten, und das schnell verlöschende Strohfeuer, über dem das Essen gekocht wurde, war des Abends der letzte Wärmespender. Er ging in den Nebenraum hinüber, goß kaltes Wasser in eine Schüssel, die auf dem Tisch stand, und wusch sich Gesicht und Hände. Dann löste er sein Haar, ölte und kämmte es und drehte es wieder auf dem Kopf zusammen. Er hatte das Haar seit seiner Amerikareise immer kurz getragen, ungeachtet der Einwände Sunias; als jedoch die japanischen Machthaber in die Hauptstadt einzogen, ließ er es wieder wachsen, um dem Befehl des japanischen Fürsten, der hier Generalresident geworden war, zu trotzen. Der Gouverneur hatte ein Dekret erlassen, wonach in Korea keine Reformen durchgeführt werden durften, bevor sich nicht die Männer ihre Haarknoten abschnitten, denn er behauptete, dieser eigensinnige Knoten symbolisiere den koreanischen Nationalismus, den es mit Stumpf und Stiel auszurotten gelte, da Korea jetzt eine Kolonie des kaiserlichen Japan geworden sei. Doch viele Koreaner hatten sich geweigert zu gehorchen, unter ihnen auch Il-han.

Nun öffnete er die Schiebewand zum Garten und blickte in die Nacht hinaus. Ein leichter Sprühregen fiel, und die Dunkelheit war undurchdringlich. Er entzündete die steinerne Laterne, die neben der Tür stand, und wartete, bis er die sah, die immer um diese Stunde zu ihm kamen. Ein Mann löste sich aus der Schwärze, von ungefähr zwanzig Jungen verschiedenen Alters gefolgt. Schweigend kamen sie auf ihn zu. Der Mann blickte nach rechts und links und begann dann leise zu sprechen.

»Wir haben ein Licht in der Ferne gesehen.«

»In welcher Richtung?« fragte Il-han flüsternd.

»Nach Norden zu.«

»Es bewegte sich?«

»Ja, aber es war nur ein einziges. Ein Spitzel ist allerdings genug.«

»Ich werde die Kinder bis zur Morgendämmerung hierbehalten. Dann schicke ich sie einzeln nach Hause«, sagte Il-han.

Der Mann nickte und verschwand im Nebel. Il-han ließ die Jungen eintreten und sah in jedes Gesicht, als sie ernst und stumm an ihm vorbei in das Zimmer gingen. Er folgte ihnen, nachdem er die Laterne gelöscht hatte, zog die Türen zu und verriegelte sie fest. Die Jungen hatten sich inzwischen auf den Boden gesetzt. Il-han nahm auf einem Kissen vor ihnen Platz und schlug ein Buch auf.

»Ihr erinnert euch«, begann er halblaut, »daß ich letzte Nacht von König Sejong sprach. Ich habe euch erzählt, was für eine große Persönlichkeit er war und wie unser Land unter seiner Herrschaft erstarkte.«

Eine halbe Stunde lang dauerte sein geschichtlicher Vortrag. Dann machte er das Buch zu und trug Poesie vor. Für diese Nacht hatte er ein berühmtes Gedicht im Sijo-Stil aus der späten Koryo-Zeit ausgesucht.

»Jene Zeiten«, so erklärte er seinen Schülern, »glichen den jetzigen – unruhige Zeiten, in denen die Dichter keine langen Gedichte im alten Kyonggi-Stil schreiben konnten. Deshalb gaben sie ihren Gefühlen in kurzer, gedrängter Form Ausdruck. Es sind uns nur ungefähr zehn solcher Sijo-Gedichte

erhalten geblieben, und ich habe eines von Chong Mungju, einem königstreuen Koryo-Minister, gewählt. Hört mir gut zu, ich will es euch zuerst vortragen, und dann sollt ihr es Zeile für Zeile wiederholen.«
Er schloß die Augen, faltete die Hände und begann:

»Welkte auch diese Hülle,
Und stürb ich tausend Tode,
Wär mein Gebein zu Staub zerfallen
Und ewig meine Seele oder nichts,
Nie wird mein Herz
Sich gegen seinen König kehren.«

Il-han blickte auf und wiederholte das Gedicht, und die jungen Stimmen sprachen ihm nach, gedämpft, wie es die Furcht schon zur Gewohnheit gemacht hatte. Denn was hier in Ilhans Haus stattfand, war verboten. Die fremden Herrscher hatten den Schulunterricht so weit umgestaltet, daß sogar die Landessprache durch das Japanische ersetzt war und es nur japanische Bücher gab. Wenn nicht Gelehrte wie Il-han heimlich im Schutz der Nacht als Lehrer der Jugend gewirkt hätten, wären die Kinder ihrer eigenen Sprache und Vergangenheit unkundig aufgewachsen und hätten am Ende aufgehört, Koreaner zu sein.
Nachdem sie das Gedicht gelernt hatten, erläuterte Il-han den Sinn und sagte, daß sie alle, wie jener Minister in der Vergangenheit, ihrem König die Treue halten müßten, auch wenn er in Unfreiheit lebe und nur dem Namen nach König sei.
»Das Herz unseres Königs ist noch immer bei uns«, sagte er zu ihnen. »Einen Beweis dafür haben wir bei der Auflösung unserer Armee erlebt. Der Generalgouverneur der kaiserlich-japanischen Regierung befahl, daß unsere Soldaten in einer sehr schimpflichen Weise entlassen werden müßten, wie ihr wißt, und unser König wurde gezwungen, diesen Befehl zu unterzeichnen. Doch einige Tage später erschien er bei einem offiziellen Anlaß in der Uniform der aufgelösten Armee. So stellte er sich auf die Seite unserer Soldaten, deren Schmach

wir eines Tages auslöschen müssen. Siebentausend Mann waren es, die von den Eindringlingen mit zehn Yen in der Hand und der Weisung, nach Hause zu gehen, verabschiedet worden sind. Die meisten von ihnen warten in anderen Ländern die Zeit unserer Befreiung ab, so zum Beispiel allein in der Mandschurei viele Tausende, weil dort genug Land zur Verfügung steht.«

Auf solche Weise klärten Il-han und andere Gelehrte die Jugend über die Größe ihrer Vorfahren und die Schande der Gegenwart auf und ermahnten sie, nie aufzuhören, in ihren Herzen gegen die fremden Aggressoren zu rebellieren, die von ihrer Heimat Besitz ergriffen hatten.

»Wir stehen hoch über diesen japanischen Machthabern«, sagte Il-han. »Wenn sie uns auch wie Leibeigene und Sklaven behandeln, wir sind nicht das, wofür sie uns ansehen. Wir sollten aber, um gerecht zu sein, auch nicht glauben, daß alle Japaner so unbedeutend sind wie die, die man über uns gesetzt hat. Die Japaner haben für die Regierung ihres eigenen Landes nicht genug Leute von Rang und können nicht gerade solche zu uns schicken. Hier sind nur die Geringen, die Unwissenden, die Habgierigen, und wir müssen sie ertragen, doch der Tag wird kommen, an dem sie hinausgeworfen werden.«

»Wie können wir das erreichen?« fragte einer der älteren Jungen.

»Das zu entscheiden, liegt bei euch«, erwiderte Il-han.

»Warum mußten sie überhaupt kommen und unser Land nehmen?« fragte ein anderer.

Il-han war objektiv genug, einem solchen Halbwüchsigen auch die andere Seite der Wahrheit zu präsentieren.

»Leider«, sagte er, »haben alle Dinge zwei Seiten. Stelle dir einmal vor, du seiest ein japanischer Junge, und man lehrte dich, daß Japan Korea unbedingt unterjochen müsse, wenn es nicht immer einen auf sein Herz gerichteten Dolch vor sich haben wolle. Rußland hat aber in diesem Fall die gleichen Interessen – es hat sie stets gehabt, wie du weißt. Und jetzt denke dir also, du seiest ein japanischer Junge, dem sein Lehrer sagt: ›Wir Japaner können nicht zulassen, daß sich die Russen so nahe bei uns in Korea aufhalten. Deshalb haben wir auch Krieg mit Rußland geführt, und wir haben ihn gewonnen, unter dem Beifall der ganzen Welt. In diesen Kriegszeiten war es einfach notwendig, Korea als Basis für unsere Truppen zu benutzen.‹«

»Sie hätten sie später zurückziehen können«, warf ein Junge ein.

Il-han hob die Hand. »Denke daran, daß wir im Augenblick Japaner sind. Der japanische Lehrer sagt: ›Hätten wir unsere Soldaten aus Korea abgezogen, so wäre Rußland auf Schleichwegen wieder eingedrungen. Nein, wir müssen Korea als unser Fort halten. Und außerdem brauchen wir mehr Land für unsere zunehmende Bevölkerung und neue Märkte.‹« Er brach ab und stieß einen tiefen Seufzer aus. »Ich kann mit solchen Vorstellungen nicht weitergehen. Wir sind koreanische Patrioten!«

»Weshalb haben wir nicht gegen die Japaner gekämpft?« fragte einer der Jungen.

»Unser großer Fehler«, antwortete Il-han, »lag in unserer Zerrissenheit. Wir waren sogar uneins darüber, wie wir unsere Feinde schlagen und unsere Freiheit behalten könnten. Nun, es ist vorbei. Die großen Familien sind dahin, die Yi, die Min, die Pak, die Kim, die Choi, und außer ihnen auch die Silhaks, Tonghaks – alle, die eigene Ziele verfochten. Jetzt sind wir alle vereint in der Sehnsucht nach unserer verlorenen Unabhängigkeit, wir hassen nur noch die Japaner. Vielleicht ist es so leichter.«

Die Stunden verrannen. Immer auf fremde Schritte horchend, unterrichtete Il-han die Jungen in der koreanischen Sprache und der Hangul-Schrift, bis über den Bergen der Morgen graute und die Sonne aufging. Er hatte vorgehabt, seine Schüler wenigstens eine Weile schlafen zu lassen, aber der Tag überraschte ihn. Sunia wirtschaftete schon in der Küche, und einer der zwei alten Diener, die ihnen geblieben waren, steckte den Kopf durch die Tür, um Il-han die vorgerückte Stunde anzuzeigen. Erstaunt blickte Il-han auf.

»Ich habe euch die ganze Nacht hierbehalten«, sagte er, »und nun wird euch die Schule schwerfallen. Kommt heute abend nicht. Schlaft, wir wollen uns morgen nacht wieder zusammenfinden. Jetzt geht, einer nach dem anderen, und haltet ein bißchen Abstand, damit ihr nicht auffallt.«
Damit entließ er sie, und er sah ihnen nach, wie sie sich einzeln in verschiedenen Richtungen entfernten. Als die Sonne hoch genug gestiegen war, um die Berge zu bescheinen, war der letzte Schüler gegangen, und Il-han fühlte sich plötzlich erschöpft. Dann kam Sunia zu ihm herein, frisch und für den Tag zurechtgemacht.
»Wie lange willst du diesen Unterricht noch fortsetzen?« rief sie vorwurfsvoll. »Du siehst aus wie ein alter Mann.«
»Ich komme mir auch wie ein alter Mann vor«, sagte er. »Ein sehr alter Mann.«
»Du bist erst vierundfünfzig, und es wäre mir lieb, wenn du dich nicht als alten Mann bezeichnen würdest, denn dadurch machst du auch mich alt. Trink diese Ginsengsuppe. Warum hast du die Schüler die ganze Nacht hierbehalten?«
Er nahm die Schale, blies hinein und schlürfte. »Sie haben in der Nähe ein Licht gesehen.«
»Wenn du mich gefragt hättest«, bemerkte sie ein wenig spitz, »so hätte ich dir gesagt, daß dein jüngerer Sohn hier ist. Er ist durch die Hintertür gekommen, und er trug eine Laterne.«
»Yul-han? Warum hast du ihn nicht zu mir hereingeschickt?«
»Er hat es mir verboten«, entgegnete sie.
Sie räumte das Zimmer auf, während sie sprach, glättete die Sitzkissen, staubte den Tisch ab.
»Verboten?«
»Du nimmst die Gewohnheit an, zu wiederholen, was ich sage. Ja, er hat es verboten!«
Voll nachsichtiger Güte blickte er sie an. Die Belastungen dieser Zeiten, die ständige Angst vor dem Pochen an der Tür, die Heimlichkeit, die Armut, dies alles hatte aus Sunia eine müde, reizbare Frau gemacht. Er fühlte eine neue, zärtliche, mitleidige Liebe für sie. Sie verfügte nicht über seine Möglichkeiten, sie konnte nicht ihre Zuflucht im Frieden von Poesie und

Musik suchen. Er streckte die Hand aus, als sie an ihm vorbeikam, und faßte sie am Rock.
»Meine getreue Frau«, murmelte er.
Tränen stiegen ihr in die Augen, aber sie hielt sie zurück.
»Du hast noch nichts gegessen!« rief sie. »Ich vernachlässige meine Pflichten.« Sie eilte zur Tür und blieb noch einmal stehen. »Soll ich Yul-han nun hereinschicken?«
»Ja, tue das«, antwortete er.
Gleich darauf trat sein Sohn ein. Yul-han, Friede des Frühlings – der Name, den man ihm gegeben hatte, als er zur Schule kam, paßte zu ihm, sowohl im Klang als auch in der Bedeutung. Mit seinen neunundzwanzig Jahren war er weder groß noch klein, aber schlank und kräftig, und sein rundes Gesicht hatte angenehme, wenn auch nicht hübsche Züge. Er trug westliche Kleidung, wie es viele junge Leute zu der Zeit unter der japanischen Herrschaft taten, einen Anzug aus grauem Tuch, ein blaues Hemd mit offenem Kragen und Lederschuhe. Es war eine undefinierbare Tracht, die keinerlei Nationalität bezeichnete, und Il-han mißfiel es stets, seinen Sohn so gekleidet zu sehen. Hieß das, daß er es scheute, sich als Koreaner zu bekennen? War Yul-han einer jener vorsichtigen Burschen, die Streit und Ärger auf solche Weise aus dem Wege zu gehen suchten? Il-han ließ derlei geheime Zweifel unausgesprochen.
»Vater«, sagte Yul-han und verneigte sich.
»Setze dich, Sohn.« Il-han nickte ihm zu. »Hast du schon gegessen?«
»Noch nicht. Ich komme so früh, weil ich wieder in meine Schule zurück muß.«
Il-han antwortete nichts. Sein Sohn war Lehrer an einer Schule, an der, wie überall jetzt, in japanischer Sprache unterrichtet wurde, nach einem Lehrplan, den das japanische Erziehungsministerium vorschrieb. Als Yul-han ihm gesagt hatte, daß er diese Stellung annehmen wolle, war Il-han zorniger geworden als je zuvor in seinem Leben.
»Du!« hatte er ausgerufen. »Du verkaufst dich diesen Eindringlingen!«

Die ruhige Antwort seines Sohnes blieb ihm unvergeßlich.
»Vater, ich bitte dich, einmal zu überlegen, was mein Erbe ist – das Erbe meiner ganzen Generation. Was habt ihr uns hinterlassen? Eine korrupte Regierung, ein von den Yangbans unterdrücktes Volk, Steuern auf allem, die aber nie für das Volk verwendet wurden! Ist es ein Wunder, daß es immer Aufruhr gibt? Ist es merkwürdig, daß wir seit Generationen in viele Parteien zersplittert sind? Ja, ich habe mich so entschieden, weil ich unter unseren Feinden die Japaner bevorzuge! Zumindest versuchen sie, aus dem alten Chaos eine Ordnung zu schaffen. Und das schlimmste Chaos bietet unser Finanzwesen, wie du sehr gut weißt. Zweihundert Japaner sind über das Land verstreut, um Zahlenmaterial zu sammeln. Bisher gab es keine Zahlen. Niemand wußte, wieviel Geld aus den Steuern zusammenkam und wie es ausgegeben wurde. Und was den Grundbesitz angeht – ich weiß nicht, wie es um den Erwerb und den Unterhalt unserer Ländereien bestellt ist; das einzige, was ich weiß, ist, daß auch wir zu den Yangbans gehören und du besonderen Einfluß am Hofe hattest.«
Hier hatte ihn Il-han unterbrochen. »Wenn du etwa damit andeuten willst, daß ich, dein Vater, korrupt sei –«
»Die Korruption begann lange vor deiner Generation«, hatte Yul-han gesagt. »Schon bevor mein Großvater geboren war, wurde fast kein Unterschied mehr gemacht zwischen dem, was dem einzelnen gehörte, und dem, was dem Staat oder der königlichen Familie gehörte. Du weißt, daß die Beamten Steuern einzogen, wie es ihnen beliebte, und sie verwendeten, wie es ihnen beliebte. Aber haben wir selbst je Steuern bezahlt, Vater?«
Il-han hatte darauf nichts weiter erwidert als: »Du machst dich zum Echo deines älteren Bruders.« Und damit war ihr Gespräch beendet gewesen.
Es war der Kummer der Familie, daß niemand wußte, wo der ältere Sohn sich aufhielt, falls er nicht sogar, als die Japaner kamen, wie so viele junge Leute hingerichtet worden war. Wenn er diesem Ende hatte entrinnen können, so durfte er

doch zeit seines Lebens aus dem Exil nicht heimkehren, denn die Japaner kannten die Namen aller ihrer Gegner. Da das Land von ihnen während des Krieges mit China besetzt und als Durchmarschgebiet benutzt worden war, hatte Rußland nach ihrem Sieg befürchtet, sie könnten sich Korea einverleiben, und seinerseits Truppen hereingeschickt. Japan hatte daraufhin alle seine Reserven aufgeboten, Rußland den Krieg erklärt und auch diesen Krieg gewonnen, bewundert von der ganzen westlichen Welt, vor allem von den Vereinigten Staaten, deren Bevölkerung der tapferen kleinen Nation, die es gewagt hatte, sich dem russischen Giganten entgegenzustellen, nicht genug Anerkennung zollen konnte. Darüber vergaßen die Amerikaner ihr Schutzbündnis, womit sie sich verpflichtet hatten, den Koreanern zur Freiheit zu verhelfen. In jenem Vertrag hatte es geheißen, falls irgendein Land Korea Unrecht zufügte oder es zu unterdrücken versuchte, würde die amerikanische Regierung »ein friedliches Arrangement zustande zu bringen versuchen«.
Solch vage Worte waren bedeutungslos; Il-han hatte das bereits damals dem König gegenüber ausgesprochen und recht behalten. Als der König in seiner Verzweiflung beim Einmarsch der Invasoren an die Vereinigten Staaten appellierte und ein wohlmeinender Amerikaner, Homer Hulbert, der Leiter der Regierungsschule in Seoul, sogar selbst nach Washington fuhr, um für die Koreaner einzutreten, hatte ihn der Präsident, Theodore Roosevelt, gar nicht empfangen, und es war ihm lediglich eine Botschaft des Außenministers übermittelt worden, daß die Vereinigten Staaten in Korea nicht zu intervenieren gedächten. Später hatte derselbe Präsident dann ganz offen verkündet:
»Korea ist eine rein japanische Angelegenheit.«
Dabei war in dem Vertrag feierlich versichert worden, Korea solle unabhängig bleiben. Nun aber war es den Japanern schutzlos preisgegeben, seine Annexion wurde endgültig Tatsache, und der erste japanische Generalgouverneur zerriß den Vertrag.
»Aber wir sind ein zivilisiertes Volk«, erklärte er, und zum

Beweis dafür ließ er weder den König noch dessen schwachsinnigen Sohn hinrichten. Vielmehr setzte er ihnen eine Rente aus und beließ ihnen den Palast als Wohnsitz.
Il-han streifte seinen Sohn mit einem etwas spöttischen Blick, als ihm jetzt ihre Diskussion über das Steuerproblem wieder in den Sinn kam. »Es wird dich vielleicht freuen zu hören«, sagte er, »daß gestern die japanischen Steuereinnehmer Geld von mir kassiert haben.«
Ein besorgter Ausdruck erschien auf dem Gesicht des jungen Mannes. »Hattest du das Geld, Vater?«
»Nein, mein Sohn«, entgegnete Il-han ruhig. »Ich habe kein Geld mehr.«
»Und was hast du getan?«
»Ich habe ihnen eine Übertragungsurkunde über das große Feld im Norden des Dorfes gegeben.«
»Du mußt damit rechnen, daß man dir regelmäßig Steuern abverlangt, Vater«, bemerkte Yul-han ernst. »Das Geld findet eine gute Verwendung, das muß man zugeben. Die Straßen zum Beispiel sind viel besser geworden – du würdest die Stadt nicht wiedererkennen. Wir versinken jetzt nicht mehr im Schlamm, sobald es regnet, die Gassen sind keine Abflußrinnen und Schuttabladeplätze mehr, und auch auf dem Land werden überall Straßen gebaut. Sogar um die Nebenwege kümmert man sich, und Bäume werden gepflanzt.«
»Ich habe nicht die Absicht zu reisen«, erwiderte Il-han, »weshalb sollte ich dann für Straßen bezahlen? Ich sage noch einmal, ich habe kein Geld.«
»Aber jedenfalls weißt du, daß dein Geld nun mehr wert ist, wenn du wieder einmal welches besitzt«, fuhr Yul-han beharrlich fort. »Die Währungsreform –«
»Ich möchte dich doch sehr ersuchen, nicht von solchen Reformen mit mir zu sprechen«, entgegnete Il-han kalt. »Ich würde lieber schmutzige Straßen, falsch verwendete Steuergelder und all die anderen Übel weiterbestehen sehen, als so zu leben wie jetzt, unter der Unterdrückung dieser Eindringlinge, die unserem Volk mit ihren Steuerforderungen die Erde unter den Füßen wegstehlen –«

»Du kannst es nicht Diebstahl nennen«, sagte Yul-han.
»Ich nenne es Diebstahl, wenn ich mein Eigentum unter Zwang aufgeben muß.«
»Konntest du nicht Geld leihen?«
»Nein«, erwiderte Il-han fest. »Ich habe keine Lust, in diese Fallgrube zu geraten. Du weißt, wie die Leute bei uns sind. Sie sind immer bereit, Geld zu borgen, ohne einen Gedanken an die Rückzahlung zu verschwenden. Muß dann bezahlt werden, so büßen sie unweigerlich Land ein.«
»Das ist die alte Methode der Yangbans«, versetzte Yul-han. »Oder kannst du leugnen, daß unsere Vorfahren auf diese Weise ihren Besitz zusammengebracht haben? Wie sonst könnte unser Erbe so groß sein?«
Da er es nicht abstreiten konnte, geriet Il-han in Zorn. »Wenigstens handelte es sich bei unseren Vorfahren um koreanischen Yangban-Adel und nicht um Zwerge von fremden Inseln!«
Yul-han beugte sich vor. »Vater, du hältst mich für einen Verräter. Ich bin kein Verräter. Ich – wir – meine Freunde und ich – wir wollen eines Tages, wenn die augenblicklichen Machthaber die notwendigen Reformen durchgeführt haben, unser Land wieder befreien. Wir müssen uns jetzt ihrer bedienen, von ihnen lernen, wie eine moderne Nation regiert wird – und dann...«
Vater und Sohn blickten sich an, aber bevor sie weitersprechen konnten, trat Sunia ein, ein Tablett mit zwei Schalen dampfendem Reisschleim in den Händen. Sie stellte es auf den Tisch zwischen ihnen.
»Hast du es deinem Vater gesagt?« fragte sie Yul-han.
»Nein, wir haben bisher von anderen Dingen geredet«, antwortete er.
»Was gibt es denn noch Wichtigeres?« Sie wischte sich die Hände an der Schürze ab. »Il-han, er ist jetzt bereit zu heiraten, dein Sohn. Endlich ist er bereit.«
Seit langem war dieses Thema für Sunia ein Grund zur Klage gewesen. Der japanische Generalgouverneur hatte sich gegen die in Korea üblichen frühen Eheschließungen gewandt. Aus

solchen Ehen gingen schwächliche Kinder hervor, erklärte er. Und darauf hatte sich Yul-han bei jeder Gelegenheit berufen und sich einer Heirat immer standhaft widersetzt.
»Wie«, hatte Sunia heftig protestiert, als er sich zum erstenmal geweigert hatte, »sollen wir keine Enkel haben? Wird mir keine Schwiegertochter im Haushalt zur Hand gehen? Und wer sorgt für dich selbst, wenn du alt bist?«
»Endlich ist er also bereit«, wiederholte sie jetzt. »Aber wer wird ihn in seinem Alter noch haben wollen? Neunundzwanzig Jahre ist er! Wir könnten schon zehnjährige Enkel haben und fast an Urenkel denken.«
Keiner der beiden Männer sagte etwas. Sie tauschten nur einen langen Blick des Einverständnisses. Warum konnten Frauen an nichts anderes als an Kinder und nochmals Kinder denken?
Sunia zog sich ein Sitzkissen heran.
»Eßt, ihr zwei! Unterdessen will ich sprechen. Wer also käme für diesen Sohn in Frage? Ich denke da an –«
Yul-han legte die Eßstäbchen nieder.
»Mutter, du brauchst dich darum nicht zu sorgen. Ich habe die Frau, die ich möchte, schon selbst gefunden.«
Sunia blieb der Mund offenstehen. »Du!« rief sie aus. »Wie kannst du –«
»Ich kann, Mutter«, sagte Yul-han freundlich. »Und sie wird dir gefallen. Sie ist Lehrerin – in der Mädchenschule.«
»Eine Lehrerin! Was ich will, ist eine gute Schwiegertochter hier im Haus. Wie kann ich deine Kinder betreuen, wenn du in der Stadt wohnst?«
Yul-han lachte. »Vorerst bin ich noch nicht einmal verheiratet. Und vielleicht will sie mich gar nicht haben. Ich habe noch nicht mit ihr gesprochen.«
Das allerdings schürte Sunias Entrüstung nur. »Sie soll sich unterstehen, meinen Sohn nicht zu wollen! Wo wohnt sie? Wie heißt sie? Ich nehme das schon in die Hand.«
»Sie wohnt in der Stadt«, sagte Yul-han. »Ihr Familienname ist Choi. Und sie heißt –«
»Sprich ihren Vornamen nicht aus – noch nicht«, unterbrach

ihn Sunia. »Dazu ist Zeit genug, wenn sie meine Schwiegertochter ist.«
Yul-han fügte sich lächelnd und nahm seine Eßstäbchen wieder auf.
»Ich werde zu spät kommen«, meinte er, und er aß rasch seinen Reis mit Kimchee und verabschiedete sich.
Auf dem Weg zur Stadt empfand er erst richtig, wie froh und erleichtert er war. Es war gesagt. Seine Eltern wußten, daß er sich seine Frau ausgesucht hatte. Vorher hatte er sich nicht frei gefühlt, mit der Tradition zu brechen und Induk die entscheidende Frage zu stellen. Sie waren sich zuerst auf verschiedenen Lehrerversammlungen begegnet, und als er herausfand, daß ihre Familie den christlichen Glauben angenommen hatte, war er an einigen Sonntagen in ihre Kirche gegangen. Männer und Frauen saßen dort getrennt, aber er war zufrieden, wenn er ab und zu Induks wohlgeformten Nacken, den dunklen Haarknoten oder ihr Profil, ihre zierliche, gerade Nase und das sanft gerundete, zartweiße Kinn zu sehen bekam. Sie war groß für eine Frau, und sie trug stets koreanische Tracht. Am vergangenen Sonntag hatte er vor der Kirchentür auf sie gewartet und war dabei von dem amerikanischen Missionar angesprochen worden, einem robusten Mann mit rostfarbenem Haar und ebensolchem Bart.
»Freund«, so hatte er mit dröhnender Stimme begonnen. »Du bist verschiedentlich hiergewesen. Du bist willkommen. Willst du etwas über Jesus hören?«
Die Frage hatte Yul-han überrascht, und er brachte daraufhin nur ein verlegenes Lächeln zustande. In diesem Augenblick trat Induk selbst aus der Tür, erfaßte sofort die Situation, trat heran und stellte ihn vor.
»Dr. Maclane, dies ist Kim Yul-han. Er ist Lehrer.«
»Will er Christ werden?«
Induk lachte. »Ich werde es zu erfahren versuchen«, sagte sie, und ihre lebhaften dunklen Augen wanderten zu Yul-han.
Kurz darauf hatte Yul-han sie plötzlich im Korridor der Schule gesehen. Als er sie anrief, drehte sie sich um und wartete auf ihn.

»Sollten wir nicht endlich damit beginnen, einen Christen aus mir zu machen?« erkundigte er sich scheinheilig.
Ihr frisches Lachen entzückte ihn.
»Möchtest du denn Christ werden?« fragte sie.
»Meinst du, es würde mich bessern?«
»Ich weiß nicht, wie gut oder schlecht du bisher warst.«
Ihre offene, humorvolle Art gefiel ihm; er ging neben ihr her, genau wie sie noch ein wenig befangen in dem einmal gefaßten Entschluß, modern zu sein. Es war nicht leicht, die Mauer der Tradition zwischen den Geschlechtern niederzureißen. Vorerst überwältigte ihn noch ganz der Eindruck, den sie als Frau auf ihn machte. Alles verwirrte ihn – das Weiß ihrer Haut, der Schimmer ihres dunklen Haares, die kleinen, zarten Ohren, die sich dem hübschen Kopf eng anschmiegten, ihre Gestalt, die sich so geschmeidig bewegte, als sie nun Schritt mit ihm hielt, der Duft, der ihr anhaftete. Alles an ihr war feminin und voller Leben.
Unwillkürlich blieben sie vor der offenen Tür eines leeren Klassenzimmers stehen, und dieselbe Eingebung ließ sie eintreten. Sie setzten sich so, daß niemand im Vorbeigehen sie sehen konnte; eine bedenkliche Situation war es allerdings noch immer, aber sie hätten sich im Zauber des ersten Alleinseins nicht zu trennen vermocht. Was sie in diesen wenigen Minuten miteinander gesprochen hatten, war weder von besonderer Bedeutung, noch ergab es im ganzen einen großen Sinn, doch Yul-han erinnerte sich an jedes Wort.
»Macht es dir Spaß, Mädchen zu unterrichten?« Eine törichte Frage, wie ihm sofort bewußt wurde.
»Ich unterrichte gern«, sagte sie.
»Ich auch.«
Nach einer Pause hatte sie das Gespräch wiederaufgenommen.
»Niemand sollte sich für das Christentum entscheiden, wenn er es nicht wirklich will. Man muß seinem eigenen Herzen folgen.«
»Was für einen Vorteil bietet es, dem Christentum anzuhängen?« fragte er.
Sie zögerte. »Das ist schwer zu sagen. Meine Familie ist christ-

lich, und ich bin so erzogen worden. Wir glauben an Gott, und wir finden Trost darin.«
»Welches sind eure Lehren?«
»Ich kann sie nicht in ein paar Minuten erklären. Morgen bringe ich ein Buch mit in die Schule, Neues Testament nennen wir es. Dann wollen wir weitersprechen. Jetzt müssen wir gehen.«
Sie stand auf, und ihm blieb nichts anderes übrig, als ihr zu folgen. Auf dem Heimweg war er ganz benommen und träumte bereits vom nächsten Morgen. Doch anderntags bekam er sie nicht zu sehen. Auf seinem Pult lag nur ein kleines Päckchen für ihn. Er machte es auf und fand das Buch. Ein Brief lag nicht dabei.
Am selben Abend begann er mit der Lektüre, und inzwischen war er fast am Ende angelangt. Morgen, so nahm er sich vor, während er sich dem Stadttor näherte, würde er Induk suchen und mit ihr sprechen.

Nachdem ihr Sohn gegangen war, wandte sich Sunia an Il-han. »Du mußt es einrichten, daß du selbst in die Stadt kannst und etwas über diese Familie Choi erfährst; wo sie wohnen, was für einen Eindruck das Haus macht, was die Nachbarn über sie sagen – vor allem, um welche Chois es sich überhaupt handelt. Es ist ein Name aus dem Norden. Sollen wir eine Schwiegertochter aus dem Norden annehmen?«
Die Ansichten, die Yul-han seit einiger Zeit seinem Vater gegenüber vertreten hatte, die Anklagen, die dieser sonst so gutmütige Sohn – erst heute wieder – gegen Il-hans Generation erhoben hatte, waren nicht ohne Wirkung auf ihn geblieben, und es verlangte ihn danach, wenigstens kleine Zugeständnisse zu machen.
»Sunia«, sagte er, »ich werde gehen, ich werde das Haus betrachten und die Nachbarn befragen. Aber wir sollten vergessen, wer aus dem Norden stammt und wer aus dem Süden. Wir wollen nur noch daran denken, daß wir alle Koreaner sind.«
Da ihm Sunia keine Ruhe ließ, wenn sie sich einmal etwas in

den Kopf gesetzt hatte, begab er sich drei Tage später nach langem zum erstenmal wieder in die Stadt. Es war, wie Yulhan ihm gesagt hatte. Vieles hatte sich geändert – nicht nur die Straßen. Überall sah er zum Beispiel die neuen japanischen Läden, von denen er bereits gehört hatte, daß es sie im ganzen Land gebe, und vor allem fiel ihm auf, daß das Viertel, in dem die Japaner lebten, alle anderen an Modernität und Wohlhabenheit übertraf und sich aus einer bescheidenen Häusergruppe zu einer eigenen Stadt innerhalb Seouls entwickelt hatte. Und als er sich vor der früheren japanischen Gesandtschaft nach dem Verwendungszweck des offenbar mit viel Aufwand renovierten und jetzt von ausgedehnten, gepflegten Gartenanlagen umgebenen Gebäudes erkundigte, erfuhr er, daß es dem Generalgouverneur als Wohnsitz diene. Diesem prunkvollen Palast gegenüber befand sich überdies eine ganze Reihe neuer Baulichkeiten, und er wandte sich fragend an den japanischen Wachtposten, der davorstand.
»Hier sind die Ämter und das Hauptquartier des Generalgouverneurs, unseres hochgeborenen Grafen Terauchi«, lautete die Auskunft. »Weißt du das nicht? Du kommst sicher aus einem Dorf.«
Il-han erwiderte nichts. Was der einfältige Soldat bestimmt nicht ahnte, war, daß an dieser Stelle früher einmal ein Schloß gestanden hatte, das denselben Invasoren gehörte. Zu Zeiten Hideyoshis hatte ein Leutnant, der sich bei den Kämpfen ausgezeichnet hatte, es sich erbauen lassen. Nachdem die Eindringlinge vertrieben worden waren, war es zerstört worden. Nun waren sie wiedergekehrt und hatten ihren Regierungssitz hier errichtet.
Zufall – oder Schicksal?
»Wie ist es nur möglich, daß du so wenig gesehen hast?« fragte ihn Sunia, als er nach Hause kam. Ihre Augen funkelten vor Entrüstung. »Du gehst in die Stadt, bleibst Stunden fort und kommst zurück, nur um zu berichten, daß es ein Haus wie alle anderen ist und die Choi-Familie einen guten Ruf bei den Nachbarn genießt, aber du fragst nicht einmal, woher sie stammen.«

»Ich habe dir gesagt, daß die Familie seit sechs Generationen in diesem Hause lebt«, erwiderte Il-han.
Er war sehr müde, doch er wußte, daß er keine Ruhe haben würde, bevor Sunias Wissensdurst gestillt war.
»Hast du keinen von ihnen zu Gesicht bekommen?« fragte sie nun.
»Du wolltest doch nicht, daß ich hineingehe.«
»Du hättest durch das Tor schauen können.«
»Das habe ich getan. Ich sah zwei Dienerinnen und eine junge Frau, die gerade Blumen schnitt.«
»Vielleicht war sie es?« rief Sunia aus.
»Es wäre möglich«, stimmte er zu.
»War sie hübsch?«
»Bitte, Sunia«, protestierte er. »Was soll ich darauf antworten? Bejahe ich, so wirst du an meinen guten Augen etwas auszusetzen haben. Verneine ich, so wirst du mich tadeln, weil ich nichts gesehen habe. Ich weiß nicht mehr, als daß sie einen fröhlichen, gesunden Eindruck machte.«
»Hat sie ein rundes oder ein langes Gesicht?«
»Das kann ich dir nicht sagen. Es war ein Gesicht, an dem mir nichts auffiel.«
»O ich Ärmste«, seufzte Sunia, »wenn ich nicht mehr bekomme als eine Schwiegertochter, an deren Gesicht nichts Auffallendes ist.«
Er lachte und befreite sich für einen Augenblick von allem, was ihn bedrückte und was er ihr nicht erklären konnte.

Der Frühling hielt seinen Einzug. Die Pflaumenbäume blühten, Kirsche und Pfirsich, Apfel und Granatapfel folgten, die Blüten setzten Frucht an, und die ganze Zeit über ging Yulhan in Träumen dahin. Er schützte längst nicht mehr den Zufall vor, wenn er Induk traf, und auch sie tat es nicht. Worte der Liebe wurden zwischen ihnen nicht gewechselt, aber sie wußten sich einig in ihren Gedanken und Wünschen. Es fehlte nur der letzte, entscheidende Schritt. Yul-han kannte den westlichen Brauch, wonach der Mann sich der Frau als Gefährte anbot, doch dieser Weg war ihm zu fremd und ihr

wohl ebenfalls. Vielleicht würde sie sich sogar von einer solch unverhüllten Annäherung aus Bescheidenheit abgestoßen fühlen. Tag und Nacht dachte er darüber nach, was er sagen oder tun könnte, um seiner Liebe den rechten Ausdruck zu geben. Die neuen Sitten fand er zu ungewohnt und die alten zuwenig persönlich. Bei den berufsmäßigen Ehevermittlern handelte es sich meist um grobe alte Weiber, und daß sich seine Eltern mit Induks Familie in Verbindung setzten, wollte er auch nicht, denn er war der Ansicht, das geschäftige Getue der Mütter und die steife Förmlichkeit der Väter gehörten unwiderruflich der Vergangenheit an. Zudem war Induk Christin und würde eine christliche Zeremonie wünschen. Es bedeutete eine ernste Gefahr, eine Christin zu heiraten. Die japanischen Machthaber schätzten die Missionare nicht; sie seien mit den Koreanern verbündet, sagten sie, und ihre Religion sei ihrem ganzen Gehalt nach revolutionär.
Eines Tages kam ihm plötzlich eine Idee, wie er seine Frage an Induk schicklich verhüllen könnte. Es war am ersten Sonntag des sechsten Sonnenmonats. Sie hatten sich nachmittags in einem der neuen Stadtparks getroffen und waren zu einem stillen, von Trauerweiden überhangenen Teich spaziert. Er breitete seinen Mantel auf einer Bank aus, und sie setzten sich und beobachteten die zwischen den Seerosen umherflitzenden Goldfische. Jetzt – jetzt war der richtige Augenblick.
»Induk, ich habe dich etwas zu fragen«, begann er schüchtern und überlegte, ob er es wagen dürfe, ihre Hand zu nehmen.
Sie blickte ihn nicht an. »Was ist es?«
Auf der anderen Seite des Teiches, im Weidenschatten, stand noch ein Quittenbaum in Blüte. Rote Blütenblätter fielen ins Wasser, und Yul-han sah zu, wie die Goldfische hinschwammen und sich wieder entfernten.
»Willst du mit mir zu einem Wahrsager gehen?« fuhr er mit brennenden Wangen fort.
Seine Stimme klang so leise, daß er befürchtete, das Plätschern des kleinen Wasserfalls am Ende des Teiches habe sie übertönt. Aber Induk hatte ihn gehört.
»Hältst du etwas von Wahrsagern?« fragte sie erstaunt.

»Ich möchte nur wissen, ob unsere Geburtsjahre zusammenpassen«, sagte er.
Sie verstand. Reglos und stumm saß sie neben ihm. Als er sie von der Seite mit einem Blick streifte, bemerkte er, wie ein zartes Erröten über ihren Hals hochstieg. Sie war scheu – sie, die immer so ruhig, so tüchtig, so selbstsicher gewirkt hatte! Seine eigene Schüchternheit schwand. Er sprang auf die Füße und streckte die Hand aus.
»Komm«, rief er. »Laß uns jetzt gleich gehen.«
Zögernd sah sie zu ihm auf. »Allein? Wird es dem Wahrsager nicht merkwürdig vorkommen?«
»Was interessiert uns das?« fragte er kühn.

Il-han nahm an der angekündigten Heirat kein weiteres Interesse; diese Dinge waren letzten Endes Frauensache. Er sah sich allerdings bald veranlaßt, ernste Befürchtungen zu hegen, daß diese Hochzeit nichts als Aufruhr in das Haus bringen würde, denn das Mädchen, das Yul-han zur Frau nehmen wollte, brach mit aller Überlieferung. Eines Tages erschien sie, um ihrer zukünftigen Schwiegermutter einen Besuch zu machen, und zu Il-hans Überraschung bat sie, nicht nur das Haus, sondern auch ihren zukünftigen Schwiegervater sehen zu dürfen. Atemlos kam Sunia in die Bibliothek, um ihm die verwirrende Neuigkeit mitzuteilen.
»Sie ist hier!« rief sie.
»Sie?« wiederholte Il-han verständnislos.
»Die Frau – das Mädchen – Yul-hans –« Unsicher stockte sie. Die beiden waren noch nicht verlobt. »Sie heißt Induk«, schloß sie dann einfach.
»Und?«
»Was sollen wir tun? Sie möchte dich kennenlernen!«
»Sage ihr, ich sei sehr beschäftigt«, erwiderte Il-han schnell.
Sunia zögerte. »Wird sie es nicht als Zurückweisung empfinden? Andererseits – was werden die Leute sagen, wenn du sie empfängst?«
In diesem Augenblick kam Yul-han herein und hörte gerade noch die letzten Worte. Er schloß die Tür hinter sich. »Vater –

Mutter – denkt daran, daß heute alles anders ist. Ich habe sie zum Beispiel selbst gefragt, ob sie mich heiraten will. Und sie möchte eine moderne Eheschließung.«
»Was ist modern?« verlangte Sunia gleich in etwas verachtungsvollem Ton zu wissen.
»Nun, sie will nicht die üblichen roten und grünen Kleidungsstücke von euch geschenkt haben. Sie sagt, ein Ring an ihrem Finger sei genug.«
»Wie meint sie das? Genug?« fragte Sunia. »Rot versinnbildlicht die Leidenschaft, die jede Ehe braucht, um glücklich zu sein, und Grün bedeutet, daß ihr zwei jungen Leute zusammenwachsen sollt. Wie kann man das anders sagen als durch Geschenke?«
Yul-han zuckte die Achseln. Er konnte seinen Eltern nicht erklären, wie man solche Dinge heutzutage zu sagen pflegte.
Sunias scharfe Augen hatten seine Bewegung bemerkt, und schnell fuhr sie fort: »Es ist offenbar kein richtig ernst zu nehmendes Mädchen. Jedenfalls wissen wir nicht, ob die Heirat günstig wäre. Man muß Wahrsager darüber befragen.«
Yul-han lächelte. Er trat zur Gartentür und blickte hinaus. Die Sommer-Päonien blühten, und ihr Rot und Weiß hob sich helleuchtend gegen das junge Grün ab. »Nur spaßeshalber«, sagte er, »haben wir bereits einen Wahrsager befragt. Wir sind beide im Jahr der Erde geboren, und sie ist zwar Tiger, aber ich bin Drache.«
Sunia sah sich wider Willen angenehm überrascht. »Wirklich? Erde? Das bedeutet viele Kinder, die wachsen und gedeihen werden.« Strahlend wandte sie sich Il-han zu. »Wir werden umsorgt sein, wenn unsere alten Tage kommen!«
»Sofern wir an solche Dinge glauben«, bemerkte Il-han trocken.
Sunia ließ sich nicht aus ihrer Hochstimmung bringen. »Es ist etwas Wahres an diesen alten Symbolen.«
Die beiden Männer schwiegen. Jeder hatte seine eigenen Gedanken – Yul-han, daß die Freude seiner Mutter ihm und Induk nur zugute kommen konnte, und Il-han, daß es herzlos wäre, Sunia in ihrem jetzigen Alter noch um ein bißchen

Glauben und Hoffnung berauben zu wollen. Lebhaft plauderte sie weiter.

»Also«, erklärte sie glücklich, »jetzt heißt es an die Hochzeit denken – eine schöne Hochzeit. Wir müssen den Hochzeitshut und den Gürtel für dich vorbereiten, mein Sohn, und die alte Sänfte, um die Braut nach der dreitägigen Zeremonie in dieses Haus bringen zu können. Die Vorhänge sind schmutzig und zerschlissen.«

»Mutter«, sagte Yul-han, »vergiß nicht, daß sie aus der Stadt stammt. Und auch ich möchte keine altmodische Hochzeit. Soll ich denn diesen ganzen Unsinn mitmachen?«

Er sprach mit ungewöhnlicher Energie, und Il-han war überrascht, daß ihn sein ruhiger Sohn schon wieder, auch wenn es nur für einen Augenblick war, an den älteren Bruder erinnerte. Doch Sunia gab nicht nach.

»Sollen wir nicht einmal eine anständige Hochzeit haben?« rief sie. »Gewiß, wir sind jetzt arm wie alle anderen Leute auch, aber nicht so arm, daß wir nicht unsere Söhne auf schickliche Weise verheiraten könnten. Söhne, sage ich? Dein Bruder lehnte es ab, zu heiraten. Wie mag er nur all diese Jahre zugebracht haben, ohne Ehefrau, die ihn versorgt! Ach, wir wissen ja nicht einmal, wo er ist! Um so mehr Grund, daß deine Vermählung so vollzogen wird, wie es sich gehört.«

»Mutter«, drängte Yul-han, »ich bitte dich, es dabei zu lassen, wie ich es will.«

Il-han griff ein. »Sunia, wir müssen das überlegen. Es ist wahr, daß die Zeiten sich geändert haben, und ich bin nicht sicher, ob es unbedingt zum Schlechten ist. Ich erinnere mich nicht gerade mit besonderem Vergnügen an unsere eigene Hochzeit – dieser Unsinn, mich mit Asche zu überschütten, als ich mein Haus verließ, die ganze Verwandtschaft im Gefolge! Und du – in deiner gelb-blauen Jacke und dem roten Rock, das Gesicht starr von all dem weißen Puder – und die Verbeugungen deiner Familie bei meinem Eintritt! Und diese unaufhörlichen Neckereien das ganze Fest hindurch, bei denen ich ständig in Angst schwebte, du würdest zu weinen beginnen und dein bemaltes Gesicht mit Streifen verunzieren. Und

als sie mich dann mit zusammengebundenen Füßen am Dachbalken aufhängten und meine Fußsohlen mit Schlägen bedrohten, damit ich ihnen ein neues Fest verspräche! Die drei Nächte, die ich als Bräutigam im Haus deines Vaters zubringen mußte, waren keine Freude, das kann ich dir versichern, mit den Hänseleien der Freunde und den lauschenden Nachbarn vor der Tür.«
Sunias Augen waren immer größer geworden.
»Und all diese Jahre hast du nie darüber gesprochen!«
Il-han lachte. »Jetzt muß ich es tun, um meinen Sohn in Schutz zu nehmen!«
Unglücklich sah Sunia von einem zum anderen; sie fand sich überstimmt. Nun wollte sich Il-han auch nicht mehr weigern, seine zukünftige Schwiegertochter kennenzulernen, und Yulhan ging hinaus und kehrte gleich darauf mit Induk zurück, die sich vor Il-han verneigte und wartete, bis er das Wort an sie richtete.
Er setzte seine Schildpattbrille auf, betrachtete sie schweigend und nickte.
»Willkommen in meinem Haus«, sagte er. »Wir handeln nicht nach altem Brauch, aber die Zeiten haben sich geändert.« Damit nahm er die Brille ab. »Verzeih«, erklärte er. »Du darfst es nicht als Unhöflichkeit ansehen, daß ich eine Brille aufgesetzt habe. Meine Augen sind nicht mehr so gut, wie sie früher einmal waren.«
Er sprach die Wahrheit. Das mitternächtliche Unterrichten bei flackerndem Kerzenschein hatte seine Sehkraft empfindlich geschwächt.
»Etwas Notwendiges wird heute niemand als Unhöflichkeit auslegen«, erwiderte sie.
Es gab nichts mehr zu sagen, und eine Weile später zog sie sich mit dem gleichen feinen Anstand, den sie bei ihrem Eintritt gezeigt hatte, zurück. Sunia begleitete sie.
Allein mit seinem Vater, sah Yul-han den Zeitpunkt gekommen, da es zu bekennen galt, daß Induk Christin war. Er wußte nicht, ob sein Vater dann noch mit der Heirat einverstanden sein würde, und er hatte Induk, die ihrerseits inzwi-

schen mit seiner Mutter sprechen wollte, schon darauf vorbereitet.
»Vater«, begann er, »ich brauche deinen Rat.«
Il-han verzog das Gesicht zu einem etwas spöttischen Lächeln. »Ungewöhnlich, in diesen Tagen solche Worte zu hören. Nun, ich werde dennoch mein Bestes tun.«
Yul-han überhörte die Ironie. »Was ich dir zu sagen habe, wird dich nicht sehr erschüttern, denn du kennst die neuen Zeiten, aber ich fürchte für meine Mutter.«
Hier stockte er so lange, daß Il-han ungeduldig wurde.
»Nun, was ist es?« fragte er heftig.
»Ihre Familie –« Yul-han hielt sich an die Sitte und vermied es, Induks Namen auszusprechen, »hat den christlichen Glauben, Vater, und sie möchte nach ihrem Ritus heiraten.«
Es war gesagt. Er nahm allen Mut zusammen, hob den Kopf und blickte seinen Vater über den Tisch hinweg an. Was er sah, war nicht dazu angetan, seine Zuversicht zu stärken. Die Brauen seines Vaters hatten sich zusammengezogen, und seine Augen unter den gesenkten Lidern waren schmale Schlitze.
»Weshalb sagst du mir das jetzt erst?«
»Vater, welchen Unterschied hätte es gemacht, wenn ich es schon früher erwähnt hätte?«
»Willst du damit sagen, daß du sie so oder so heiraten wirst?«
»Ja, Vater.«
Ihre Blicke begegneten sich.
»Dein Bruder und du«, meinte Il-han schließlich, »ihr seid im Grunde gleich. Beide selbstherrlich und trotzig, nur daß es bei ihm Temperamentsausbrüche und heftige Worte gibt, während du, ganz konfuzianisch, immer beherrscht und freundlich sprichst. Scheinbar der Ausgeglichenere, bist du der Schlimmere. Immer wieder hast du mich hintergangen.«
»Es tut mir leid, Vater.«
»Es tut dir leid! Heißt das, daß du zur Umkehr bereit bist?«
»Nein, Vater.«
»Vermutlich wirst du nun auch Christ werden wollen?«
»Ich weiß es nicht, Vater.«
Il-han schloß die Augen und schwieg eine Weile. »Diese

Amerikaner«, meinte er schließlich, »weißt du nicht, daß sie uns verraten haben? Hast du ihren Vertragsbruch vergessen? Sie haben die Japaner begünstigt, als wir überfallen wurden. Und sprechen sie nun gegen unsere Unterdrücker? Nein. Sie predigen ihre Religion, sie erklären, daß wir uns unterwerfen müssen. Sie beschwören uns sogar, den Japanern Gerechtigkeit widerfahren zu lassen und nicht zu vergessen, daß Korea der exponierteste Teil des japanischen Reiches ist. Zum japanischen Reich gehören wir, verstehst du? Es gibt kein freies Korea mehr! Wladiwostok, die russische Operationsbasis, liegt sehr nahe, sagen sie uns; es grenzt an die Mandschurei, und mit dem Dampfschiff ist es nur ein paar Stunden vom chinesischen Hafen Chefoo entfernt. Man müsse deshalb den Japanern die Regierungsmacht über Korea einräumen!«
Yul-han unterbrach ihn. »Sie haben den Krieg mit Rußland gewonnen, und –«
Il-han ließ ihn nicht aussprechen. »Die Ursache für diesen Krieg existiert noch immer. Rußland besitzt keinen eisfreien Hafen zum Pazifik.«
»Vater«, bat Yul-han, »wir redeten von meiner Heirat. Weshalb streiten wir uns über Politik?«
»Heutzutage ist keine Sache nur deine eigene«, versetzte Il-han. »Wenn du in eine christliche Familie einheiratest, übernimmst du alles, was sie belastet, mit. Vergiß nicht, daß von den einundzwanzig Koreanern, die den japanischen Premierminister bei seinem Besuch zu ermorden versuchten, achtzehn Christen waren!« Er hielt inne, um seinen langen Zeigefinger mahnend auf seinen Sohn zu richten. »Was war das Ergebnis? Man schickte uns den Grafen Terauchi, der seine Macht mit aller Härte ausübt, und er glaubt, daß sich die Verzweifeltsten von uns unter den Christen verbergen.«
»Ich will nicht mit dir diskutieren, Vater«, sagte Yul-han. »Ich habe nur eine Frage an dich. Kommst du zu meiner Hochzeit?«
Il-hans Augenbrauen schossen in die Höhe. »Du beharrst auf dieser Heirat?«
»Ja, Vater«, erwiderte Yul-han fest.

»Ich komme nicht«, erklärte Il-han. »Und ich erlaube es auch deiner Mutter nicht.«
Vater und Sohn wechselten einen letzten, langen Blick.
»Es tut mir leid, Vater«, sagte Yul-han. Er verneigte sich tief und ging fort.
Er traf Induk am nächsten Tag, dem siebzehnten des vierten Mondmonats und sechsten des sechsten Sonnenmonats, dem Tag, an dem traditionsgemäß die Reissämlinge vom trockenen Boden in die bewässerten Felder verpflanzt wurden. Die Stadtbevölkerung beging ihn als Feiertag, denn Reis war die lebenswichtigste Nahrung.
Immer darauf bedacht, daß man sie nicht sah, hatten sie sich für diesmal eine Wanderung außerhalb der Stadt vorgenommen, wo niemand sie kannte. Beim Westtor kamen sie zusammen, Yul-han erstand noch zwei kleine Brotlaibe für ihre Mittagsmahlzeit, und dann schlugen sie die Richtung zu den Bergen ein.
Die Sonne brannte schon heiß, als sie die schattenlosen Hänge erreichten. Unter einem überhängenden Felsen hielten sie an. Hier waren sie vor der Sonne geschützt, und Yul-han entfernte das Geröll ein wenig und legte einen Platz mit Moos aus, das er in der Umgebung zusammensuchte. Sie setzten sich nebeneinander, nicht zu nahe jedoch, voller Scheu in dieser ungewohnten Einsamkeit.
Schweigend goß Induk aus der Flasche, die sie in ihrem Korb mitgebracht hatte, eine Schale Tee für Yul-han ein und eine zweite für sich selbst. Das kühle, erfrischende Getränk schlürfend, blickten sie auf Seoul hinunter. Es war ein prächtiges Landschaftsbild – die hohen Berge, Wächter der schönen Stadt, die in das grüne Tal eingebettet lag. Die Sonne ließ die Dächer erglänzen, unter denen sich die Armut der Hütten und das Menschengewimmel auf den Straßen verbarg.
»Ich habe Hunger«, sagte Yul-han.
Sie reichte ihm Brot, brach ein Stück für sich ab, und sie aßen. Er fühlte einen Frieden, wie er ihn nie zuvor gekannt hatte. Sie war so nahe, und er hätte seine Hand ausstrecken und die ihre fassen können, doch er bedurfte dieser Berührung nicht.

Ein langes gemeinsames Leben lag vor ihnen, sie brauchten nichts zu überhasten.
Es war Induk, die zuerst sprach. »Ich habe dir noch nicht erzählt, was deine Mutter sagte, als sie erfuhr, daß ich Christin bin.«
»Sag es mir jetzt«, bat er, die Augen in ihr ruhiges Gesicht versenkt.
»Zuerst«, berichtete Induk, »wollte sie es nicht glauben. Dann war sie verstört und fragte mich, was es bedeute, wenn ich Christin sei. Ob es heiße, daß ich sie die Kinder nicht sehen lassen würde. Ich versicherte ihr, daß zwischen unserer und anderen Familien kein Unterschied bestehe, außer daß unsere Kinder nicht die buddhistischen Tempel, sondern die christliche Kirche besuchen und in der Lehre Jesu unterwiesen würden. ›Wer ist Jesus?‹ fragte sie. Als ich es ihr erklärte, war sie unglücklich. ›Er ist ein Fremder‹, rief sie aus.«
Seine Kinder Christen? Der Gedanke war neu, und Yul-han war nicht sicher, ob er ihn angenehm fand.
»Ich hatte die Frage der Kinder noch gar nicht bedacht«, brachte er zögernd hervor. In der Ferne schwang sich ein Adler in den violettblauen Himmel.
»Möchtest du nicht, daß sie Christen werden?«
»Wie kann ich es sagen? Ich weiß zuwenig über diese Religion.«
»Aber sie ist meine!«
Nachdenklich blickte sie ihn an, ihre Antwort abwägend. »Hast du nicht das Buch gelesen, das ich dir gab?«
»Doch.«
»Und was hältst du davon?«
»Es ist ein seltsames Buch«, erwiderte er schleppend, fast als träumte er. »Es ist wie in dieser Geschichte, in der ein Mann erzählt, daß er ein kleines Buch gegessen habe. Eine Stimme aus dem Himmel – oder auch aus der Hölle, das fand ich aus der eigenartigen Poesie nicht heraus – hatte ihm die Weisung gegeben. Es schmeckte süß auf seiner Zunge, doch nachdem er es gegessen hatte, verschwand die Süße, und der Geschmack wurde bitter. Genauso erging es mir. Als ich dein Buch las,

fand ich Süße darin, aber wenn ich darüber nachdenke, empfinde ich Bitterkeit.«
»Oh, warum?« fragte sie sanft.
»Ich kann es nicht erklären«, entgegnete er. »Ich fühle es nur. Es ist gefährlich, eine neue Religion in ein altes Land zu verpflanzen. Sie kann wie ein Zündstoff wirken.«
Er wollte ihr nicht jetzt an diesem schönen Tag erzählen, was sein Vater gesagt hatte.
»Möchtest du lieber, daß ich keine Christin wäre?« fragte sie nach einer Weile.
»Ich möchte, daß du ganz du selbst bist«, antwortete er. »Was immer du bist, so will ich dich.«
»Wenn du kein Christ bist, möchte ich keine Christin sein. Ich will nicht, daß uns etwas trennt.«
Eine Welle von Zärtlichkeit durchflutete sein Herz. So viel würde sie für ihn aufgeben? Es rührte ihn. Doch er wußte auch, daß er es nie zulassen würde.
»Nichts kann uns trennen«, sagte er, »nichts – nichts! Und ich verspreche dir etwas. Ich werde mit dem Missionar reden. Ich will mehr über diesen Gott erfahren, zu dem du mit so viel Zuversicht aufblickst. Wenn ich zu demselben Glauben gelangen kann, so will ich mich nicht dagegen sträuben. Wir sind unserer alten Überzeugungen beraubt worden – vielleicht sind sie auch einfach an ihrem eigenen Alter und ihrer Nutzlosigkeit zugrunde gegangen – und wir haben keinen Ersatz dafür bekommen.«
Er wagte es jetzt, seine Hand auszustrecken und die ihre zu ergreifen, und so saßen sie Seite an Seite, scheu und doch nach mehr verlangend. Die Handfläche eines Mannes, hatte man sie gelehrt, dürfe die Handfläche einer Frau nicht berühren, denn hier schlügen die Herzen zu nahe beieinander. Es war deshalb ein neues beglückendes Erlebnis für sie, und sie genossen seinen Zauber, bis Yul-han eine beängstigende Leidenschaft in sich aufsteigen spürte.
»Komm«, sagte er resolut, »es wird Zeit für den Rückweg.«

Ihre Trauung wurde für den Tag der Sommersonnenwende angesetzt, und Yul-han benachrichtigte seine Eltern rechtzeitig davon. Ob sie allerdings kommen würden, wußte er nicht; er erhielt weder durch einen Diener noch durch die Post einen Brief. Dabei wartete er sehr auf ein solches Zeichen, ebenso wie Induk, auch wenn sie es sich beide nicht eingestanden. Einen neuerlichen Besuch im Hause seines Vaters hielt Yul-han indessen vor der Hochzeit nicht für klug, denn er befürchtete, seine Mutter würde darauf bestehen, daß er mit Induk dort wohnen müßte, und seine Weigerung konnte dann die Spannungen nur verstärken. Induk wünschte sich ein eigenes kleines Haus, und er hegte den Gedanken, ein Stück Land aus seinem späteren Erbe von seinem Vater zu erbitten. Er hatte genug Geld für ein Haus gespart, ein Grundstück aber konnte er nicht bezahlen, denn die Preise waren gestiegen, seit die Japaner überall Land aufkauften. Einem Koreaner, sofern er nicht über gute Verbindungen verfügte, war es fast unmöglich, Grundeigentum zu erwerben.
Dunstig dämmerte der Morgen des Hochzeitstages herauf. Die Jahreszeit, Kleine Hitze genannt, war heißer als gewöhnlich, und die Sonne stand wie eine Silberscheibe am Himmel.
»Soll ich koreanische Gewänder tragen?« hatte er Induk gefragt.
Sie hatte gezögert. »Ich habe dich nie anders als in dieser westlichen Kleidung gesehen, aber ich glaube, zu diesem Anlaß würde mir die koreanische Tracht gefallen.«
Und nun half ihm sein Freund Yi Sung-man, der an der Schule Mathematik lehrte – ein Revolutionär insgeheim, trotz seiner fröhlichen Natur – in die traditionellen Gewänder.
Als sie fertig waren, starrte der kleine, gedrungene Sung-man auf seinen hochgewachsenen Freund.
»Bist du das?« rief er.
»Ich komme mir selbst ganz fremd vor«, gestand Yul-han, »als ob ich mein eigener Großvater wäre.« Und dann war es Zeit, zur Kirche zu gehen.
Die fremdartige Trauungszeremonie war für Yul-han ein verwirrendes Erlebnis, von dem nur eine Szene klar in seinem

Gedächtnis haftenblieb – der Augenblick, in dem ihn der Missionar fragte, ob er Induk zur Frau nehmen wolle. Er antwortete nämlich daraufhin mit lauter Stimme, genau das sei sein Wunsch, und nur zu diesem Zweck sei er gekommen, und er fand es unbegreiflich, weshalb seine Worte ein unterdrücktes Gelächter in der vollbesetzten Kirche auslösten. Während er noch überlegte, ob er wohl etwas Unpassendes gesagt habe, fuhr der Missionar aber bereits fort, und ein paar Minuten später – Yul-han hatte sich noch immer nicht ganz gefaßt – hörte er ihn verkünden, daß sie nun Mann und Frau seien.
Er hatte seine Eltern über der ganzen Aufregung fast vergessen, doch als er an Induks Seite dem Ausgang zuschritt, sah er seinen Vater am Rand der letzten Bank stehen, so nahe, daß er im Vorbeigehen seine Schulter hätte streifen können. Vater und Sohn sahen einander an, voll Ernst der eine, der andere in tiefer Dankbarkeit.

»Wofür willst du ein Haus bauen?« fragte Sunia. »Dieses Haus deiner Vorfahren sollte sich wieder mit Kindern beleben. Und wenn wir tot sind, gehört es dir.«
Yul-han und Induk tauschten einen Blick. Wie konnten sie seiner Mutter erklären, daß die junge Generation sich von ihrer unterschied? Für Sunia als Neuvermählte war es selbstverständlich gewesen, wo sie wohnen würde.
»Denkst du vielleicht«, wandte sich Sunia nun an Induk, »ich wollte keine Christin in meinem Haus haben?«
»Bestimmt nicht, Mutter«, antwortete Yul-han sofort für sie.
Induk indessen überlegte einen Augenblick. »Mutter«, sagte sie dann, »du hast recht – und auch wieder nicht. Daß ich Christin bin, unterscheidet mich tatsächlich von anderen jungen Frauen. Du bist sehr gütig, aber du wirst mich auf die Dauer als störend empfinden.«
»Inwiefern bist du anders?« wollte Sunia wissen, ein wenig unsicher bereits, doch immer noch entschlossen, ihren Willen durchzusetzen.
Induk wandte sich an Yul-han. »Inwiefern bin ich anders?«

Er fuhr sich über die Stirn und dachte nach. »Ich habe es noch nicht herausgefunden. Anders bist du allerdings.«
So gab Sunia nach, obwohl sie sich später bei Il-han beklagte. »Sie will sich nur ihrem Gatten widmen. Verhält sich eine gute Schwiegertochter so? Wer hat denn ihren Gemahl, der ihr so teuer ist, zur Welt gebracht?«
»Beruhige dich«, sagte Il-han. »Erkläre mir, was du möchtest, und ich will sehen, ob es sich ermöglichen läßt, aber versuche mir nicht das Versprechen abzunehmen, daß sie mit uns unter einem Dach leben werden. Die Zeiten haben sich geändert. Und ich selbst weiß gar nicht, ob ich wirklich mit einer Christin im selben Haus wohnen möchte.«
Sie einigten sich später darauf, daß Yul-han ein Haus mit eigenem Eingang an das seines Vaters anbauen würde. Und noch während des Sommers, in den ersten Monaten seines jungen Eheglücks, holte er mit Hilfe des alten Dieners graue Steine von den Bergen, fällte Zedernbäume in den Wäldern für die Dachpfeiler und begann mit dem Hausbau. Zu seines Vaters Ärger beauftragte er allerdings eine japanische Firma, das Dach mit Ziegeln zu decken.
»Wie«, protestierte Il-han, »du kaufst Ziegel von unseren Feinden, statt das gute Stroh von unseren eigenen Feldern zu verwenden?«
»Vater«, entgegnete Yul-han, »Stroh muß alle drei oder vier Jahre erneuert werden, während diese roten Ziegel ein Jahrhundert halten.«
»Du machst dir zu große Hoffnungen«, sagte Il-han. »Es genügt, ein paar Jahre vorauszuplanen. Wer weiß denn, ob einer von uns überhaupt noch länger zu leben hat?«
»Du machst dir zuwenig Hoffnungen«, gab Yul-han gutgelaunt zurück.
Sie wohnten den Sommer über in einem Teil des elterlichen Hauses. In diese Zeit fiel ein Erlebnis, das ihnen wieder einmal das ganze Leid ihres Volkes vor Augen führte. Als Yulhan eines Abends noch spät bei der Arbeit war – er wollte den Hausbau bis zum Schulbeginn nach der Ernte möglichst weit vorantreiben –, hörte er plötzlich aus dem nahen Dorf laute

Jammerschreie und die Hilferufe einer Frau. Er legte die Maurerkelle nieder und hob den Kopf.
Jetzt vernahm er deutlich die schluchzend hervorgestoßenen Worte: »O-man-ee, O-man-ee, zu Hilfe!«
Ein Mädchen, das nach seiner Mutter rief, vermutlich. Er ging, um Induk zu suchen, und fand sie auf der kleinen Veranda vor der Küche damit beschäftigt, seine frisch gewaschene Wäsche glattzuklopfen. Neben ihr stand ein Gefäß mit glimmender Holzkohle, auf dem das kleine, langstielige, zugespitzte Eisen ruhte. Er blieb stehen, um das friedliche Bild ungestört in sich aufzunehmen, wie sie da im Licht einer Papierlaterne auf dem Fußboden kniete und der Wind in ihren Haaren spielte, während sie das gefaltete Wäschestück, eines seiner Hemden, mit den beiden Glätthölzern bearbeitete.
Sie hatte seine Anwesenheit noch immer nicht bemerkt und hob gerade das Eisen von seinem heißen Aschenlager, als er sie ansprach.
»Eine Frau schreit im Dorf um Hilfe. Es muß ihr etwas zugestoßen sein«, sagte er.
Induk erschrak, legte die Glätthölzer beiseite und stellte das Eisen wieder an seinen Platz. »Laß uns hingehen!« rief sie spontan.
Hier war der Unterschied. Während eine andere Frau es gescheut hätte, sich in anderer Leute Schwierigkeiten einzumischen, war ihr einziger Gedanke zu helfen, wo immer es not tat.
Eilig schritten sie die Straße entlang. Die Schreie waren mittlerweile zu stöhnenden Lauten abgeklungen, die aus einer der Schenken des Dorfes zu kommen schienen. Drei gab es in diesem kleinen Dorf – vor der japanischen Besetzung hatte es keine gegeben. In diese Weinhäuser gingen die Männer nicht nur, um zu trinken, sie fanden auch Frauen dort. Bei der bitteren Armut der Landbevölkerung war es leicht, Mädchen für solche Stätten zu kaufen, und nur ganz selten wagte es ein Mädchen, sich dagegen aufzulehnen, wenn eine solche Beschäftigung das einzige war, was ihre Familie vor dem Verhungern bewahrte.

Ein schlampiges altes Weib empfing Yul-han und Induk, als sie durch das Tor traten.
»Wir sind Nachbarn«, erklärte Induk, »und wir hörten Klagegeschrei und dachten, daß vielleicht Hilfe nötig sein könnte.«
Die Alte blinzelte aus ihren vom Rauch entzündeten Augen hervor und entgegnete kein Wort. In diesem Moment kam ein junges Mädchen aus dem Haus gelaufen, die Kleider halb vom Körper gerissen, das Haar in Unordnung und das Gesicht blutig zerkratzt. Ein Mann rannte hinter ihr her. Induk streckte die Arme aus und fing das Mädchen auf, und Yul-han stellte sich vor sie.
Der Mann, der ihn nicht erkannte, weil Yul-han so viele Jahre in der Stadt gelebt hatte, streifte die Ärmel zurück und machte Anstalten, über ihn herzufallen.
»Nimm dich in acht«, sagte Yul-han ruhig zu ihm.
Der andere zögerte. »Was wollt ihr hier?« fragte er wütend.
»Wir hörten Hilferufe«, antwortete Induk.
Der Mann betrachtete sie mit frechen Blicken. »Ihr müßt Christen sein.«
»Ich bin Christin«, erwiderte sie ruhig.
Höhnisch lachte der Mann auf. »Ihr Christen! Ihr seid überall, wo ihr nicht sein sollt. Eines Tages wird es euch allen schlecht gehen.«
»Bist du Koreaner?« fragte Yul-han. »Wie kommt es dann, daß du wie ein Japaner sprichst?«
Mürrisch blickte ihn der andere an. »Ich habe Geld für dieses Mädchen bezahlt. Sie gehört mir.«
Hier protestierte das Mädchen. »Ich gehöre niemand. Ich bin betrogen worden! Du hast mir gesagt, ich hätte nur Küchenarbeit zu verrichten – nicht das – ha, ich verachte dich!«
Damit spie sie den Mann an, der aufbrüllte und sie packen wollte, doch Yul-han stieß ihn zur Seite, und er fiel auf den Boden.
Nachdem er sich aus dem Staub aufgerafft hatte, trat er zurück. »Eines Tages«, murmelte er. »Eines Tages ... bald ...«
Er strich über seine Kleider, drehte sich um und verschwand, und Yul-han ging mit den Frauen schweigend nach Hause

zurück. Ein wenig besorgt fragte er sich im stillen, was sie mit dem Mädchen beginnen sollten. Vermutlich war sie die Tochter eines Bauern, möglicherweise sogar eines Mannes, der Kim-Besitz bewirtschaftete, und dieser Vorfall mochte für Yul-han unangenehme Folgen nach sich ziehen. Die Kim-Familie war zu bekannt, als daß eine ihrer Handlungen unbeachtet bleiben konnte, und Yul-hans Vorgehen und die Tatsache, daß er ein Kim war, mußten sich schnell herumsprechen. Sie waren bisher nur unbelästigt geblieben, weil sein Vater sich der Hauptstadt und dem König ferngehalten hatte. Nun war er, Yul-han, mit einer Christin verheiratet, und es war unvorstellbar, daß die Obrigkeit nichts davon wußte. Vielleicht stand sogar der Mann aus der Schenke in ihrem Sold; es gab viele Spitzel unter den Koreanern, minderwertige Gesellen, die für Geld alles taten.

Zu Hause hieß Induk das Mädchen sich waschen, ihr Haar ordnen und in der Küche warten.

In ihrem Schlafzimmer besprachen sie unterdessen die schwierige Angelegenheit.

»Der Zeitpunkt ist jetzt gekommen«, meinte Yul-han, »ich muß mich für eine Seite entscheiden. Entweder gehöre ich zu den Christen oder nicht. Wenn ich die Unannehmlichkeiten, in die dich deine Religion bringt, teilen soll, dann muß ich auch deine Religion teilen. Lädt man uns zu einer Vernehmung vor, wie es sicher einmal geschieht, so kann ich nicht sagen, daß du Christin bist und ich nicht, denn man würde mich fragen, weshalb ich dir erlaube, dich in anderer Leute Leben einzumischen – was du ja immer tun wirst.«

Tränen traten Induk in die Augen. »Aber – es ist ein Gebot von Christus, daß wir uns der Schwachen und Hilflosen annehmen müssen!«

»Dann sollst du es auch tun«, sagte Yul-han entschlossen. »Sonst würdest du mich früher oder später hassen – oder ich dich. Dies ist eine christliche Ehe. Du machst sie dazu.«

»Du mußt nicht Christ sein, weil ich es bin.«

»Ich werde Christ sein, weil ich es sein muß, wenn ich dein Mann sein will«, entgegnete er.

Sie konnte ihre Tränen nicht mehr zurückhalten. »Ich fühle mich so schuldig dir gegenüber«, schluchzte sie.
»Du sollst dich nicht schuldig fühlen«, sagte er tröstend und zog sie zu sich heran. »Ich werde deinen Glauben nicht blind annehmen, ich will studieren und verstehen. Ich muß überzeugt sein. Hör jetzt auf zu weinen. Du solltest dich freuen.«
»Ich möchte dir eine gute Frau sein«, flüsterte sie, das Gesicht an seine Brust gepreßt. »Ich möchte lieber sterben, als dich in Gefahr bringen.«
Schweigend strich er ihr über die Haare. Er wußte, woran sie dachte. In den letzten Tagen hatte man wieder von zunehmenden Härten gegen die Christen gehört. Wann immer Christen, getreu ihrer Lehre, etwas zum Schutz anderer zu unternehmen suchten, wurde ihr Vorgehen von den Behörden als Auflehnung gegen die Autoritäten bezeichnet, und jeder, dessen man dabei habhaft werden konnte, als Rebell festgenommen.
»Es ist besser, der Gefahr gemeinsam entgegenzutreten«, sagte Yul-han.
Später riefen sie das Mädchen und berieten über ihre Zukunft.
»Sollen wir dich nicht zu deinen Eltern zurückschicken?« fragte Induk.
»Wenn ihr mich heimschickt«, antwortete das Mädchen in ihrem ländlichen Dialekt, »wird mich der Besitzer der Schenke wiederbekommen, denn er hat für mich bezahlt. Er hat eine Genehmigung von der japanischen Polizei. Kann ich nicht bei euch bleiben? Ich will alle Arbeit tun, wenn ihr mich nur ernährt.«
Induk war verwirrt. Sie hatte das Mädchen beschützt, und jetzt mußte sie offenbar die Verantwortung für ihr Leben tragen!
»Wie heißt du?« fragte sie.
»Ippun nennen sie mich«, antwortete das Mädchen. Wartend stand sie da, und ihre kleinen Augen über den hohen Backenknochen hatten einen flehenden, hilflosen Ausdruck.
So blieb sie also; bei Nacht schlief sie in einer Ecke der Küche, und tagsüber arbeitete sie rastlos, von einer anhänglichen

Ergebenheit erfüllt, wie sie ein Hund seinem Herrn gegenüber empfinden mag, und Yul-han und Induk fanden sich damit ab, daß sie zu ihrem Haushalt gehörte.

»Wenn ihr es auch ein Evangelium der Liebe nennt, es ist eine harte Lehre«, sagte Yul-han an einem Spätsommermorgen.
Er saß vor dem hohen Tisch in der Sakristei der Kirche, dem Missionar mit aufgeschlagenem Buch gegenüber. Nie hatte er, so dachte Yul-han bei sich, ein Gesicht mit so schroffen, häßlichen Zügen gesehen, das dabei doch einen so noblen Geist ausstrahlte, trotz der tiefliegenden blauen Augen unter den buschigen roten Brauen, der blatternarbigen Haut, der großen Nase, an der das Nasenbein gebrochen schien, des breiten Mundes und der langen Zähne. Es wirkte beinahe furchterregend, besonders wenn man den starken Nacken und die riesigen behaarten Hände noch hinzunahm.
»Inwiefern hältst du es für eine harte Lehre?« fragte der Missionar.
»Gibt es«, erwiderte Yul-han, »etwas Grausameres als das Gebot, dem Feind die rechte Wange hinzuhalten, wenn er der linken einen Schlag versetzt hat?«
»Was ist daran grausam?«
Ost und West blickten sich über den Tisch hinweg an. »Denken Sie doch einmal«, meinte Yul-han mit ernstem Eifer, »jemand schlägt mich«, dabei berührte er mit der schmalen aristokratischen Hand seine Wange, »und ich wende ihm die andere Seite zu, was heißt das für ihn? Ich sage ihm ohne Worte, daß ich ihm überlegen bin, daß ich geistig weit über ihm stehe. Ich zwinge ihn, Betrachtungen über sich selbst anzustellen. Er hat sich zu etwas Bösem hinreißen lassen, und ich fordere ihn dazu heraus, es zu wiederholen und somit seine ganze Schlechtigkeit zu beweisen. Was kann er tun? Er wird sich schämen, davonschleichen, von seinem eigenen Gewissen verurteilt. Ist das nicht grausam? Ist das nicht hart? Ich finde es.«
Der Missionar schüttelte den Kopf. »Du entdeckst mir Dinge, die ich bisher noch gar nicht gesehen habe.«

Eine Weile schwieg er; dann nahm er das Buch wieder auf und las laut daraus vor. Yul-han hörte zu, um ihn nach einiger Zeit erneut zu unterbrechen. Er wiederholte die Paulusworte, die er gerade vernommen hatte.

»Und sehen Sie nicht«, sagte er, »daß sich Ihre unschuldigen koreanischen Christen in Lebensgefahr begeben, wenn sie sich daran halten, mit Klagen gegen ihre Nächsten zu Ihnen statt zur Obrigkeit zu gehen? Oder glauben Sie, die japanischen Machthaber würden nichts dagegen unternehmen?«

»Es gibt auch in Japan viele Christen«, antwortete der Missionar.

»Ja, aber dort sind es japanische Christen, die der Kirche vorstehen, einige davon sogar von hoher Abkunft. Hier hingegen setzt sich die Kirche nur aus Koreanern zusammen – wie viele, sagten Sie, sind es? Zweihundertfünfzigtausend – eine stattliche Zahl! Und die Japaner haben keinen Einfluß auf sie. Und wenn meine Landsleute einmal den christlichen Glauben annehmen, ergeben sie sich ihm ganz und gar – unser Leben bietet nicht viel an Werten. Ich selbst fühle ein tiefes Bedürfnis nach Glauben und irgendeiner Erleuchtung. Die Zukunft sieht so hoffnungslos aus. Für einige von uns, wie meinen Vater zum Beispiel, ist die Poesie und das Studium der alten Literatur die Zuflucht. Doch die anderen, die eine solche Bildung und Begabung nicht haben? Sie suchen ihren Halt bei der christlichen Kirche und bei starken Persönlichkeiten, wie Sie es sind, von denen sie sich eine Verbindung mit der Außenwelt und die Teilnahme an den kulturellen Errungenschaften unserer Zeit erhoffen.«

Still hörte der Missionar zu, die blauen Augen mit einem mitfühlenden, verstehenden Blick auf Yul-han gerichtet.

»Aber«, fuhr Yul-han fort, »was denken die Japaner, wenn sie Tausende von Leuten in die Kirche und zu anderen Zusammenkünften strömen sehen? Sie wittern Aufruhr, Revolution und entsenden ihre Späher, um Berichte zu erhalten. Und diese Spitzel hören nun Ihre Christen Lieder singen wie ›Vorwärts, ihr Streiter Christi‹, oder die Geschichte, die Sie uns unlängst erzählt haben, die Geschichte von David, der

mit Gottes Hilfe siegen konnte, weil er ein reines Herz hatte und eine gerechte Sache vertrat. Was werden die Japaner davon halten? Und dabei«, schloß er leise, »können wir mit unserer toten Vergangenheit und der hoffnungslosen Zukunft doch gar nicht anders, als uns an Ihre Worte klammern. Wir haben nichts sonst, woran wir glauben könnten!«
Er hatte den Kopf gesenkt. Als er sich wieder gefaßt hatte und die Augen hob, begegnete er dem brennenden Blick des Missionars.
»Willst du zu uns gehören?«
»Ja«, sagte Yul-han. »Ich will Christ sein.«

In der Nacht schrak Sunia plötzlich auf. Jemand tastete sich die schmale Veranda entlang und befühlte die reispapierbespannten Türen. Angestrengt lauschte sie. Ja, es war keine Täuschung. Sie mußte Il-han wecken. Dann zögerte sie. Er brauchte Schlaf, denn er hatte eine ganze Anzahl Nächte wachend zugebracht, immer voller Angst, japanische Gendarmen könnten am Tor erscheinen und Auskunft darüber verlangen, weshalb er zu mitternächtlicher Stunde Schulkinder in seinem Hause versammle. Er hatte durch Ippun erfahren, daß im Dorf derartiges Gerede aufgekommen war.
»Es ist der Schenkenbesitzer«, hatte sie gewispert. »Er ist wütend, weil dein Sohn mir Obdach gegeben hat. Als ich neulich einmal zum Markt ging, schrie er mir nach, ich würde bald wieder in der Schenke sein und die Kims im Gefängnis.«
Il-han hatte keine Furcht zeigen wollen und seinen Unterricht fortgesetzt. Als jedoch vor zwei Tagen japanische Gendarmen im Dorf auftauchten, hatte er den Eltern seiner Schüler heimlich sagen lassen, ihre Söhne erst dann wieder zu ihm zu schicken, wenn er ihnen neue Nachricht gäbe. Aber seine Unruhe war damit noch nicht gewichen.
Während sie sich jetzt über ihn beugte, sah Sunia, wie blaß sein Gesicht war, wie eingefallen seine Wangen. Nein, sie wollte ihn schlafen lassen und selbst sehen, wer der Eindringling war. Vielleicht handelte es sich überhaupt nur um einen Hund aus der Nachbarschaft. Sie kroch unter der Decke her-

vor, stahl sich auf bloßen Füßen in den Nebenraum und schob die Tür lautlos ein Stückchen zurück, um durch den Spalt zu spähen. Ein Mann stand draußen, eine große, dürre Gestalt in zerrissener Kleidung. Sie öffnete die Tür ein wenig weiter.
»Dieb!« zischte sie ihm heftig entgegen. »Was suchst du hier?«
Der Mann wandte sich zu ihr um. »O-man-ee!« stieß er mit unterdrückter Stimme hervor.
Seit ihre Söhne Kinder gewesen waren, hatte sie dieses Wort, das ›Mutter‹ bedeutete, nicht mehr gehört.
»Du – du –!« Ungestüm wollte sie das Gitterwerk ganz aufschieben, doch es klemmte, so daß sie sich nicht hindurchzwängen konnte, und sie begann zu schluchzen. »Sohn – mein Sohn – Yul-chun –«
»Pst«, hauchte er.
Er beseitigte das Hindernis und schloß Sunia in die Arme.
»So groß«, murmelte sie völlig außer sich, »soviel größer – und die Knochen stehen dir heraus – und du bist in Lumpen –«
Sie zog ihn ins Haus, weinend und unaufhörlich leise auf ihn einredend.
»Wo bist du gewesen? Nein, warte, sage nichts – ich muß deinen Vater erst wecken – hier, trink ein wenig Tee – er ist noch heiß – nein, er ist kalt – ich will dir etwas zu essen machen –«
Er nahm sie bei den Schultern und schüttelte sie sanft. »Mutter, hör zu! Ich habe keine Zeit. Ich muß vor Sonnenaufgang fort. Es war ein Wagnis, zu kommen, gefährlich für mich und für dich und Vater. Man hat mich in die Heimat geschickt – ich kann dir nicht sagen, aus welchem Grund – oder wo ich sein werde – ich darf nicht nach Hause – vielleicht nie mehr. Niemand weiß, was geschehen wird.«
Sie faßte sich augenblicklich. »Weshalb hast du uns nicht geschrieben?«
»Ich habe es nicht gewagt.«
»Wo bist du all die Jahre gewesen?«
»In China.«

China! Selten hatte sie seit der Ermordung der Königin den Namen dieses unglücklichen Landes gehört.
»Du mußt mit deinem Vater sprechen«, sagte sie und zog ihn an der Hand in das Zimmer, in dem Il-han noch immer schlief. Als sie ihn berührte, dauerte es erst eine Weile, bevor er sich regte und die Augen aufschlug. Sie neigte sich über sein Ohr. »Unser Sohn ist hier – unser älterer Sohn!«
Der verwirrte Ausdruck auf seinem Gesicht wich dem Begreifen. Er fuhr hoch. »Wie – wo –«
»Hier bin ich, Vater«, sagte Yul-chun. Er kniete neben ihm nieder, und Il-han blickte ihn an.
»Wo warst du?« fragte auch er.
»In China, Vater – mit den Revolutionären zusammen.«
Il-han rieb sich das Gesicht und starrte wieder auf seinen Sohn. »Ihr«, sagte er schließlich, »habt ihr irgend etwas mit dem Tod der alten Kaiserin zu schaffen? Ist sie ermordet worden wie die Königin hier?«
»Nein, Vater. Sie starb an Altersschwäche.«
»Sie haben den Drachenthron gestürzt, diese Revolutionäre!«
»Vater, das mußte sein. Die Dynastie war degeneriert. Die Herrscher korrupt. Nur die alte Kaiserin hatte noch mit ihren beiden Händen das Reich einigermaßen zusammenzuhalten vermocht.«
»Wer regiert jetzt?«
»Die Revolutionäre werden eine Republik nach dem Vorbild der amerikanischen einrichten. Das Volk soll sich seine Regierung selbst wählen.«
Auf einmal war Il-han ganz wach. »Narrheiten! Wie kann ein Volk das tun, wenn es von solchen Dingen nichts versteht? Ich war in Amerika, du nicht. Das Volk dort weiß, wie man wählen muß – es stimmt ab – es – es –«
Sunia mischte sich ein. »Ihr zwei Männer, wie viele Jahre habt ihr euch, Vater und Sohn, nicht gesehen? Und ihr zankt euch über Regierungen! Il-han, unser Sohn kann nur ganz kurz bei uns bleiben. Er muß wieder fort.«
»Wohin?« fragte Il-han.
»Ich kann es dir nicht sagen, Vater.«

»Bist du ein Spion?«
»Ich habe einen Auftrag.«
»Also bist du ein Spion!«
»Nenn mich, wie du willst«, sagte Yul-chun. »Ich arbeite für Korea.«
Il-han erhob sich, warf sich ein Gewand um und band sein Haar hoch, während er zu sprechen fortfuhr. »Man wird dich fangen und töten. Glaubst du, du bist schlauer als diese Schurken, die in jeder Schenke ihre Zuträger sitzen haben? Du bist schon so gut wie tot.«
»Ich bin diese ganzen Jahre lang am Leben geblieben, Vater.«
»Ich weiß nicht, wie«, warf Sunia ein. »Du siehst verhungert aus.«
Damit eilte sie hinaus, um in der Küche Essen für ihn heiß zu machen.
»Komm mit in die Bibliothek«, sagte Il-han.
»Und jetzt«, forderte er Yul-chun auf, als er dort seinen gewohnten Platz eingenommen hatte, »jetzt erzähle mir alles, was du willst.«
Yul-chun kniete seinem Vater gegenüber auf einem Kissen nieder. Die bloße Haut schimmerte an den Knien durch die Fetzen seiner Kleider.
»Vater«, antwortete er in der leisen, hastigen Art, die ihm offenbar zur Gewohnheit geworden war, »ich kann dir gar nichts berichten. Es ist besser für dich, wenn du nichts weißt. Und falls man dich eines Tages fragt, ob ich dein Sohn sei, so sagst du, daß du mich nie gesehen hast.«
Mit großen Augen starrte Il-han ihn an. »Das werde ich nie tun!«
Das hagere, sorgenvolle Gesicht seines Sohnes nahm einen weichen Ausdruck an. Einen Augenblick lang sah Yul-chun so jung aus, wie er war. Er verzichtete sogar auf das Flüstern.
»Erinnerst du dich noch, Vater, wie wir einmal, als ich noch klein war, zum Bambushain hinuntergingen – du und ich?«
»Ja, ich weiß es noch«, sagte Il-han, und die Kehle schnürte sich ihm zu. Wie hatte nur aus dem einst so zarten, kindlichen Antlitz dieses herbe Männergesicht werden können? Er räus-

perte sich. »Das ist lange her – kannst du dich wirklich erinnern?«
»Ja«, antwortete Yul-chun. »Es war an dem Tag, an dem mein Bruder geboren wurde und ich die Bambusschößlinge abbrach und du mir sagtest, daß sie sich nie mehr aufrichten können. Natürlich hattest du recht, diese Schößlinge wuchsen nicht mehr. Hohle Rohre nanntest du sie. Aber dann sprachst du auch davon, daß andere ihre Stelle einnehmen würden. Und in jedem Frühling ging ich hinunter, um zu sehen, ob es wahr sei, was du gesagt hattest. Es war immer wahr.«
Yul-chun stand auf, und auch Il-han erhob sich. Sie standen sich gegenüber und blickten einander in die Augen.
»Was willst du damit ausdrücken?« fragte Il-han.
»Dies: Falls du mich nie mehr wiedersiehst, vielleicht nicht einmal mehr meinen Namen hörst, denke immer daran – ich bin nur ein hohles Rohr. Wenn ich breche, treten Hunderte an meine Stelle – lebender Bambus!«
Er hielt inne, als sei er unschlüssig, ob er weitersprechen solle, und als er dann plötzlich wieder fortfuhr, war seine Stimme, wie am Anfang, fast nur noch ein Flüstern.
»Ich kann nicht wiederkommen – zumindest nicht bald, vielleicht niemals. Aber du wirst manchmal morgens ein bedrucktes Blatt Papier unter der Tür finden – lies es und verbrenne es.«
Dann blickte er sich unsicher um. »Die Sonne geht auf«, murmelte er. »Ich muß fort.« Und gleich darauf hatte er das Haus auch schon verlassen.
Weinend kam Sunia herein. »Ich hatte Essen für ihn bereit, und jetzt ist er hungrig gegangen. O Buddha, warum bin ich nur in solchen Zeiten geboren?«
Il-han zog sie an seine Seite, und Hand in Hand saßen sie nebeneinander, ein alterndes Ehepaar, dem die Kinder entrissen waren. Sie fanden sich allein in einer Welt, die sie nicht mehr kannten.

Ein trockener, heißer Sommer war zu Ende gegangen. Für Il-han und Sunia verlief ein Tag wie der andere, und allnächtlich

unterrichtete Il-han seine Schüler. Ihren zweiten Sohn sahen sie jetzt nur selten, denn Yul-han und Induk waren für die Schulzeit in die Stadt zurückgekehrt.
»Sollen wir nicht unserem Sohn erzählen, daß sein Bruder hier war?« meinte Sunia.
Il-han hatte sich diese Frage selbst schon gestellt und die Antwort bereits gefunden. »Wir kennen die Frau zuwenig, die er geheiratet hat. Eine Christin? Das ist so, als käme sie aus dem Ausland. Es ist besser, wenn niemand weiß, daß unser ältester Sohn lebt. Mögen ihn alle vergessen außer seinen Eltern. Bei uns ist er sicher.«
So schwiegen sie darüber. Wenn Yul-han sie besuchte, erkundigten sie sich freundlich, wie es ihm gehe und wie ihm seine Arbeit gefalle, und auf seine ehrerbietigen Fragen nach ihrer Gesundheit entgegneten sie, sie fühlten sich soweit wohl, und wer könne heutzutage schon glücklich sein?
Im achten Monat jenes Mondjahres, dem zehnten des Sonnenjahres, zwei Tage nach Beginn der Jahreszeit, die man den Kalten Tau nennt, stürzte ein unglückseliges Ereignis das Volk in neue Sorgen. Der japanische Generalgouverneur, Graf Terauchi, entkam auf einer Reise in den Norden mit knapper Not dem Tode, als im Bahnhof von Syun-chun ein Koreaner ein Attentat auf ihn verübte. Die Nachricht verbreitete sich mit Windeseile, und das Volk fiel in betroffenes Schweigen, ein Schweigen der Angst und des Grauens. Alle erinnerten sich an die Ermordung des ersten Generalresidenten, des Fürsten Ito, vor der formellen Annexion Koreas durch die Japaner. Obwohl dieser Fürst ein gütiger Mensch gewesen war, der sich darum bemüht hatte, eine gemäßigte Herrschaft auszuüben, war er von einem Exilkoreaner in der mandschurischen Stadt Harbin ermordet worden. Als Vergeltungsmaßnahme hatten die Japaner dann ganz Korea unter Militärverwaltung gestellt. Und jeden Generalgouverneur umgab nun stets eine Leibwache, die ihre Pflicht, sein Leben zu schützen, auf rücksichtsloseste Weise erfüllte.
Dennoch hätten die koreanischen Verschwörer auch dieses Mal beinahe ihr Ziel erreicht. Zur Begrüßung des Generalgouver-

neurs hatten sich in Syun-chun viele Menschen versammelt, Schuljungen und Erwachsene, darunter auch einige Japaner, die dicht gedrängt den Bahnsteig säumten. Die Koreaner waren, bevor man sie passieren ließ, alle nach verborgenen Waffen durchsucht worden. Trotz dieser Vorsichtsmaßnahmen hatte ein Mann einen Revolver durchschmuggeln können oder ihn von einem anderen zugesteckt bekommen.
Der Generalgouverneur schritt die Reihen der Schüler und Studenten ab, tauschte Händedrücke mit den Schulvorstehern, unter denen sich zwei oder drei Missionare der christlichen Schulen befanden, einer von ihnen Amerikaner, und als er sich dann dem gepanzerten Sonderwagen zuwandte, in dem er reiste, löste sich aus der Schar der Christen plötzlich ein schlanker, hochgewachsener Mann, einen Revolver in der erhobenen Hand. Ein Schuß zerriß die Luft, aber die Kugel ging über ihr Ziel hinweg. Sofort drängten sich Soldaten zwischen die Menschenmenge, aber der Attentäter fand sich nicht, und niemand konnte sagen, wie er überhaupt aussah. So verhaftete man alle, in der Hoffnung, einer werde ein Geständnis ablegen, und schuldig oder unschuldig, warteten sie nun auf die Gerichtsverhandlung.
Il-han erfuhr von dem Vorfall durch eine Flugschrift, die man unter seine Haustür geschoben hatte. Seit Yul-chuns Besuch war er immer vor Tagesanbruch aufgestanden, um zu sehen, ob sein Sohn ihm eine Nachricht habe zukommen lassen, und eines Morgens fand er dann dieses dünne Blatt Papier mit verwischtem Druck. Wer war der Attentäter? Yul-chun? War er aus diesem Grund in seine Heimat zurückgekehrt? Die schreckliche Frage quälte ihn sehr, aber er wollte sich die Last auch nicht leichter machen, indem er Sunia einweihte. Und falls man Yul-chun den Winter hindurch in einem kalten Gefängnis eingesperrt hielt, so war er zumindest am Leben und sicher. Sicher? Ein töricht optimistischer Gedanke! Sein Sohn würde geschlagen und gefoltert werden, wenn er kein Geständnis ablegte.
Wie gut verstand er jetzt, was Yul-chun ihm mit dem Beispiel des Bambusrohres hatte sagen wollen!

Während des ganzen Winters bewahrte er sein selbstgewähltes Schweigen. Er magerte ab, und Sunia regte sich auf, weil er weder essen wollte noch schlafen konnte, doch er wehrte ihre Klagen ab, ohne sich bei ihr oder bei seinem zweiten Sohn das Herz zu erleichtern.
Seine Schüler kamen noch immer, selbst bei Schnee und Eis, nur nicht mehr jede Nacht. Der Mordversuch an dem Generalgouverneur hatte die Machthaber in ungeheure Wut versetzt, und sie beschäftigten nun noch mehr Spitzel als vorher. Kein Dorf war frei von ihnen, keine Landstraße abgelegen genug, um ihnen zu entgehen.
Immer häufiger kam es zu Verhaftungen. Sogar Frauen nahm man fest, verhörte und bestrafte sie, vor allem, wenn es sich um Christinnen handelte, und das nicht ganz ohne Grund, denn gerade sie, besonders die Schülerinnen der christlichen Schulen, bewiesen am unerschrockensten ihre patriotische Gesinnung. Immer wenn Il-han in den Flugblättern, die sich mittlerweile fast täglich unter seiner Tür fanden, von solchen Vorfällen las, dachte er an die Frau, die Yul-han liebte, und ganz unmerklich wurden seine Gefühle für den Sohn wieder zärtlicher, so sehr beeindruckte ihn die Haltung der Christinnen. Es kam oft vor, daß man sie unmenschlich behandelte, so beispielsweise bei den wiederholten Studentenunruhen, in deren Verlauf auch Mädchen von der japanischen Polizei geprügelt wurden.

»Man nahm mich dreimal ins Kreuzverhör«, berichtete eine Schülerin. »Ein Polizeioffizier warf mir vor, daß ich Strohschuhe trage. Ich sagte, mein Vater sei im Gefängnis und damit für mich so gut wie tot, weshalb ich die Trauerschuhe angelegt hätte.
›Du lügst‹, behauptete der Offizier, und er zog mit den Händen meinen Mund auseinander, bis er blutete. Dann zwang er mich, meine Jacke aufzuknöpfen und meine Brüste zu zeigen, und er schlug mich ins Gesicht und auf den Kopf, bis ich fast das Bewußtsein verlor. ›Haben dich die Ausländer gelehrt zu rebellieren?‹ schrie er. Ich antwortete, daß ich außer unserer

Schuldirektion keine Ausländer kenne. Dann brüllte er mich an, ich sei schwanger, und als ich erwiderte, das sei nicht wahr, denn ich sei noch unverheiratet, befahl er mir, mich ganz auszuziehen. Er sagte, er kenne die christliche Bibel, und in ihr stehe, daß die Menschen, wenn sie ohne Sünden seien, auch nackt gehen könnten. Er versuchte mir die Kleider herunterzureißen, und ich wehrte mich. Und während er seine abscheulichen Reden fortsetzte, stand der koreanische Dolmetscher mit unglücklichem Gesicht daneben und weigerte sich zu sprechen, so daß der Offizier sein eigenes gebrochenes Koreanisch gebrauchen mußte. Das machte ihn noch wütender, und er verlangte von dem Dolmetscher, er müsse mich schlagen, doch der Koreaner antwortete, er schlage keine Frau, eher wolle er sich die Hand abbeißen. Daraufhin prügelte mich der Offizier selbst mit den Fäusten.«

Il-han sprach mit niemand über das, was er zu lesen bekam, aber er wußte längst, daß sich ein Sturm der Verzweiflung zusammenzubrauen begann. Während dieses Schreckensjahres wurden viele Koreaner verhaftet, und alle Christen standen unter Verdacht. Festgenommene Frauen traktierte man regelmäßig mit Schlüpfrigkeiten, und die jüngeren unter ihnen hatten noch Schlimmeres zu gewärtigen. Alles dies erfuhr Il-han aus den geheimen Nachrichten, die ihm zugingen.
Der Termin, an dem die Fälle der des Mordversuchs an dem Generalgouverneur beschuldigten Angeklagten zur Verhandlung kamen, war der achtundzwanzigste Tag des sechsten Sonnenmonats, und Il-han hatte sich vorgenommen, als Zuschauer zugegen zu sein.
Am Morgen des ersten Tages stand die Sonne rot an dem weißen, hitzeverkündenden Himmel, und Sunia protestierte heftig gegen Il-hans Vorhaben.
»Warum mußt du ausgerechnet heute in die Stadt? Menschen, Staub, Lärm – du bist für solche Dinge an einem heißen Tag zu alt. Und wie, wenn man dich erkennt? Obwohl kaum jemand in einem solchen Knochengerippe den gutaussehenden Mann von einst vermuten würde –«

Unter Tränen schalt sie weiter, doch er wußte, daß nur Fürsorge und Zärtlichkeit aus ihr sprachen, und erwiderte kein Wort, während sie ihm half, seine weißen Gewänder anzulegen. Dann übergab sie seinem alten Diener ein Paket mit kaltem Reis und Bohnen und einen Krug Tee, damit sie wenigstens eine Mahlzeit mit sich führten, und stand noch lange unter dem Tor, um ihnen nachzusehen. Sie fühlte einen zerreißenden Schmerz in der Brust, und nach einer Weile begann sie leise vor sich hin zu weinen, ohne daß sie einen Grund dafür hätte angeben können, außer daß das Leben so schwer geworden war. Und doch mußte sie es ertragen, denn was sollte Il-han ohne sie anfangen? Dabei war sie oft ungeduldig ihm gegenüber und hatte viel zu schnell eine scharfe Antwort bereit – sie wußte selbst nicht, warum sie, die ihn doch liebte, so leicht lieblose Dinge sagte.
»Ich bin eine sündige Frau«, murmelte sie, während ihre Augen die hohe Gestalt verfolgten, »aber es gibt eine Sünde, die ich gewiß nicht begehen will: vor dir zu sterben. Ich verspreche es – ich verspreche es – das tue ich dir nicht an.«

Als Il-han vor der großen Halle anlangte, die man eigens für den Prozeß errichtet hatte, hielten ihn die Wachsoldaten an.
»Wo ist dein Erlaubnisschein, Alter?« fragte einer. »Du kannst nicht einfach hereinkommen, als seist du der Generalgouverneur selbst.«
Il-han hatte nicht gewußt, daß ein solches Papier vonnöten war. Er reckte sich zu seiner vollen Größe auf und blickte den Soldaten hochmütig an.
»Ich bin ein Kim«, sagte er mit überzeugender Würde.
Der Soldat zauderte, vermutete dann eine Persönlichkeit von Rang und ließ ihn passieren. Drinnen saßen die Gefangenen bereits in zwei Gruppen in der Mitte des Saales, jede Gruppe wieder in kleinere von zehn Mann, die aneinandergefesselt waren, unterteilt. Auf den Seiten befanden sich die Plätze für Verteidiger und Berichterstatter, am oberen Ende die für die Richter, und ihnen gegenüber hatte man Bänke für die Zuschauer aufgestellt. Die Gefangenen waren sowohl vom Rich-

tertisch als auch vom Volk durch Schranken getrennt. Il-han drängte sich so nahe wie möglich heran, um ihre Gesichter sehen zu können. Jedes einzelne prüfte er und verwünschte seine schlechten Augen, als er merkte, daß sich bei den weiter innen sitzenden Häftlingen das Bild verwischte. War Yulchun da? Er würde warten müssen, bis die Verhandlung begann.

Der ganze Morgen verstrich mit Vorbereitungen, und Il-han wurde immer ungeduldiger, bis endlich die Richter ihre Plätze einnahmen, die Dolmetscher, einen Japaner und einen Koreaner, zur Seite. Dann wurden die Namen der Gefangenen verlesen. Der Name seines Sohnes war nicht darunter – falls er sich dennoch hier befand, konnte das nur heißen, daß er einen falschen Namen benutzte. Als nächstes folgte die Verlesung der Anklageschrift, die eine Stunde in Anspruch nahm und eine weitere für die Übersetzung ins Koreanische.

Inzwischen waren die Richter hungrig geworden, und die Gerichtsverhandlung wurde unterbrochen. Auch Il-han nahm seine Mahlzeit zu sich und kehrte sodann eiligst in den Saal zurück. Diesmal wählte er die gegenüberliegende Seite der Barriere und betrachtete von dort aus wieder jeden einzelnen der hungrig und durstig vor ihm sitzenden Gefangenen. Dabei erweckte ein Mann, der mit dem Rücken zu ihm in seiner nächsten Reichweite saß und den Kopf gesenkt hielt, seine Aufmerksamkeit. Sein Haar war wie das seiner Leidensgefährten kurz geschoren, so daß sein knochiger, dürrer Nakken zum Vorschein kam, und durch die Löcher seiner zerschlissenen Jacke standen die Schulterblätter wie Flügel heraus. Seine Kleidung war verschmutzt und schweißdurchtränkt, denn die Hitze erfüllte den Raum mit einem stickigen Dunst übler Gerüche und verbrauchter Luft. Il-han beobachtete, wie sich der Körper des Mannes in keuchenden Atemzügen hob, und in instinktivem Mitleid nahm er seinem Diener den noch halbvollen Krug Tee aus der Hand und hielt ihn über die niedrige Schranke hinweg vor den Gefangenen hin. Eine abgezehrte Hand streckte sich danach aus, und Il-han erkannte sie augenblicklich. Es war die Hand seines Sohnes.

Er sank auf seinen Platz zurück, von einem plötzlichen Schwindelgefühl befallen. In seinem Kopf wirbelten die Gedanken, und seine Augen nahmen nur noch ein Gewirr von Farben und Umrissen wahr. Was sollte er tun? Was konnte er tun? Es drängte ihn, hinauszuschreien, daß dies sein Sohn sei und daß man ihn freilassen müsse. Er unterdrückte die Regung. Sein Sohn wußte nicht, daß es sein Vater war, der ihm den Tee gereicht hatte. Er trank jetzt mit gierigen Schlucken, doch sofort bemerkte ihn eine der Wachen, kam herbei und entriß ihm den Krug.
»Wer hat dir das gegeben?« brüllte er.
»Ich fand ihn in meiner Hand«, sagte Yul-chun.
Der Soldat drehte sich um und besah sich die Nächstsitzenden.
»Warst du es, Alter?« fragte er Il-han.
Il-han vermochte kein Wort hervorzubringen, und sein Diener antwortete für ihn. »Der alte Mann ist stocktaub«, sagte er. »Er kann dich nicht hören.«
Als der Wachsoldat sah, daß er von den eingeschüchterten Leuten keine bessere Auskunft bekommen würde, gab er sich damit zufrieden, Yul-chun einen heftigen Schlag gegen die rechte Schulter zu versetzen, der das Blut hervorsickern ließ. Yul-chun bewegte sich nicht. Er hob nicht einmal den Kopf.
Nun kehrten die Richter zurück, und die Verhandlung begann. Il-han nahm seine ganze Kraft zusammen, um zu verstehen, was gesagt wurde. Der erste Gefangene, der aufgerufen wurde, war Lehrer an einer christlichen Schule, ein magerer, großer junger Mann, der offenbar am Tag zuvor bekannt hatte, von dem Leiter seiner Schule, einem amerikanischen Missionar, gezwungen worden zu sein, am Schauplatz des Attentats zu erscheinen. Jetzt widerrief er dieses Geständnis. Er bestritt auch, der verbotenen Unabhängigkeitspartei anzugehören, was er am Vortag ebenfalls gestanden hatte. Der Richter geriet in Zorn.
»Wie kannst du dich erdreisten, heute zu leugnen, was du gestern zugegeben hast?« herrschte er ihn an.
»Ich habe gestern eine falsche Aussage gemacht, weil man mich gefoltert hat.«

»Wie!« erregte sich der Richter. »Du, ein Lehrer, erniedrigst dich dazu, körperlicher Unannehmlichkeiten wegen falsche Aussagen zu machen?«
Störrisch erwiderte der Mann, er habe die Torturen nicht länger ertragen können, und so habe er gelogen. Auf alle weiteren Fragen antwortete er verneinend. Nein, er war nie von einem Rädelsführer der Verschwörung aufgesucht worden; nein, er hatte nie einen solchen Anschlag diskutieren hören; nein, er hatte nicht mit dem Missionar darüber gesprochen; nein, er hatte nichts von der Anwesenheit bewaffneter Attentäter auf dem Bahnhof von Syun-chun gewußt; nein, es war ihm nicht bekannt, ob sich der Rädelsführer an Schüler seiner Schule herangemacht hatte; nein, weder er noch seine Schüler waren im Besitz von Revolvern gewesen – waren sie nicht alle durchsucht worden, bevor man ihnen den Zutritt zum Bahnsteig gestattet hatte?
So spann sich das Verhör ab, der Gefangene blieb bei seinem beharrlichen Leugnen, und der Richter schleuderte ihm seine Fragen immer aufgebrachter entgegen. Er deutete auf einen Kasten, der auf dem Podium stand.
»Weißt du nicht, daß dieser Kasten in deiner Schule aufbewahrt wurde und daß Revolver darin verborgen waren?«
»Ich ging nur in die Schule, um Unterricht zu geben. Ich weiß nichts von diesen Dingen«, erwiderte der Gefangene.
Nun verlor der Richter die Geduld.
»Der nächste Gefangene!« schrie er.
Der nächste Gefangene, ein untersetzter, stämmiger Bursche, der angab, achtunddreißig Jahre alt und Bauer zu sein, beantwortete alle Fragen in derselben Weise wie sein Vorgänger. Er wisse nichts von der genannten patriotischen Vereinigung, nichts von den angeblichen Zusammenkünften in den christlichen Schulen; nichts vom Kauf von Revolvern und über das Attentat. Er habe niemals Geld zum Ankauf von Revolvern gegeben und auch keine gegen den Generalgouverneur gerichteten Reden gehört. Ja, er habe vorher das Gegenteil ausgesagt, aber seine Geständnisse seien falsch und unter schlimmsten Foltern abgelegt worden.

Der Richter wurde wütend. Er ließ den Gefangenen abführen und den nächsten Mann bringen. Il-han begriff inzwischen, welch schlauer Plan den Aussagen zugrunde lag, und er war sicher, daß Yul-chun ihn entworfen hatte. Jeder Angeklagte leugnete alles, was man ihm zur Last legte, und erklärte seine früheren Geständnisse als erpreßt und insofern ungültig. Natürlich blieb auch den Richtern nicht verborgen, was für ein Ziel hier angestrebt wurde, und die Verhöre nahmen in unheilschwangerer Ruhe ihren Fortgang bis zum Abend. Dann wurde die Verhandlung auf den nächsten Morgen vertagt.
»Ich gehe nicht nach Hause«, sagte Il-han zu seinem Diener. »Suche mir in einem Gasthaus ein Bett und bestelle der Mutter meiner Söhne, daß ich hierbleibe, bis der Prozeß zu Ende ist.«
Der Mann gehorchte, und Il-han nahm eine kräftige Mahlzeit ein, bevor er sich in einem Zimmer, das er mit drei reisenden Händlern teilte, zur Ruhe begab. Rückblickend bewunderte er noch einmal den klugen Schachzug seines Sohnes, und er lachte still in sich hinein, um dann so tief und fest zu schlafen, wie er lange nicht mehr geschlafen hatte.
Der zweite Tag verlief genau wie der erste, nur daß Il-han zu spät kam, um einen Platz in der Nähe der Barriere zu finden, und daher nicht wußte, wo sein Sohn saß. So konnte er nur abwarten, ob er vor dem Richter erscheinen würde. Den ganzen Tag hörte er nichts als widerrufene Geständnisse. Die meisten der Verhafteten waren junge Männer, Lehrer oder Schüler der Missionsschulen, und je mehr Il-han hörte, um so mehr geriet er in Sorgen um seinen zweiten Sohn. Wie, wenn Yul-han nun auch den christlichen Glauben annahm? Vierzehn Angeklagte wurden an diesem Tag vernommen. Es war viel von David und Goliath die Rede, einer Geschichte, von der man den Gefangenen vorwarf, daß sie durch sie beeinflußt worden seien. Aber sämtliche Befragten leugneten, etwas davon gehört zu haben. Sonst kam nichts bei den Verhören heraus, und am Ende des Tages kehrte Il-han wieder hochgestimmt in sein Quartier zurück.
Der dritte Tag unterschied sich kaum von den beiden anderen. Es wurden lediglich noch ein paar neue Fragen hinzugefügt.

»Hast du die amerikanischen Missionare nicht ihren Schülern Zeichen geben sehen, als der Generalgouverneur den Bahnsteig entlangging?«
»Erinnerst du dich nicht an die Namen der Männer, die Revolver ausgehändigt bekamen?«
»Weißt du nicht, daß ein Mann von Pyongyang nach Syunchun kam, um die Verschwörer über die genaue Ankunft des Generalgouverneurs zu informieren?«
Alle diese Fragen erhielten ein Nein zur Antwort, und so ging es weiter bis zum achten Tag. Am Abend dieses Tages trat schließlich Yul-chun vor dem Tribunal auf. Il-hans Herz klopfte zum Zerspringen, und die erste Frage benahm ihm fast den Atem.
»Dein Name?«
»Man nennt mich Lebender Bambus.«
»Du bist vor zwei Jahren nach Kwaksan gekommen, um eine Verschwörergruppe von der Ankunft des Generalgouverneurs zu benachrichtigen, der ursprünglich in Chanyon-kwan ermordet werden sollte. Stimmt das?«
»Ich habe das unter Foltern gestanden, aber es ist nicht wahr.«
»Du hast in der Mandschurei mit Geld, das dir der Kaufmann Oh Hwei-wen gab, Revolver gekauft. Stimmt das?«
»Ich habe es unter Foltern gestanden, aber es ist nicht wahr.«
»Du bist mit anderen zusammen nach Wiju gegangen, um den Generalgouverneur dort zu ermorden.«
»Ich habe das zwar gestanden, weil ich gefoltert wurde, aber es kann gar nicht wahr sein, denn der Bahnsteig in Wiju ist viel zu schmal – man hätte uns sofort bemerkt.«
»Hattest du nicht im Frühling 1909, als Fürst Ito den König von Korea auf einer Besichtigungsreise begleitete, den Plan gefaßt, auf den Fürsten in Chanyon-kwan ein Attentat zu verüben? Und bist du ihm nicht dann mit dem nächsten Zug zu einer anderen Station nachgefahren, als der Sonderzug dort nicht hielt?«
»Ich habe das unter Foltern gestanden, aber es ist nicht wahr.«
»Es ist dir bekannt, daß die Unabhängigkeitsvereinigung sich

das Ziel gesetzt hat, eine Militärschule zu gründen, hohe Beamte zu ermorden und einen Krieg zur Erlangung der Unabhängigkeit Koreas zu führen, sobald sich eine politisch günstige Gelegenheit dazu bietet?«

»Davon weiß ich nichts. Falls ich halb bewußtlos unter Foltern etwas anderes ausgesagt habe, so ist es nicht die Wahrheit.«

In diesem Augenblick verlor der Richter, ein japanischer General, die Beherrschung. Mit geballten Fäusten schlug er auf den Tisch vor sich.

»Folter – Folter! Was willst du damit sagen?«

Yul-chun antwortete ihm mit der gleichen festen Stimme, mit der er alle seine Aussagen gemacht hatte.

»Die Arme wurden mir mit seidenen Schnüren, die tief ins Fleisch schnitten, auf den Rücken gefesselt. Zwei Stöcke wurden zwischen meine Beine gesteckt und die Beine an Knien und Knöcheln fest zusammengebunden. Zwei Polizisten drehten die Stöcke unablässig. Man schob scharfkantige Bambusstücke zwischen meine Finger und band sie so fest, daß mir das Fleisch von den Knochen gerissen wurde. Tag für Tag warf man mich flach auf die Erde und schlug mich mit gespaltenem Bambus, bis mein Rücken wund war. Nachts wurde ich dann in ein unterirdisches Verlies geworfen, wo ich in Nässe und Schmutz lag. Jeden Tag holte man mich zu neuen Foltern heraus. Ich weiß nicht, wie viele Tage. Ich war nicht immer bei Bewußtsein.«

Seine einfachen Worte, mit denen er von diesen Schrecken berichtete, und seine klare, sichere Stimme schlugen alle Anwesenden in Bann. Als er geendet hatte, wandte er den Kopf und blickte seinen Vater an. Sein Gesicht blieb unbeweglich und verriet kein Zeichen eines Erkennens während dieser Begegnung zwischen Vater und Sohn.

»Der nächste Gefangene!« schrie der Richter.

Il-han verließ den Saal. Er hatte gesehen, was er sehen wollte, er hatte gehört, was er wissen mußte. Nun ging er mit seinem Diener durch die Abenddämmerung nach Hause. Es war schwül, kein Windhauch regte sich, und sie hatten einige lange Meilen zurückzulegen, die diesmal kein Ende nehmen wollten.

Als sie schließlich anlangten, stand Sunia schon an der Tür. Bei seinem Anblick schrie sie erschrocken auf.
»Du siehst wie ein Berggeist aus!« rief sie. »Was ist?«
»Frage mich nichts«, sagte er. »Es ist besser für dich, nichts zu wissen.«
Und sosehr sie ihn auch bat und schalt und ihn zu überreden versuchte, sie bekam kein Wort aus ihm heraus.
»Es ist besser für dich, wenn du nichts weißt«, wiederholte er nur.
In den nächsten Tagen studierte er aufmerksam jeden Zeitungsbericht über die Verhandlungen und las unter anderem, daß auch einer seiner alten Freunde, ein Mann, den er immer besonders geschätzt und verehrt hatte, verhaftet worden war – eine Nachricht, die ihn sehr erschütterte. Seinen Sohn indessen fand er nicht mehr erwähnt. Bald wurden die Meldungen ohnehin spärlicher, und vom Ausgang des Prozesses konnte Il-han später nur in Erfahrung bringen, daß eine ganze Anzahl der Angeklagten zu langen, in einigen Fällen sogar lebenslänglichen Kerkerstrafen verurteilt und verschiedene hingerichtet wurden. Die Namen verschwieg man, so daß Il-han über das Schicksal Yul-chuns im unklaren blieb. Er wollte sich aber auch nicht der Hilfe seines zweiten Sohnes bedienen, um auf irgendwelchen Umwegen zu näheren Informationen zu gelangen, denn das hätte bedeutet, ihn in sein Geheimnis einzuweihen, und diese Mitwisserschaft wäre für Yul-han als Ehemann einer Christin nur eine gefährliche Belastung gewesen. So beschloß er, die Bürde seiner Sorgen auch weiterhin allein zu tragen.

Wieder ging der Sommer zu Ende, und Yul-han hatte sein Haus mit Hilfe Ippuns, der Dienerin, die wie ein Mann Steine schleppte und Zement mischte, fast fertiggestellt. Diesmal nahm nur er bei Schulbeginn die Lehrtätigkeit wieder auf. Induk war schwanger, und er wollte, daß sie sich ganz ihrem neuen Heim widme, wo sie seinen Eltern nahe und doch unabhängig war.
Auf ihr Drängen hatte er, einmal entschlossen, Christ zu

werden, seine Stellung an der japanischen Schule mit der zufällig frei gewordenen des Leiters der Missionsschule vertauscht.
»Unter den Christen bist du sicher«, hatte Induk gesagt, »aber als einziger Christ unter Japanern würdest du, so wie sich die Zeiten jetzt entwickelt haben, bei jeder Gelegenheit verhört, überwacht und durchsucht werden.«
Inzwischen war auch seine Taufe bereits vollzogen worden. Es blieb nur noch, seinen Eltern in einem günstigen Augenblick die Nachricht von dieser Veränderung, die ihn einer völlig ungewissen Zukunft auslieferte, zu überbringen.
»Du wirst vielleicht Verfolgung erleiden«, hatte ihm der Missionar zu bedenken gegeben. »Vielleicht sogar wie Christus am Kreuz sterben.«
Er sprach die Wahrheit. Es hatte solche Kreuzigungen gegeben. In einem Dorf im Norden waren drei Christen von der japanischen Polizei auf diese Weise hingerichtet worden.
Dem Prozeß gegen die Verschwörer war Yul-han ferngeblieben, weil ihn Induk flehentlich darum gebeten hatte. Er hatte ihr allerdings nicht um seiner selbst willen nachgegeben, sondern weil sie befürchtete, ihre Eltern und Geschwister gerieten mit in Gefahr, falls man ihn dort zufällig als Christen erkannte. Seine Frau, so tapfer sie sich zeigte, wenn es eine gute Tat zu tun galt, konnte sich wie ein Kind vor Polizei, Soldaten oder irgendeiner Amtsperson fürchten. Der Anblick einer Schußwaffe flößte ihr Grauen ein, und kein Umweg war ihr zu weit, um einem Mann in Uniform auszuweichen.
Aufmerksam hatte Yul-han täglich den Gang der Verhandlungen in der von den Machthabern autorisierten Zeitung verfolgt. Noch bessere Informationen erhielt er allerdings durch das, was trotz der wachsamen Polizei nächtlicherweise an die Mauern der Häuser geschrieben wurde und um die frühe Stunde, zu der er sich in die Stadt begab, meist noch nicht entfernt war. So wußte er auch von dem Mann, der allgemein Lebender Bambus genannt wurde, und von dem Verlauf, den die Vernehmung eines Angehörigen höchsten Yangban-Adels, des Barons Yun, genommen hatte, der zugab,

der geistige Führer der christlich-patriotischen Unabhängigkeitsvereinigung zu sein.
Yul-han kannte den bereits betagten Edelmann sehr gut, denn er hatte zu den Freunden seines Vaters gezählt, und er war ihm noch besonders lebhaft in Erinnerung, weil sogar sein Vater in seiner Gegenwart respektvoll stehen blieb, bis der ältere ihn zum Sitzen drängte. Wie auf eine geheime Abmachung hin hatte Yul-han mit seinem Vater den Prozeß nie diskutiert, aber er war sicher, daß die Tatsache, einen so hochverehrten Mann darin verwickelt zu sehen, seinen Vater tief bewegt haben mußte.
Von schmächtiger Gestalt, das Gesicht stets blaß, hatte sich der Baron immer mit der ihm eigenen ruhigen Würde bewegt, die ihn auch vor Gericht nicht verließ. Er verteidigte sich in fließendem Japanisch, das er in seiner Jugend in Japan gelernt hatte. Er hatte auch Rußland bereist und zahlreiche hohe Posten bekleidet, zuletzt den eines stellvertretenden Außenministers während des Russisch-Japanischen Krieges. Nach der Besetzung seiner Heimat hatte er sich zum Christentum bekehrt, war von den Fremden seines Amtes enthoben worden und hatte danach eine Stellung an einer christlichen Schule angenommen.
»Welches waren Ihre Gefühle, als Sie gezwungen wurden, sich vom Auswärtigen Dienst zurückzuziehen?«
»Ich war von Schmerz überwältigt.«
»Sie sind das Haupt einer Bewegung, die eindeutig gegen die bestehende Ordnung gerichtet ist?«
»Ja, aber ich habe den Mitgliedern gesagt, daß ich keine Gewaltakte zulassen würde.«
»Die Annexion Ihres Landes muß Sie aber doch feindselig gestimmt haben.«
»Wenn ich damals die Macht besessen hätte, Japan daran zu hindern, sich zum Herrn über Korea zu machen, stünde ich heute nicht hier vor den Schranken dieses Gerichts.«
»Sollte man nicht annehmen, daß Sie ganz natürlicherweise wenigstens einen Plan zur Änderung der Situation entworfen hatten?«

»Ich war etwas zu alt, um mehr zu unternehmen, als ich tat, aber es ist wahr, daß mich die Lage, in der sich meine Heimat befand, sehr erbittert hat.«
Beim Lesen dieser mutigen Worte hatte Yul-han den eindrucksvollen alten Mann förmlich vor sich gesehen, und eine neue Zuversicht hatte sein Herz erfüllt. Sollte er sich fürchten, wenn es so viel Unerschrockenheit in seinem Volk gab?
Es war kurz nachdem der Schulunterricht wieder begonnen hatte, als sich Yul-han eines Morgens, während er bei seiner Frühmahlzeit saß, des Berichts über jene Vernehmung entsann, und er beschloß, seine Schule dieses eine Mal im Stich zu lassen – er mußte endlich mit seinem Vater sprechen. Er mußte ihm sagen, daß er Christ geworden war.
Er fand seinen Vater im östlichen Teil des Gartens, wo er einen jungen Apfelbaum begoß. Seine Mutter lockerte mit einer Hacke das Erdreich rundherum.
»Ihr zwei«, sagte Yul-han nach der Begrüßung. »Wollt ihr von diesem Baum noch Früchte ernten?«
»Du wirst sie ernten«, erwiderte Il-han, »du und deine Kinder.«
»Vater«, sagte Yul-han, »ich muß etwas mit dir besprechen.«
Als sie gleich darauf im Arbeitszimmer seines Vaters saßen, schöpfte er Atem. »Vater«, sagte er, »ich bin Christ geworden.«
Es hatte plötzlich zu regnen begonnen, ein feiner Herbstregen, der leise von den Dachtraufen herabtröpfelte und in dünnen Rinnsalen über die Steine des Gartenweges rieselte. Yul-han blickte hinaus und sah seine Mutter, die Schürze über dem Kopf, auf die Küche zulaufen. Er war so fest auf einen Zornesausbruch seines Vaters gefaßt, daß er fast zusammenschrak, als dessen Stimme nun nicht zornig war, sondern mit ganz ungewöhnlicher Milde an sein Ohr drang.
»Wenn du mir das vor einigen Monaten gesagt hättest, würde ich dir den Vorwurf gemacht haben, daß du unsere Familie in Gefahr bringst. Inzwischen aber habe ich so viel gesehen und gehört –«
Und er berichtete zum erstenmal von dem Prozeß, von den

mutigen, klugen Antworten der Christen. Jeden einzelnen beschrieb er, bis ihn Yul-han unterbrach.
»Du mußt noch einen großen Namen hinzufügen, Vater«, sagte er. »Baron Yun.«
»Ja«, antwortete Il-han leise. »Ihn allerdings habe ich nicht vor Gericht gehört. Ich blieb nur bis zum achten Verhandlungstag.« Er zögerte, unsicher, ob er die Gelegenheit benutzen sollte, um Yul-han von seinem Bruder zu erzählen.
»Und jener Mann, der sich Lebender Bambus nannte«, bemerkte Yul-han in diesem Augenblick, als hätte er die Gedanken seines Vaters lesen können.
Il-han regte sich nicht. »Ja?«
»Hat eigentlich jemand eine Idee, wer er sein könnte?«
»Hast du eine Vermutung?«
»Ich war ja nicht dort. Ich habe sein Gesicht nicht gesehen.«
Er wußte also nichts! Es war besser und sicherer für ihn, wenn er auch weiterhin ahnungslos blieb.
»Ich habe nichts über ihn gehört«, sagte Il-han. »Was nun die Sache mit dir betrifft«, fügte er in absichtlich schroffem Ton hinzu, »wenn du Christ sein willst, so kann ich dich nicht davon abbringen.«

Der Winter dieses Jahres brachte klirrenden Frost. Kälte mußte man immer erwarten, doch diesmal kam sie als eisiger Tod. Jeden Morgen barg die Polizei die Leichen der über Nacht Erfrorenen, Männer, Frauen und Kinder, lud sie auf Karren und schaffte sie fort. Man konnte sie in der steinharten Erde nicht begraben, und so ließ man sie in leeren Barakken, mit Matten zugedeckt, bis zum Frühling liegen. Das Los der Lebenden war nicht viel besser, denn eine anhaltende Trockenperiode im Herbst hatte das Gras an den Berghängen verdorren lassen, und die Machthaber erlaubten nicht, daß Bäume geschlagen wurden. Die Berge müßten sich eines Tages wieder bewalden, wie in vergangenen Jahrhunderten, so erklärten sie. Wurde ein Mann dabei überrascht, daß er nachts einen Baum fällte, so peitschte man ihn aus und steckte ihn ins Gefängnis. In allen Häusern waren die Ondul-Böden kalt, mit Ausnahme der beiden Stunden morgens und nachmittags, wenn die Mahlzeiten zubereitet werden mußten, und da die Leute sich früher für ihr Nachtlager ganz auf die warmen Böden verlassen hatten, wo kein dickes Bettzeug vonnöten war, froren sie jetzt wie nie zuvor.

Mit dem Ende des langen Winters rückte für Induk der Zeitpunkt ihrer Niederkunft heran, ein Ereignis, zu dem sich ihre Mutter von Yul-han ihre Heimkehr ins Elternhaus erbat. Yul-han wußte nicht, was er erwidern sollte. Schlug er es ab, so fühlte sich ihre Mutter verletzt. Stimmte er zu, so würde das Sunia mißfallen. Schließlich einigten sie sich so, daß das Kind zwar im Hause von Induks Familie zur Welt kommen sollte, das Fest der hundert Tage jedoch bei Yul-hans Eltern begangen werden würde.

In einer stürmischen Frühlingsnacht begannen die Wehen. Mutter und Schwester standen Induk bei, während Yul-han im Hauptraum des Hauses voll Ungeduld wartete. Induk hatte erklärt, sie wünsche sich als erstes Kind ein Mädchen.

»Ich bete um eine Tochter«, hatte sie eines Nachts zu ihm gesagt.

»Dann wird es schwierig«, hatte er lachend erwidert. »Ich bete nämlich um einen Sohn!«

Die Geburt war nicht leicht. Viele Stunden vergingen, und Yul-han begann sich bereits Sorgen zu machen, als um die Zeit des Sonnenaufgangs seine Schwiegermutter in die Tür trat und ihn herbeiwinkte.

»Du hast gewonnen«, sagte sie mit verschmitztem Lächeln. »Gott hat dir einen Sohn geschenkt.«

Er ging zu Induk und kniete neben ihrem Lager nieder. In ihrem Arm sah er ein kräftiges Kind – seinen Sohn! Er empfand einen seltsamen neuen Stolz, das Gefühl, etwas erreicht zu haben, ein Aufwallen von Kraft und Hoffnung. Dann blickte er Induk an.

»Das nächste Mal werde ich mich um eine Tochter für dich bemühen, da ich so gut beten kann«, sagte er, und sie lachte trotz ihrer Mattigkeit.

Anfangs sah Yul-han in dem Kind nur seinen Sohn, einen Teil

seiner selbst, den Dritten im Bunde mit Induk. Doch nach und nach bekam er ein ganz merkwürdiges Gefühl. Es schien ihm, als ob in diesem kleinen Kind eine alte Seele wohne. Er hätte nicht in Worten ausdrücken können, was er damit meinte, wenn er an eine alte Seele dachte. Er bemerkte lediglich im Verhalten des Kindes eine Verständigkeit, eine Geduld, ein Begreifen, die völlig unkindlich waren. Es schrie nicht, wenn sich eine Mahlzeit verspätete; es schien mit seinen nachdenklichen Augen alles einzusehen und konnte warten. Aufmerksam wanderte dieser friedliche Blick von Yul-hans zu Induks Gesicht, wenn sie sich unterhielten, als verstünde das Kind bereits, was seine Eltern sagten. Es war ein großer, kräftiger, gesunder Junge, und er hatte Persönlichkeit. Yul-han verspürte eine gewisse Scheu, eine Unschlüssigkeit, ihn »mein Sohn« zu nennen, so als sei der Anspruch anmaßend.

»Glaubte ich noch an die Lehren des Buddhismus«, sagte er eines Tages zu Induk, »so würde ich behaupten, in diesem Kind sei eine große Seele der Vergangenheit wiedergeboren worden.«

Es war am Abend vor dem hundertsten Tag nach der Geburt, und Induk traf noch Vorbereitungen für das Fest und war damit beschäftigt, kleine Kuchen zu backen.

Zuerst schwieg sie eine Weile. »Auch ich empfinde so etwas«, meinte sie dann. »Was es bedeutet, kann ich nicht sagen. Ich weiß nur, daß dieses Kind selbst die Richtung angeben wird, in die es gehen will. Obwohl wir die Eltern sind, dürfen wir es nicht gewaltsam zu lenken versuchen.«

In schönster Harmonie begingen die beiden Familien in Ilhans Haus das Fest. Es war die erste Begegnung der Kims mit Induks Angehörigen und zugleich eine Zusammenkunft, wie es sie seit dem Begräbnis von Il-hans Vater nicht mehr gegeben hatte.

»Ich möchte einen Namen für ihn bestimmen«, sagte Il-han, nachdem sich die Gäste verabschiedet hatten. »Einen chinesischen Namen. Er soll Liang heißen. Später mag er noch einen weiteren Namen seiner eigenen Wahl hinzufügen, aber wir wollen ihn Liang nennen, Licht.«

»Ein guter Name«, stimmte Yul-han zu.
Sunia, die das Kind auf dem Arm trug, nickte. »Ein Name, der groß genug ist, daß er in ihn hineinwachsen kann. Er ist klug, unser Enkel, fast zu klug.«
»In Zeiten wie diesen brauchen wir gerade Weisheit«, sagte Yul-han.
Hier nahm Induk ihr Söhnchen an sich. »Er ist noch ein so kleines Kind«, protestierte sie. »Ihr wollt zu früh einen Mann aus ihm machen.« Und zärtlich drückte sie ihn an die Brust.

Die hoffnungslose Situation in Yul-hans Heimat verblaßte in ihrer Bedeutung vor dem brodelnden Unwetter, das im Westen heraufzog. Dort, wo so lange Frieden geherrscht hatte, bereitete sich ein Krieg vor. Niemand konnte es zunächst begreifen, denn es schien, als wäre dieser Krieg nur durch die Ermordung eines Adligen entstanden, in einem Land, dessen Name in Korea niemand bekannt war. Aus dem einzigen Tod wurden mit der rasenden Geschwindigkeit eines Steppenbrandes unzählige. Der Krieg zerriß Europa, und Deutschland, die Nation, die von Japan am meisten bewundert wurde und wohin so viele kaiserliche Soldaten zur Ausbildung geschickt worden waren, Deutschland brach als erstes zum Kampf auf.
»Was wird mit uns geschehen?« fragte Induk verängstigt.
»Was es auch ist, wir können nichts dagegen tun«, erwiderte Yul-han.
»Aber welche Partei werden in diesem Krieg die Japaner ergreifen?«
»Diejenige, von der sie sich den größten Vorteil versprechen.«
Yul-han brachte es kaum fertig, in seinen Unterrichtsstunden eine geregelte Arbeit zu erzwingen. Seine Schüler waren aufgeregt, steckten voller Fragen, überlegten, welche Veränderungen der neue Krieg für ihr Leben bringen würde, und spekulierten darauf, daß ihre Heimat in dem allgemeinen Aufruhr ihre Unabhängigkeit wiedererlangen könnte.
»Macht euch keine Hoffnung«, warnte Yul-han.
»Wie kann ein Christ sagen, wir sollten nicht hoffen?« rief einer der jungen Leute.

Yul-han fand keine Antwort. Er fühlte sich zurechtgewiesen und versuchte streng, die allgemeine Aufmerksamkeit wieder auf die Bücher zu lenken. Doch die Jungen hatten in diesen Tagen nicht mehr viel Sinn für Bücher. Sie waren zerstreut und widerspenstig und schwer zu behandeln.
Es kam für viele überraschend, daß Japan sich gegen Deutschland stellte, aber Yul-han begriff, was hinter dieser Stellungnahme steckte. Korea bedeutete für dieses kleine, mächtige Inselvolk lediglich ein Sprungbrett zum asiatischen Kontinent. Deutschland hatte sich chinesisches Gebiet angeeignet, und Japan gedachte dieses Territorium als Kriegsbeute für sich zu beanspruchen.
Eines Sonntags nach dem Gottesdienst bat Yul-han Induk, ein paar Minuten auf ihn zu warten, denn er wollte in der Sakristei mit dem Missionar die politische Lage erörtern. Der Tag war herbstlich kühl, aber dieser rothaarige Heilige hatte zu jeder Jahreszeit so viel Hitze in sich, daß ihm auch jetzt, als er den schwarzen Talar abstreifte, der Schweiß über die Backen in den inzwischen weißgesprenkelten Bart lief.
»Ich möchte gern Ihre Ansicht über etwas hören«, erklärte Yul-han nach der Begrüßung und unterbreitete dem Amerikaner seine Befürchtungen.
»Es besteht gar kein Zweifel«, sagte er. »Die Japaner werden zwar nicht in Europa kämpfen, aber sie werden die deutschen Gebiete in China an sich reißen und dort den Grundstein zu einem kommenden Weltreich legen. Ob Ihr Präsident Wilson sieht, was Japan zu tun im Begriff steht?«
»Vertraue auf Gott«, sagte der Missionar.
»Weiß es Gott?« gab Yul-han mit unglücklichem Lächeln zurück.
»Er weiß alles und kennt alle Menschen«, erwiderte der Missionar.
Yul-han verließ die Sakristei und fand seine Fragen noch immer unbeantwortet. Als er überlegte, mit wem er wohl über diese Dinge sprechen könnte, fiel ihm sein alter Freund Yi Sung-man ein, dem er nicht mehr begegnet war, seit er die japanische Schule verlassen hatte. Jetzt dachte er daran, daß

sie früher oft zusammen in einem kleinen Speisehaus gegessen hatten, und dorthin begab er sich anderntags um die Mittagszeit. Wirklich saß Sung-man dort, unordentlich wie gewöhnlich und ganz darin vertieft, aus einer dampfenden Schüssel Nudelsuppe hinunterzuschlingen. Sein Haar war zu lang und sein europäischer Anzug ungebügelt und fleckig. Erst als Yul-han sich an seinen Tisch setzte, blickte er auf.

»Du!« rief er. »Wie lange habe ich dich nicht mehr gesehen! Du bist magerer geworden. Ich habe gehört, du seist jetzt Christ. Ich habe auch daran gedacht – aber ich würde meine Stellung verlieren. Du hast es gut. Suppe – Suppe –«

Er schnalzte mit den Fingern, und die alte Frau, die bediente, brachte Yul-han ein kleines Becken mit brennender Kohle, auf dem die Messingschüssel mit heißer Suppe stand.

Sie unterhielten sich über Belanglosigkeiten, Fragen nach diesem und jenem Freund wurden gestellt, und langsam begann sich das Speisehaus zu leeren.

»Hast du heute noch Unterricht?« erkundigte sich Yul-han dann.

Sung-man schüttelte den Kopf, hob seine Schale hoch und kippte sich den letzten Rest Suppe in den großen Mund. Anschließend wischte er sich die fettigen Lippen am Ärmel ab, verschränkte die Arme und beugte sich erwartungsvoll über den Tisch vor.

»Ist dir der Amerikaner Woodrow Wilson ein Begriff?« fragte Yul-han leise.

»Wem wäre er es nicht?« erwiderte Sung-man. »Er ist unsere einzige Hoffnung, ein Mann des Friedens, der über Macht verfügt. Er wird uns alle retten, wenn es ihm gelingt, den Krieg rechtzeitig zu beenden.«

»Hast du ein Buch über ihn?«

»Komm mit zu mir«, sagte Sung-man.

Yul-han begleitete ihn, und Sung-man gab ihm eine dicke Broschüre. Der Titel bestand aus einem einzigen Wort: Wilson.

»Lies das«, sagte Sung-man, »aber halte es gut verborgen. Vielleicht schließt du dich dann uns an.«

Uns? Yul-han stellte keine Frage. Er steckte das Buch in seinen Ärmel, begab sich heim und las die ganze Nacht. Aus dem verwischten Druck begann sich vor ihm ein Gesicht, eine Gestalt zu formen, ein einsamer, mutiger Mann, etwas zu sehr von sich überzeugt bisweilen, aber immer bemüht, das Rechte zu tun. Konnte es in diesen Zeiten tatsächlich noch irgendwo eine solche Persönlichkeit geben?

Auch Il-han hörte von Wilson. Die unter seine Tür geschobenen Botschaften kamen nun schon lange; manchmal blieben sie einige Tage aus, so daß er befürchtete, der Überbringer sei im Gefängnis oder tot, doch stets stellten sie sich wieder ein. Und augenblicklich lautete ihr Thema Woodrow Wilson, Woodrow Wilson und der Krieg, Woodrow Wilson und sein Volk, Woodrow Wilson und die freien Völker der Welt.

Il-han las diese Blätter immer wieder und grübelte darüber nach. Seine einst so herzlichen Gefühle für Amerika hatten sich abgekühlt, als er so viel Verachtung für jenen Roosevelt empfinden mußte, der die Bedeutung Koreas in der Welt überhaupt nicht ermessen hatte und in seiner Unwissenheit, voller Bewunderung für den Mut eines kleinen Japan gegenüber einem riesigen Rußland, gänzlich übersah, daß Japan den Sieg nur durch die Besetzung Koreas hatte erringen können. War dieser Woodrow Wilson klüger? Während Il-han aufmerksam jede Zeile studierte, versuchte er sich ein Bild von diesem Manne zu machen. Er sei Gelehrter, hieß es, und Il-han erblickte darin einen besonders glücklichen Umstand. Gelehrte verstanden sich in aller Welt. Roosevelt war ein Herrenreiter gewesen, ein Jäger, der Gewalt zugetan. Il-han erinnerte sich noch gut einer echt weiblichen Bemerkung Sunias, als sich Roosevelt gleich nach Ablauf seiner Amtszeit zur Großwildjagd nach Afrika begab.

»Seine arme Frau«, hatte sie gemeint. »Nachdem sie ihn, solange er Präsident war, schon kaum zu Gesicht bekommen hat, muß sie nun erleben, daß er sie um solcher Leidenschaften willen weiter allein läßt. Du hast wenigstens nach dem Tod der Königin ein ruhiges Leben begonnen.«

Ihre Worte kamen ihm jetzt wieder in den Sinn, während er sich mit der Persönlichkeit Wilsons beschäftigte. Wilson hatte nicht nur den Vorzug, Gelehrter zu sein, er zeigte sich auch seiner Gattin und seinen Kindern tief verbunden und war sowohl das Oberhaupt einer Nation als auch das seiner Familie. Sagte nicht Konfuzius, eines Mannes Verantwortlichkeit habe vor allem anderen seiner Familie zu gelten? Woodrow Wilson hatte in vielen Dingen konfuzianische Züge, und das ließ ihn gleich viel weniger fremd erscheinen. Er war ein Mann der Ideale und Überzeugungen, ein Mann des Friedens. Oft gaben die Flugblätter Auszüge aus seinen Reden wieder. So hatte er zum Beispiel erklärt, als er mitten im Krieg einen Tag des Gebets für den Frieden festsetzte:
»Ich, Woodrow Wilson, Präsident der Vereinigten Staaten von Amerika, bestimme den Sonntag, 4. Oktober, zum Tag des Gebets und bitte alle gottesfürchtigen Menschen, an diesem Tag ihre Gottesdienste aufzusuchen, um sich in dem demütigen Flehen zusammenzutun, der allmächtige Gott möge seinen Kindern Frieden gewähren und die Eintracht unter Menschen und Völkern wiederherstellen.«
Und ein andermal: »Das Beispiel Amerikas muß von besonderer Vorbildlichkeit sein. Es muß den Frieden repräsentieren, nicht weil es nicht kämpfen will, sondern weil der Frieden heilsame Kräfte hat und die edlen Instinkte weckt, während der Hader das Gegenteil bewirkt. Es gibt so etwas wie eine Nation, die so eindeutig im Recht ist, daß sie es nicht nötig hat, andere mit Gewalt davon zu überzeugen. Es gibt so etwas wie einen Mann, der zu stolz ist, um zu kämpfen.«
Il-han unterstrich diese bemerkenswerten Sätze dick. Was für ein Mann war dies, dessen Worte eine solche Kraft besaßen, daß sie sich in Waffen für den Frieden verwandelten? Von der Schärfe eines Schwertes, kühn und klar, machten sie tiefen Eindruck auf Il-han, der in der klassischen konfuzianischen Lehre erzogen worden war, daß der Überlegene nicht durch Gewalt oder grobe körperliche Akte zur Führung gelange, sondern durch die reine Intelligenz eines weisen Geistes.
Aus solchen Betrachtungen heraus schuf sich Il-han langsam

eine Vorstellung von dem Mann, der ein großes Land mit ruhiger Überzeugung und absoluter Rechtschaffenheit regierte und in einer Welt des Krieges und des Bösen den Frieden verteidigte. Zuerst begann er diesem Amerikaner zu vertrauen, dann ihn zu vergöttern.

Yul-hans zweites Kind, eine Tochter, wurde zu Frühlingsbeginn geboren, als gerade die ersten Pflaumenblüten kahle Zweige zierten, zu einer Zeit, die eine glückliche hätte sein können, wenn sie nicht auch, im vierten Monat des Sonnenjahres 1917, den Kriegseintritt Amerikas gebracht hätte.

Unter den Koreanern hatte sich auf Grund der Zeitungsberichte, die ihnen wiedergaben, was immer Wilson irgendwo sagte, die Überzeugung verbreitet, er sei ein Heiliger, der Retter der Welt, ein Mann, der sich niemals zum Kriegführen erniedrigen könnte. Auch Yul-han dachte so und hatte oft mit seinem Vater darüber diskutiert. Il-han war nämlich nach und nach zu der Auffassung gelangt, ein Kriegseintritt Amerikas könnte unter Umständen notwendig sein. Gewiß war der Friede der ideale Zustand, doch wenn Amerika nicht in den Krieg eingriff, so war es möglich, daß in Europa von jenem zornigen Mann, jenem Kaiser mit dem verkürzten Arm, eine Tyrannei errichtet wurde, die einen Weltbrand entfachen konnte.

Yul-han indessen vermochte nicht an eine solche Notwendigkeit zu glauben. »Vater«, rief er aus, »wie kann Wilson sein Volk nun zum Krieg überreden, wenn er vorher seine ganze Überredungskunst für den Frieden eingesetzt hat?«

Il-han schüttelte den Kopf und strich sich über den ergrauenden Bart. »Merkst du nicht, daß die Deutschen seine Worte des Friedens als Worte der Angst auslegen? Während er von Frieden spricht, erklären sie, einen uneingeschränkten Krieg zur See führen zu wollen. Kann man das hinnehmen?«

Yul-han blickte seinen Vater neugierig an. »Wie kommt es, daß es dich hier unter deinem Strohdach so beschäftigt, was irgendwo in einem ganz anderen Teil der Welt vorgeht?«

»Ich habe gelernt, daß kein Strohdach mir oder irgendeinem

von uns Schutz bietet«, erwiderte Il-han. »Wir sind nicht wie die Seekrabben. Wir besitzen keine Schale, in die wir uns zurückziehen können. Unsere Vorfahren haben ihre Kraft damit verbraucht, nach einer solchen Schale zu suchen, umsonst! Der Feind hat uns gefunden, und es gibt keine Hoffnung für uns, solange wir uns nicht zu der Welt bekennen, deren Teil wir schließlich sind. Nur im Schutz einer gesicherten Welt können auch wir Sicherheit erwarten. Wer kann uns von diesen fremden Machthabern befreien? Nicht ihre eigenen Feinde, nicht wir und nicht unsere Freunde. Hilfe können wir nur von allen erwarten, von einer einzelnen Nation nicht. Dieser Woodrow Wilson ist der einzige Mann, der erfaßt hat, daß diese Wahrheit auch für sein eigenes Land zutrifft, und wir müssen uns in seinem Schatten halten. Wenn der Krieg gewonnen ist, wird Wilson den Ton angeben, und unter seiner Führung werden wir unsere Unabhängigkeit, unsere Freiheit, nach der wir uns so sehnen, wiederbekommen, weil dann alle frei sein werden.«
Die prophetischen Worte seines Vaters ließen Yul-han in ehrerbietigem Schweigen verharren. Und im ganzen Land blickten die Menschen in gläubiger Hoffnung zu dem amerikanischen Präsidenten auf. Niemand sagte Dinge wie er. Andere beschäftigten sich nur mit ihren eigenen Ländern, dieser Mann hingegen sprach von allen Nationen, und sie alle vertrauten ihm. Überall drängten die Leute in die christlichen Kirchen, im festen Glauben, der Gott, zu dem Wilson betete, werde ihm den Sieg schenken und mit diesem Sieg erhielten sie ihre Freiheit wieder. Viele traten sogar um der Religion Wilsons willen der christlichen Kirche bei.
Wilson hatte angekündigt, daß er am sechzehnten Tag des fünften Monats zum amerikanischen Volk sprechen werde, und er war inzwischen eine solche Persönlichkeit geworden, daß eine Rede in seinem Land gleichzeitig der ganzen Welt galt. Bevor es jedoch dazu kommen konnte, versenkten die Deutschen drei große amerikanische Schiffe.
Als die Nachricht bekannt wurde, lag Induk gerade in den Wehen. Trotzdem suchte Yul-han sofort seinen Vater auf. Er

fand ihn in Hochstimmung vor, seine Augen glänzten vor Erregung.
»Jetzt«, sagte er zu Yul-han, mit der linken Hand auf die Zeitung klopfend, die er in der rechten hielt, »jetzt muß Wilson Amerika in den Krieg führen.«
»Vater!« rief Yul-han. »Freust du dich etwa darüber? Und du willst ein Mann des Friedens sein?«
Il-han las nun vor, was Wilson gesagt hatte, wobei er nicht mit Beifallsäußerungen sparte.
»Er wendet sich an das deutsche Volk, dieser Mann – er drängt es, sich gegen die eigenen Tyrannen zu stellen. Es ist, als ob er zu uns spräche – zu unserem Volk. Er sagt – er sagt –« Il-han suchte mit dem Zeigefinger die Stelle wieder. »Er sagt: ›Wir sind keine Feinde des deutschen Volkes. Wir hegen keine anderen Gefühle ihm gegenüber als die der Sympathie und der Freundschaft. Es entsprang nicht dem Wunsch des deutschen Volkes, daß seine Regierung in den Krieg eintrat. Dieser Krieg wurde provoziert und begonnen im Interesse von Dynastien, die gewohnt sind, ihre Mitmenschen als Werkzeuge zu benutzen.‹« Hier hielt Il-han inne. »Trifft das nicht genau auf uns zu? Er spricht zu uns, sage ich dir – warte, es kommt noch mehr – er sagt – hier, er sagt zu dem deutschen Volk: ›Wir verlangen keine Kriegsentschädigungen, keinen materiellen Ausgleich, uns geht es nicht um Unterwerfung – nicht um die Herrschaft. Wir verfolgen keine egoistischen Ziele.‹ Gibt es auf der ganzen Welt noch so einen Mann? Und so fährt er fort: ›Wir brauchen einen Völkerbund, dem alle Nationen angehören und vor den sie alle ihre Klagen bringen können.‹ Dorthin müssen wir gehen, mein Sohn, sobald der Krieg gewonnen ist – vor den Völkerbund, und unseren Fall vortragen!«
Yul-han war beunruhigt. Mehrmals hatte er vergeblich versucht, den Redefluß seines Vaters zu unterbrechen. Tränen liefen Il-han über die Wangen, er zitterte, und seine Lippen bebten.
»Vater, bedenke, daß der Krieg noch lange nicht gewonnen ist. Niemand hat den Deutschen bisher ihre Machtstellung

streitig machen können. Es ist die letzte Hoffnung, daß sie sich nun vielleicht mit den Amerikanern darin teilen müssen. Wir wissen noch nicht –«
»Ich weiß es!« schrie Il-han. »Ich weiß, daß dieser Mann den Krieg für uns gewinnen wird! Wenn ich seine Worte lese, fühle sogar ich, wie ich wieder stark werde und jung. Ich könnte selbst in die Schlacht ziehen!«
»Ich gebe zu, daß seine Worte überzeugend und klug gewählt sind, Vater, aber Worte erringen noch keinen Sieg.«
Il-han war wie ein enttäuschtes Kind. »Du bist kalt«, stieß er heftig hervor. »Du bist kalt. Wenn Wilson dir nicht genügt, wo bleibt dann dein Gott, dieser neue Gott der Christen? Ist er nicht auch Wilsons Gott?«
Als Yul-han später in sein Haus zurückkehrte, empfing ihn Ippun an der Tür. Ihr rundes, von der Kälte gerötetes Gesicht strahlte. »Herr«, sagte sie. »Du hast eine Tochter!«
Ja, Induk war wieder schwanger geworden, obwohl sie es sich beide nicht gewünscht hatten. Die Zeiten waren zu schwer für Kinder, und Liang, ihr Sohn, hätte ihnen genügt. Er war kräftig für sein Alter, ein gutmütiger, ruhiger Junge. Mit acht Monaten konnte er schon laufen, und er sprach bereits, noch ehe er ein Jahr vollendet hatte. Yul-han vergaß oft, wie klein er noch war, und redete mit ihm wie mit einem Erwachsenen. Das Kind liebte seinen Vater und war selig in seiner Gegenwart, doch auch wenn er nicht da war, wußte es sich mit irgend etwas zu unterhalten.
Am meisten hing der Kleine allerdings an seinem Großvater, und Il-han fand darin ein Glück, wie er es nicht mehr zu erhoffen gewagt hätte.
»Liang«, so bemerkte er einmal Yul-han gegenüber, »entschädigt uns für jeden erlittenen Verlust.« Und ein andermal erklärte er: »Liang zu bestrafen, wäre ungerecht. Alles, was er tut, meint er gut, und es liegt oft ein Sinn darin, der zu tief für uns ist.«
So war es nur natürlich, daß sich Yul-han und Induk gerne mit einem solchen Kind begnügt hätten. Manchmal zweifelten sie sogar, ob sie auch später ihre Elternpflichten gut erfüllen

könnten, ob sie klug und gebildet genug für ihn wären, wenn er erst heranwuchs. Und Yul-han hatte die Gedanken an ein zweites Kind noch verscheucht, als er bereits Induks schwellenden Leib sah.

Selbst jetzt, während er das kleine, runzlige Gesicht seiner neugeborenen Tochter betrachtete, vermochte er sich noch nicht richtig zu freuen. Schweigend kniete er neben Induks Lager. In ihrer stillen Art, ein wenig traurig und bittend zugleich, blickte sie ihn an, das schmale Gesicht elfenbeinweiß, die Augen groß und dunkel.

»Wie konnten wir nur das Risiko auf uns nehmen, noch ein Kind und vor allem ein Mädchen zu haben?« sagte sie kummervoll.

Er verstand ihre Sorge. Wie sollten sie in solchen dunklen Zeiten des Hungers und der Unfreiheit eine Tochter schützen? Schon das Erbe ihrer eigenen Generation war unglückselig genug gewesen – ein von Streit und Zwietracht zerrissenes Land, von Krieg bedroht. Und doch hatte es wenigstens noch ihrem Volk gehört. Jetzt waren sie nichts anderes mehr als Sklaven, und wenn sich jemand davon ausnehmen konnte, ein Sklave zu sein, so nur die Verräter, die sich an die fremden Machthaber verkauft hatten.

»Wir müssen ihr die Kindheit so schön wie möglich machen«, sagte Yul-han schließlich. »Sie soll wenigstens etwas haben, woran sie sich gerne erinnert.«

Induk erwiderte nichts, und er nahm ihre lange, schmale, abgearbeitete Hand und wärmte sie ein wenig. Dann legte er sie behutsam auf die Bettdecke zurück und umschloß die winzige geballte Faust seiner Tochter. »Vielleicht ist die Welt, bis sie eine Frau ist, besser und unsere Heimat frei«, sagte er. »Wir wollen die Hoffnung nicht verlieren, denn ohne Hoffnung sterben wir.«

Der Sommer kam, und die japanischen Zeitungen verbreiteten die Nachricht, daß in Amerika die jungen Männer zwischen einundzwanzig und zweiunddreißig Jahren zu den Waffen einberufen wurden.

In der Kirche hob der Missionar die Arme zum Himmel und erflehte Gottes Segen für Amerika und den amerikanischen Präsidenten, und wie ein Donner brach das Amen aus den mehr als tausend Kehlen der koreanischen Gemeinde. Von nun an diente das Gotteshaus auch oft nächtlichen Zusammenkünften, bei denen Yul-han die Aufgabe übernahm, Nachrichten von den Kriegsschauplätzen und Botschaften Wilsons vorzulesen. Immer wieder versicherte der Präsident das amerikanische Interesse an der Freiheit und dem Selbstbestimmungsrecht aller Nationen, und seine Worte, die durch das Wunder der drahtlosen Übermittlung binnen vierundzwanzig Stunden von Südamerika bis Korea gelangten und mit den Zeitungen in die entlegensten Provinzen eines Landes vordringen konnten, stießen überall in der Welt auf gläubiges Vertrauen.

Der Krieg ging weiter. Eines Tages, mitten im Winter, als tiefer Schnee in den Straßen die Leichen der Erfrorenen unter seiner weißen Decke begraben hielt, kam Yul-han nach Hause und fand seine Mutter auf ihn wartend vor.
»Komm mit zu deinem Vater«, bat sie ihn, »er weint wie ein Kind, und ich weiß nicht, was ich tun soll. Er will mir nicht einmal den Grund sagen.«
Unverzüglich ging Yul-han zum Haus seiner Eltern hinüber und in die Bibliothek, wo sein Vater laut schluchzend hin und her wanderte, eine zerknitterte Zeitung gegen die Brust gedrückt. Yul-han griff nach seinem Arm. »Vater, was hast du?«
Il-han breitete die Zeitung vor ihm aus. »Höre das!« rief er. »Vierzehn Punkte – Wilsons Vierzehn Punkte –« Mit zitternden Händen die Zeitung haltend, las er vor: »›Nationale Bestrebungen müssen respektiert werden; Fremdherrschaft darf es von jetzt an nur noch geben, sofern das betreffende Volk damit einverstanden ist. Selbstbestimmung ist keine bloße Phrase‹ ... Mein Sohn –« Il-han faltete die Zeitung und unterstrich seine Worte mit ausgestrecktem Zeigefinger. »Mein Sohn, es ist unser Volk, von dem er spricht!«
Die Tränen alter Leute kommen so schnell wie die der Kinder;

Il-han, das sah sein Sohn, weinte aus Erleichterung darüber, eine lang unterdrückte Hoffnung hegen zu dürfen. Unter all seinem offensichtlichen Vertrauen in Woodrow Wilson hatte sich insgeheim noch immer eine tiefe Angst verborgen, die Angst, auch dieser amerikanische Präsident könnte sich als Enttäuschung erweisen. Jetzt durfte er glauben. Selbstbestimmung – war das nicht das gleiche wie Unabhängigkeit?

»Setze dich, Vater«, sagte Yul-han. »Laß dein Herz zur Ruhe kommen.«

Il-han war nicht der einzige, den die Freude überwältigte. Überall in Korea empfanden die Menschen eine ähnliche Bewegung, und in vielen christlichen Gemeinden wurden Dankgottesdienste abgehalten, so auch in Yul-hans Kirche. Er ging an diesem Sonntag allein hin, denn Induk war zu Hause geblieben, um ihr zweites Kind zu pflegen, das oft kränkelte und ihr viel Mühe bereitete. Der Tag war besonders schön, klar hoben sich die Berge von einem tiefblauen Himmel ab, und Yul-han fühlte eine neue, fröhliche Zuversicht, als er aus der Kirche trat. Wie gewöhnlich warteten Bettler an der Treppe; sie hatten längst herausgefunden, daß christliche Herzen sonntags weicher waren als an anderen Tagen.

Eine dieser Gestalten trat auf Yul-han zu und faßte nach seinem Mantel. Ohne ihn anzublicken, langte Yul-han in die Tasche, fand eine Münze und ließ sie in die Hand des Mannes gleiten. Dann ging er weiter. Nach ein paar Minuten wurde er gewahr, daß ihm jemand folgte, und als er sich umdrehte, sah er den gleichen Bettler wieder. Er blieb stehen, um den Mann zu fragen, was er von ihm wolle, doch als der andere herangekommen war und Yul-han seine Augen sah, schwieg er und überlegte angestrengt. Wo waren ihm nur diese Augen schon einmal begegnet?

»Du kennst mich nicht«, sagte der Bettler.

»Nein«, antwortete Yul-han, und plötzlich fiel ihm auf, daß diese Stimme nichts mehr gemein hatte mit den Jammertönen der Bettler vor der Kirche.

»Geh weiter«, sagte der Mann jetzt. »Ich werde dir mit ausgestreckter Hand folgen, als bettelte ich.«

Verwundert fügte sich Yul-han, und der andere fuhr hinter ihm leise zu sprechen fort.
»Wie viele Jahre sind es? Ich kann es dir nicht übelnehmen, daß du mich nicht kennst. Aber ich bin dein Bruder.«
Yul-han drehte sich unwillkürlich um und hatte schon den Namen Yul-chuns auf den Lippen, als er das Bettlerjammern wieder vernahm.
»Eine Kleinigkeit, eine gute Tat, Herr – Erbarmen, lieber Herr, es bringt dich dem Himmel näher ... Lege ein Geldstück in meine Hand«, murmelte er leise, und Yul-han tat es.
»Lieber Herr, du hast mir eine schlechte Münze gegeben.«
Yul-han beugte sich über die Hand seines Bruders, um die Münze zu betrachten, und hörte die Worte: »Laß das Tor heute nacht unversperrt und erwarte mich.«
Dann gingen sie auseinander, der Bettler mit überschwenglichen Dankesbezeigungen, Yul-han so gleichmütig, wie es sein schwindelnder Kopf zuließ. Yul-chun! Er eilte heim. Als er Induk hastig und erregt von dem Erlebnis berichtete, fiel sein Blick auf seinen Sohn. Das Kind lauschte, als ob es verstünde – und obwohl das gar nicht möglich war, verstummte Yul-han sofort.
Irgendwann nach Mitternacht, als das Dunkel am undurchdringlichsten war, hörte Yul-han das Tor langsam aufgehen, gerade so weit, daß eine magere Gestalt hindurchschlüpfen konnte. Er sah nichts in der Finsternis, aber dann streckte er die Hand aus, fühlte die Schulter Yul-chuns und tastete sich bis zu seiner Hand weiter. Geräuschlos schlichen sie über die Gartenwege zum Haus, Yul-han führte den Bruder in eine kleine, fensterlose Vorratskammer, wo Säcke mit Getreide an der Wand standen. Induk brachte Kissen und eine Kerze.
»Ich bin vor zwei Tagen aus dem Gefängnis entflohen«, sagte Yul-chun leise.
»Aus dem Gefängnis!«
Der Schein des Talglichtes lag flackernd auf Yul-chuns hohen Backenknochen und ließ die tiefliegenden Augen im Schatten.
»Hattest du nicht vermutet, daß ich im Gefängnis bin? Seit dem Prozeß schon.«

»Lebendiger Bambus!« Yul-han fiel es plötzlich wie Schuppen von den Augen. »Du bist der, der sich Lebendiger Bambus nannte!«
»Ja«, bestätigte Yul-chun und erzählte seinem Bruder hastig, was ihm in der langen Zeit, die sie sich nicht gesehen hatten, widerfahren war. »Und wie geht es unseren Eltern?« erkundigte er sich dann. »Sage mir, was sich in unserer Familie zugetragen hat, aber beeile dich, Bruder! Bei Tagesanbruch muß ich schon weit fort sein.«
In aller Kürze berichtete Yul-han von den Eltern, von seiner Heirat und den Kindern.
Ein zärtlicher Schimmer überzog Yul-chuns hartes Gesicht. »Ich würde gern deinen Sohn sehen«, sagte er. »Da mir ein Leben, wie es andere Männer kennen, nicht vergönnt ist, kann es sein, daß von unserer Familie niemand bleibt als dein Sohn, um den Kampf um unsere Unabhängigkeit fortzuführen.«
Induk erhob sich schweigend, holte Liang aus dem Bett und brachte ihn Yul-chun. Das Kind schlief noch halb, aber in seiner gutwilligen, liebenswerten Art lächelte es seinen Onkel an, ohne freilich zunächst großes Interesse zu bekunden. Plötzlich jedoch zeigte sich eine unerklärliche Veränderung in seinem Benehmen. Das Lächeln verschwand von seinen Zügen, es neigte sich in den Armen seiner Mutter nach vorn und blickte ernst in die Augen seines Onkels. Dann jauchzte es auf, streckte die Arme aus und beugte sich so weit vor, daß Yul-chun zugreifen mußte, um es aufzufangen. Das Kind klammerte sich an ihn, legte die Arme um seinen Hals, schmiegte die Wange an ihn, hob dann den Kopf, um Yulchun mit glücklichem Lachen anzublicken, und das wiederholte sich einige Male, während Yul-han und Induk starr vor Staunen zusahen.
»Aber was ist das?« rief Induk schließlich aus. »Als ob das Kind dich schon oft gesehen hätte!«
»Man könnte meinen, es erkenne dich aus einem früheren Leben«, sagte Yul-han und beobachtete besorgt, wie sich eine merkwürdige Erregung Liangs bemächtigte, ein Zustand zwi-

schen Lachen und Weinen. Er wollte sichtlich sprechen und hatte nicht genug Worte, und Yul-chun vermochte ihn nur zu beruhigen, indem er ihn eng an sich gedrückt hielt. Erst nach einer geraumen Weile reichte er Induk den Kleinen zurück, und die beiden Brüder gingen zusammen hinaus. Im dunklen Garten gaben sie sich die Hand und wechselten ein paar letzte geflüsterte Worte.
»Wann werden wir uns wiedersehen?« fragte Yul-han.
»Vielleicht nie mehr«, antwortete Yul-chun. »Vielleicht aber auch früher, als wir es uns jetzt träumen lassen. Ich gehe nach China zurück.«
»China! Was willst du dort?«
»In China gärt die größte Revolution der Menschheitsgeschichte. Es gibt da noch viel für mich zu lernen – und eines Tages werde ich wieder in die Heimat kommen, um zu verwerten, was ich gelernt habe. Hast du ein wenig Geld?«
»Ja, ich dachte mir schon, daß du etwas brauchen würdest.« Yul-han hatte ein Päckchen Silbermünzen – seine ganzen Ersparnisse – vorbereitet, das er jetzt seinem Bruder gab. Dann trennten sie sich. Doch Yul-chun kehrte noch einmal um, nachdem er sich ein paar Schritte entfernt hatte.
»Ich kann Liangs Benehmen nicht deuten, Bruder. Etwas allerdings weiß ich. Er hat ein besonderes Schicksal vor sich, und eine große Seele wohnt in ihm. Ich bin kein Buddhist, ich habe keine Religion, aber ich bin sicher, daß Liang kein gewöhnliches Kind ist. Achte ihn, Bruder!«
Damit verschwand er in die Nacht, und ein wenig verwirrt kehrte Yul-han in sein Haus zurück. Als er das Zimmer betrat, in dem ihre Betten auf dem Boden bereitet waren, schlief Liang ganz friedlich, und Induk, schon im Nachtgewand, flocht ihr langes Haar.
»Hat sich Liang gleich wieder beruhigt?« fragte Yul-han.
»Ja«, antwortete Induk. »Aber für mich wird es nie mehr das Kind sein, das es bisher war.«
»Sorge dich nicht«, sagte Yul-han tröstend. »Wir sind übermäßig erregt, und unsere Stimmung hat sich dem Kind mitgeteilt.«

Aber Induk ließ sich nicht besänftigen. »Wahrscheinlich liegt etwas Schreckliches vor uns«, meinte sie düster.
»Dann wollen wir ihm nicht auch noch entgegenlaufen«, erwiderte Yul-han. Von dem, was Yul-chun gesagt hatte, sprach er nicht mehr.

Yul-han war ein besonnener, ruhiger, bedächtiger Mann. Wären die Zeiten so gewesen, wie sie waren, bevor die fremden Machthaber kamen, so hätte er das Leben eines Gelehrten und Landedelmannes geführt, dessen Boden von Pächtern bestellt und dessen Kinder von Hauslehrern erzogen worden wären, eine Gattin zur Seite, die sich ausschließlich der Leitung des Haushalts gewidmet hätte. Für seine friedliebende Veranlagung war es schon umstürzlerisch genug gewesen, sich zum Christentum zu bekehren, und diese Religion hatte ihn angezogen, weil sie in einer Epoche der Gewalt und der Grausamkeiten für Frieden unter den Völkern und Liebe zwischen den Menschen eintrat. Vermutlich wäre der Empfang der christlichen Taufe auch der revolutionärste Akt seines Lebens geblieben, wenn nicht das geschehen wäre, was Induk an einem Frühlingstag zustieß.
Seine kleine Tochter war bereits über ein Jahr alt, ein sanftes, kluges, anhängliches Kind, das von seiner Mutter nicht zu trennen war und immer bei ihr sein wollte, an ihren Rock oder ihre Hand geklammert. Wenn es zu Haus auf ihrem Schoß saß, so wehrte es sogar seinen Vater ab. Aus diesem Grunde kannte Yul-han seine Tochter kaum, und seine Verbindung mit Liang wurde um so inniger. Der Unterschied zwischen den beiden Kindern, eines nach der Mutter verlangend, das andere immer im Gefolge des Vaters, hatte die Eltern unmerklich einander ein wenig entfremdet. Abends zog sich Yul-han vor der Unruhe, die seine empfindliche Tochter um sich verbreitete, und der Fürsorge, die ihr Induk fortwährend widmete, in sein Arbeitszimmer zurück, wohin ihm sein Sohn folgte, während Induk und das Mädchen sich im Hauptraum aufhielten. Die Kleine wollte immer nur von ihrer Mutter zu Bett gebracht werden, und Induk mußte

neben ihr sitzen, bis sie einschlief. Oft war dann auch sie selbst schon müde und ging ebenfalls zu Bett.
Yul-han machte also seinen Sohn zu seinem Gefährten und redete wie mit einem Erwachsenen über die Tagesereignisse. Der Junge sprach von Woodrow Wilson, als wäre der Präsident der Vereinigten Staaten sein Großvater, und er begann Amerika leidenschaftlich zu lieben. Dies hatte zur Folge, daß er seinem Großvater, der einmal dort gewesen war, bei jeder Gelegenheit Fragen darüber stellte.
»Sage mir, wie es in Amerika ist«, bettelte er unermüdlich. So umschmeichelt, dachte Il-han nach und erzählte von freundlichen Menschen, hohen Gebäuden, riesigen Bauernhöfen und großen Städten, und seine Erinnerungen wurden von dem unverbraucht guten Gedächtnis seines Enkels aufgenommen.
Induk ertappte sich manchmal dabei, wie sie ihren Sohn wegen irgendeiner Kleinigkeit ungerecht schalt. Sie wußte gut, woher diese zeitweilige Unduldsamkeit rührte. Er steckte immer bei seinem Vater, gedieh bei jeder Kost und wurde ungewöhnlich groß und kräftig für sein Alter, jeder Kinderkrankheit trotzend – und daneben sah sie ihre kränkliche Tochter. Doch sie erkannte auch, daß sie für den engen Bund zwischen Vater und Sohn nur sich selbst tadeln mußte, denn sie hatte die leise Entfremdung verursacht, indem sie dem Mädchen immer den ersten Platz einräumte. Deshalb freute sie sich, als sie im Herbst wieder schwanger wurde; sie hoffte, ein drittes Kind werde sie von dem anlehnungsbedürftigen Mädchen ein wenig befreien und den Abstand zwischen ihr und Yul-han überbrücken.
Es war gegen Ende des dritten Monats ihrer Schwangerschaft, als sie eines Tages, da Ippun mit der Wäsche beschäftigt war, selbst zum Markt ging, um frischen Fisch für die Mittagsmahlzeit einzukaufen. Das kleine Mädchen begleitete sie. Nach einer Weile wurde es müde, und Induk bückte sich, um es auf den Rücken zu nehmen, und so trug sie es bis in das Dorf. Tags zuvor hatte es in der Stadt Unruhen gegeben, doch das war etwas so Gewöhnliches, daß Induk kaum zugehört hatte, als ihr Yul-han davon erzählte. Einige Schüler

der Missionsschule waren verhaftet worden, weil sie *»Mansei«* gerufen hatten, als der Generalgouverneur auf dem Weg zu seinem Palast an der Schule vorbeikam. Es war dies die Losung des alten Korea – Grund genug, die jungen Koreaner unter der Anklage, gegen den Generalgouverneur konspiriert zu haben, in den Kerker zu schleppen. Derlei Vorkommnisse gab es im Land täglich; sie trugen unaufhaltsam zu der überall schwelenden Empörung bei, die hohe Flammen schlagen würde, sobald die Gelegenheit kam.
Als Induk im Dorf anlangte, wimmelte es von Soldaten, ein ungewöhnlicher Anblick an diesem ruhigen Ort. Sie überlegte, ob sie nicht still umkehren sollte, dachte dann aber daran, daß Yul-han sich einen besonderen Fisch gewünscht hatte, den er sehr gern aß. So ging sie weiter, das Kind auf dem Rücken. Als sie an der Schenke vorbeikam, aus der sie Ippun herausgeholt hatten, trat der Wirt gerade zu den Soldaten auf die Straße, das Gesicht vom Wein gerötet. Auch die Japaner hatten ganz offensichtlich getrunken. Induk beschleunigte ihre Schritte, doch der Schenkenbesitzer hatte sie bereits gesehen und ließ die Gelegenheit, Rache zu nehmen, nicht ungenutzt verstreichen. »Da geht eine Christin«, brüllte er, »und sie ist obendrein noch mit einem Lehrer dieser Schüler verheiratet, die gestern den edlen Generalgouverneur mit Schmährufen überschüttet haben! Ich habe sie sogar selbst *Mansei* rufen hören!«
Er erreichte seinen Zweck. Die Soldaten schrien nach der örtlichen Polizei, die, wie überall, aus Japanern bestand, welche sich sofort einfanden und gemeinsam mit den Soldaten Induk umzingelten. Wer von den Dorfbewohnern auf der Straße gewesen war, flüchtete sich entsetzt in sein Haus, um nichts mit dem, was geschehen mochte, zu tun zu haben. Induk war allein. Durch die zornigen Gesichter ringsum verängstigt, begann die Kleine zu weinen, worauf ein Polizist sie von Induks Rücken riß und auf das Pflaster schleuderte. Ein anderer packte Induk und hielt ihr die Hände auf den Rücken.
»Hast du einmal *Mansei* geschrien?« herrschte sie ein Unteroffizier an.

Sein Gesicht war rot, seine Augen funkelten. Das kurzgeschnittene schwarze Haar stand borstig hoch. Er hob das Gewehr, als ob er mit dem Kolben zuschlagen wollte. Induk, die Schreie des Kindes in den Ohren, war schreckgelähmt. Verzweifelt irrte ihr Blick von einem Gesicht zum anderen, bis sie sich schließlich an den Schankwirt wandte.
»Du«, stammelte sie, »ich bitte dich – wir sind Koreaner, du und ich –«
Er stieß ein rauhes Gelächter aus. »Jetzt bittest du mich«, höhnte er. »Jetzt fängst du an zu winseln!«
»Bringt sie auf die Polizeiwache«, befahl der Offizier. »Verhört sie. Ihr müßt die Wahrheit aus ihr herausbekommen. Hat sie *Mansei* gerufen oder nicht?«
Induks Herzschlag drohte auszusetzen. Einmal auf der Polizeiwache, wo niemand sehen konnte, was vorging, war sie verloren. So beeilte sie sich, alles zuzugeben, was sie noch retten mochte.
»Es kann sein«, brachte sie zitternd hervor, und ihr Mund war so trocken, daß sie die Worte kaum zu formen vermochte, »es kann sein, daß ich irgendwann einmal, vor langer Zeit, bevor ich begriff, was ich sagte – es kann sein, daß ich einmal *Mansei* gerufen habe, aber ich versichere –«
Das genügte. Die Soldaten johlten, und die Polizisten ergriffen Induk und stießen sie vor sich her zur Polizeiwache. In Induk überwältigten die mütterlichen Instinkte alle anderen; sie wehrte sich wild, trat nach den Männern und zerkratzte ihre Gesichter mit den Nägeln.
»Mein Kind«, keuchte sie. »Ich kann mein Kind nicht hier allein lassen!«
Das Kind war hinter ihr hergelaufen, schreiend und schluchzend. Nun packte es einer der Soldaten, schleuderte es auf die Straße und bedrohte es mit dem Bajonett. Induk geriet völlig außer sich, doch in diesem Augenblick öffnete sich eine Tür, eine Frau lief heraus, ergriff das Kind und rannte mit ihm in das Haus zurück. Induk beruhigte sich ein wenig. Sie wischte sich mit dem Rocksaum über das Gesicht, und dann wurden ihr die Hände auf den Rücken gebunden, und man trieb sie

weiter. Wenige Minuten später fand sie sich vor der Polizeiwache, von Männern umgeben. Das Entsetzen, das sie erfüllte, ließ ihr fast das Blut in den Adern erstarren, vor ihren Augen schwamm ein Schleier, und der Atem stockte ihr.
Als sie durch die Tür des niedrigen Backsteingebäudes kam, gab ihr jemand von hinten einen heftigen Tritt, und sie stürzte vornüber in den Raum. Sie wollte aufstehen, aber ihre gefesselten Gelenke hielten sie nieder, und während sie sich noch mühte, stellte ein Polizist seinen Fuß in ihren Nacken und begann sie mit seinem Stock zu schlagen. Dann zerrte er sie hoch und löste ihre Fesseln. Sie hatte gerade Atem geschöpft und ihr Haar zurückgestrichen, als der Polizeichef, der inzwischen eingetreten war, ihr befahl, sich auszuziehen. Ungläubig starrte sie ihn an. Sie wußte, daß es vielen Frauen so ergangen war, doch jetzt, da es sich um sie selber handelte, vermochte sie sich nicht zu rühren. Sie starrte nur weiter, als ob sie nicht verstanden hätte.
»Zieh dich aus!« brüllte er.
Irgendwie fand sie ihre Stimme wieder. »Herr«, stammelte sie, »Herr, ich bin die Frau eines – eines – geachteten Mannes – ich bin eine Mutter – der Anstand – bitte – verlange nicht –«
Grölend fiel die Horde Männer über sie her und riß ihr die Kleider herunter. Vergeblich bemühte sie sich, ihre Unterkleidung festzuhalten. Sie stellte sich mit dem Gesicht zur Wand, um sich vor all den Männern zu verbergen, aber sie zwangen sie, sich wieder umzudrehen. Sie versuchte sich mit den Armen zu schützen, aber ein Polizist drehte ihr die Arme herum, und die anderen prügelten auf sie ein und traten sie. Zerschlagen und blutend wäre sie zu Boden gestürzt, wenn man sie nicht festgehalten hätte, um die Mißhandlungen fortzusetzen, bis ihr Kopf auf die Brust sank und sie von nichts mehr wußte.
Im Dorf hatte sich die Nachricht von dem Vorfall schnell verbreitet, und eine Schar Männer rottete sich in wilder Wut auf der Straße zusammen. Die Hitzköpfigen unter ihnen wollten die Polizeiwache überfallen und Induk mit Gewalt befreien. Andere wandten jedoch ein, daß man dann als näch-

stes mit Übergriffen gegen die eigene Familie rechnen müsse. Nach einigem Hin und Her wurden zwei ältere Männer, die dem christlichen Glauben anhingen, ausgewählt, die zur Polizeiwache gehen und gegen die unwürdige Behandlung von Frauen protestieren sollten.

Es waren ein paar Stunden verstrichen, bevor dieser Entschluß gefaßt worden war, und als die beiden Abgesandten zur Polizeiwache kamen, war dort von einer Frau nichts zu sehen. Der Polizeichef, hinter seinem Schreibtisch sitzend, empfing sie höflich, doch als sie dagegen sprachen, daß man Frauen zwinge, sich zu entblößen, und es als ungesetzlich erklärten, blieb er gleichgültig.

»Ihr seid im Irrtum«, erklärte er kurz. »Es ist nicht gegen unsere Gesetze. Wir müssen Gefangene entkleiden, um zu sehen, ob sie nicht verbotenes Propagandamaterial bei sich tragen.«

Der ältere der beiden Männer ließ sich nicht einschüchtern. »Warum zwingt ihr dann nur junge Frauen, sich auszuziehen? Und warum niemals Männer?« fragte er furchtlos.

Der Polizeichef blieb ihm die Antwort schuldig. Lange starrte er auf die zwei alten Männer in ihren weißen Gewändern und hohen schwarzen Hüten, während sie seinen Blick ohne das geringste Zeichen von Angst erwiderten. Dann wandte er sich an einen Soldaten, der mit aufgepflanztem Bajonett in der Nähe stand. »Bring diese Leute zur Tür«, befahl er.

Der Soldat setzte sein Gewehr ab, packte die beiden Männer an den Schultern und führte sie hinaus. Doch als er die Tür öffnete, sah er eine feindselige, zornige Menschenmenge.

»Wo ist die Frau?« schrie jemand.

»Gebt die Frau heraus!« brüllte ein anderer.

»Steckt uns auch ins Gefängnis, oder laßt die Frau frei!«

Schließlich ging der Polizeichef selbst zur Tür, in der Hoffnung, die Leute einzuschüchtern. Sie schrien indessen nur noch lauter. Er zögerte einen Augenblick und trat dann in den Raum zurück.

»Laßt die Frau frei«, murmelte er schlecht gelaunt. »Eine einzige Frau ist soviel Zeit und Ärger nicht wert.«

Das Volk wartete. Ein paar Minuten darauf erschienen zwei Soldaten; Induk hing kraftlos zwischen ihnen. Sie war bei Bewußtsein, aber sie konnte nicht sprechen. Ihr Gesicht und ihr halbbekleideter Körper waren blutverkrustet, und noch immer sickerte frisches, rotes Blut aus den Wunden. Ein Aufstöhnen ging durch die Menge. Dann trat ein junger Mann vor, hob sie auf und trug sie fort. Die anderen folgten, seufzend und jammernd; zuletzt gesellte sich noch die Frau, die sich Induks Kind angenommen hatte, hinzu, und so brachten sie sie nach Hause.
Als Yul-han am Spätnachmittag wie gewöhnlich mit seinem Sohn heimkam, empfing ihn Ippun an der Tür, den Finger an den Mund gelegt.
»Wo ist die Mutter meines Sohnes?« fragte er sofort, denn Induk erwartete ihn stets, um ihm die Schuhe abzunehmen.
Ippun führte ihn in die Küche. »Meine Herrin ist geschlagen worden«, flüsterte sie.
Er fuhr zurück. »Geschlagen?«
Sie berichtete, und er hörte zu, ungläubig und sich doch bewußt, daß sie die Wahrheit sagte. Er ließ sie nicht aussprechen.
»Was können wir tun, wenn eine anständige Frau außerhalb ihres Hauses nicht mehr sicher ist«, murmelte er und eilte in Induks Zimmer. Ippun hatte ihr den Kopf verbunden und ihre zahlreichen Wunden gewaschen, und nun lag sie steif auf ihrem Bett, mit aufgedunsenen Lippen und zugeschwollenen Augen. Er kniete neben ihr nieder.
»Meine Frau, mein Herz, was haben sie dir angetan?«
Tränen, dickflüssig wie Eiter, quollen zwischen Induks violett verfärbten Lidern hervor.
»Erzähle es niemand«, flüsterte sie. »Wir haben es bisher – auch vor deinen Eltern – Gott sei Dank – verbergen – können.«
»Laß mich meine Mutter holen«, drängte Yul-han.
»Niemand – und schon gar nicht eine Frau – nicht einmal meine eigene Mutter«, wisperte Induk.
»Dann muß ich sofort den amerikanischen Arzt rufen.«
Und damit verließ er sie und eilte in die Stadt zurück.

Weder er noch Ippun hatten auf Liang geachtet. Ippun war völlig mit dem kleinen Mädchen beschäftigt, das sie gerade in der Küche fütterte, und merkte nicht, daß Liang, kaum war sein Vater fort, zum Zimmer seiner Mutter ging. Dort stand er unter dem Türrahmen und starrte auf das schreckliche Bild. Dies war seine Mutter! Er preßte beide Hände gegen den Mund, um sein Schluchzen zurückzuhalten. Dann rannte er hinaus in den Garten, und im Schutz des Bambushaines warf er sich auf die Erde.
Yul-han ging zuerst zu dem Missionar und erzählte ihm, was Induk zugestoßen war; gemeinsam suchten sie dann den amerikanischen Arzt auf. Als dieser ihren Bericht hörte, tauschte er einen langen Blick mit seinem Landsmann.
»Wie lange können wir noch schweigen?« stieß er zwischen den Zähnen hervor. »Ist es nicht unsere Pflicht, dieses Volk zu verteidigen?«
Er suchte seine Instrumente zusammen und begleitete Yul-han zu seinem Haus. Geschickt säuberte er alle Wunden, ließ Induk eine Droge einatmen, die sie in Schlaf versenkte, nahm Nadel und Faden und nähte, wo das Fleisch auseinanderklaffte.
Liang war wieder in den Türrahmen getreten und schaute herein. Zuerst erschrak er, und er bedeckte den Mund mit der Hand, um einen Schrei zu unterdrücken. Doch als er sah, daß seine Mutter friedlich schlief, kam er näher, stellte sich neben seinen Vater und schob ihm schweigend die Hand in die seine.
Als der Arzt fertig war, bemerkte er den Jungen und lächelte ihn an, und Liang fand den Mut, etwas zu fragen. Mit ernsten Augen blickte er zu dem Amerikaner auf. »Wirst du Woodrow Wilson sagen, daß er meiner Mutter helfen soll?«
Yul-han beeilte sich zu erklären, daß Liang den amerikanischen Präsidenten zu seinem Idol gemacht habe. Der Arzt hörte zu, während er seine Instrumente wieder einpackte. Dann machte er eine Kopfbewegung zu Induks Lager hin.
»Ihre Gattin wird in ein paar Tagen wieder soweit in Ordnung sein; sie braucht allerdings viel Ruhe. Ein Glück, daß sie nicht verloren hat, was sie in sich trägt.«

An der Tür sah er noch eine Weile stumm auf Liang hinunter.
»Es ist besser, keine Idole zu haben«, sagte er, und ein trauriges Lächeln zitterte um seine Lippen, als er hinausging.
Spät am Abend – Induk schlief noch immer unter dem Einfluß der Droge, und Ippun brachte die Kinder zu Bett – begab sich Yul-han zu seinem Vater. Il-han öffnete ihm selbst, eine Kerze in der Hand, deren flackernder Schein verschwommene Schatten warf, und Yul-han fiel es zum erstenmal auf, wie sehr sein Vater gealtert war. Sein ganzes Leben lang hatte er sich auf seinen Vater gestützt. Selbst wenn eine Meinungsverschiedenheit sie einander entfremdete, fanden sie stets nach kurzer Zeit wieder zusammen. Jetzt stand er unschlüssig da. Sollte er seinen Vater auch noch mit diesen Nöten belasten?
»Komm herein«, sagt Il-han. »Das Talglicht tropft im Zug.«
Yul-han zögerte noch immer. »Es ist vielleicht schon zu spät.«
»Nein, nein, komm nur.«
In seiner Bedrängnis vermochte Yul-han schließlich doch nicht zu widerstehen. Er trat ein, und Il-han führte ihn in die Bibliothek.
»Setze dich«, sagte er.
Er selbst nahm seinen gewohnten Platz ein, aber Yul-han fühlte sich zu erregt, um zu sitzen. Vor seinem Vater stehend, blickte er auf ihn hinunter und überlegte, wie er beginnen sollte, ohne daß Il-han einen Schock erlitt. Plötzlich stieg ihm ein würgendes Schluchzen in den Hals, und sosehr er sich auch zu beherrschen suchte, sein Körper zitterte, und sein Gesicht verzerrte sich. Il-han erschrak. Sein ruhiger Sohn!
»Sprich«, forderte er Yul-han auf. »Sonst zerspringt etwas in dir.«
Die feste Stimme des Vaters übte auf Yul-han noch immer die gleiche Wirkung aus wie früher, und stockend begann er zu berichten, was Induk zugestoßen war. Il-han hörte mit weitaufgerissenen Augen zu, die Lippen zusammengepreßt, und er unterbrach ihn nicht ein einziges Mal. Es war schnell gesagt. Yul-han fühlte, wie der Klumpen in seiner Kehle schmolz. Er konnte wieder atmen. Er setzte sich und wischte sich mit einem weißen Seidentuch über das Gesicht.

»Vater«, sagte er, »ich muß mich von heute an tätig zu meinem Volk bekennen. Ich kann nicht länger beiseite stehen.«
»Wir müssen beide jetzt alle möglichen Dinge tun, die wir nie zuvor getan haben«, erwiderte Il-han. Er zögerte, ein letztes Mal unschlüssig über die Frage, ob er Yul-han von seinem Bruder erzählen solle. Doch er hatte sich schnell entschieden; es war ihm klar, daß er es tun mußte.
»Sohn«, sagte er, »wir sprachen einmal von einem Mann, der sich hinter dem Namen Lebendiger Bambus verbirgt. Es ist dein Bruder.«
»Ich weiß, Vater«, erwiderte Yul-han und berichtete von Yul-chuns nächtlichem Besuch. Il-han machte ihn nun mit Einzelheiten des Prozesses bekannt und erklärte ihm auch, weshalb er so lange geschwiegen hatte. Nicht einmal Sunia war von ihm eingeweiht worden, denn, so meinte er, sie hätte sicher Mittel und Wege gefunden, ihren Sohn im Gefängnis mit Kleidung und Nahrung zu versorgen, und hätte damit ihrer aller Leben gefährden können.
Viele Stunden sprachen sie miteinander, und am Ende faßte Il-han einen Entschluß.
»Ich werde noch einmal nach Amerika fahren«, erklärte er plötzlich. »Ich will Woodrow Wilson selbst aufsuchen und ihm von Angesicht zu Angesicht sagen, was unser Volk erdulden muß. Er wird dem ein Ende bereiten. Ihm stehen alle Möglichkeiten offen. Er ist der mächtigste Mann der Welt.«
Yul-han befand sich in einer Stimmung, in der ihn nichts allzusehr überraschen konnte. Doch dann fiel ihm etwas ein.
»Vater, du sprichst kein Englisch! Was du einmal konntest, hast du nach so vielen Jahren längst vergessen.«
Il-han ließ sich nicht entmutigen. »Es dürfte nicht schwer sein, einen jungen Koreaner zu finden, der Englisch spricht und mich begleiten würde. Ich habe die Zeit nicht, selbst noch einmal die Sprache zu erlernen, so leicht es auch ist. Ich darf nicht zögern mit meiner Reise. Es geht nicht nur um die, die hier in der Heimat leben. Überall in der Welt warten Koreaner auf den Tag der Befreiung – mehr als zwei Millionen! Eine Million in der Mandschurei, achthunderttausend in Sibi-

rien, dreihunderttausend in Japan und wer weiß wie viele in China, Mexiko, Hawaii und Amerika. Ich trete als alter Mann, als Vater, vor Wilson. Er wird meine grauen Haare respektieren.«
»Ich begleite dich«, erklärte Yul-han.
»Das kannst du nicht tun«, widersprach Il-han.
»Aber meine Mutter wird dich in deinem Alter nicht mehr ohne ein Familienmitglied eine so weite Reise machen lassen wollen!«
»Ich räume deiner Mutter viele Freiheiten ein«, sagte Il-han würdevoll, »doch über meine Pflichten entscheide ich allein. Sollte ich Unglück haben und in einem fremden Land sterben, so wäre das um so mehr ein Grund für dich, mein Sohn, hier zu sein und meinen Platz in der Familie und in der Nation einzunehmen. Widersprich mir nicht! Der Krieg ist bald zu Ende. Jetzt müssen wir an die Gestaltung einer friedlichen Zukunft gehen. Ich will mich daran beteiligen – wofür lebe ich sonst?«
Am Himmel zeigte sich bereits ein rosiger Opalschimmer, als Yul-han seinen Vater verließ. Wenn alles zu verwirklichen war, wie sie es wünschten, wenn er einen jungen Begleiter für seinen Vater fand und dieser die nötigen Reisevorbereitungen in so kurzer Zeit treffen konnte, dann würde Il-han in einer Woche schon unterwegs sein.
»Und gleich heute«, sagte Il-han noch zu seinem Sohn, bevor sie sich trennten, »will ich mit deiner Mutter sprechen. Sie wird mich nicht beeinflussen können.«
Als Yul-han anderntags seine Mutter mit einem so ernsten Gesichtsausdruck, wie er ihn nie bei ihr gesehen hatte, sein Haus betreten sah, wußte er sofort, daß sie von dem, was Induk zugestoßen war, erfahren haben mußte.
»Komm herein, Mutter«, sagte er, als er sie unter der Tür begrüßt hatte.
»Was ist mit dem Kind?« fragte sie.
Yul-han glaubte, sie spräche von seiner Tochter. »Sie scheint unverletzt zu sein. Ippun nimmt sich ihrer an.«
»Nein, nein«, rief Sunia erregt, »ich meine das Ungeborene!«

»Sie hat es behalten können«, antwortete er und führte sie an Induks Lager.
Sunias Verhältnis zu der Frau ihres Sohnes war nie besonders herzlich gewesen, doch jetzt kniete sie auf dem Boden nieder, und Tränen liefen ihr über die Wangen, während sie voll Zärtlichkeit zu ihr hinunterblickte. Sanft nahm sie Induks geschwollene Hand, und sie schluchzte ein paarmal auf, ehe sie zu sprechen vermochte.
»Wie geht es dir hier?« fragte sie leise und legte ihre Hand auf Induks Leib.
»Ich habe mich schützen können«, antwortete Induk mit schwacher, undeutlicher Stimme. »Ich wand mich und drehte mich, als die Schläge fielen.«
»Zu denken, daß wir in solchen Zeiten noch immer Kinder gebären«, seufzte Sunia.
Sie sprachen kaum mehr etwas, die beiden Frauen, aber selbst ihr Schweigen brachte sie einander näher als je zuvor. Nach einer Weile stand Sunia auf und erklärte, sie wolle eine besonders kräftige Hühnerbrühe mit Ginseng kochen und sie herüberbringen.
»Schlafe, meine Tochter«, sagte sie und ging hinaus.
Induk schlief auch sofort wieder ein, denn sie konnte sich nicht wach halten. Teils rührte ihre Schläfrigkeit von dem Bedürfnis ihres Körpers her, nichts mehr zu spüren, teils aber auch von der Medizin, die der amerikanische Arzt ihr dagelassen hatte.
Yul-han geleitete Sunia zur Haustür, und auf der Schwelle fragte er: »Hat mein Vater dir gesagt, was er tun will?«
»Er hat es mir gesagt.«
»Kannst du es ertragen?«
»Nein«, erwiderte Sunia, »aber ich muß.«
Und damit war sie fort. Yul-han sah ihr nach und bemerkte, wie gebeugt sie jetzt ging, Kopf und Schultern gesenkt, als ob eine schwere Last sie drückte. Von früher her hatte er sie nur mit immer erhobenem Kopf im Gedächtnis.
Gleich danach waren seine Gedanken schon wieder auf andere Probleme konzentriert. Wen sollte er bitten, mit seinem Vater

nach Amerika zu fahren? Nach reiflichem Überlegen entschied er sich für seinen alten Freund Sung-man und ließ ihm durch den Diener seines Vaters die Bitte überbringen, ihn in dem Speisehaus, das ihnen schon vorher zu Zusammenkünften gedient hatte, zu treffen. Er hatte lange erwogen, ob dies ein sicherer Ort zur Besprechung gefährlicher Angelegenheiten sei, aber die Polizei war so wachsam, daß er es nicht wagen durfte, etwas im verborgenen zu unternehmen. Wo immer er heimlich mit Sung-man zu sprechen suchte, mußte er damit rechnen, daß ein Spitzel es entdeckte, sei es ein Japaner oder ein verräterischer Koreaner.
So trafen sie sich am nächsten Abend, und inmitten des vollbesetzten Speisehauses mit seinem geschäftigen, geräuschvollen Kommen und Gehen setzte Yul-han dem Freund auseinander, worum es sich handelte. Wie immer scheinbar ausschließlich an seinem Essen interessiert, hörte Sung-man zu, und ohne daß sich sein sorgloser Gesichtsausdruck und das zufriedene Grinsen, hinter dem er sich versteckte, auch nur ein wenig geändert hätten, stopfte er sich den Mund mit Nudeln voll und murmelte dann leichthin, als erzählte er einen Witz, daß er jederzeit zu der Reise bereit sei. Überdies könne er sogar das Geld dazu beschaffen, denn wenn er auch selbst ohne Mittel sei, so habe er doch die Möglichkeit, für diesen Zweck Geld zu bekommen.
»Bist du ein Mitglied jener –«
Yul-han sprach vorsichtshalber das Wort Unabhängigkeitspartei gar nicht aus, aber Sung-man nickte sofort.
»Es gibt sie auch in dem Land, das du eben erwähnt hast«, fügte er hinzu.
So lebten auch in Amerika Streiter um Koreas Freiheit! Yulhan vernahm diese überraschende Nachricht mit tiefer Befriedigung. Sein Vater würde unter Landsleuten sein, willkommen geheißen und umsorgt werden. Er betrachtete Sung-mans einfältiges Gesicht mit neuem Respekt. Wieviel verbarg sich hinter dieser grotesken Maske!
»Es bleibt nur noch das Problem, wie man von einem Ort zum anderen gelangt«, bemerkte er.

»Du bist doch Christ«, erwiderte Sung-man leise. »Wende dich an deinen Missionar!«

»Sie können nicht direkt nach Amerika«, sagte der Missionar zu dem Arzt.
Sie saßen mit Yul-han in der Sakristei der Kirche zusammen. Er hatte befürchtet, sie würden ihm nicht helfen, denn er wußte, daß sie alle von ihren eigenen Behörden angewiesen worden waren, sich nicht in Regierungsangelegenheiten zu mischen. Doch sie hatten sich als echte Freunde erwiesen, denen das Schicksal seines Volkes wirklich am Herzen lag. Still hörte er zu, während sie planten, daß sein Vater und Sungman zuerst nach Europa und von dort aus nach den Vereinigten Staaten fahren sollten und daß sie, der Missionar und der Arzt, für ihre Betreuung und Unterbringung durch christliche Familien sorgen würden. Sie konnten ihre Reise ohne Aufschub antreten.
»Wie soll ich Ihnen danken?« sagte Yul-han, als er sich verabschiedete.
Tief bewegt ging er nach Hause, und er fand Induk bereits fähig, sich aufzurichten, obwohl jede Bewegung sie unerträglich schmerzte, so wund war ihr ganzer Körper. Er kniete neben ihr nieder und erzählte ihr alles.
Sie hörte zu, streckte dann ihre verbundene Hand nach ihm aus, und er ergriff sie behutsam.
»Deshalb habe ich dies alles erdulden müssen«, sagte sie. »Aus dem Bösen ist Gutes gekommen.«
Er war noch nicht lange genug Christ, um glauben zu können, daß ein Mensch leiden mußte, damit andere gerettet würden. Aber er wollte sie nicht mit seinen Zweifeln betrüben, wenn ihre Seele in dieser Überzeugung Trost fand.

»Wir haben Glück, daß der amerikanische Präsident noch hier ist«, sagte Sung-man. »Morgen verläßt er Paris.«
Il-han atmete auf. Zwei Tage lang hatte er wartend in seinem engen Zimmer in diesem billigen Pariser Hotel gesessen, nachdem sie aus Indien angekommen waren. Die widersprechend-

sten Gerüchte hatten sie gehört. Wilson war schon abgereist, er war noch hier. Er hatte keinen Erfolg bei der Friedenskonferenz, er hatte Erfolg. Die Vierzehn Punkte wurden von den Alliierten abgeändert, aber er wehrte sich tapfer. Nein, er wehrte sich nicht tapfer, er ließ sich widerstandslos erdrükken. Niemand wußte, was wirklich vorging. Und die Exilkoreaner, die es hier in Frankreich wie in vielen anderen Ländern gab, waren in Paris zusammengekommen. Sie waren besorgt und bemüht, die Wahrheit zu erfahren.

Il-han hatte am vergangenen Abend bei einer Besprechung mit seinen Landsleuten, nachdem er erst eine ganze Weile schweigender Zuhörer gewesen war, ruhig und bestimmt das Wort ergriffen.

»Ich will den amerikanischen Präsidenten morgen selbst aufsuchen und ihm von Angesicht zu Angesicht –«

Ein halbes Dutzend Stimmen hatte ihn unterbrochen. »Denkst du, wir sind das einzige Volk? Jede kleine Nation der Welt hat Abgesandte zu Woodrow Wilson geschickt. Und was willst du sagen, was sie nicht bereits gesagt haben?«

Il-han blieb fest. Es bedrückte ihn, so weit von der Heimat entfernt zu sein, ein dumpfer Schmerz in der Brust erinnerte ihn ständig daran, wie sehr er Sunia vermißte; er hatte Heimweh und schämte sich dessen, doch er stand zu seinem einmal gefaßten Entschluß. Er mußte Wilson sprechen und ihm erklären – ihm erklären – Was sollte er ihm eigentlich sagen? Er hatte bisher vergeblich versucht, einen klaren Plan zu fassen.

»Wenn ich ihm gegenüberstehe«, antwortete er nichtsdestoweniger beharrlich, »werde ich schon wissen, was ich sagen soll. Die Worte werden ganz von selbst aus meinem Herzen kommen.«

So viel Yangban-Adel und Würde strahlten von ihm aus, daß die jüngeren Männer nichts mehr einwenden konnten. Sungman ergriff ohnehin immer seine Partei.

»Unser väterlicher Freund hat recht. Er gehört zur selben Generation wie Wilson, und der Präsident wird ihn anhören, wo er uns übergehen würde.«

Sie waren übereingekommen, sich anderntags alle in der Halle des Crillon, wo Wilson abgestiegen war, zu treffen und dort auf den Präsidenten zu warten. Il-han fand in dieser Nacht nur wenig Schlaf, und am Morgen drängte er Sung-man mit der Ungeduld älterer Menschen so zeitig zum Aufstehen, daß sie das Hotel zu sehr früher Stunde betraten. Und dennoch gab es andere, die noch vor ihnen erschienen waren. Ein Häuflein polnischer Bauern in ihren handgewebten, mit roten Mustern bestickten Wollkleidern, auf den Köpfen hohe schwarze Pelzhüte, wartete schon eine ganze Weile, einen Priester bei sich, der Französisch sprach und somit erklären konnte, daß mit der neuen, durch den Krieg geschaffenen Grenzziehung das Eckchen Polen, wo sie lebten, an die Tschechoslowakei gefallen war, obwohl sie zu Polen gehören wollten. Sie hatten erfahren, daß der amerikanische Präsident sich in Paris aufhielt, er, der versichert hatte, daß alle Völker frei entscheiden sollten, von wem sie regiert zu werden wünschten, und so hatten sie sich einfach auf den Weg gemacht. In Warschau wurden sie von polnischen Patrioten mit Geld versehen und nach Paris weitergeschickt, und hier waren sie nun, in der Halle des vornehmen Hotels, in dem der Präsident logierte.
Bald gesellten sich zu den Koreanern und der polnischen Gruppe noch andere, alle in Nationaltracht: Flüchtlinge aus Armenien, ukrainische Bauern, Juden aus Bessarabien und der Dobrudscha, Stammesälteste aus dem entlegensten Kaukasus und den Karpaten, Araber aus dem Irak, Albanier und Männer aus dem Hedschas. Sie alle und noch viele andere, denen Heimat, Regierung und Sprache genommen waren, kamen zu dem amerikanischen Präsidenten als ihrem Retter, von dem Bedürfnis getrieben, sich bei ihm das Herz über ihre vielfältigen Leiden zu erleichtern.
Und dann erschien er, groß, hager, das Gesicht von hoffnungslosen Mühen gezeichnet. Dieses verzweifelte, müde Gesicht war das erste, was Il-han erblickte, als der Präsident durch eine Tür in die Halle trat und unschlüssig stehenblieb. Dann sprach er leise mit seinen Begleitern, die offenbar Einwendungen machten, doch er störte sich nicht daran, kehrte um und

verschwand wieder. Ein junger Mann richtete das Wort an die Versammelten, und Sung-man übersetzte für Il-han.
»Man bittet uns in die Privaträume des Präsidenten.«
»Aber ich gehe zu Fuß«, erklärte Il-han. »Ich betrete keinen dieser kleinen Hebekasten.«
So stiegen sie also die teppichbelegten Treppen hinauf und wurden in einen großen Raum geführt, wo Wilson sie neben einem langen Tisch erwartete. Il-han, der sich so weit wie möglich nach vorn gestellt hatte, sah, wie die linke Hand des Präsidenten zitterte. Er war sehr bleich, und der schwarze, knielange Rock über den dunkelgrauen Beinkleidern hob seine Blässe noch hervor. Sein Haar war fast weiß und sein Gesicht von tiefen Furchen durchzogen. Jetzt drängten sie alle auf ihn zu, und die Bauern warfen sich vor ihm nieder, um den Saum seines Rockes zu küssen und sich tief zu verneigen, bis sie mit der Stirn den Boden berührten.
Zuerst sagte Wilson nichts. Ein anderer sprach für ihn und ersuchte die einzelnen Gruppen, ihren Fall jeweils durch den Wortführer, und zwar in der Reihenfolge des englischen Alphabetes, vortragen zu lassen, und er bat sie, sich so kurz wie möglich zu fassen, denn die Friedenskonferenz warte auf den Präsidenten. Als die Reihe an Il-han kam, drückte er Wilson eine selbstverfaßte und von Sung-man übersetzte Denkschrift in die Hand und erklärte dazu in seiner eigenen Sprache: »Verehrungswürdiger, wir sind von Korea gekommen. Unser Volk siecht unter der Fremdherrschaft dahin. Herr, wir haben eine jahrtausendealte Geschichte, und wir waren für die umliegenden Nationen ein Zivilisationszentrum. Unsere Heimat hat alle Invasionen überwunden – bis jetzt. Sie – nur Sie – sind für die Zukunft unsere einzige Hoffnung in dieser Welt.«
Während Sung-man dolmetschte, blickte Il-han in die traurigen blauen Augen eines alternden Mannes; er sah den festen Mund zucken und lächeln und die Lippen sich wieder zusammenpressen. Plötzlich schwankte Wilson, als ob er dem Zusammenbrechen nahe sei, und zwei junge Männer seines Stabes sprangen vor, um ihn zu stützen.

Einer von ihnen sagte leise zu Wilson: »Ich hoffe, Sie sprechen nicht mehr von Selbstbestimmung, Sir. Es ist gefährlich, gewissen Völkern solche Ideen in den Kopf zu setzen, ich versichere es Ihnen. Es wird unmögliche Forderungen an Sie und an die Friedenskonferenz zur Folge haben. Das Wort ist mit Dynamit geladen. Es ist schlimm, daß Sie es je geäußert haben, Mr. Präsident. Es wird viel Leid verursachen.«
Sung-man nahm Il-han beiseite und übersetzte ihm das Gehörte, und Il-han fühlte sich plötzlich elend. Er wandte den Kopf in Wilsons Richtung. Das Gesicht des Amerikaners hatte eine grünliche Farbe angenommen, und als er jetzt sprach, war es nur ein Stammeln.
»Ich fühle mich nicht gut – es tut mir leid – Sie müssen mich entschuldigen –«
Und von den Armen seiner Begleiter gehalten, verließ er den Raum. Nachdem er gegangen war, fühlten sich die Zurückgebliebenen wie vor den Kopf geschlagen, leer, peinlich berührt, fehl am Platze. Zuerst waren sie einander fremd gewesen, diese Leute aus vielen Ländern. Dann hatte sie ein gemeinsames Anliegen für einen kurzen Augenblick zusammengeschlossen. Nun waren sie wieder Fremde wie vorher.
»Komm«, sagte Il-han zu Sung-man. »Wir fahren nach Korea zurück.«

Yul-han lauschte schweigend dem Bericht seines Vaters, die Augen unverwandt auf ihn gerichtet. Weder er noch seine Mutter hatten gewagt, die Veränderung zu erwähnen, die sie bei Il-han wahrnahmen. Als er sein Haus verlassen hatte, war er ein Mann gewesen, dem man seine Jahre ansah, erschrekkend mager, wie in diesen Tagen alle, die keine Verräter waren, aber gesund. Ein Greis war heimgekehrt. Und doch ließ er keinen Tadel an Wilson zu.
»Er ist ein Weiser«, erklärte er, »seiner Zeit voraus. Er kannte die Welt nicht – das ist wahr, ich räume das ein. Er kannte die Praktiken der Gewaltherrschaft nicht, und er hatte keine Vorstellung davon, wie viele Menschen sich nach Befreiung sehnen. Doch sein Traum wird die Zukunft gestalten – unsere

eigene nicht mehr, aber vielleicht die deiner Kinder, mein Sohn. Ich bedaure nichts. Ich habe sein Gesicht vor mir gehabt. Ich sah einen Mann, von Schmerz zerrissen für uns, der seine Versprechungen nicht erfüllen konnte.«
Auch die beiden Frauen waren anwesend. »Er ist ein Gekreuzigter«, sagte Induk leise.
Sie war wieder gesund, aber sie hatte ihre sanfte Schönheit eingebüßt. Über ihren Hals und das Gesicht zog sich eine tiefe rote Narbe, und Il-han betrachtete sie mit einer Zärtlichkeit, wie er sie nie zuvor empfunden hatte.
»Es war eine Lehre für mich«, sagte er. »Ich weiß jetzt, daß wir uns nur auf uns selbst verlassen dürfen. Niemand wird uns helfen.«
Induk richtete die Augen auf ihn. »Vater, laß uns auf Gott vertrauen!«
»Ach, ich kenne euren Gott nicht«, erwiderte Il-han. Und er fügte freundlich hinzu, als ihm die Antwort zu brüsk erschien: »Bitte ihn um Hilfe, wenn es dich tröstet.«

Während der Abwesenheit seines Vaters hatte Yul-han seinen Entschluß, Mitglied der Unabhängigkeitsvereinigung zu werden, ausgeführt, aber er hatte es Induk verschwiegen. Seit man sie so mißhandelt hatte, war sie viel furchtsamer und empfindlicher geworden. Sie versenkte sich noch tiefer als früher in ihre Religion, brachte viel Zeit mit Gebeten zu und begann ihr Elternhaus wieder öfter aufzusuchen. Es war nicht üblich, daß eine Tochter sich an ihre Blutsverwandten klammerte, doch Induk als Christin fand bei ihnen soviel Halt und Kraft wie nirgendwo sonst. Zu wissen, daß Yul-han sich einer so gefährdeten politischen Richtung anschloß, hätte sie und ihre Familie in tiefe Bestürzung versetzt, und deshalb sagte er ihnen nichts davon.
Die Anhänger dieser Partei waren über viele Länder verstreut und hatten überall Zentren gegründet, die für die Freiheit Koreas arbeiteten. In Amerika hielt sich eine koreanische Exilregierung für den Tag der Befreiung bereit. Und auf geheimen Wegen, durch das gedruckte, handgeschriebene und

gesprochene Wort, war ein reger Nachrichtenaustausch im Gange, der die Verfechter der Unabhängigkeit mit allen für sie wesentlichen Ereignissen vertraut machte. In Philadelphia –

»Wo liegt Philadelphia?« fragte Yul-han seinen Vater.

Es war um die Stunde der Abenddämmerung an einem für die Jahreszeit ungewöhnlich milden Tag. Man schrieb den zweiten Sonnenmonat des Jahres 1919. Vier Tage zuvor hatte der Schnee zu schmelzen begonnen, und an den Pflaumenbäumen zeigten sich bereits schwellende Knospen. Doch der Winter konnte sich jederzeit noch einmal einstellen.

Il-han, der sich seit seiner Rückkehr aus dem Ausland an die Bambuspfeife gewöhnt hatte, tat ein paar tiefe Züge, während er in seiner Erinnerung kramte.

»Philadelphia ist eine Stadt im östlichen Teil der Vereinigten Staaten, nicht direkt am Meer gelegen, aber auch nicht weit entfernt davon«, antwortete er dann. »Eine ziemlich große Stadt, ja, und ich entsinne mich jetzt, daß es dort eine mächtige Glocke gibt. Freiheitsglocke wird sie genannt. Ich glaube, man läutete damit die amerikanische Unabhängigkeit ein. Sie wurde uns gezeigt.«

»Unsere Leute in Amerika planen ein Treffen dort«, sagte Yul-han. »Sie arbeiten eine Verfassung aus, die sie genau in jener Halle, in der sich diese Glocke befindet, verlesen wollen. Und wir hier haben eine Unabhängigkeitserklärung niedergeschrieben. Ich habe sie mir eingeprägt und das Papier vernichtet, wie man uns angewiesen hat. Jeder von uns kann sie auswendig.«

Er schloß die Augen und begann mit leiser Stimme: »›Hiermit erklären wir die Unabhängigkeit Koreas und die Freiheit des koreanischen Volkes. Wir bezeugen durch diesen Akt vor der Welt die Gleichheit aller Nationen, und wir reichen unsere Deklaration an die nach uns Kommenden weiter als ihr angestammtes Recht.

Hinter uns stehen eine fünftausendjährige Geschichte und zwanzig Millionen Koreaner, ein einiges, aufrechtes Volk. Wir haben diesen Schritt unternommen, um unseren Kindern für

alle Zeiten die persönliche Freiheit zu garantieren, die sie in der neuen Ära beanspruchen dürfen. Sie ist das gottgewiesene Ziel, das treibende Prinzip unseres Zeitalters, der gerechte Anspruch der gesamten Menschheit! Man kann sie nicht ausrotten, ersticken, knebeln oder mit irgendwelchen Mitteln unterdrücken.
Als Opfer einer vergangenen Zeit, in der rohe Gewalt und Profitstreben regierten, sind wir nun seit zehn Jahren dem leidvollen Erdulden einer Fremdherrschaft preisgegeben, die uns jedes Lebensrecht und alle Gedankenfreiheit nimmt, unsere Menschenwürde mit Füßen tritt und uns jede Gelegenheit zu einer Teilhabe am geistigen Fortschritt unseres Zeitalters durchaus verwehrt.
Wenn die Fehler der Vergangenheit wiedergutgemacht werden sollen, die Agonie der Gegenwart beendet, zukünftige Unterdrückung vermieden und unserem Denken und Handeln ein freier Spielraum gesetzt werden soll, wenn wir fortschrittlich werden und unsere Kinder von einem schmerzlichen, schamvollen Erbe erlösen sollen, um denen, die nach uns kommen, Glück und Segen zu erhalten, so ist die erste aller notwendigen Voraussetzungen die Unabhängigkeit unseres Volkes. Unsere zwanzig Millionen, jeder Mann ein Schwert im Herzen – vermögen sie heute nicht alles, da das Gewissen der Menschheit für Wahrheit und Recht eintritt? Welche Schranke will ihnen widerstehen, welches Ziel sich ihnen entziehen?‹«
Il-han hatte mit gesenktem Kopf zugehört, und ein tiefer Friede strömte in sein Herz und seinen Sinn. Hier war der Wille seines Volkes endlich in klaren, stolzen Worten zum Ausdruck gekommen.

Die Tage vergingen. Yul-han war jetzt abends selten zu Hause. Er sagte Induk nur, er habe eine neue Aufgabe, und sie fürchtete die Wahrheit und fragte nichts. Sie saß in ihren einsamen Stunden über der Bibel und in Gebeten, die schlafenden Kinder neben sich und das Ungeborene erwartend. Bis Mitternacht brannte immer eine Kerze für Yul-han, doch wenn er bis dahin noch nicht gekommen war, ging Induk zu

Bett, wie er es gewünscht hatte, und ließ das Haus im Dunkeln.
Er hätte ihr nicht erzählen können, wo er seine Abende verbrachte, nicht einmal, wenn er es gewollt hätte, denn er hielt sich nie zweimal am gleichen Ort auf. Er und seine Gesinnungsfreunde trafen sich unter dunklen Bäumen, in Berghöhlen, abgelegenen Schluchten, hinter schützenden Felsen. Er war sehr bald darin geübt, in der Finsternis mit tastenden Füßen seinen Weg zu finden. Er vermochte das geräuschlose Herannahen eines anderen wahrzunehmen. Er lernte ein Rascheln im Bambus zu deuten und ein zusammengefaltetes Papier, das in seine Hand gesteckt wurde, regungslos entgegenzunehmen. Er lernte, weder aufzusehen noch zu sprechen, wenn ihm in einem Teehaus eine Botschaft übergeben wurde oder wenn ein Schüler während des Unterrichts zwischen die Zeilen eines Aufsatzes ein paar Worte schrieb. Es wurde ihm selbstverständlich, aus aller Welt Nachrichten von Landsleuten zu erhalten, die mit ihrer gesammelten Kraft der Verwirklichung eines gemeinsamen großen Traumes entgegenarbeiteten.
Doch sogar zwischen ihnen, die sich alle einig waren, soweit es um die Unabhängigkeit ging, herrschte Unstimmigkeit. Ein Anführer war für Gewalt und sprach sich für einen bewaffneten Aufstand aus, während ein anderer einwendete, eine derartige Volkserhebung habe keine Aussichten auf Erfolg gegenüber einem so weit überlegenen Feind und würde ihm nur einen Vorwand liefern, mit schärfsten Maßnahmen gegen die Rebellen vorzugehen. Nein, so erklärte dieser Anführer, die Nation müsse gewaltlosen Widerstand leisten, protestieren, ohne Waffen zu gebrauchen, und das möglichst bei irgendeinem nationalen Anlaß. Seine Meinung setzte sich durch. Auch Yul-han teilte sie – klug und einsichtig über seine Jahre hinaus, überzeugt, daß ein bewaffneter Angriff auf die Machthaber zur Niederlage führen müsse.
Doch was für eine Gelegenheit gab es? Der Generalgouverneur hatte alle Volksansammlungen an öffentlichen Orten verboten. Selbst in den Kirchen fanden sich immer Spitzel,

und Yul-han war mehr als einmal vorgeladen und mit Fragen bedrängt worden, die sich auf irgendwelche Mitchristen bezogen. Er lernte das Lügen mühelos und ohne sich ein Gewissen daraus zu machen.
Es war der alte König, der ihnen unwissentlich zu Hilfe kam. Nach dem großen Krieg hatten die Japaner vorausgesehen, daß Korea seine Unabhängigkeit verlangen würde, und eine Petition verfaßt, die von Koreanern unterzeichnet werden sollte, in der zum Ausdruck kam, daß das koreanische Volk dem Kaiser von Japan für seine gute und gerechte Herrschaft dankbar sei und aus freiem Willen um die Aufnahme Koreas in das Japanische Reich bitte. Diese Petition präsentierten sie dem inzwischen entthronten König zur Unterschrift. Er hatte all die Jahre hindurch keinen Mut gezeigt und war beim Volk beinahe schon in Vergessenheit geraten, aber als ihm jetzt dieses niederträchtige Dokument vorgelegt wurde, nahm er seine ganze Kraft zusammen und verweigerte die Unterzeichnung. Das Volk bereitete ihm zum erstenmal Ovationen, was ihn angeblich in solche Gemütsbewegung versetzte, daß er einen Schlaganfall erlitt und starb. Da man ihn allgemein als schmächtig und blutarm kannte und er außerdem schon zwei Tage vor der Bekanntgabe seines Todes gestorben war, verbreiteten sich allerlei Gerüchte. Einmal hieß es, er sei vergiftet worden, ein andermal, er habe sich lieber selbst den Tod gegeben, als in die Verheiratung seines Sohnes mit der japanischen Prinzessin Nashimoto einzuwilligen. Was auch immer die Ursache sein mochte, er war tot, und die Unabhängigkeitsbewegung benutzte das Hinscheiden des Monarchen als willkommenen Anlaß, die Freiheit Koreas zu verkünden. Noch einmal gab es heftige Dispute, ob die Anhänger der Mansei-Revolution, wie sie jetzt genannt wurde, einen blutigen Aufstand oder eine friedliche Demonstration in Szene setzen sollten.
Die Christen, als deren Führer Yul-han hervortrat, stimmten für Gewaltlosigkeit. Und sie waren nicht allein mit ihrer Überzeugung. Die Chuntokyo-Sekte, deren Mitglieder an einen Gott als Weltgeist glaubten, und die Hananim-Sekte,

in der sich die christliche Lehre von der Brüderlichkeit mit konfuzianischer Ethik und buddhistischer Philosophie verband, nahmen den gleichen Standpunkt ein. Sie hatten auch gemeinsam die Unabhängigkeitserklärung verfaßt, und Yulhan hatte lange Nächte in den dunklen Gewölben unter einem Tempel zugebracht, wo er und seine Freunde mit Hilfe der Mönche den Text im Handverfahren in Tausenden von Exemplaren druckten, die über das ganze Land verteilt und auch an die im Ausland lebenden Koreaner geschickt wurden.
Dreiunddreißig Männer, fünfzehn von ihnen Christen, bereiteten nun im einzelnen den Tag der Unabhängigkeitsverkündigung vor. Für jede Gemeinde wurde ein Komitee aufgestellt, das mit dem jeweils nächsten die Verbindung aufrechterhalten mußte – und dies, obwohl es überall Spitzel gab. Dann unterbreiteten die Anführer im Namen des Volkes den Machthabern die Bitte, ihnen einen Trauertag für den toten König zu gestatten, und ihr Gesuch wurde schließlich, obwohl es den Japanern durchaus nicht gelegen kam, auch bewilligt und der erste Tag des dritten Monats dafür bestimmt. Diesem Tag arbeiteten sie alle entgegen. Der Plan sah vor, daß sich überall viel Volk versammeln sollte, und als Zeichen wurden Leuchtfeuer verabredet, die man auf den Bergen entzünden wollte.
Auf diese Weise würden die Menschen im ganzen Land zur gleichen Stunde die Erklärung vernehmen, und dann sollten die Massen Nationalflaggen schwenken und unter *»Mansei!«*-Rufen durch die Straßen ziehen.
Auf irgendeine Weise gelang es, das Geheimnis zu wahren. In Brotlaiben, den Haarknoten der Männer, unter Hüten und in den langen Ärmeln der Frauen wurden die Instruktionen befördert, bis jeder Bürger wußte, daß sie sich am ersten Tag des dritten Monats, dem siebten Tag der Woche, auf den Straßen versammeln sollten. Von alledem ahnten die Japaner nichts, doch hatten sie ähnliches befürchtet und das Polizeiaufgebot so weit verstärkt, daß auf je hundert Koreaner ein Polizist kam und viele Hunderte von Spitzeln die bereits tätigen unterstützten.

Zur Mittagszeit des festgesetzten Tages fanden sich die dreiunddreißig Unterzeichner der Proklamation zusammen, um gemeinsam in einem Speisehaus der Hauptstadt ihre Mahlzeit einzunehmen. Punkt zwei Uhr erhoben sie sich und gingen zur Polizei, um sich zu stellen, Yul-han als erster, ruhig und entschlossen.

Durch diesen gewaltlosen Akt in Verwirrung gebracht, verhielt sich die Polizei unschlüssig und ließ die Rädelsführer, von zwei Soldaten bewacht, zunächst einmal in den Amtsräumen zurück, um entsprechende Weisungen einzuholen.

»Diese Wachen sind nicht notwendig«, sagte Yul-han. »Wir haben keine Fluchtgedanken. Es ist ja unser Ziel, verhaftet zu werden.«

Seine Worte machten die Polizisten nur noch unsicherer, und kopfschüttelnd, eine List befürchtend, verschwanden sie. Inzwischen war das Volk überall den Instruktionen gefolgt, und in den Straßen drängten sich singende und schreiende Menschen, Flaggen in den Händen und *»Mansei!«* rufend. Nur die dreiunddreißig Männer saßen viele Stunden lang still neben ihren Wächtern.

Da die Polizei so lange auf sich warten ließ, trat Yul-han schließlich vor Ungeduld ans Fenster, obgleich er nur schemenhaft etwas von der Umwelt draußen wahrzunehmen vermochte, denn die Scheiben waren staubbedeckt. Doch plötzlich wurde ein kleiner runder Fleck durchsichtig, und Yul-han erblickte Ippun, die mit dem nassen Zeigefinger die Stelle blank zu reiben versuchte. Dann spähte sie herein, sah ihn und machte ihm in offenbarer Erregung ein Zeichen, daß er herauskommen solle. Die Wachen waren bereits so unaufmerksam und schläfrig, daß sie gar nicht bemerkten, wie er leise zur Tür ging und hinausschlüpfte. Die Abenddämmerung hatte schon eingesetzt, und im Osten zeigte sich am Himmel ein heller, rötlicher Schein.

Osten?

»Feuer!« flüsterte Ippun mit rauher Stimme in sein Ohr. »Sie haben die Kirche in Brand gesteckt. Deine Tochter ist dort – und ihre Mutter –«

Er verlor keine Sekunde. Durch die noch immer von unruhigem Volk wimmelnden Straßen, vorbei an Polizisten und Soldaten, die überall herumschrien und die Leute verprügelten, hetzte er seinem Ziel entgegen, während die Nacht sich niedersenkte.
Nun war ihm klar, weshalb man sich so lange nicht um sie gekümmert hatte. Die ganze Stadt war in Aufruhr. Hunderte von Männern, Frauen und Kindern lagen auf den Straßen, aus den Wunden blutend, die man ihnen geschlagen hatte, oder von Gewehrkugeln getötet.
Als er die Kirche erreichte, sah er sie in Flammen. Er rannte die Stufen hinauf und fand die Türen verschlossen.
Von drinnen kamen Schreie und Jammern, doch er hörte auch viele Stimmen, die sich zu den Klängen einer Hymne aufschwangen.
»*Näher, mein Gott, zu dir –*«
»Induk!« schrie er. »Induk, Induk!«
Er entsann sich der Sakristei und der kleinen Pforte, die in die Kirche führte. Vielleicht gab es dort eine Möglichkeit! Bis jetzt brannte nur das Dach. Induk mochte noch am Leben sein. Er lief durch gleißende Helle, schwarze Schatten und Rauchwolken zu der hinteren Seite der Kirche. Ah, die äußere Tür war unverschlossen!
Von einem erstickenden Husten gewürgt, tastete er sich durch die Sakristei. Die innere Tür gab seinem Druck nicht nach, doch er warf sich so verzweifelt mit dem ganzen Gewicht seines Körpers dagegen, daß sie schließlich aufsprang. Von loderndem, zuckendem Licht gestreifte Dunkelheit empfing ihn.
Einen Augenblick lang hörte er dann noch das Donnern niederbrechender Balken, einen dröhnenden Schlag und schrille Todesschreie. Das lodernde Dach war eingestürzt – das war das letzte, was er begriff.
Dann wußte er nichts mehr.
Draußen stand Ippun. Als sie sah, was geschehen war, hielt sie sich die Ohren zu und rannte, halb irr vor Entsetzen und Furcht, durch die Nacht, bis sie Il-hans Haus erreicht hatte.

Mit aufgelösten Haaren und verzerrtem Gesicht, in dem die Augen fast aus den Höhlen traten, stürmte sie in das Zimmer, wo Il-han und Sunia ihrem Enkel Liang beim Spiel zusahen. Ihr bebender Zeigefinger deutete auf das Kind.
»Dieser – dieser«, stammelte sie mit versagender Stimme, die nur noch ein hohes, schwaches Wimmern war, »dieser – er ist alles, was euch geblieben ist –«
Dann sank sie bewußtlos zu Boden.
Alles, alles war verloren. Vor Ende der Nacht wußte Il-han bereits, daß Tausende tot oder sterbend in den Straßen lagen, in Seoul, in jeder Stadt und jedem Dorf. Im Lauf der Tage verbreitete sich die Nachricht, daß ganze Dörfer in Flammen standen und daß auch andere christliche Kirchen niedergebrannt worden waren, oft, wie in Seoul, nachdem man die Gemeinde darin eingeschlossen hatte. In vielen Straßen hing der gräßliche Gestank verbrannten Fleisches.
Die Torturen der Verhafteten nahmen kein Ende. Ein Amerikaner, der den Japanern als Berater diente, konnte sein Entsetzen nicht unterdrücken, obgleich er seinen Namen verschwieg.
Sein in Amerika veröffentlichter Bericht fand sich wenig später auf den Flugblättern abgedruckt, die noch immer unter Il-hans Tür geschoben wurden.

Nur ein paar hundert Meter von meinem Schreibtisch entfernt gehen die Prügelszenen weiter, Tag für Tag. Die Opfer werden auf Gestelle gefesselt und mit Ruten auf den nackten Körper geschlagen, bis sie das Bewußtsein verlieren. Dann überschüttet man sie mit kaltem Wasser, damit sie zu sich kommen, und so wird die Prozedur viele Male wiederholt. Männer, Frauen und Kinder werden niedergeschossen oder mit dem Bajonett durchbohrt. Christliche Kirchen sind bevorzugte Objekte der Raserei, und gegen Christen geht man überall mit besonderer Härte vor.

Il-han las dies, wie er auch alles andere las, was ihm sein Diener brachte; er nahm es auf wie alles andere, was er zufällig hörte. Sein Herz blieb kalt dabei. Sein Verstand begriff, aber sein Herz fühlte nichts mehr. Auch Sunia sprach weder noch weinte sie. Langsam, als wäre sie sehr alt, ging sie im Haus umher, ohne zu sehen, zu hören und zu empfinden. Ihre einzigen Gedanken galten Liang. Sie hielt sich Tag und Nacht in seiner Nähe auf und ließ ihn nie aus den Augen. Ippun war wortlos in ihren Haushalt übergesiedelt; sie verrichtete die Arbeit in Haus und Garten, und Il-han und Sunia ließen ihr ihren Willen.

Irgendeine Erklärung würde er seinem Enkel geben müssen, sagte Il-han zu sich selbst, doch wie sollte er sich ausdrücken? Während der ersten Tage schwieg er.

Dann ging er zu Sunia.

»Was sollen wir dem Kind erzählen?« fragte er.

Ihre matten Augen blickten ihn an. »Ich will ihn kleiden und nähren, aber verlange nicht mehr von mir.«

Man konnte die Angelegenheit indessen nicht einfach übergehen, denn Liang begann seine Großeltern mit Fragen zu bedrängen.

»Wo ist mein Vater?« wollte er wissen. »Wann gehe ich heim?«

Er vergaß sogar das Essen darüber. »Wenn ich heimgehe –«, begann er und hielt inne. »Wann gehe ich heim?«

Schließlich erinnerte sich Il-han an die christliche Überzeugung von einem Leben nach dem Tode, und er griff den Gedanken auf.

»Dein Vater, deine Mutter und deine kleine Schwester sind jetzt im Himmel«, sagte er zu dem Kind.

Liang hatte vom Himmel schon gehört, und sein Gesicht wurde ernst. »Ist es weit bis zum Himmel?« fragte er.

»Nein«, erwiderte Il-han, »nicht weiter als eine Minute.«

»Warum gehen wir dann nicht auch?«

»Wir können nicht gehen, bevor man uns nicht auffordert«, erklärte Il-han. »Erst wenn wir gerufen werden, gehen wir.«

»Und dann gehe ich mit dir und Großmutter und Ippun?« fragte der Kleine.

»Ja«, antwortete Il-han. »Wir gehen alle zusammen –«

Er betrachtete das Ganze als eine Lüge, doch je länger er darüber nachdachte, um so unsicherer wurde er. Wer wußte schon, was jenseits der Grenze des Todes lag?
»Bis dahin«, sagte er zu Liang, »leben wir miteinander.«
Ein großer Trost blieb ihm, und der Gedanke daran erhellte sein Herz. Irgendwo lebte der, der sich Lebendiger Bambus nannte. Il-han hatte noch einen Sohn.

DRITTER TEIL

Warum folgst du mir ständig?« fragte Yul-chun.
Er beugte sich über die kleine, schwerfällige Handpresse. Sie war zu alt, diese Presse, abgenutzt schon vor Jahren in dem Zeitungsbüro einer amerikanischen Kleinstadt in Ohio. Doch ohne sie konnten sie die *Koreanischen Unabhängigkeitsnachrichten* nicht herausbringen. Das Blatt erschien nur unregelmäßig, obwohl er es zuerst, als nach dem Weltkrieg die Mansei-Demonstration niedergeschlagen worden war, wöchentlich hatte drucken können. Es war gut, daß die Presse so klein war, denn sie mußte oft ihren Standort wechseln, da die Revolution wieder zur Untergrundbewegung geworden war. Nur in den Vereinigten Staaten von Amerika konnten sich die Koreaner offen gegen die Fremdherrschaft äußern.
Zorn und bittere Enttäuschung hatten ihn und seine Gesinnungsgenossen neu belebt. Nachdem er in jener Nacht Yulhans Haus verlassen hatte, war er nicht bis China gekommen, wie es sein Plan gewesen war. Irgend jemand mußte ihn verraten haben. Auf einer dunklen Straße packten ihn rauhe Hände und fesselten ihn. Er konnte kein Gesicht erkennen, aber er entnahm den gemurmelten Worten, daß es Japaner waren, die ihn aufgegriffen hatten, obwohl sie Koreanisch sprachen. Sie schlugen ihn mit den Gewehrkolben, bis er bewußtlos wurde. Als er erwachte, fand er sich erneut in einer alten Gefängniszelle, auf unebenen Steinen liegend. Er wußte nicht, weshalb er überhaupt noch lebte, warum sie ihn nicht

getötet hatten. Niemand war zu sehen oder zu hören. Keine Stimmen, keine Schritte drangen zu ihm. Einmal am Tag brachte ein Wärter eine Schale Hirse und eine Kürbisflasche mit Wasser. Er sah nichts von diesem Mann außer seinen Händen, die eine Öffnung in der eisernen Tür aufschoben. Langsam erholte er sich so weit, daß er wieder an das Leben zu denken vermochte und an Flucht. Doch vielleicht hätte er niemals entkommen können, wenn sich ihm nicht die Mansei-Demonstration als Hilfe geboten hätte. Sein Wärter, der ihm wie gewöhnlich das Essen hereinreichte, gab ihm an jenem Tag wortlos eine Stahlfeile. Eine Stahlfeile! Vermutlich war der Wärter Koreaner, ein verräterischer Koreaner, dem aus irgendeinem Grund das Gewissen schlug. Yul-chun hatte die Feile schweigend entgegengenommen und sich gezwungen, das miserable Essen hinunterzuwürgen, an welches er sich unerbittlich hatte gewöhnen müssen. Er mußte in Ruhe nachdenken. War das Instrument eine Falle, dazu bestimmt, ihn zur Flucht zu verleiten? Warteten vor dem Fenster schon seine Mörder?
Dann hatte er von weit her, wie die Brandung eines fernen Ozeans, Tumult gehört, schreiende menschliche Stimmen. Das hatte für ihn die Entscheidung gebracht. Er mußte die Flucht wagen. Den ganzen Tag arbeitete er an dem vergitterten Fensterloch, das ihm Licht und Luft zuführte; eine Öffnung, die, so hätte man meinen können, für einen menschlichen Körper viel zu eng war, aber Yul-chun war so dürr – ein zusammenklappbares Skelett, wie er grimmig zu sich selbst sagte –, daß er sich in der Nacht hindurchzuzwängen vermochte, obwohl er sich Schultern und Hüften aufschürfte. Er war sofort in der unkontrollierbaren Menschenmasse untergetaucht und hatte dann in einem halbzerfallenen Tempel außerhalb der Stadtmauern Zuflucht gefunden, wo alte, zahnlose Mönche ihm als getreue Wächter dienten. Von hier gingen seine gedruckten Nachrichten hinaus. Ein anderer junger Rebell, der das Gewand eines Akolythen als Maske benutzte, half ihm bei seinem Werk; tagsüber schlief er, um nachts die Flugblätter in der Stadt zu verteilen, von wo aus sie im

ganzen Land Verbreitung fanden. Einige andere Boten, unter ihnen sogar Mönche, unterstützten ihn und sammelten auch die Informationen für Yul-chun.
An diesem Tag nun, der jetzt zur Neige ging, war er gerade im Begriff, in aller Eile seine Arbeit zu beenden – eine Warnung an seine Landsleute, keine Hoffnungen auf die Völkerbundsideen Woodrow Wilsons zu setzen.
»Wenn wir einer einzigen Nation nicht trauen können, soll es dann bei zwanzig Nationen leichter sein?«
Soweit war er gekommen, als das Mädchen unter der Tür erschien. Er war ihr auf einer geheimen Zusammenkunft begegnet, einer schlanken, kräftigen Gestalt in Männerhosen und einer Jacke darüber, und von da an war sie erschienen, wo immer er sich aufhielt, schweigsam, ergeben, beharrlich sich anbietend. Obwohl er kaum auf sie achtete, stand sie immer bereit, jede seiner Anweisungen auszuführen. Heute trug sie zum erstenmal einen blauen Baumwollrock unter ihrer Jacke. Sie sagte nichts, als er aufblickte. Sie stand einfach unter der Tür, und nun erinnerte er sich, daß er sie etwas gefragt und noch keine Antwort bekommen hatte. Er richtete sich auf und strich eine Haarlocke aus dem Gesicht; seine Hand hinterließ auf der Stirn einen schwarzen Fleck.
»Nun?« drängte er unwirsch.
Sie trat herein und lehnte sich an die Wand, die Arme über der Brust verschränkt.
»Du sagtest, du brauchst jemand, der dir helfen würde.«
»Nicht dich«, gab er barsch zurück. »Keine Frau.«
»Ob Mann oder Frau, das macht bei unserer Arbeit keinen Unterschied.«
»Es macht einen Unterschied, wenn es sich um dich handelt.«
»Kann ich etwas dafür, daß ich eine Frau bin?«
»Du kannst etwas dafür, daß du mich verfolgst.«
Ihre großen, dunklen Augen blickten ihn an.
»Ich habe dich gewählt«, erklärte sie.
»Ich trage kein Verlangen danach, gewählt zu werden«, antwortete er kurz. »Ich habe viel zuviel zu tun. Oh, diese elende Maschine!«

Er hatte, während sie sprachen, die Arbeit wiederaufgenommen, und jetzt blieb die Presse stehen. Druckerschwärze lief in schwarzen Streifen über das Papier. Er riß den Bogen heraus, schleuderte ihn auf den Boden und begann noch einmal von neuem.
»Ich verstehe mich darauf«, sagte sie.
Er hörte nicht mehr zu, ganz in seine Arbeit vertieft, während gleichzeitig sein Geist rastlos tätig war. Er mußte jetzt weit vorausdenken. Die Revolution durfte nicht noch einmal fehlschlagen. Jede Kraftvergeudung im kleinen war unsinnig. Er und seine Gefährten mußten sich mit Gleichgesinnten in anderen Ländern zusammentun. Der Fehler war gewesen, daß sie hier in Korea geglaubt hatten, sie könnten allein gegen ihre Feinde etwas ausrichten. Er wußte jetzt, daß das nicht möglich war. Revolutionen konnte es nur noch auf weltweiter Ebene geben. Wo immer es gerade am nötigsten war, mußten sich alle einsetzen, bis die Menschen in der ganzen Welt frei waren. Ohne diese Unterstützung aller würde jeder Ansatz zu einer Revolution vom stärkeren Feind zertreten werden. In Korea konnte man im Augenblick nichts tun.
»Greift keinen Japaner an, nicht einmal im berechtigtsten Zorn.« Diesen Rat hatte Yul-chun in alle Teile Koreas hinausgesandt. Es sei jetzt nicht der richtige Zeitpunkt zum Zuschlagen, hatte er erklärt und tatenlos zugesehen, wie man seine Landsleute folterte und einige von ihnen starben. Wie lange es noch so weitergehen konnte, wußte er nicht. Sechstausend Soldaten waren von Japan zur Verstärkung der in Korea stationierten Truppen geschickt worden. Weniger als zwei Monate nach der Mansei-Demonstration hatte er durch seine Flugschriften eine Versammlung von Repräsentanten aller Provinzen einberufen, und sie hatten wieder eine geheime koreanische Regierung aufgestellt und einen Präsidenten gewählt, einen jungen Mann mit dem Familiennamen Yi. Auch in China und Sibirien hatten Treffen zur Unterstützung dieser Regierung stattgefunden. Dann war Yi nach Amerika gefahren, um mit den dort lebenden Koreanern Kontakt aufzunehmen, aber Woodrow Wilson hatte sein Außenministe-

rium angewiesen, dem Koreaner keinen Paß auszustellen, mit der Begründung, die Ausstellung eines Passes an einen solchen Mann müßten die Japaner als gegen sie gerichtet auffassen, und er wollte ihnen nicht in den Rücken fallen, da er plante, auf der Basis eines mächtigen Japan in Asien Frieden zu schaffen.
Als man Yul-chun diese Nachricht überbrachte, hatte er nur grimmig gelacht.
»Frieden? Kann man auf der japanischen Machtpolitik Frieden aufbauen? Krieg wird kommen – ein neuer Weltkrieg! Er wird wieder in Deutschland beginnen, aber diesmal wird Japan Amerika angreifen.«
Jetzt spürte er ihre Hand auf seiner Schulter. Sie stand neben ihm, während er weiterarbeitete. Die Bogen liefen nun endlich einwandfrei durch die Maschine.
»Wenn du nach China gehst, nimmst du mich mit?«
»Ich gehe nach Rußland.«
»Ich will auch nach Rußland.«
»Vielleicht doch nach China.«
»China dann.«
Er schüttelte ihre Hand ab und hielt die Presse an. »Dorthin, wohin ich gehe, kannst du mir nicht folgen«, erklärte er schroff.
»Wohin gehst du wirklich?«
»An viele Orte.«
»Wohin zuerst?«
»Nach Kirin in der östlichen Mandschurei. Ist das ein geeigneter Platz für eine Frau?«
Sie wußte über Kirin so gut Bescheid wie er. Als vor Jahren die koreanischen Truppen von den Japanern entlassen wurden, gingen Tausende von ihnen nach Kirin. Dort hatten sie eine Militärschule zur Ausbildung von Guerillas eingerichtet, und im Laufe der Zeit war eine ganze Anzahl von ihnen zurückgekommen, einer nach dem anderen, um in den Bergen Koreas und in den unkontrollierbaren Teilen der Städte ihre Untergrundtätigkeit aufzunehmen. Außer den Soldaten waren aber auch viele Bauern, eine Million und mehr, in die

Mandschurei abgewandert, um die Soldaten zu unterstützen.
Er fuhr fort: »Von Kirin aus will ich zu Fuß durch China bis in die südlichen Provinzen, wo sich jetzt der Schwerpunkt der Revolution herauszubilden beginnt.«
»Ich kann vieles aushalten«, beharrte sie.
»Es wäre möglich, daß ich nach Rußland ginge, um die neuen Methoden zu studieren, die die Russen bei der Schulung der Landbevölkerung anwenden.«
»Ich habe schon immer nach Rußland gewollt.«
Wütend schlug er die Hände zusammen. »Hanya!« rief er aus. »Du weißt, daß ich mir geschworen habe, niemals zu heiraten. Ich kann einer Frau kein normales Leben bieten. Ich habe kein Heim.«.
»Ich habe dich nicht gebeten, mich zu heiraten.«
»Gut, nenne es Liebe, wenn du das meinst. Solche Liebe endet immer in Zank und Haß. Ich habe keine Zeit für Frauen, willst du das endlich begreifen?«
»Ich bin nur eine einzige Frau«, antwortete sie hartnäckig.
Er wurde wild. »Ich habe keine Lust, mich von Gefühlen schwächen und ablenken zu lassen!«
»Du bist ein Mann. Auch du hast Verlangen –«
»Ich bin ein Mann, ja, aber kein Tier! Ich kann meine Begierden bezähmen, und ich tue das.«
Mit bösen Augen sah er sie an. »Was für eine Frau bist du, daß du dir einen Mann mit Gewalt holen möchtest!«
Sie gab seinen Blick mit der gleichen Kälte zurück. »Ich bin genau die Frau, die ihr Männer euch in diesen Zeiten selbst geschaffen habt. Ihr sagt uns, wir müßten uns an eurem Freiheitskampf beteiligen. Ihr sagt, daß wir nicht die sanften, kindergebärenden Wesen sein können, die in ihrer Häuslichkeit gesichert dahinleben. Aber ich bin immer noch eine Frau.«
»Und mußt du mir unbedingt überallhin nachlaufen?«
»Da du mir nicht nachläufst –«
»Ich habe dir erklärt, daß ich mir nicht erlauben werde, eine Frau zu lieben. Sobald ein Mann liebt, ob er heiratet oder nicht, verliert er seine Freiheit.«

»Wenn du mich nicht lieben kannst, so –«
»Ich sage nicht, daß ich es nicht kann. Ich sage, daß ich es nicht will.«
Er beugte sich wieder über seine Arbeit. Schweigend sah sie ihm zu.
»Wann gehst du fort?« fragte sie nach einer Weile.
Er gab vor, sie über dem Lärm der Maschine nicht zu hören, doch sie wußte, daß er sich verstellte, und trat nahe an ihn heran.
»Falls du fortgehst, wann wird das sein?«
»So bald wie möglich.«
»Morgen?«
»Vielleicht.«
Ohne etwas zu erwidern, stand sie da und betrachtete ihn. Ihr Blick streifte seinen Körper, verweilte auf den geraden Schultern, den nackten braunen Armen, dem kräftigen Hals, dem kurzgeschnittenen dunklen Haar, den braunen Beinen unter seinen aufgerollten Hosen, den Füßen, die in Sandalen steckten – wie viele Meilen waren diese Füße gewandert! Sie liebte sogar seine Füße, und sie hätte sie in ihren Armen wiegen mögen. Sie gab sich ganz dieser seltsamen, süßen Verzauberung hin, die sein Körper auf sie ausübte. Sie sehnte sich danach, sich ihm aufzuzwingen, wie sie es einmal bei einer Tigerin in den Bergen gesehen hatte, die ihren Gefährten ansprang und ihn auf sich riß, aber sie wagte es nicht. Er war solcher Wutausbrüche fähig, daß er sie zu Boden werfen und mit Füßen treten konnte. Sie seufzte tief, drehte sich um und ging hinaus.
Unbewegt arbeitete er weiter. Als er fertig war, band er die Blätter zu Paketen zusammen, verbarg sie in einem Winkel und hinterließ obenauf eine gedruckte, unsignierte Notiz, daß er fort müsse. Er brauchte nicht mehr zu sagen. Irgend jemand würde an seinen Platz treten. Dann nahm er sein Bündel auf den Rücken und ging in die Dunkelheit hinaus, nach Norden zu, nach Sibirien.

Er war nie zuvor in Rußland gewesen, aber er wußte, daß er dort kein Fremder sein würde. Als die Japaner seine Heimat besetzten, hatten viele Koreaner mit ihren Familien die kurze Grenze zwischen Korea und Sibirien überschritten. Sie waren freundlich aufgenommen worden, und man hatte ihnen Land zugewiesen, soweit es sich nicht um Intellektuelle handelte, die nach Moskau und Leningrad gegangen waren. Koreaner waren an der russischen Oktoberrevolution beteiligt gewesen, am Bürgerkrieg und den Unruhen während der Intervention. Lenin selbst hatte den koreanischen Kampf gegen die Japaner benutzt, um zu erklären, daß das Volk in Korea besser als die Chinesen die Notwendigkeit erfasse, die Methoden der Revolution zu studieren. Und so war es auch jetzt Yul-chuns Plan, indem er sich zuerst nach Rußland wandte, sich an der Quelle ein Bild von dem zu machen, was dieser neue Kommunismus war und wie er sich durchsetzte. Er wollte die Praktiken kennenlernen und in die kommunistische Denkweise eindringen. Unter den Habseligkeiten, die er mit sich führte, befanden sich *Das Kapital* von Karl Marx, das *Kommunistische Manifest* und Lenins *Staat und Revolution* in koreanischer Übersetzung. Er hegte keine besondere Vorliebe für Rußland oder die Russen, er war einfach der Meinung, daß es nun, da man Japan als Feind vor sich hatte, an der Zeit sei, Rußland als Freund zu gewinnen. Er erinnerte sich noch gut daran, wie sich Rußland und Japan zweimal insgeheim zusammengetan und eine Teilung Koreas am 38. Breitengrad ausgearbeitet hatten, an deren Verkündigung sie schließlich nur die Furcht vor den Amerikanern und Engländern hinderte.
Er war nachts unterwegs und schlief tagsüber in sicheren Verstecken, bis er in die Berge kam. Als sich dann die Gefahr, japanischen Soldaten und Spitzeln zu begegnen, verringerte, benutzte er die Morgendämmerung und die Stunden nach Sonnenuntergang für seinen Marsch und verbrachte die übrige Zeit unter irgendeinem Felsen. Er liebte das Gebirge. Mit dem ersten fahlen Licht aufzustehen, das über die hohen, noch schwarz gegen den silbrigen Himmel ragenden Bergrücken fiel, den Nebel in den Schluchten zu atmen, das Rau-

schen der Wasserfälle und die Stimmen der Singvögel zu hören, erfrischte seinen Geist. So von Menschen abgeschnitten – er näherte sich einem Dorf nur, um Nahrung zu erstehen –, war es unvermeidlich, daß er sich, wenn auch unwillig, an Hanya erinnerte und über seine Beziehung zu ihr nachdachte. Daß es eine Beziehung gab, vermochte er nicht zu leugnen, obgleich er niemals auch nur ihre Hand berührt hatte. Ein Mann konnte jedoch nicht die Liebeserklärung einer Frau anhören, ohne daß damit eine Verbindung entstand, selbst wenn er es nicht dazu kommen ließ, auf sie einzugehen, und es vielleicht auch wirklich nicht wünschte. Yul-chun trug ein starkes natürliches Verlangen nach Frauen in sich, und er wußte das, aber er wollte dem nicht nachgeben. Bis jetzt war er seinem Vorsatz treu geblieben, trotz des Spottes und der gemeinen Zoten seiner Mitrevolutionäre, für die es selbstverständlich war, Frauen zu nehmen und zu verlassen, wo immer sie sich aufhielten. Sogar Sejin, der ihm fast ein Bruder war, hatte seine Einstellung oft kritisiert.

»Es ist gefährlich für dich, weiter ein so mönchisches Leben zu führen«, erklärte er. Sejin war ein großer, schlanker junger Mann aus einem Küstendorf, ein sicherer Schwimmer und kühner Taucher. »So bist du völlig ungeschützt, du Heiliger unter den Männern! Du fürchtest dich vor der Liebe, doch die einzige Waffe gegen die große Liebe sind Frauen – Frauen – Frauen! Viele besitzen, macht es unmöglich, nur eine zu haben. Nur diese eine ist es, die dich tyrannisiert. Wenn du viele hast, so sind sie allesamt deine Sklavinnen, denn als Rivalinnen sind sie mit allen Mitteln um deine Gunst besorgt.«

»So ist es nicht«, hatte Yul-chun erwidert. »Eine einzige Liebe mag eine Tragödie sein, aber sie ist immerhin noch keine langsame, unaufhaltsame Zersetzung deiner selbst.«

»Ach, du nichtsahnender Unschuldiger«, hatte Sejin zurückgegeben. »Ich bin damit einverstanden, daß es besser für uns ist, nicht zu heiraten. Niemand von uns sollte heiraten, solange wir an einer Revolution arbeiten. Doch es sind nicht wir, die durch Liebe zerstört werden, es ist die Liebe, die zerstört wird. Ich behaupte, daß ich gut eine einzige Frau lieben,

Gedichte verfassen und dieses ganze kleinliche, unfreie Leben führen könnte, dem du zum Opfer fallen wirst, wenn du dich nicht vorsiehst, aber ich finde meine Rettung darin, daß ich an viele Frauen denke; damit schwindet die Möglichkeit der einen und alles Träumen. So bleibe ich frei. Du träumst noch, und allein schon deine Träume legen dich in Fesseln.«
Yul-chun hatte zugehört, ohne jedoch seine Meinung zu ändern, und darüber nachgedacht, wie sehr seine Haltung von Tolstoj bestimmt worden war – eigentlich hatte er nur durch ihn die Kraft gefunden, allen Frauen, sogar Hanya, zu widerstehen. Immerhin mußte er sich selbst zugeben, daß er trotz all seiner Standhaftigkeit über die Frauen und ihren Platz in der Welt mit einiger Neugier nachsann. In der Gesellschaft der Zukunft erschien es unsinnig, der Frau zu erlauben, sich mit unwichtiger Hausarbeit und ein paar Kindern zu begnügen. Es gab große Probleme zu lösen, und mächtige Anstrengungen standen bevor. War es gerecht, daß dies alles den Männern zufallen sollte, während man den Frauen nur gestattete, sich mit lauter unbedeutenden Angelegenheiten zu beschäftigen? Aber warum mußte er immer wieder über Frauen nachgrübeln? Er wollte sie aus seinen Gedanken ausschalten. Er hatte seiner Heimat alles geopfert, er würde auch seine Begierden zum Opfer bringen können.
Sein erstes Ziel war Antung, die mandschurische Stadt an der Mündung des Yalu. Hier wollte er eine Zeitlang ausruhen und erkunden, was in den letzten Monaten in Rußland vorgegangen war, denn in Antung trafen viele Reisende zusammen, so daß man auf zuverlässige Nachrichten hoffen durfte. Er erreichte die Stadt im Frühsommer und fand dort viele Koreaner vor; einige von ihnen schlugen sich mit ihren Familien kümmerlich als kleine Händler durch, die meisten jedoch waren Einzelgänger wie er, ruhelos und vom Gedanken an die Befreiung ihrer Heimat besessen. Alle rieten Yul-chun von Rußland ab.
»Geh nach China«, sagten sie. »In Rußland ist die Revolution zu Ende. In China ist sie gerade im ersten Stadium. Der chinesische Anführer, Sun Yat-sen, hat Rußland gebeten, ihn zu

unterstützen, nachdem ihm die westlichen Mächte jede Hilfe verweigert haben. Du wirst die Taktiken kennenlernen, die dort geübt werden, und wir Koreaner haben mehr mit den Chinesen als mit den Russen gemein.«

Er folgte dem Rat, und nachdem er lange genug in Antung geblieben war, um zu hören, was er wissen wollte, setzte er seinen Weg in das Innere der Mandschurei fort. Einige Zeit verbrachte er dort mit den emigrierten koreanischen Soldaten und fand sie in keiner Weise entmutigt durch das Mißlingen der Mansei-Demonstration. Statt dessen bereiteten sie sich für den nächsten Weltkrieg vor, der, wie sie sagten, unabwendbar sei, denn Japan rüste sich zur Eroberung Chinas, jetzt, da in diesem Land die Verwirrung ständig zunehme. Eine gewaltige neue Revolution braue sich dort im Süden wie eine Gewitterwolke zusammen.

»Sun Yat-sen braucht eine Armee«, erklärten sie Yul-chun, »und Rußland bildet chinesische Soldaten für ihn aus. Wenn alles bereit ist, werden sie zum zweiten Schlag ausholen. Sie werden den Jangtse entlang in den Süden, nach Nanking, marschieren, das Land unter ihre Kontrolle bringen und eine neue Regierung einsetzen.«

Yul-chun sammelte alle Informationen, die er bekommen konnte, und dann, ohne mit jemand darüber zu sprechen, schlug er wieder die südliche Richtung ein – nach China.

Mit Beginn des Winters erreichte er Peking, und hier hielt ihn ein heftiger Sturm fest, der aus der kalten Steppe kam und den Schnee in hohen Wehen an den Landstraßen aufhäufte. Halb erfroren und völlig mittellos mußte er eine Weile in der Stadt bleiben, und er nutzte die Zeit, um die nach Peking geflohenen Koreaner aufzusuchen, die er einmal gekannt hatte. Die meisten von ihnen fand er nicht mehr vor, einige waren in Südchina, andere in Korea getötet worden, wieder andere saßen in koreanischen Gefängnissen, doch einen traf er noch, mit dem er früher in der Heimat zusammengearbeitet hatte, einen Mönch, der den Namen Kim trug, ohne allerdings zur Andong-Sippe zu gehören. Als er unter der Tür des kleinen, ärmlichen Hauses in dem Teil der Stadt stand, in

dem Kim und seine Freunde wohnten, war die Wiedersehensfreude gegenseitig.
»Komm herein, komm herein!« rief Kim und drückte hinter Yul-chun die Tür schnell wieder zu, um den wirbelnden Schnee auszusperren. »Sprich kein Wort, ehe du nicht dieses nasse Zeug ausgezogen hast«, fuhr er fort. »Und ich bin ganz sicher, daß du den ganzen Tag noch nichts gegessen hast.«
»Ich bin so leer wie ein hohler Kürbis«, bekannte Yul-chun, »und außerdem so mittellos wie ein Bettler.«
Während er trockene Kleider anzog und heiße Nudeln aß, unterhielten sie sich, Nachrichten und Hoffnungen austauschend. Im Jahr der Mansei-Demonstration hatte sich der junge Mönch der buddhistischen Unabhängigkeitsbewegung angeschlossen, und auch sie, drei- oder vierhundert Mitglieder, hatten eine Unabhängigkeitserklärung herausgegeben. Er selbst war nach langer Wanderung zu spät für den Mansei-Tag in Seoul angelangt, von der Polizei aufgegriffen und ein Jahr eingesperrt worden. Danach hatte er seine Arbeit fortgesetzt. Während seines Aufenthaltes in der Hauptstadt war er mit jungen Männern und Frauen in Verbindung gekommen, die russische Bücher lasen, und auf diese Weise auch auf die Werke von Karl Marx gestoßen, für deren Studium er, wie er sagte, schon durch Hegel vorbereitet gewesen war.
Im vergangenen Jahr war er nun mit sieben anderen Mönchen nach Peking emigriert, um hier noch mehr über die Revolution zu lernen. Fünf von seinen Gefährten waren allerdings inzwischen wieder in ihre Klöster zurückgekehrt.
»Was sollen wir jetzt tun?« fragte Kim.
Yul-chun dachte augenblicklich an die kleine Presse, die er in Korea gehabt hatte. »Wir müssen eine Zeitschrift herausgeben«, antwortete er, »und nicht eine schöngeistige, wie es sie hier schon einmal gab. Wir werden die unsrige *Revolution* nennen.«
Sie sprachen bis tief in die Nacht hinein, und als sich Yul-chun endlich zum Schlafen niederlegte, war er entschlossen, das Haus seiner Freunde zumindest für eine Zeitlang zu seinem Heim zu machen und zu seiner Lieblingsbeschäftigung zurück-

zukehren, ein neues Schrifttum der Revolution zu schaffen. Unter seinesgleichen fühlte er sich wieder glücklich.

»Willst du blind werden?«
Die Stimme Hanyas traf ihn wie ein Schlag. Seine Hand, die den Meißel hielt, erstarrte über der Steinplatte. Er drehte sich nicht um, aber er wußte, daß sie auf ihn zukam, obwohl sie mit ihren Strohsandalen kein Geräusch verursachte. Dann stand sie neben ihm und riß ihm den Meißel aus der Hand.
»Sie haben es mir erzählt, daß du diesen Wahnsinn betreibst«, rief sie. »Hältst du dich für einen Gott? Kannst du Wunder schaffen?«
»Gib mir das«, stieß er zwischen den Zähnen hervor.
Er streckte die Hand nach dem Meißel aus, doch sie hielt ihn hinter sich.
»Ich wollte es nicht glauben, als ich es hörte«, fuhr sie aufgebracht fort. »›Er wird noch blind werden‹, sagten sie – ›erst schreibt er allein die ganze Zeitschrift, und dann ritzt er jeden Buchstaben in Stein.‹«
»Ich bin zu diesem Verfahren gezwungen, denn es ist keine Presse in der Stadt aufzutreiben, zumindest keine, die ich kaufen könnte.«
»Also wirst du dein Augenlicht verlieren, weil du keine Presse auftreiben kannst!« höhnte sie. Sie schleuderte den Meißel auf den Boden und nahm eine Zeitschrift von dem rohgezimmerten Holztisch. »Zweiunddreißig Seiten! Zweimal monatlich! Wie viele Exemplare?«
»Wir begannen mit achthundert, jetzt haben wir schon mehr als dreitausend. Sie gehen in unsere Heimat, aber auch in die Mandschurei, nach Amerika, Hawaii, Sibirien –«
»Sei still!« schrie sie. Sie bückte sich, hob den Meißel auf und lief zur Tür, um ihn, so weit sie konnte, auf die Straße hinauszuwerfen.
Die Überraschung lähmte ihn zuerst. Er hatte ihre Handlungsweise einfach nicht für möglich gehalten. Dann sprang er auf sie zu und wollte sie zur Seite drängen, doch sie klammerte sich an ihn und ließ ihn nicht gehen. Was er auch unter-

nahm, er vermochte sich nicht frei zu machen. Sie hielt ihn gefangen, griff nach seinen Armen, wenn er sie schlagen wollte, trat ihn, wenn er sich loszureißen versuchte. So rangen sie schweigend unter keuchenden Atemzügen, mit wutverzerrten Gesichtern.
Ihre Kraft erschreckte ihn. Hier fand sich nichts von der passiven, schwächlichen Frau, an die er immer geglaubt hatte. Gegen dieses Mädchen mußte er wie gegen einen Mann angehen. Er ließ eine Sekunde nach, um Luft zu schöpfen, und sie benutzte die Gelegenheit sofort, um ihn mit ihren Armen zu umklammern. Dann spürte er ihre Zähne in seinem Hals.
»Du – du Tiger«, keuchte er atemlos. »Du – du – wagst es –«
»Dein Blut schmeckt süß«, murmelte sie, und er fühlte ihre weichen Lippen an der Stelle, in die sie kurz zuvor gebissen hatte. Er stand regungslos da, plötzlich gewahr, daß sie nicht mehr mit ihm rang. Ihr Körper entspannte sich, sie schmiegte sich an ihn, das Gesicht an seine Schulter gebettet. Während sie die Hand ausstreckte und den Docht der Kerze, bei deren Licht er gearbeitet hatte, zwischen Daumen und Zeigefinger ausdrückte, zog sie ihn sanft zu Boden. Ihm schwindelte, sein ganzer Körper schien zu schmelzen, und sein Wille vermochte nichts mehr gegen ein übermächtiges Verlangen.

Für Yul-chun blieb es ein stetiger Wechsel zwischen Kampf und Nachgeben. Als Hanya forderte, er müsse das Drucken der Zeitschrift einstellen, erklärte er, sich zum Schreiben berufen zu fühlen und es als sein ganzes Glück zu empfinden, daß die Revolution Schriftsteller brauche. Nie werde er sich von ihrem Willen bestimmen lassen, schwor er, und als er allmählich feststellen mußte, daß er es doch immer wieder tat, beschloß er in seiner Verzweiflung, Peking zu verlassen und in den Süden zu gehen. Sie hatte ihm gerade eröffnet, daß sie ein Kind bekommen würde.
Er lehnte es ab, sie mitzunehmen. »Es wird dort Kämpfe geben«, sagte er. »Es ist gefährlich für dich. Und ich kann mich nicht durch eine schwangere Frau hemmen lassen. Ich würde an dich denken statt an die Revolution.«

Mehr als ein Jahr hatten sie zusammen verbracht, teils in Peking und teils in nordchinesischen und mandschurischen Dörfern, aber seine Überzeugung, daß es besser wäre, wenn er allein lebte, war unverändert geblieben, und er hatte das auch immer wieder ausgesprochen. Als sie ihm nun sagte, daß sie ein Kind erwarte, und er den freudigen Glanz in ihren schwarzen Augen und ihr strahlendes Gesicht sah, fühlte er einen neuen, seltsamen Zorn in sich aufsteigen, eine Mischung von Liebe und Haß.

»Du weißt gut, daß ich immer gegen ein Kind war!« brach es aus ihm heraus. »Du willst mich jetzt nur auf diese Weise zwingen, mich mit dir und dem Kind zu beschäftigen – du lenkst mich von meiner Aufgabe ab! Ich soll Mitleid mit dir und dem hilflosen Kind haben. Das ist dein Triumph.«

Mit geweiteten Augen starrte sie ihn an, als hätte sie ihn nie zuvor gesehen. »Du bist kein Mensch«, sagte sie, und selbst ihre Stimme klang fassungslos. »Ich habe es nicht glauben wollen, aber jetzt weiß ich es. Du bist kein Mensch, und ich habe dich geliebt, weil ich dachte, du seist doch ein Mensch, ein Mann, der mich im Grunde seines Herzens liebte.«

Sie betrachtete sein zorniges Gesicht, jeden seiner Züge studierend.

»Wie ich dich geliebt habe«, sagte sie, noch immer ungläubig.

Und mit diesen Worten drehte sie sich um und ließ ihn in diesem Zimmer stehen, aus dem sie für kurze Zeit ein Heim gemacht hatte.

Er wartete dreiundzwanzig Tage und Nächte lang auf sie, und er konnte nicht glauben, daß sie nicht zurückkehren würde. Dann begann er zu begreifen, daß sie für immer gegangen war. Es war ein harter Kampf, den er mit sich auszufechten hatte. Er sehnte sich nach ihr. Es drängte ihn, nach ihr zu forschen. Er träumte davon, sie nach Korea in das Haus seines Vaters mitzunehmen und wenigstens so lange bei ihr zu bleiben, bis das Kind geboren war. Er hatte ihr von diesem Haus und von seiner Familie erzählt und auch von Yul-han, der schon als Junge immer der folgsame, gute der beiden Brüder gewesen sei und dennoch ein solches Ende gefunden

habe. Daß Yul-han mit Induk und dem Kind bei dem Kirchenbrand umgekommen war, hatte er gehört – wie alle Koreaner.
»Siehst du, ich lebe noch«, hatte er dazu bemerkt. »Verstehst du jetzt, warum ich immer behaupte, daß ein Mann keine Familie haben sollte?«
»Sei still«, sagte sie.
Dies war stets ihre Erwiderung gewesen, wenn er Gedanken ausgesprochen hatte, die sie nicht hören wollte. Ihre Liebe erreichte später ein Stadium, in dem er nur noch im Scherz sagte, was er vorher mit Überzeugung vorgebracht hatte; er war sicher, sie wußte, daß er sie liebte, auch wenn er es nie eingestehen wollte. Es gehörte, so schien es ihm, mit zu ihrem gemeinsamen Spiel – ihr Betteln, er möge es aussprechen, und seine Weigerung.
»Sag mir, daß du mich liebst – sag es mir nur einmal, damit ich mich daran erinnern kann!«
»Das will ich nicht«, hatte er immer geantwortet, »denn wenn ich es tue, kann ich mich nicht vor dir schützen. Du wirst so tief in mich eindringen, daß ich dich niemals mehr aus mir herausreißen kann. Worte sind wie Eisennägel, die man in hartes Holz schlägt.«
»Du liebst mich also?« schmeichelte sie.
»Was meinst du?« fragte er und verbiß sich das Eingeständnis.
»Ich glaube es doch«, erwiderte sie sanft, »und wenn du mich also liebst, weshalb sagst du es nicht?«
»Ah!« rief er. »Beinahe hättest du mich überlistet, aber ich bin zu schlau für dich.«
So hatte er nie gesagt, daß er sie liebte, und nun war sie fort, und er konnte es ihr nicht mehr sagen. Er wartete noch sieben Tage und fand in den Nächten vor Sehnsucht keinen Schlaf, doch er ließ sich nicht von seinem Verlangen überwältigen. Suchte er sie jetzt, so würde er nie mehr frei sein. Und eines Nachts, verzweifelt und müde, stand er auf, packte sein Bündel und ging allein nach Süden weiter.
Dreitausend Meilen legte er zu Fuß und zu Pferd zurück, und es dauerte Monate, bis er Kanton in Südchina erreicht hatte.

Unterwegs verweilte er hier und da eine Zeitlang, um die Lebensweise des Volkes kennenzulernen und festzustellen, ob es Voraussetzungen gebe, die eine Revolution erwarten ließen; er war seiner Natur nach zu gerecht, um zu glauben, daß man ein solches Ziel mit Zwang anstreben dürfe, und er hätte sich auch nie gestattet, die chinesischen Bauern als Mittel zu benutzen, um den Freiheitskampf seines eigenen Volkes weiterzutreiben. Er gewann keinen klaren Eindruck, während er so über die Landstraßen und durch die Dörfer wanderte. Diese Leute waren ein fröhlicher, grausamer Menschenschlag; sie wußten jede Mühsal und Härte hinzunehmen, verfuhren unbarmherzig mit jedem, den sie als Gegner ansahen, und waren zu unbeschwert, um wirklich zu leiden, wenngleich sie derb und lautstark gegen die Zeiten sprachen und es beklagten, daß es jetzt in Peking keinen Herrscher mehr gab, nachdem die Revolutionäre den kaiserlichen Thron hinweggefegt hatten.

»Ach, wenn wir nur unseren Alten Buddha wiederbekommen könnten«, sagten sie. »Sie war uns Vater und Mutter. Solange sie lebte, fühlten wir uns sicher. Aber jetzt? Wer weiß, was jetzt mit uns geschieht?«

Sie sprachen von der Kaiserin Tzu-hsi. Sie war schon viele Jahre tot, doch Yul-chun kam in Dörfer, wo die Bauern von ihrem Tod noch nichts wußten und durch die Nachricht in Angst und Bestürzung versetzt wurden. Der Unterschied zwischen dem chinesischen und seinem eigenen Volk war, daß die Chinesen noch immer in Freiheit lebten. Obwohl sie keine Regierung hatten – denn Sun Yat-sen hatte dies in dem weiten, traditionsgebundenen Land trotz all seiner Anhänger nicht erreicht –, so waren sie doch noch frei, um ihr eigenes Leben ihren alten Bräuchen gemäß zu gestalten, so, wie sie es gewohnt waren, und im Land herrschte Frieden mit Ausnahme der Machtkämpfe, die einzelne Parteien untereinander austrugen, und des Streites der Revolutionäre, die jung und unzufrieden waren. Yul-chun bezweifelte sehr, daß dieses unermeßlich große Land mit seiner kaum zu schätzenden Bevölkerung zu einer Revolution anzustacheln war und daß es überhaupt einen Grund dafür gab. Das Leben dieser Menschen ruhte fest verankert im Althergebrachten, sie verhungerten nicht, und niemand unterdrückte sie, abgesehen von einigen ausbeuterischen Grundbesitzern. Er hörte Gelächter und fröhliche Scherzworte in den Teehäusern, die Kinder sahen gut genährt aus, und die Frauen gingen geschäftig ihren Obliegenheiten nach. Gegen wen konnten sie sich auflehnen? Sie verlangten nur, daß man sie in Ruhe ließ, und mehr als einmal zitierte ein alter oder junger Mann Yul-chun gegenüber den Ausspruch Lao-tses, daß man ein Volk so regieren müsse, wie man einen kleinen Fisch koche: mit leichter Hand.

Im Laufe seiner langen Reise beeindruckte Yul-chun immer wieder die endlose Weite Chinas, die Vielfalt seiner Landschaftsbilder und die Unterschiede, die sich in der Bevölkerung zeigten. Die Steppen des Nordens und Nordwestens liefen in reiche fruchtbare Ebenen aus, wo Weizen und andere Trockengetreide angebaut wurden, wo die Leute weißes Brot und Hirse aßen, hoch gewachsen und hellhäutig waren und Knoblauchgeruch um sich verbreiteten, denn ihr bevorzugtes Gericht war eine dünne Scheibe ungesäuertes Brot, in das ein Stück Knoblauch gewickelt war. In den Städten des Nordens reihten sich dicht gedrängt Läden und Märkte, und die Straßen waren breit. Die Leute trugen Baumwollkleider, im Winter mit Baumwolle wattiert, und kleidete sich jemand in Seide, so verhüllte er sie mit einem Übergewand aus Baumwolle.

In Zentralchina, oberhalb und unterhalb des Jangtse, dieses mächtigen Stromes, tausend Meilen lang und so breit wie ein See, auf dem die Dampfschiffe vieler Länder fuhren und die Kriegsschiffe fremder Nationen vor Vertragshäfen Wache hielten, wurde das Land bergig, aber nicht in der schroffen Art wie in Korea. Die Berge hier waren sanft und grün, und fruchtbare Ebenen erstreckten sich zwischen ihnen. Es gab zahlreiche Städte, in denen das Geschäftsleben blühte, und die Menschen, von etwas kleinerem Wuchs als die Bevölkerung des Nordens, waren nicht so anspruchslos, mit viel mehr Schläue und materiellem Sinn begabt, wenngleich genauso heiter und gesprächig.

Einen ganzen Winter verbrachte er in Schanghai. Dreitausend Koreaner lebten in dieser Stadt, und er schloß sich bald einer Gruppe an, die eine Zeitschrift *Junges Korea* herausgab. Doch auch hier gab es keine Einigkeit unter seinen Landsleuten. Sie waren in zwei große Parteien aufgespalten, eine, die noch immer zu den Amerikanern tendierte – es handelte sich zum größten Teil um in Amerika erzogene Christen, Verteidiger einer gewaltlosen Revolution – und die andere, die den russischen Revolutionsmethoden anhing und sich für einen Aufstand Koreas gegen die Japaner aussprach. Beide Seiten erhielten geheime Geldzuwendungen von koreanischen Patrioten.
Yul-chun lebte zuerst unter denen, die noch immer ihr Vertrauen in Amerika setzten, und er hörte von ihnen vieles über dieses Volk, das mit seinen Missionaren als Freund nach Korea gekommen war, um es später mit seinen Politikern zu betrügen. Doch er vermochte sich nicht für sie zu entscheiden und gesellte sich deshalb nach einiger Zeit zu den Terroristen, einer kleinen Geheimbewegung, die sich dem Töten und der Zerstörung verschworen hatte.
Es war nicht das erstemal, daß sich Yul-chun in solcher Gesellschaft befand. Sein Hauslehrer, der ihn in der konfuzianischen Doktrin der Gewaltlosigkeit und in Buddhas Lehre der Barmherzigkeit erzogen hatte, war, nachdem er sich einmal den Tonghaks angeschlossen hatte, der kaltblütigste aller Terroristen geworden. Dieser liebenswürdige, freundliche junge Mann beging wie unter dem Zwang, sich ganz seiner Sache zu opfern, immer wieder die unmenschlichsten Akte. Er war später nach Sibirien emigriert und hatte die Terroristengruppe, die sich *Die rote Fahne* nannte, gegründet, war dann in der Mandschurei an der Ermordung des Fürsten Ito beteiligt gewesen und anschließend gefangengenommen und hingerichtet worden.
Yi Nul Tan, Vereinigung zur Wahrung der Gerechtigkeit, war der Name, unter dem sich die koreanischen Terroristen in China zusammengetan hatten. Yul-chun wollte zunächst nur ihre Ideen studieren. Wirklich zugehörig fühlte er sich ihnen nicht – noch nicht. Er vermochte in Tod und Zerstörung noch

nicht die einzigen Waffen der Revolution zu sehen, um so weniger, da sich auch diese zielbewußten jungen Männer uneinig zeigten. Gerade in diesem Winter des Jahres 1924 begannen sie sich in drei Gruppen zu scheiden, die Nationalisten, die Anarchisten und die Kommunisten. Er beobachtete diese Zersplitterung mit wachsender Skepsis, zumal er feststellen mußte, daß die extremsten Terroristen zugleich als Menschen die kritikwürdigsten waren. Sie trugen westliche Kleidung, ölten sich das Haar und trieben mit ihrer Erscheinung einen solchen Kult, daß sich ihnen, da es überdies meist große, gutaussehende junge Männer waren, die Frauen geradezu in die Arme warfen, vor allem die Mädchen russisch-koreanischer Abstammung, Töchter der Exilkoreaner in Sibirien. Yul-chun, unter dessen beherrschter Art sich eine tief leidenschaftliche Natur verbarg, konnte verstehen, daß es junge Männer, die Tag für Tag den Tod vor Augen hatten, dazu trieb, in bedenkenlos ausgetauschter und schnell vergessener Liebe einen Ausgleich zu suchen, aber für sich selbst lehnte er es ab. Er hielt den Blick unverwandt auf das Ziel der Befreiung seines Volkes gerichtet.
Zu Frühlingsanfang fand er es an der Zeit, in den Süden zurückzukehren, und im Herbst des gleichen Jahres, um die Zeit der Reisernte, kam er wieder nach Kanton. Auf den Feldern herrschte geschäftiges Treiben, die Ernte war gut, und für den Winter gab es reichlich Nahrung. Wieder kamen Yul-chun Zweifel, ob sich unter diesem Volk eine Revolution verwirklichen ließe, solange nicht ein Feind von außen es bedrängte, das hieß, solange sich nicht bei Japans militärischen Führern wieder Weltmachtträume regten. Dann besann er sich darauf, daß er eigentlich um einer anderen Sache willen hier war. Er mußte diejenigen finden, die ihm bei der Befreiung Koreas helfen konnten.
»So bist du also doch gekommen. Und allein?«
Dies war Kims Gruß und erste Frage. Als Yul-chun während seines Zusammenlebens mit Hanya auf ihr Drängen hin die Zeitschrift schließlich aufgegeben hatte, war Kim etwas verärgert von Peking fortgegangen. Hanya habe Yul-chun für

die Revolution verdorben, hatte er behauptet. Er war mit einigen anderen nach Kanton übergesiedelt, wo sie zwei Räume eines Hauses in einer Gasse mieteten, in der Elfenbeinschnitzer ihr Handwerk ausübten; sie bezogen ihr Material aus den burmesischen und malaiischen Dschungeln, zerschnitten die Stoßzähne und schnitzten aus den Stücken Elfenbeingötter und andere kleine Statuetten, Kästchen, Schmuck und sonstige Gebrauchs- und Ziergegenstände. Unter diesen vielen Handwerkerfamilien beachtete niemand das Kommen und Gehen der Exilkoreaner in chinesischer Kleidung.

»Allein«, erwiderte Yul-chun.

Er warf sein Bündel auf die Erde und streifte sich die zerrissenen Sandalen von den Füßen. Die Sohlen waren in Fetzen, und ein Stein hatte an seinem linken Fuß einen dunklen Fleck hinterlassen. Er setzte sich und massierte die schmerzende Stelle. Kim blickte auf ihn hinunter.

»Hat sie dich verlassen oder du sie?«

»Sie verließ mich«, antwortete Yul-chun kurz. »Und ich habe sie nicht zurückgeholt«, fügte er hinzu.

»Du siehst hungrig aus.«

»Ich bin nicht hungrig«, erwiderte Yul-chun, noch immer nicht sehr gesprächig. Er sah sich in dem kahlen Raum um. »Aber könntest du aus ein paar Brettern noch ein Bett hier aufstellen?«

»Ich habe dich erwartet«, sagte Kim. »Natürlich gibt es Platz für dich. Ich wußte, daß dich eine Frau auf die Dauer nicht halten könnte.«

»Wie viele Koreaner leben in Kanton?« fragte Yul-chun.

»Nur ungefähr sechzig, alles Yi-Nul-Tan-Leute.«

»Schon wieder! Ich habe mich gerade erst in Schanghai von ihnen getrennt.«

»Ein paar Russen unterrichten sie hier in den neuen Methoden, und es kann sein, daß wir sie eines Tages in unserer Heimat brauchen.«

»Ich habe kein Vertrauen mehr zu Terroristen«, erklärte Yulchun heftig. »Sie genießen ihre Tätigkeit zu sehr – und sie säen Haß.«

»Wir können uns ihrer bedienen«, sagte Kim. Er zog sein Bett auf die andere Seite des Zimmers, um Platz für das zweite zu schaffen.
»Bist du den Kommunisten beigetreten?« fragte Yul-chun.
»Ja! Ich bin Revolutionär, und ich will es ganz sein. Und du?«
»Nein, ich muß erst davon überzeugt werden, daß darin der beste Weg zur Erreichung der Unabhängigkeit liegt.«
»Wie willst du das herausbekommen, solange du nicht Kommunist bist? Zuerst der Glaube, dann die Überzeugung.«
»Das ist der Unterschied zwischen uns. Du brauchst einen Glauben. Ich nicht! Ich glaube an nichts und an niemanden. Und ich bin sicher, daß die Japaner sich nie mit unserem kleinen gebirgigen Land zufriedengeben werden. Was in Hideyoshis Zeiten galt, ist noch immer wahr. Für sie ist Korea nur ein Sprungbrett nach Asien. Und jetzt, nachdem ich China mit eigenen Augen gesehen habe, die Fruchtbarkeit seiner Erde, die großen Städte, die Fähigkeiten seines Volkes, bin ich überzeugt, daß derjenige, der China beherrscht, Asien beherrscht – und vielleicht eines Tages die ganze Welt. Wer kann die Verwirklichung dieses japanischen Traumes verhüten? Wer außer uns, einem unabhängigen Korea, das den Angreifern den Weg versperrt? Wer anders erkennt überhaupt die Gefahr? China verhält sich so passiv wie ein Wachhund. Was hat es getan, um Japan zuvorzukommen? Was hat irgendeine andere Großmacht getan?«
»Du solltest Terrorist sein, mein Freund«, sagte Kim.
Er stand auf, ging zur Tür und blickte in die Dämmerung hinaus.
Yul-chun hinter ihm schwieg. Dann fühlte er mit einemmal eine ungeheure Erschöpfung, und er warf sich auf das Bett.

»Der eigentliche Kampf«, so klagte Yul-chun Kim gegenüber, »ist der, den wir untereinander führen.«
Denn die koreanischen Revolutionäre, das hatte Yul-chun nach einigen Monaten herausgefunden, hatten von Korea alle alten Streitigkeiten mitgebracht. Diejenigen, die sich dem Terror verschworen hatten, standen gegen die, welche an

Gewaltlosigkeit glaubten. Die des Nordens gegen die des Südens. Einige waren Kommunisten und überzeugt davon, daß nur ein radikaler Umschwung in der Ideologie ihr Volk retten könne; andere sprachen gegen den Kommunismus und meinten, eine Ideologie sei nur ein Hindernis, wenn man die Unabhängigkeit als Ziel vor sich habe. Die Koreaner aus der Mandschurei wollten keine Verbindung mit denjenigen, die direkt von Korea gekommen waren, und beide standen gegen die aus Sibirien. Zu diesen Zwistigkeiten kamen noch Feindschaften zwischen den einzelnen Clans und Sekten und ständige Reibereien mit den chinesischen Gruppen, besonders den chinesischen Kommunisten, die dank ihrer russischen Ratgeber meinten, sie müßten alle anderen dirigieren, und roh gegen jeden vorgingen, der sich ihnen nicht fügte.
»Wir richten uns selbst zugrunde«, stellte Yul-chun entmutigt fest.
Tagsüber widmeten sie sich den Aufgaben, die sie sich selbst gestellt hatten – Yul-chun hatte wieder das Schreiben und Drucken übernommen – und nachts kamen sie in einem alten Teehaus zusammen, das sie für ihre Treffen gemietet hatten. Die Zahl derer, die sich aus anderen Ländern den chinesischen Revolutionären anschlossen, wuchs ständig. Allein Koreaner gab es nach einigen Monaten bereits achthundert, vierhundert von ihnen waren als Angehörige der Befreiungsarmee aus der Mandschurei gekommen, über hundert aus Sibirien und der Rest aus Korea. Sie waren alle jung, keiner über vierzig, und man sah sogar gelegentlich Vierzehn- oder Fünfzehnjährige. Einer von ihnen schloß sich Yul-chun an, und sie wurden Freunde. Der Junge hatte den Namen, den ihm seine Familie gegeben hatte, abgelegt und nannte sich nun Yak-san, nach dem berühmten Terroristen Kim Yak-san, der in Seoul einmal allein ein kühnes Attentat auf einen japanischen General unternommen hatte.
Als der Junge Yul-chuns Familiennamen erfahren hatte, war er sofort zu ihm gekommen.
»Herr, bist du aus der gleichen Familie wie Kim Yak-san?« erkundigte er sich.

»Nein«, antwortete Yul-chun. »Ich bin ein Kim aus der Andong-Sippe, und ich bin kein Terrorist.«
Auf dem Gesicht des Jungen zeichnete sich die Enttäuschung ab, aber er blieb dennoch bei Yul-chun. Für Yul-chun nahm Yak-san die Stelle eines jüngeren Bruders ein, und Yak-san bedeutete er Bruder und Vater zugleich. Yak-sans Vater war in einer nordkoreanischen Stadt von der Polizei getötet worden. Der Junge hatte keine Geschwister und war, nachdem er sich allein sah, in die Mandschurei gegangen und von dort aus nach Kanton gekommen.
Nachdem er Yul-chun seine Geschichte erzählt hatte, fragte er ihn, ob es ihn störe, wenn er sich ihm anschlösse.
»Gewiß nicht«, hatte Yul-chun erwidert. Und so saß der Junge nun in dem Teehaus neben Yul-chun auf einem niedrigen Hocker, voller Aufmerksamkeit für das, was besprochen wurde.
»Wir müssen uns einig sein«, erklärte Yul-chun. »Zumindest der Kern unserer Gruppe. Wir sollten alle diejenigen zusammenziehen, die wie wir von dieser Notwendigkeit überzeugt sind, und mit ihnen einen festen Kern bilden.«
»So schaffen wir nur noch eine neue Clique«, gab Kim zurück.
»Ein Terrorist zu sein ist ganz einfach«, verkündete Yul-tan, der gegenwärtige Sprecher der radikalen Seite.
»Was erreicht ihr mit eurem Gebot des Tötens?« rief Yul-chun. »Eine Lebensanschauung, die dazu führen wird, daß ihr euch später gegenseitig umbringt.«
»Jedenfalls«, verteidigte sich der Terrorist, »herrscht bei uns am meisten Einigkeit. Wir sind alle der festen Überzeugung, daß unsere Feinde, wenn es notwendig ist, einer nach dem anderen sterben müssen und daß Häuser in Brand gesteckt, Paläste zerstört und Regierungen gestürzt werden müssen.«
Wie gewöhnlich debattierten sie bis tief in die Nacht hinein. Manchmal kam es Yul-chun tatsächlich so vor, als wäre das Reden ihre Hauptbeschäftigung. Doch er merkte, daß sich aus diesem Gedankenaustausch langsam, so wie sich Stein in Form verwandelt, eine gewisse einheitliche Linie herausbildete.
Nach einem Jahr, allerdings noch immer zweifelnd, erkannte

Yul-chun schließlich die Terroristen als Stützpfeiler der Revolution an, denn es waren tatsächlich die einzigen, deren Richtung feststand – und vielleicht war Zerstörung wirklich nötig, bevor etwas Neues gebaut werden konnte. Er verlangte nur, daß der Name Yi Nul Tan in Koreanisch-Nationale Unabhängigkeitsbewegung abgeändert wurde. Durch sie hielt er nun die Verbindung mit all den anderen über viele Länder verstreuten koreanischen Befreiungsgruppen aufrecht, um den Tag vorzubereiten, an dem ihre koreanische Heimat wieder ihnen gehören würde. Es war ihnen bewußt, daß sie sich noch Jahre gedulden mußten. Erst der nächste Weltkrieg, dessen Schatten sich schon am Horizont abzeichneten, konnte ihnen die Verwirklichung ihrer Hoffnungen bringen.
Yul-chuns Herz hätte sich vielleicht während dieser Zeit völlig verhärtet, wenn er nicht ein paar Freunde gehabt hätte. Da war vor allem Yak-san, der ihm wie ein treuer Diener folgte, ihm zuhörte, jeden seiner Wünsche erfüllte und darauf achtete, daß er aß und trank. Sowenig Yul-chun auch geneigt war, sich Gefühlen hinzugeben, es rührte ihn doch, wie anhänglich sich dieser Junge zeigte. Etwas von dem alten Familiensinn regte sich wieder in ihm, und er fragte sich, ob sein eigenes Kind wohl ein Sohn sei. Es mußte nun schon vier Jahre alt sein. Ob ihm Hanya erzählt hatte, wer sein Vater und sein Großvater waren? Er hatte nie mehr von ihr gehört seit jenem Tag, da sie ihn in Peking verließ. Vielleicht hätte er gar nicht mehr an sie gedacht, wenn er nicht durch ein Ehepaar mit Namen Choi, das er, da beide für die Gruppe arbeiteten, häufig sah, darüber belehrt worden wäre, was die Liebe zwischen Mann und Frau sein konnte.
Sie veranlaßten ihn unwissentlich dazu, völlig neue Betrachtungen über die Ehe anzustellen, und so wanderten seine Gedanken oft zu Hanya zurück. Er bedauerte jetzt manches. Wie wenig wußte er überhaupt von ihr! In seinem Wunsch, sich die Freiheit zu bewahren, hatte er nie nach ihrem früheren Leben gefragt; er wußte davon nur, was sie von sich aus gelegentlich erzählt hatte. Daß ihr Vater erschossen worden war, zum Beispiel. Yul-chun erinnerte sich auch, ein Jade-

siegel, das sie, in ein Stück Seide gewickelt, immer bei sich trug, gesehen zu haben. Ihr Vater mußte irgendein Beamter am Hof des Regenten gewesen sein, aber Yul-chun hatte sich nicht weiter erkundigt, aus Angst, sein Mitgefühl könnte ihn an Hanya binden. Aus dem gleichen Grund hatte es ihn sogar wütend gemacht, wenn sie heimatliche Gerichte für ihn zubereitete. In allem hatte er damals nur eine List gesehen, ihn an das Haus zu fesseln.

Jetzt dachte er oft sogar mit Zärtlichkeit an sie zurück. Und eines Tages, als ihn die Sehnsucht nach ihr verzehrte, fragte er seinen Freund Choi, ob er die Ehe nicht als ein Hindernis ansehe.

»Nicht nur, was die Zeit anlangt, die eine Frau beansprucht«, fügte er hinzu, »sondern auch, weil sie die Gedanken eines Mannes beschäftigt und ihn davon abhält, sich ausschließlich seinem Vaterland zu widmen.«

Choi lachte. »Du verbringst mehr Zeit damit, an Frauen zu denken, als ich! Nein, Bruder, wenn du eine eigene Frau hast, denkst du nicht mehr an Frauen. Du denkst nicht einmal an deine Frau. Sie gehört zu deinem Ich, sie ist in dir und bei dir. Sie macht dich frei. Außerdem hilft sie dir bei deiner Arbeit, wenn es die richtige Frau ist. Und es ist auch angenehm, saubere Kleider zu haben und sein Essen vorgesetzt zu bekommen und zu wissen, daß jemand auf das Geld achtet, damit es nicht töricht ausgegeben wird. Du lebst immer besser, wenn du eine gute Frau im Hause hast.«

Yul-chun vergaß solche Worte nicht; langsam änderte sich seine Einstellung, und er leistete den Gedanken an Hanya keinen Widerstand mehr. Einmal erwog er sogar träumerisch, wieder in den Norden zu gehen und sie und das Kind zu suchen. Doch er mußte erst die Revolution unterstützen, bis sie in der kaiserlichen Stadt Peking siegreich Einzug halten konnte. Dann wollte er in seine Heimat zurückkehren, denn mit der Hilfe derjenigen, denen er geholfen hatte, konnte auch sein Volk befreit werden.

Er sah Yak-san heranwachsen und hart, mutig und rücksichtslos werden. Die Jungen waren immer rücksichtslos – Yul-chun entdeckte in Yak-san sich selbst wieder. Mit fünfzehn fand Yak-san ein neues Idol, den Terroristen Wu Geng-nun, der den Attentatsversuch auf den japanischen General Tanaka geleitet hatte, als dieser nach Schanghai kam, um seine Weltmachtpläne weiterzuentwickeln, nachdem er vorher bereits in einer Denkschrift seine Forderungen an China niedergelegt hatte. Die Terroristen hatten für den Augenblick, da Tanaka das Schiff verließ, einen Angriff von drei Seiten vorbereitet. Wu sollte mit einer Pistole auf ihn schießen. Verfehlte er ihn, so würde Kim Yak-san eine Bombe werfen. Falls auch die Bombe ihn nicht tötete, mußte ihn ein dritter Terrorist, He Chun-am, mit einem Schwert angreifen. Doch der Zufall wollte, daß eine Amerikanerin, die vor Tanaka das Fallreep herunterkam, in ihrem Schrecken nach hinten griff, als der Schuß knallte, und den Arm Tanakas packte, der die Lage sofort überblickte und sich zu Boden fallen ließ, worauf sich Wu, im Glauben, er habe den Feind getötet, zur Flucht wandte. Er sprang in ein Taxi, aber der Chauffeur weigerte sich, ihn zu fahren; Wu stieß ihn auf die Straße, um es selbst zu versuchen, aber da er nicht fahren konnte, wurde er bald darauf von britischer Polizei arretiert, die ihn, weil er mit seinen Genossen im französischen Gebiet wohnte, an die Franzosen weitergab, und diese wiederum lieferten ihn an die Japaner aus. Mit verschiedenen Japanern, unter anderen einem Anarchisten, wurde er in einem Turm eingekerkert, erhielt jedoch durch eine Japanerin, deren Mitleid er erregt hatte, ein Stahlmesser zugeschmuggelt, womit er das Schloß an der Tür entfernte. So entkam er, und danach verbarg er sich im Haus eines amerikanischen Freundes, bis er sich nach Kanton durchschlagen konnte.

Während er seine Geschichte erzählte, saß Yak-san aufmerksam lauschend zu seinen Füßen, nicht nur, weil er ihn selbst verehrte, sondern auch, weil sein anderes Idol, Kim Yak-san, ebenfalls an der Verschwörung beteiligt gewesen war. Wu war freundlich zu ihm und bemühte sich, ohne zu wissen, welche Auffassung Yul-chun vertrat, den Jungen von den Maßnahmen des Terrors zu überzeugen, so daß Yak-san in seiner Zu-

neigung unschlüssig zwischen den beiden Männern schwankte, die sich seiner annahmen.
Ein Jahr später starb in Peking der Begründer der chinesischen Revolution, Sun Yat-sen, und sein Tod löste bei allen Revolutionären tiefe Trauer aus. Aber was konnten sie anderes tun als weiterarbeiten an dem, was sie sich als Ziel gesetzt hatten? Mit Hilfe russischer Berater wurde eine Armee aufgebaut und dem Oberbefehl Tschiang Kai-scheks unterstellt, eines jungen Militärs, der gerade in Japan und Rußland seine Ausbildung beendet hatte.
Bald war eine neue Revolution vorbereitet, bei der die Armee nach Norden marschieren sollte, den Jangtse entlang bis nach Nanking, wo eine neue Hauptstadt geplant war. Yul-chun, dem inzwischen die Aufgabe zugewiesen worden war, marxistische Bücher aus dem Japanischen zu übertragen, begann immer mehr daran zu zweifeln, ob sich die chinesischen Revolutionäre ganz der Schwierigkeiten bewußt waren, die vor ihnen lagen, wenn sie diesen Traum, ihr unermeßlich weites Land zu besetzen, verwirklichen wollten. Das Volk hier hielt noch unverbrüchlich an den alten Sitten fest, Familientradition trat für eine Regierung ein, und die Unzufriedenheit war nicht so spürbar, daß man mit einem Aufstand hätte rechnen dürfen. Die Leute waren arm, aber sie wußten es nicht. Ihre Grundherren unterdrückten sie, ohne sie der Verzweiflung preiszugeben, und kam es doch einmal vor, so erhoben sie sich gegen ihn und brachten ihn mit Messern und Heugabeln um. Yul-chun merkte auch, daß seine Landsleute viel mehr von Reformen verstanden als die chinesischen Revolutionäre, einmal, weil die langen Jahre japanischer Gewaltherrschaft sie zum Widerstand gezwungen hatten, und zum anderen, weil viele junge Koreaner in Japan erzogen und dort über Anarchie und Karl Marx instruiert worden waren.
Zu Beginn des Frühjahrs setzte sich die Welle der Zweiten Revolution nach Norden hin in Bewegung, und der ehemalige Mönch Kim, der noch immer mit unbesiegbarem Optimismus an die Menschheit glaubte, bereitete sich mit Yul-chun auf den Aufbruch vor.

»Wir werden unseren chinesischen Brüdern helfen, und dann werden sie uns helfen, unser Land zu befreien«, sagte er zu Yul-chun.
Yul-chun konnte nur lächeln. Sein Vertrauen zu den Chinesen war schwach geworden, und er setzte schon längst keine großen Hoffnungen mehr auf Revolutionen.
Manchmal dachte Yul-chun später darüber nach, was wohl aus ihm geworden wäre, hätte er nicht die immer lebendige Hoffnung in sich gespürt, eines Tages Hanya zu finden und mit ihr in seine Heimat zurückzukehren. Er träumte oft von diesem Augenblick, und in den Nächten vor neuen Kämpfen, wenn die anderen schliefen und er wachen mußte, kleidete er hin und wieder den Traum Yak-san gegenüber in Worte.
»Sobald dieses ganze Blutvergießen vorbei ist«, begann er dann etwa, »gehen wir heim, du und ich – in das Haus meines Vaters. Irgendwo unterwegs werden wir meine Frau und meinen Sohn finden und sie mitnehmen. In Korea ruhen wir uns zuerst ein paar Tage aus, einen Monat vielleicht, und dann kämpfen wir noch einmal, für unser eigenes Land.«
Er erlaubte sich solche Träume allerdings nur nach den harten Gefechten des Tages. Und das ganze Jahr war ein einziger, langer Kampf. Yul-chun war stolz auf seine Landsleute. Sie erwiesen sich als glänzende Soldaten und unerschrockene Führer. Sie zeigten sich redegewandt, wenn es darum ging, Bauern und Städter zu überzeugen, und die chinesischen Generäle sandten gern Chinesisch sprechende Koreaner als Wegbereiter voraus. Sieg auf Sieg errang die Armee der Revolutionäre auf ihrem schnellen Vormarsch nach Norden, sie erreichte den Jangtse in Zentralchina und schließlich, noch immer siegreich, Nanking.
Dann wurden sie verraten. Ihr Befehlshaber überließ die Stadt seinem Stellvertreter, während er selbst mit seiner eigenen Armee heimlich nach Schanghai weitermarschierte, wo er eine Gegenrevolutionsregierung aufstellte. Die Nachricht traf gerade in der Stunde des Triumphes ein, als die Stadt nach dreitägiger Belagerung genommen war.
Es schien unglaublich. Völlig verstört blickten sie sich an, und

dann versammelten sie sich in den eroberten Gebäuden, um die Lage zu erörtern. So ungeheuerlich das Ganze ihnen auch vorkam, sie mußten sich mit der Tatsache abfinden, und so beschlossen sie, sich nach Wuhan zurückzuziehen und dort eine eigene Regierung zu bilden. Die Koreaner waren ohne Ausnahme in ihren Reihen verblieben.
Yul-chun allerdings begann sich von der Revolution abzusondern. Er war sich klar darüber, daß er früher oder später keine gemeinsame Sache mehr mit den Chinesen machen konnte. Ihre Grausamkeit war es, die ihn vertrieb. So hart er auch geworden war, grausam war er nicht. Er sah, wie Chinesen bei den sogenannten Säuberungsaktionen ungehemmt ihre Landsleute töteten, und für ihn waren die Säuberungsaktionen nichts anderes als Morde, Morde an jungen Männern, jungen Mädchen, die von den Angehörigen der Rechten angeklagt waren, zur Linken zu gehören, oder an Bauern und Händlern, die von den Anhängern der Linken als Reaktionäre bezeichnet wurden. Und eines Tages faßte er innerhalb weniger Minuten seinen Entschluß. Es war ein heißer, schwüler Tag, und die Männer glichen einem gereizten Bienenschwarm im Hochsommer. Eine gewaltige Schlacht lag vor ihnen, denn als nächste mußte die Stadt Tschangscha genommen werden. Alle blickten dieser Schlacht besorgt und mutlos entgegen. Obwohl ihre russischen Berater jedes Gefecht leiteten, hatte die Revolutionsarmee seit dem Bruch von Nanking keinen einzigen Sieg errungen. Ein junger Revolutionär, Mao Tsetung, den die kommunistische Partei nicht anerkannte, weil er die Meinung vertrat, daß russische Taktiken in China, wo die große Masse des Volkes dem Bauernstand angehörte und es kein Proletariat gab, nichts nützten, erklärte überdies jetzt, daß man keine Schlacht ohne die Hilfe der Landbevölkerung gewinnen könne. Gelehrte und Bauern vermöchten wohl zusammen eine Dynastie zu stürzen, so sagte er, getrennt indessen würden sie kein Ziel erreichen. Und er sagte für Tschangscha einen Fehlschlag voraus und erweckte damit unter den Revolutionären Furcht und unter den Russen Zorn.
Leider behielt er recht. Die Männer fochten tapfer, aber sie

konnten sich nicht gegen die Bauern behaupten, die von allen Seiten herbeiströmten, um Hilfe zu leisten – nicht jenen, die sich als ihre Retter bezeichneten, sondern ihrer alten Beamtenschaft. Viele Revolutionäre, unter ihnen zahlreiche Koreaner, fanden den Tod. Doch es war nicht dies allein, was Yul-chun zur Abkehr veranlaßte. Den letzten Anlaß gaben ihm die Ausschreitungen, die von den rasenden Revolutionären auf ihrem Rückzug nach Nordwesten gegen jeden unglückseligen Bauern, der ihnen vor Augen kam, begangen wurden.

So wurde Yul-chun Zeuge des abscheulichen Mordes an einer ganzen Bauernfamilie. Einfältig und vorsichtig waren diese Leute in ihrem Haus geblieben und hatten das Tor verriegelt. Auf einer Rastpause bemerkten die Revolutionäre, daß der Hof größer als die meisten war, und schlugen gegen das Tor. Als es nicht sofort geöffnet wurde, traten sie es ein, schwärmten in das Haus und zerstörten es. Die alten Eltern des Bauern hängten sie an den Dachbalken auf, den Bauern selbst und seine Frau metzelten sie nieder, nachdem sie sie durch Schüsse verwundet hatten, die jungen Töchter wurden vielfach vergewaltigt und blieben tot in ihrem Blut liegend zurück, und die Söhne hackten sie in wildem Taumel in Stücke, bis auf einen kleinen Jungen, den Yul-chun retten konnte.

Er hatte zuerst verzweifelt versucht, die Soldaten zur Vernunft zu bringen, aber sie waren taub für alle seine Argumente. So stand er als hilfloser Zuschauer da, sich zum Bleiben zwingend, weil er sehen wollte, wessen diese Männer fähig waren, für die er sich entschieden hatte, denn was sie jetzt taten, würden sie vermutlich immer wieder tun, falls sie je an die Macht gelangten. Es war eine erschütternde Erfahrung für ihn, und sie wandelte ihn endgültig. Mochten sie auch erst durch Leiden so grausam geworden sein – Menschen wie diesen durfte man nicht trauen, wenn sie sich mit schönen Worten als Retter des Volkes priesen. Eine jede Regierung war vom Charakter derer abhängig, die sie ausübten, und wie konnten solche Männer gute Führer sein?

»Komm«, sagte er zu Yak-san, der mit weit aufgerissenen Augen neben ihm stand.

Sie wollten sich gerade abwenden, als ein kleiner nackter Junge, von einem Bajonettstich verletzt, zu ihren Füßen niederfiel. Yul-chun bückte sich, nahm das Kind in die Arme und rannte mit Yak-san hinaus. Im allgemeinen Tumult bemerkte sie niemand, und in einem abgelegenen Dorf übergaben sie den Kleinen einer Frau, deren eigenes Kind kurz zuvor gestorben war.

Die nächsten Jahre verbrachten sie mit der geschlagenen und stark dezimierten Revolutionsarmee wie Gefangene, von den Bergen des Nordwestens bewacht. Anfangs empfand Yul-chun eine hohle Verzweiflung. Er war von der Revolution, vom Leben selbst, abgeschnitten und hatte jeden Kontakt zu den geheimen Boten verloren, die ihn bisher, wenn auch unregelmäßig, mit Nachrichten versorgt hatten. So verging der erste Winter. Doch als der Frühling kam, wich seine Resignation, und er begann sich nach einer Aufgabe umzusehen. Er hatte mit Yak-san bei einer chinesischen Bauernfamilie Unterkunft gefunden, die ihre ärmliche Hütte mit dem Ochsen, zwei Schweinen und ein paar Hühnern teilte. Die Leute brachten Yul-chun lebhaftes Interesse entgegen, weil er aus einem anderen Land kam, und er hatte ihnen an den langen, dunklen Tagen, als der Schnee fiel, die Zeit häufig damit vertrieben, daß er von seinem Volk erzählte und auch von alledem, was in ihrem eigenen Land vorgegangen war und wovon sie nichts wußten.
Dabei hatte er oft ihren scharfen Verstand bewundert, und es war ihm ungerecht erschienen, daß sie zur Unwissenheit verurteilt sein sollten. So faßte er den Entschluß, sie lesen zu lehren, und aus diesen Anfängen ging eine regelrechte Schule hervor, denn nachdem es sich herumgesprochen hatte, daß er diese Familie unterrichtete, fanden sich viele andere Leute ein, Männer, Frauen und Kinder, die ebenfalls lernen wollten. Da es kein einziges Buch gab, schrieb Yul-chun seine Lektionen in den Staub einer Tenne. Doch der allgemeine Eifer war so groß, daß viele sehr bald einfache Wörter lesen konnten, und Yul-chun verfaßte schließlich kleine Bücher für sie, Heftchen

von wenigen Seiten nur, die es ihm jedoch ermöglichten, ihnen die Doktrinen der Revolution zu vermitteln.
Die Leute zeigten sich so dankbar für das bescheidene Wissen, daß ihre Freude zu einer Quelle neuer Inspiration für Yul-chun wurde. Er und seine Gefährten entwickelten neue politische Pläne, die sich auf das Volk und seine Zusammenarbeit mit der Revolutionsarmee stützten, und die Bauern beteiligten sich eifrig.
Mit der Zeit begann sich ein starker Gemeinschaftssinn in den Dörfern heranzubilden – die Führer der Revolution lernten hier in dieser Abgeschlossenheit, wie man das Volk gewinnen konnte.
»Ihr habt uns die Augen geöffnet«, erklärte ein Dorfältester. »Wir waren blind, jetzt sehen wir, denn die Weisheit der Bücher gehört nun zu unserem Besitz.«
»Ihr dürft auf uns zählen!« schrie ein Bauer. »Wir werden euch immer helfen, denn ihr seid die einzigen, die uns geholfen haben.« Er stieß grimmige Flüche gegen das vergangene Regime aus und spuckte in den Staub, um zu zeigen, wie sehr er die früheren Herrscher verachte.
Für Yul-chun verging nun die Zeit im Flug, doch nach ein paar Jahren hielt es ihn nicht mehr.
»Wir müssen von hier fort«, sagte er eines Tages zu Yak-san. »Aber wir gehen allein.« Noch in derselben Nacht verließen sie das Dorf, dessen Gastfreundschaft sie so lange genossen hatten, und blieben den ganzen folgenden Tag zu Fuß und zu Pferd unterwegs, bis sie eine Bahnstrecke erreichten. Sie folgten den Schienen und nahmen an der ersten Station einen Zug nach Peking.

Das frische Aroma der von der Augustsonne beschienenen Kiefern und der schwere Duft von Räucherstäbchen erfüllten den kleinen Raum, in dem Yul-chun schreibend an einem Tisch saß. Eine Zikade erhob ihre zirpende Stimme, steigerte sich zu einem enthusiastischen Höhepunkt und versank dann erschöpft in Schweigen. Aus dem Tempel erscholl der Gesang buddhistischer Priester, eine Atmosphäre des Friedens ver-

breitend, die ganz im Gegensatz zu den Statistiken stand, an deren Zusammenstellung Yul-chun gerade arbeitete. Hier in diesem Kloster warteten die übriggebliebenen Exilkoreaner auf die Stunde, da sie in ihre Heimat zurückkehren konnten. Sie hatten sich mit Kim, dem ehemaligen Mönch, von der chinesischen Revolutionsarmee getrennt, als ihnen die Nachricht zugegangen war, daß sich Yul-chun in Peking aufhielt. Der Raum, in dem er saß, diente Yul-chun für den Tag und für die Nacht. Yak-san teilte eine Zelle mit drei anderen jungen Männern, doch Yul-chun, der nun schon als einer der Älteren betrachtet wurde, hatte seine Zelle für sich, einen freundlichen Raum, der auf einen schmalen, an der Bergkante gelegenen Hof hinausging. Jenseits der Kiefernwipfel fielen die Berge wellig zur Ebene ab, und in der Ferne sah man die Mauern von Peking.
Yul-chun wandte sich wieder den Toten zu, ihrer Zahl, ihren Namen, ihren koreanischen Geburtsorten. Er erfaßte nicht nur die, welche in China gestorben waren, sondern die Gesamtheit all derer, die während des langen Freiheitskampfes seit der Besetzung Koreas durch die Japaner getötet oder in die Verbannung getrieben worden waren: siebzigtausend Mann der koreanischen Armee, die das Jahr 1907 in alle Winde zerstreute; mehr als eine Million Koreaner, die 1910 über den Yalu-Fluß nach Sibirien, China und der Mandschurei auswanderten, und unzählige andere in Europa, Nord- und Südamerika; in Korea selbst gab es 1919 nach der Mansei-Demonstration fünfzigtausend Gefangene und siebentausend Tote; in Japan wurden nach dem großen Erdbeben von 1923 fünftausend Koreaner, unter ihnen tausend Studenten, niedergemetzelt, weil einige gesagt hatten, das Erdbeben sei die Strafe der Götter für die Verbrechen, die Japan in Korea begangen habe; in der Mandschurei waren 1920 mehr als sechstausend Exilkoreaner von japanischen Truppen getötet worden, und in Schanghai hatten die Japaner dreihundert koreanische Terroristen hingerichtet; von den achthundert jungen Koreanern, die sich den chinesischen Revolutionären in Kanton angeschlossen hatten, lebte niemand mehr – zwei-

hundert allein hatten in Kanton den Tod gefunden und viele im Jahr 1928 in Korea, als die Japaner tausend junge Männer als Kommunisten verurteilten, obgleich nicht einmal die Hälfte von ihnen wirklich zu den Kommunisten gehörte. Und wer konnte die Koreaner zählen, die von der zaristischen Regierung in Sibirien, den militärischen Befehlshabern in China, in Japan, ja sogar von den Franzosen und Briten in Schanghai umgebracht worden waren! Wer konnte wissen, wie viele in Gefängniszellen den Foltern erlegen oder mit zerrüttetem Geist gestorben waren! Wer würde je den Verlust ermessen können, den Korea in Gestalt seiner besten, begabtesten jungen Männer, die nur die Freiheit ihrer Heimat verlangten, erlitten hatte!

Yul-chun legte die Feder nieder. Yak-san erschien mit dem Mittagsmahl aus Gemüsen und Reis – Fleisch gab es in dem buddhistischen Tempel nicht.

»Ich bringe Nachrichten«, flüsterte Yak-san, während er das Tablett auf den Tisch stellte. Er beugte sich vor. »Die Japaner wollen irgendwann in den nächsten zehn Tagen die Mandschurei besetzen!«

Yul-chun ließ die Eßstäbchen sinken.

»Wir müssen morgen von hier fort«, rief er aus. »Ich muß wissen, was mit unserer eigenen Heimat geschieht, falls –«

Er brach ab, ging zur Tür und ließ seinen Blick über die Landschaft schweifen.

»Mein älterer Bruder, dein Essen wird kalt«, erinnerte ihn Yak-san nach ein paar Minuten.

Yul-chun drehte sich nicht um. »Nimm es mit«, sagte er. »Ich habe keinen Hunger. Die gesamte Welt wird binnen kurzem wieder in einen Krieg verwickelt sein, wenn die Nachrichten, die du gebracht hast, richtig sind.«

Sie verließen das Kloster, nachdem Yul-chun noch die geeigneten Nachfolger gesucht hatte, die seine Arbeit weiterführen konnten. Die kleine Schar Koreaner versammelte sich, als er aufbrach. Alle sehnten sich nach der Heimat und hätten ihn gern begleitet, aber sie glaubten verzichten zu müssen.

»Es wäre undankbar, wenn wir unsere chinesischen Kameraden im Stich lassen würden, bevor ihr Kampf gewonnen ist«, meinte Kim. »Erinnere dich, daß wir versprochen haben zu bleiben, bis sie im Triumph in Peking einzögen. Wir müssen hier warten, bis der Ausgang des nächsten Weltkrieges die Entscheidung bringt.«

»Ich gehe zurück«, erwiderte Yul-chun, »und ich werde euch Nachricht zukommen lassen, wann ihr folgen sollt. Ich muß herausfinden, wie die Dinge in unserer Heimat stehen und, falls ein Krieg ausbricht, was wir unternehmen müssen.«

Damit nahm er Abschied von ihnen und schritt mit Yak-san den Berg hinab.

Auf der langen Reise nach Norden, die sie zu Fuß und zu Pferd unternehmen mußten, da die Japaner alle Züge beschlagnahmt hatten, fand Yul-chun Zeit, sich all die Jahre noch einmal in Erinnerung zu bringen, die er unter den Kommunisten verbracht hatte. Noch immer betrachtete er viele von ihnen als seine Freunde. Er hatte die Trennung von den chinesischen Kommunisten nie bedauert, aber er wollte jetzt unterscheiden zwischen Kommunisten und Chinesen. Die Chinesen konnten sehr grausam sein, und aus diesem Grunde hatte er sie verlassen. Mußten jedoch Kommunisten notwendigerweise grausam sein? Sobald sich die Welt in einem neuen Krieg spaltete, würden Japan und Rußland noch erbittertere Feinde werden als in der Vergangenheit, und wenn Japan auf seiten der Verlierer stand, so waren die Kommunisten auf seiten der Sieger – und das bedeutete, daß sie in seiner Heimat sehr mächtig werden würden. Er vertraute niemandem, aber weshalb sollte er den Kommunisten besonders mißtrauen? Es gab schlechte Elemente unter ihnen, doch sie wurden bestraft und aus der Partei ausgestoßen, manchmal sogar hingerichtet, wenn man ihnen auf die Spur kam. In Kanton hatte er selbst mehr als einmal über einen Genossen mit zu Gericht gesessen, der an ihnen allen durch Unredlichkeit, persönliche Grausamkeit und tyrannisches Gehaben Verrat geübt hatte. Mehr als einmal hatte er seine Hand erhoben, um einem Todesurteil beizustimmen, und wenn er auch nie den letzten Schuß abge-

geben hatte, so war er doch dabeigeblieben, um zuzusehen. Andererseits hatte er an den Prozessen gegen gewinnsüchtige Grundbesitzer, korrupte Beamte und gefällige Steuereinnehmer teilgenommen. Er hatte die Schlagworte der Partei geschrien, *Land für die Bauern, Nahrung für die Armen und Arbeiter, Frieden für die Soldaten,* und er hatte mitgeholfen, die Prinzipien niederzuschreiben, auf die man sich beim Sechsten Kongreß der Komintern mit dem Ziel, eine Volksdiktatur der Arbeiter und Bauern zu schaffen, geeinigt hatte.
Doch wenn er sich nun an die Ungerechtigkeiten, die leichtfertigen Urteile über »Klassenfeinde« und sinnlosen Grausamkeiten erinnerte, fragte er sich wieder, ob die Revolutionäre weise gehandelt hatten, sich zum Kommunismus zu bekennen. Für China war es allerdings bereits zu spät für solche Erwägungen, auch wenn die chinesischen Kommunisten nun im fernen Nordwesten zusammengedrängt waren, während die Nationalen, denen sie sich damals in Überschätzung ihrer Stärke zum Kampf gestellt hatten, in Nanking saßen – aber Korea hatte noch Zeit.
Der Heimat trieben jetzt alle Gedanken Yul-chuns entgegen. Mit dem, was hinter ihm lag, hatte er abgeschlossen. Er wollte Hanya finden, sie und ihr Kind, und beide mit sich nehmen, nach Hause. Doch er war mit seiner Lebensaufgabe so verwachsen, daß er nicht müßig zu sein vermochte. Immer wieder legte er unterwegs Aufenthalte ein, um Schulen für das Volk zu gründen. Dabei verfuhr er stets nach der gleichen Methode. Zunächst suchte er einen Mann, der ein wenig lesen konnte oder intelligent genug war, um es in kurzer Zeit zu lernen, und brachte ihm bei, wie man andere unterrichten mußte.
Den Bauern erklärte er dann: »Das ist euer Lehrer, aber wenn er für euch arbeiten soll, müßt ihr ihm Unterkunft und Kleidung geben.« Sie waren immer einverstanden.
So hinterließ Yul-chun überall Zentren der Hoffnung und der Aufklärung, kleine Lichter im Dunkel der allgemeinen Unwissenheit. Seine Reise verlängerte sich allerdings auf diese Weise um Jahre, und in den einsamen Nächten beklagte er die Verzögerung oft. Andererseits vermochte er sein Herz

diesen lerneifrigen chinesischen Bauern gegenüber, denen bisher niemand Beachtung geschenkt hatte, nicht zu verhärten, obwohl ihn die Ungeduld quälte.
Überall stellte er Nachforschungen nach Hanya an. Nur selten erinnerte sich jemand an sie, und einen Hinweis auf ihren Verbleib fand er nirgends. Erst in einem staubigen Dorf der Mandschurei, in dem sie sich einmal ein paar Monate aufgehalten hatten, hörte er von ihr. Sie waren hier Gäste eines Koreaners, der seit kurzer Zeit in diesem Dorf lebte, und nachdem Yul-chun sich nach der Ankunft etwas erfrischt und ausgeruht hatte, begab er sich unverzüglich auf einen Erkundungsgang durch den Ort. Aber alle Gesichter waren ihm fremd, und überall schüttelten die Leute auf seine Fragen den Kopf, so daß er sich nach sechs Tagen mit dem Gedanken vertraut zu machen begann, Hanya sei vielleicht schon tot.
Doch am letzten Abend erschien eine alte Frau am Tor des Hauses, in dem er mit Yak-san wohnte.
»Eine Bettlerin«, sagte ihr koreanischer Gastgeber, »die vorgibt, dich zu kennen. Eine Ausrede, um betteln zu können.«
Trotzdem ging Yul-chun hinaus, und er erkannte in der Alten die Frau, bei der Hanya manchmal Gemüse gekauft hatte. Die Jahre hatten aus der drallen Bäuerin eine zusammengeschrumpfte Vettel gemacht. Sie faßte mit ihrer welken Hand nach Yul-chuns Ärmel.
»Ich habe gehört, daß du deine Frau suchst«, flüsterte sie mit heiserer Stimme, und aus ihrem zahnlosen Mund troff ihr der Speichel herab.
Yul-chun entzog sich ihrem Griff. »Was hast du mir zu sagen?« fragte er.
»Sie war bei mir, nachdem sie von dir fortgegangen war«, antwortete die Alte. »Sie wollte nach Sibirien, und sie blieb einen halben Monat in meinem Haus. Ich habe ihr billig Kohl verkauft, und sie verkaufte ihn auf den Märkten weiter und verdiente so ein bißchen Geld für ihre Reise.«
»Wie kann ich dir glauben?« erwiderte Yul-chun zweifelnd und hoffend zugleich.
»Sie hat mir das gegeben«, erklärte das alte Weib und zog

aus ihrem dürren Busen ein verschmutztes Band heraus, an dessen Ende ein kleines Amulett hing. Es war ein Silberbuddha, an den Yul-chun sich noch gut erinnerte. Hanya hatte ihn mit ein paar Schmuckstücken ihrer Mutter in einem Kästchen aufbewahrt.
»Glaubst du mir jetzt?«
»Ich glaube dir. Sag mir nur noch, wohin sie gegangen ist.«
»Sie hat gesagt, sie wolle zu ihrem Bruder nach Sibirien.«
»Sie hatte keinen Bruder«, erklärte Yul-chun.
Die alte Vettel entblößte ein paar abscheuliche Zahnstummel.
»Pech für dich«, kicherte sie.
Sie streckte die Hand aus, und Yul-chun, obgleich er selbst kaum etwas besaß, legte ein Geldstück hinein.
Anderntags gingen sie nach Norden weiter, und Yul-chun fragte an jedem Ort, wo er Landsleute traf, ob sich jemand Hanyas entsinne. Niemand wußte etwas von ihr. Sie war allein gewandert und hatte sich offenbar nach Möglichkeit von allen anderen Leuten ferngehalten, so wie es ihrer Art entsprach. Bevor sie Mukden erreichten, legten er und Yaksan chinesische Kleidung an, graue Baumwollgewänder, in denen sie wie Gelehrte aussahen. Sie steckten die Hände in die Ärmel und zogen die Schultern hoch, und die japanische Polizei hielt sie für Männer aus Peking und ließ sie passieren. Koreaner wurden fast immer verhaftet, denn die Japaner wußten, daß sie in jedem der vielen Exilkoreaner, die in der Mandschurei lebten, einen Feind zu erblicken hatten, sofern er kein Verräter war.
Doch es gelang Yul-chun nicht, ganz unerkannt die Mandschurei zu durchqueren. Mehr als eine Million koreanischer Bauern, die sich als Landarbeiter für reiche Grundbesitzer verdingt hatten, lebten dort im Exil, und Yul-chun versäumte nie, sich über ihre Lage zu orientieren. Als er herausfand, daß ihr Los hart war und die Armut sie drückte, trat er heimlich mit chinesischen Bauernführern in Verbindung, die sich, wie die zahlreichen Banditen, auf den Feldern versteckt halten mußten, und so brachte er Chinesen und Koreaner zu dem Koreanisch-Chinesischen Bauernverband zusammen, in dem

allerdings die Koreaner die Entscheidungen trafen, denn unter den Chinesen gab es keine Einigkeit. Die jungen koreanischen Intellektuellen hatten einen eigenen Geheimbund gegründet, die Koreanische Revolutionsliga Junger Männer, die unter kommunistischer Führerschaft stand. Diese koreanischen Kommunisten waren mittellos und litten Hunger, und viele von ihnen waren krank. Sie nächtigten unter Bäumen, in Höhlen – wo immer sie einen Platz fanden – und das sowohl im Sommer als auch in den eisigen Wintern des Nordens. Yul-chun hatte sich aber inzwischen gegen den Kommunismus entschieden, aus Furcht, daß seine Heimat mit dem Kommunismus nur eine Tyrannei gegen eine andere eintauschen würde, und so verhielt er sich gegenüber den jungen Kommunisten neutral, sosehr er sie auch bedauerte und ihren Mut anerkannte.

Er war überrascht und befremdet, als Yak-san eines Tages erklärte, bei diesen jungen Leuten in der Mandschurei bleiben zu wollen.

»Du trennst dich von mir?« Er vermochte es kaum zu glauben.

»Laß mich hierbleiben«, erwiderte Yak-san.

»Ich wollte dich doch nach Seoul mitnehmen«, versuchte ihn Yul-chun zu überreden.

»Ich bin Waise, das Schicksal hat es so gewollt, und ich muß meine Eltern rächen«, antwortete Yak-san.

»Und wie willst du sie rächen?«

Yak-san blickte zur Seite und scharrte mit den bloßen Füßen den Staub der Straße auf; es war um die Mittagszeit, und sie hatten unter einem Dattelbaum Rast gehalten.

»Ich weiß, daß du es nicht gerne hörst, älterer Bruder«, sagte er schließlich, »aber die Kommunisten werden mir helfen.«

Yul-chun bemühte sich, seinen Zorn zu unterdrücken. »Du glaubst an sie?«

»Ich glaube an ihre Methoden«, sagte Yak-san. »Ich kümmere mich nicht um ihre Überzeugungen, aber ihre Methoden finde ich richtig. Wenn sie einem Feind begegnen –« Er fuhr sich mit dem Finger über die Kehle.

»Und du meinst, das regelt alles?« fragte Yul-chun.

»Ich habe zwei Feinde«, erwiderte Yak-san in dem gleichen festen Ton. »Einer tötete meinen Vater, der andere meine Mutter. Meinen Vater zerschmetterte ein Gewehrkolben. Ich kenne den Mann, der es getan hat. Ich weiß seinen Namen, ich kenne sein Gesicht. Er lebt noch. Meine Mutter starb durch einen Bajonettstich in den Leib. Sie trug ein Kind in sich – meinen Bruder, es war kurz vor seiner Geburt. Ich weiß, wer sie und meinen Bruder ermordet hat. Ich werde diesen Mann umbringen.«
Was konnte Yul-chun sagen? Ein Dutzend Jahre früher hätte er sich Yak-san spontan als Begleiter angeboten. Inzwischen hatte er gelernt, daß mit dem Tod eines Mannes das Böse, das er getan hatte oder das andere seinesgleichen tun würden, noch nicht beendet war. Das Töten allein genügte nicht.
»Du sehnst dich nach dem Trost der Rache«, meinte er.
»Wenn du es so nennen willst«, gab Yak-san kurz zurück.
Das nächste Zentrum der Exilkoreaner war Antung an der koreanischen Grenze, und dort trennte sich Yak-san von seinem väterlichen Freund. Ihr Verhältnis war seit jenem Gespräch merklich kühler geworden, aber als sie den letzten Blick tauschten, umarmten sie sich plötzlich. Dann gingen sie auseinander, ohne sich noch einmal umzuwenden.

In Antung fühlte sich Yul-chun sehr versucht, nun ohne weitere Verzögerung nach Korea weiterzuwandern. Während seiner Jugend hatte er niemals Heimweh gekannt, doch jetzt war es da. Er sehnte sich nach der Geborgenheit des alten Hauses, obwohl ihm sein Verstand sagte, daß er nicht einmal mehr dort mit Sicherheit rechnen durfte. Er sehnte sich nach seiner verlorenen Kindheit und sogar nach den Kochkünsten seiner Mutter. Er dachte an die langen Spaziergänge mit seinem Erzieher, die Geschichten, die er ihm erzählt oder vorgelesen, an die Gedichte, die er für ihn rezitiert hatte, die alte herrliche Poesie. Der junge Mann hatte eine angenehme, singende Stimme gehabt, weder tief noch hoch, und wenn Yulchun als Kind, wild und unruhig wie er war, in der Abendkühle dieser warmen Stimme lauschte, fühlte er sich in einen traurigen Frieden eingelullt. Wer hätte in jenen stillen Tagen gedacht, daß derselbe junge Mann sich einmal den Terroristen anschließen würde! Yul-chuns erste Zweifel am Tod als Waffe hatten sich geregt, als er seinen sanften Erzieher so verwandelt sah, den Dolch in der Hand statt der Laute. Yul-chun seufzte bei diesen Gedanken, und gleichzeitig begrub er den Wunsch, jetzt schon heimzukehren. Nein, er wollte seinen Weg nach Sibirien fortsetzen. Falls Hanya noch am Leben war, mußte er sie und sein Kind finden.

Er rastete drei Tage in einer kleinen Herberge, denn er sagte sich, daß er vor dem Aufbruch zu einer langen, einsamen Reise in die weiten Steppen Sibiriens stand, in die Wälder aus Föhren und Birken, die sich endlos über das Land erstreckten. Und er brauchte die Zeit auch, um, wie es seine Gewohnheit war, alle Koreaner nach Hanya zu befragen. Einige antworteten mit Gelächter und Spott und wollten wissen, weshalb er noch immer Verlangen trüge nach einer Frau, die er so viele Jahre nicht gesehen habe. Er lächelte resigniert. Er wußte, daß niemand seine Sehnsucht verstehen könnte. Und würden nicht beide, Hanya und das Kind, Fremde für ihn sein? Er zögerte seinen Aufbruch immer wieder hinaus, schwankend zwischen dem Verlangen, in das Haus seines Vaters zurückzukehren, und dem Wunsch nach einem eigenen Heim. Daneben war er ärgerlich über sich selbst, weil er sich in einem solchen Augenblick persönlichen Gefühlen überließ.

Während er so die Zeit unschlüssig verstreichen ließ, wurde er gewahr, daß mit jedem Jahr, jedem Monat und am Ende jedem Tag die Kriegsgefahr ihrem Höhepunkt zu rückte, und wieder war es in Deutschland, wo sich das Unheil zusammenbraute. Ein verhängnisvoller Geist der Vergangenheit verband sich mit der augenblicklichen Unzufriedenheit des Volkes zu einer Mischung, die nach Ausbruch drängte und nur auf die Stimme eines Mannes wartete, der ihr freie Bahn verschaffte. Der Mann fand sich, und Europa wurde unruhig. Momente, in denen sich die Ereignisse überstürzten, wechselten mit solchen trügerischer Ruhe, Proteste mit Rechtfertigungen, und es begann das unablässige Gerede um Frieden,

während in Wahrheit der Friede bereits unmöglich geworden war. Yul-chun wußte, daß es nun zu spät war, um noch nach Sibirien zu gehen.
Er blieb noch in Antung und ließ es sich als Vorwand dienen, ein paar Schulen in der Umgebung der Stadt einzurichten. Eines Tages im Frühling, als er auf dem Weg von einer Dorfschule zurück in die Stadt war, brachte ihn der Zufall mit ein paar Frauen ins Gespräch, die er beim Kräutersammeln antraf, und er fragte auch sie beiläufig, ob sie, da doch so viele Menschen in dieser Gegend nach Angehörigen forschten, von einer Frau gehört hätten, die ihren Mann suchte, einer Frau, die vermutlich von ihrem Sohn begleitet gewesen sei – er war fast überzeugt davon, einen Sohn zu haben.
Das verrunzelte Weiblein, an welches er das Wort gerichtet hatte, betrachtete ihn mit scharfen Augen. »Nach einem Mann wie du es bist – nein«, sagte sie. Sie starrte ihn an. »Aber ich kenne einen jungen Mann – noch sehr jung –, der im Winter immer hierherkommt und im Sommer wieder in den Norden geht. Vielleicht ist er jetzt schon fort. Er kommt jedesmal durch unser Dorf, weil es an der Straße nach Norden liegt.«
»Wie alt ist er?« fragte Yul-chun.
Sie spitzte die trockenen, eingeschrumpften Lippen. »Achtzehn – kann auch etwas älter sein.«
Er wollte nicht glauben, daß das Glück je auf seiner Seite stehen könnte. Trotzdem fragte er weiter. »Und du glaubst also, daß er dieses Jahr schon in den Norden gegangen ist?«
»Er ist mir bisher noch nicht begegnet«, antwortete sie langsam, den Blick noch immer auf ihn gerichtet. »Aber er sieht dir nicht ähnlich.«
Yul-chun griff in seine Tasche und holte ein Geldstück heraus. »Ich wohne in dem Gasthaus an der Ecke der ersten Straße zur Linken des Stadttors. Bring ihn zu mir, falls du ihn siehst, und ich gebe dir noch einmal das Doppelte.«
Er reichte ihr die Münze, zornig über sich selbst, denn er durfte dieses Geld eigentlich nicht verschenken. Es war die knappe, kostbare Unterstützung, die ihm seine koreanischen Landsleute von Zeit zu Zeit zukommen ließen, weil er hier in

Antung die Augen für sie offenhielt und die Nachrichten, die in diesem Bezirk zwischen der Mandschurei und Korea von allen Seiten zusammentrafen, auszuwerten wußte. Nun, er wollte es eines Tages zweifach zum Nutzen ihrer Sache zurückerstatten.

Auf dem Weg zu seiner Unterkunft schalt er sich allerdings einen Narren, weil er überhaupt mit der Möglichkeit spielte, dieser junge Mann sei sein Sohn. Doch immerhin war Antung tatsächlich der Treffpunkt für viele Verschollene. Yul-chun wollte sich keiner Hoffnung hingeben, aber er blieb. Er versuchte sich zur Vernunft aufzurufen – es war wichtig, daß er sich unverzüglich nach Korea begab –, und er blieb, an seinen Traum geklammert, Hanya und seinen Sohn mit sich zu nehmen.

Die Gedanken an den eigenen Sohn brachten ihm nun auch oft den Sohn seines Bruders in Erinnerung, dieses unvergleichliche Kind, das ihn einmal so freudig begrüßt hatte, als sähe es einen lang Gesuchten. Yul-chuns erste Frage, als er auf Umwegen vom Tode seines Bruders hörte, hatte Liang gegolten.

»Und der Junge?« hatte er ausgerufen.

»Er befand sich bei seinen Großeltern, und in ihrem Haus lebt er seither«, wurde ihm gesagt.

An einem Hochsommertag brach plötzlich der Krieg über die westliche Welt herein, und Yul-chun war sich klar darüber, daß er nun nicht länger warten durfte, und bereitete seine Abreise vor. Das alte Weib hatte er öfter gesehen, aber immer einen abschlägigen Bescheid von ihr bekommen, so daß er kaum mehr ernstlich erwog, sie noch einmal aufzusuchen.

So vermochte er seinen Augen fast nicht zu trauen, als er sie wenige Tage vor dem Termin, den er sich für den Aufbruch gesetzt hatte, unter seiner Tür stehen sah. Sie hielt einen hageren jungen Burschen am Ärmel fest, dem das schwarze Haar bis über die Wangen fiel. Er trug russische Kleider – weite Hosen, hohe Stiefel und eine in der Taille gegürtete Tunika.

»Da ist er«, lispelte die Alte zwischen ihren Zahnstummeln hervor. »Er ist dieses Jahr spät durch unser Dorf gekommen.

Viele Tage habe ich seinetwegen verloren – gute Arbeitstage, die mir entgangen sind –, und ich habe dem Wächter am Dorftor gesagt, daß er mich wecken solle, wenn ein junger Mann durchkäme, auch er muß bezahlt werden, dieser Wächter!«
Yul-hun hatte bei ihrem Eintreten auf seinem Bett gelegen, die Hände unter dem Kopf verschränkt, und darüber nachgedacht, ob es nicht besser gewesen wäre, wenn er doch in Sibirien nach Hanya geforscht hätte. Nun, er hatte seine Zeit immerhin genutzt und durch die Flugblätter, die er wieder zu drucken begonnen hatte, die Exilkoreaner zusammengehalten. Auf diese Weise hatte er die anderen auch über die japanischen Siege in China unterrichtet und darüber, daß einen Monat zuvor siebentausend koreanische Dienstpflichtige sich gegen ihre japanischen Offiziere gewandt und sie getötet hatten. Nun stand er auf und ging auf den jungen Mann zu. Er konnte in diesem finsteren Gesicht keine Ähnlichkeit entdekken, auch nicht mit Hanya, und er beschloß, vorsichtig zu sein, um sich nicht einem Fremden anzuvertrauen.
»Du suchst nach jemand?« fragte er.
»Diese Frau«, erwiderte der junge Mann mit frischer, kräftiger Stimme, »diese Frau hat mich hergeschleppt und behauptet, du seist mein Vater, aber ich finde an dir nichts von dem, wovon mir meine Mutter erzählt hat.«
Sie betrachteten einander voller Mißtrauen.
»Auch ich habe keinen Grund anzunehmen, daß du der Sohn sein könntest, den ich nie gesehen habe«, sagte Yul-chun.
»Wo bleibt mein Geld?« zeterte die Alte und streckte Yulchun ihre schmutzige Handfläche entgegen.
Er wollte bereits sagen, er schulde ihr nichts, denn dies sei gewiß nicht sein Sohn, doch dann fiel ihm ein, daß seine Abmachung einen solchen Ausgang nicht vorausgesetzt hatte. Hier war der junge Mann, den sie zu finden versprochen hatte. So konnte er nur erneut in die Tasche greifen und zwei Münzen herausnehmen, um sie in die schwarzgezeichnete Hand zu legen. Unzufrieden schaute sie auf das Geld hinunter.
»Ha«, sagte sie, »wie viele Tage habe ich nicht arbeiten können, weil ich auf diesen Burschen warten mußte! Und –«

Hier unterbrach sie der junge Mann mißmutig. »Du!« schrie er. »Du hast mich für nichts hierhergezerrt und mir nur die Zeit gestohlen! Das ist nicht mein Vater. Mein Vater ist ein junger Mann, größer als ich, ein schöner Mann – seine Haut ist so weiß wie Milch, hat meine Mutter gesagt!«
Und damit packte er sie bei den Schultern, drehte sie herum und beförderte sie hinaus. Dann schloß er die Tür und verriegelte sie. »Dieses Bauernvolk«, klagte er. »Sie sind habgierig und dumm. Was sie brauchen, ist eine Macht, die sie unterwirft.«
Yul-chun hörte nicht zu.
»Deine Mutter beschrieb deinen Vater als jung und gut aussehend? Wann war das?«
»Vor vielen Jahren«, antwortete der junge Mann. »Sie ist schon lange tot«, fügte er hinzu. Er nagte an seiner Unterlippe. »Sie wurde ermordet.«
»Ermordet?« Yul-chun fühlte, wie ihm die Stimme versagte. Er setzte sich auf das Bett. »Wie ist das geschehen?«
Der junge Mann hockte sich neben ihm nieder. »Wir wohnten in einer Hütte, die uns ein russischer Bauer zur Verfügung gestellt hatte. Die Äcker gehörten ihm nicht, aber wir halfen ihm bei der Feldarbeit. Es war alles Eigentum eines Adligen. Das ist lange her – lange, und jetzt ist alles anders. Die Winter waren endlos, und wir hatten nie genug zu essen, bis der Frühling kam. Wir haben Beeren getrocknet und Wurzeln und Pilze, aber die Vorräte reichten nie. Das heißt – ich aß zuviel. Ich war jung, und ich merkte nicht, daß sie alles mir gab. An einem Frühlingstag stahl sie sich in die Wälder, die diesem Adligen gehörten, um nach frühen Pilzen oder ein paar Kräutern zu suchen. Sie sagte, sie wisse eine windgeschützte, sonnige Stelle. Dorthin ging sie, und ich folgte ihr. Sie wollte, daß ich mich hinter den Bäumen versteckte, und das tat ich auch, aber ich konnte sie sehen. Plötzlich hörte ich Schritte, das Knacken trockener Zweige. Dann erschien ein gutgekleideter Mann, groß, in hohen Lederstiefeln und Lederhosen und einer losen Jacke, die mit einem Gürtel gebunden war, ein bärtiger Mann, der eine Reitpeitsche in der Hand trug. Er

brüllte meine Mutter an, sie sei eine Diebin, und sie wollte fortlaufen, doch er packte sie – und –«
Er stockte und biß sich auf die Lippen, dann fuhr er fort: »Als er von ihr abließ, schlug er auf sie ein, und sie blieb liegen – in einem vom Wind verwehten Rest Schnee unter einer dicken Föhre. Sie rührte sich nicht, als ich sie anrief. Sie antwortete nicht. Ihre Augen standen offen und blickten ins Leere. Ich bekam Angst und rannte fort. Ich ließ sie dort und ging nicht mehr zu ihr zurück. Ich habe auch nie jemand gesagt, was ihr zugestoßen ist. Und ich weiß nicht, warum ich es jetzt tue, es ist ja doch nichts mehr daran zu ändern.«
»Wie hieß sie?« fragte Yul-chun.
»Ich weiß es nicht«, antwortete der junge Mann. Er runzelte die Stirn. »Du wirst denken, ich lüge, aber ich habe sie nur O-man-ee genannt. Und wir kannten niemand außer den russischen Bauern, die sie ›Frau‹ riefen.«
Es lag Yul-chun auf der Zunge, eine andere Frage zu stellen: Hat sie dir nicht den Namen deines Vaters gesagt? Doch er schwieg. In diesem Augenblick schüttelte der junge Mann sein Haar zurück, und seine Ohren wurden sichtbar. Yul-chun blickte starr darauf. Das linke Ohrläppchen war etwas mißgestalt. Es hatte den gleichen Fehler, mit dem sein Bruder Yul-han geboren worden war!
»Wie heißt du?« murmelte er. Die Worte wollten sich fast nicht aus seiner Kehle lösen, und das Herz schlug ihm so, daß ihm schwindlig wurde.
»Sascha«, antwortete der junge Mann.
»Sascha!« rief Yul-chun aus. »Aber das ist ein russischer Name.«
»Ich bin in Rußland geboren.«
Yul-chun betrachtete ihn mit langsam sich festigender Überzeugung. Der junge Mann stand auf. »Ich muß weiter«, erklärte er.
»Warum so eilig?« fragte Yul-chun, um ihn aufzuhalten.
»Ich bin Händler«, sagte Sascha. »Ich bringe Pelze und Wollwaren hier herunter nach Antung und nehme Messing und Silberzeug mit zurück.« Er wandte sich zum Gehen.

»Es kann sein, daß du – es kann sein – vielleicht bist du mein Sohn«, stammelte Yul-chun.
Sascha blieb vor der Tür stehen.
»Wie willst du das wissen?«
»Du hast ein Familienkennzeichen geerbt«, erwiderte Yul-chun. »Mein Bruder hatte dasselbe Ohr wie du. Und daß dies ein Zufall ist, glaube ich nicht.«
Er trat an Sascha heran, hob eine Haarsträhne hoch und betrachtete das Ohr. Der junge Mann sagte unvermittelt: »Meine Mutter besaß etwas aus Jade, etwas, was ihr sehr kostbar war. Sie verkaufte es nicht, obwohl wir Hunger litten. Was war es?«
Yul-chun antwortete sofort. »Ein Siegel aus rotem Jade, das ihrem Vater gehört hatte.«
Sascha griff wortlos in seine Tunika und brachte das Jadesiegel hervor.
Yul-chun warf einen Blick darauf und nickte. »Ich habe es zuletzt in ihrer Hand gesehen«, sagte er leise.
Plötzlich konnte er die Tränen nicht mehr zurückhalten. Er umarmte seinen Sohn.
»Jetzt wollen wir heimgehen«, rief er. »Endlich – endlich!«

Er war ein schweigsamer junger Mann, sein Sohn. Man mußte ihn offenbar umschmeicheln und umwerben, denn er brachte es fertig, stundenlang kein Wort zu sagen. Yul-chuns Herz hingegen drängte danach, sich unaufhörlich im Gespräch zu erleichtern, so sehr bewegte es ihn, seinen Sohn bei sich zu haben.
In den ersten Tagen machte er Sascha mit seinem eigenen Leben und mit dem der Kims vertraut. Als er später merkte, wie wenig Sascha über sein Volk und seine Heimat wußte, sprach er von der koreanischen Geschichte.
»Weißt du, Sascha«, begann er eines Tages, während sie Seite an Seite dahinschritten, und dann unterbrach er sich plötzlich beim Aussprechen des Namens. »Sascha?« wiederholte er. »Wie kann ich dich mit diesem Namen zu deinem Großvater führen? Ich will dir einen anderen geben. Ja, ich habe es – du

sollst ein neuer Il-han sein. Deines Großvaters Name ehrt dich, und mögest auch du ihm Ehre machen.«
Sascha entgegnete weder ja noch nein, doch allmählich spürte Yul-chun, daß sein Sohn den neuen Namen nicht einfach anzunehmen bereit war. Wenn er nicht mit Sascha angeredet wurde, antwortete er nicht. Yul-chun beschloß, die Angelegenheit zunächst nicht weiter zu erörtern. Es war noch zu früh. Die Bande, die zwischen Vater und Sohn von der Geburt an hätten vorhanden sein sollen, mußten jetzt so behutsam geknüpft werden, als sei ihm sein Sohn neu geschenkt worden, was in gewissem Sinne ja zutraf. So gebrauchte er wieder den russischen Namen, und Sascha äußerte sich auch darüber nicht. Betrachtete Yul-chun dieses verschlossene, gutgeschnittene Gesicht mit der hohen Stirn, den stark hervortretenden Backenknochen, den kleinen dunklen Augen unter weitgezogenen Brauen und dem vollen, trotzigen Mund, so zerbrach er sich den Kopf darüber, was für ein Mensch sein Sohn wohl sein möge. Er hatte Sascha alles erzählt, und Sascha erzählte ihm nichts.
»Willst du nicht einmal von dir und deiner Mutter sprechen?« fragte er eines Tages. Sie waren inzwischen längst auf koreanischer Erde, und ihr Weg führte durch tiefe Schluchten und über schmale, an steile Felswände gedrängte Pfade.
»Da ist wenig zu berichten«, erwiderte Sascha. »Jeder Tag war ein Tag Feldarbeit. Abends besuchten wir politische Versammlungen. Sonst gab es nichts.«
»Aber nachdem Hanya – nachdem deine Mutter starb, was geschah mit dir?«
»Man hat mich in ein russisches Waisenhaus gesteckt.«
»Und dann?«
»Nichts.«
»Hast du eine Schule besucht?«
»Natürlich. Alle Kinder müssen in die Schule.«
»Bist du gut behandelt worden?«
»Gut? Ich hatte genug zu essen und einen Platz zum Schlafen.«
»Aber sicher war doch jemand – hat jemand die Stelle deiner Mutter eingenommen?«

»Nein – dazu bestand kein Grund.«
»Du mußt deine Mutter vermißt haben – du warst ja noch sehr jung.«
»Ich weiß es nicht mehr.«
»Bist du – hast du dich je verliebt?«
»Verliebt? Nein!«
»Wie bist du zu deinem Beruf gekommen?«
Yul-chun stellte die Frage ganz arglos, und es überraschte ihn, seines Sohnes Augen mißtrauisch auf sich gerichtet zu sehen.
»Warum fragst du das?«
»Warum? Du bist doch schließlich mein Sohn!«
Sascha ließ eine Weile verstreichen, ehe er antwortete. »Ich bin ein ruheloser Mensch. Es gefällt mir, herumzuwandern. Und da ich Koreaner bin, hat mich niemand zu etwas anderem gezwungen. Außerdem hat mir meine Mutter gesagt, ich sollte versuchen, dich zu finden, und mich vor allem in Antung nach dir umsehen. Wenn du nach Korea zurückkehrtest, meinte sie, würdest du durch Antung kommen.«
»Sagte sie, ich würde zurückkehren?«
»Ja.«
»Ist das alles?«
»Ja.«
»Erzähl mir mehr«, drängte Yul-chun. »Was für Träume hast du? Was erhoffst du dir? Jeder junge Mann hat Träume und Hoffnungen.«
»Ich nicht«, antwortete Sascha trotzig, den Blick auf den Weg vor sich geheftet.
»Hattest du vielleicht irgendein schreckliches Erlebnis, das dich so schweigsam werden ließ?« erkundigte sich Yul-chun.
»Es gibt einige Dinge, die ich dir niemals erzählen werde.«
Yul-chun fühlte ein verzweifeltes Widerstreben, mit diesem Sohn heimzukehren, bevor er nicht auf irgendeine Weise herausgefunden hatte, wie sich sein Herz erschließen ließ. Wenn Sascha ihn, den Vater, nicht lieben konnte, wie würde er seine Großeltern oder seine Heimat lieben können? Überdies hatten sie keine Eile. Die Japaner beherrschten das ganze Land, und

die Zeit für eine Revolution war noch nicht gekommen. Sollte er nicht besser eine Weile in den Dörfern hier bleiben, wie er es in China, der Mandschurei und Antung getan hatte, und etwas zum Nutzen der Volksbildung unternehmen? Es würde schwierig sein, denn die japanische Polizei war sicherlich sehr wachsam, aber er konnte es vorsichtig anfangen – die Leute tagsüber Japanisch lehren und für das Koreanische die Nacht benutzen.

Er sprach mit Sascha über diesen Plan und erbat seine Hilfe. Gleichgültig hörte ihm sein Sohn zu. »Das ist Sache der Regierung«, meinte er.

»Aber das hier ist doch nicht unsere Regierung!« entgegnete Yul-chun.

Sascha zuckte die Achseln und erwiderte nichts weiter. Später saß er schweigend dabei, wenn sein Vater Gelehrte und Studenten auf die Aufgabe vorbereitete, die unwissenden Bauern zu unterrichten.

»Willst du mir nicht helfen?« fragte Yul-chun eines Tages.

»Ich kann nur Russisch lesen«, antwortete Sascha uninteressiert.

Yul-chuns Kinn sank herunter. Er hatte überhaupt nicht an die Möglichkeit gedacht, daß Sascha das Koreanische, die Sprache seiner Vorfahren, zwar sprechen, aber weder lesen noch schreiben könnte.

»Aber warum hast du mir das nie gesagt?«

Sascha zuckte wieder die Achseln. »Ich bin kein Mensch für Bücher.«

»Trotzdem muß ich dich unterrichten«, erklärte Yul-chun fest.

Sascha lernte soweit gut, weder besonders willig noch völlig abgeneigt, und er blieb so ungerührt wie immer. Nein, das Herz dieses Sohnes war durch nichts zu bewegen. Tage und Monate verstrichen; Yul-chun widmete sich seiner Aufgabe, während sie langsam nach Süden kamen, bis zwei Jahre vorüber waren und Yul-chun gelernt hatte, Sascha so zu nehmen, wie er war.

Dies war der Sohn, den er gefunden hatte, ein schlanker, schweigsamer, finsterer junger Mann, der sein Innerstes selbst

vor seinem Vater verbarg. Drängen und Überredungsversuche ließen ihn sich nur noch mehr in sein unsichtbares Gehäuse zurückziehen. Man mußte ihn auf irgendeine Weise gewinnen, doch nicht mit Gewalt. Yul-chun liebte seinen Sohn bereits. Alle Gefühle, die er so lange unterdrückt hatte, entwickelten sich nun ungehindert aus seiner starken Natur heraus, und mangels eines anderen Objektes konzentrierten sie sich auf Sascha. An den Abenden, wenn sie nach einem langen Stück Weg, das sie zu Fuß oder in einem Bauerngefährt zurückgelegt hatten, irgendwo saßen und sich ausruhten, spürte er oft das Verlangen, seine Hand auszustrecken und die warme braune Haut seines Sohnes zu berühren. Doch er gab seiner Sehnsucht nie mehr nach, seit er einmal gesehen hatte, wie Sascha seine Berührung nur ertrug, um gleich zurückzuweichen, so daß Yul-chun die Hand sinken lassen mußte. Nein, auf diese Art war seines Sohnes Herz nicht zu erweichen, falls es überhaupt möglich war. Yul-chun konnte nur seufzen und versuchen, sich seine eigene Jugend ins Gedächtnis zurückzurufen. Auch er hatte für väterliche Zärtlichkeiten nichts übriggehabt. Nun, da er selbst einen Sohn hatte, begann er zu begreifen, wie oft er seinem Vater weh getan haben mußte, und eines Tages, als sie aus den Bergen heraus in die Vorberge kamen, brachte er das Gespräch auf seinen geheimen Kummer. Er dachte, sie könnten dadurch einander näherkommen.
»Ich hoffe, daß mein alter Vater noch am Leben ist, bis wir in Seoul sind. Ich habe ihn viele Jahre nicht gesehen und ihm nicht einmal geschrieben, aus Furcht, daß er durch Post von mir in Gefahr geraten könnte. Aber jetzt, seit ich mit dir zusammen bin, denke ich oft an meinen Vater und daran, wie viele Male ihm meine Kälte und meine schroffe Art ins Herz geschnitten haben müssen. Er hat es mir nie gesagt, und ich war zu jung, um es zu merken.«
Sascha erwiderte nichts darauf. Der Riemen seiner Sandale riß, und er blieb stehen, um ihn zu knüpfen.
Ein andermal fing Yul-chun wieder davon an. »Mein Kopf war in jenen Tagen ausschließlich mit den Fragen meines Volkes beschäftigt. Ich dachte nur an unsere Freiheit, an unsere

Unabhängigkeit, und ich war nicht gewillt, meiner Familie auch nur das kleinste Recht auf mich einzuräumen.«
Er hoffte, Sascha würde sagen, er habe ebensolche Gefühle, aber Sascha blieb stumm. Er blickte seinen Vater an, als wüßte er nicht, wovon die Rede sei, als hätte er eine fremde Sprache gehört.
Danach beugte sich Yul-chun diesem Schweigen. Sie wechselten nur noch belanglose Worte über die alltäglichen Dinge des Lebens, die Fragen des Essens und Trinkens, einen Platz für die Nacht. Seite an Seite oder hintereinander, wenn der Weg es erforderte, wanderten sie zusammen weiter, immer die gleichen Landschaftsbilder vor sich, das Wunder der unveränderlichen Schönheit eines blauen Himmels und des Meeres, grauer Felsen und grüner Felder und der würdevollen, hochgewachsenen Menschen, die ihre Landsleute waren. Auch die Armen, selbst noch die Bettler hatten Schönheit, und Yul-chun sah sein Volk mit neuen Augen. Er hatte lange unter den derben, vierschrötigen Menschen des chinesischen Südens gelebt und völlig vergessen, wie ganz anders seine eigenen Landsleute waren, wie sehr sie sich in allem, im Körperbau, ihrer hellen Haut, den braunen Augen, dem weichen Haar, von den chinesischen Nachbarn unterschieden. Gerne hätte er seinem Sohn gesagt, wie stolz sie auf ihr Volk sein konnten, dieses trotz aller Mühsal fröhliche Volk, das gleichzeitig so fleißig, sparsam und rechtschaffen war, doch er hielt die Worte zurück, denn auch dies mußte sein Sohn von selbst herausfinden.
Seine Freude war groß, als Sascha eines Tages zum erstenmal aus eigenem Antrieb eine Bemerkung machte.
»Ich war so an die weiten Ebenen Rußlands gewöhnt, daß ich gar nicht wußte, wie schön die Berge sind. Und was man mir vom Meer erzählt hat, ist nichts gegen die Wirklichkeit.«
Saschas Worte enthüllten Yul-chun, daß die Seele seines Sohnes irgendwo in den Tiefen seines Selbst lebendig war. Er vermochte Schönheit zu fühlen, und er beobachtete, er ging nicht gleichgültig dahin. Wenn Sascha nicht durch die natürliche Beziehung zwischen Vater und Sohn zu gewinnen war,

dann vielleicht jetzt durch die Schönheit seines Landes. Und Heimatliebe mochte weitere Gefühle erwecken. Die natürliche Liebesfähigkeit konnte in einem Menschen erstickt werden, bevor sie zur Entfaltung gelangte, und was in Saschas Leben hätte ihn Liebe lehren können? Seine Mutter war gestorben, als er noch klein war, er war in einem Waisenhaus aufgewachsen, und sein Vater war ihm bis vor kurzem ein Fremder gewesen. Was Frauen betraf, so kannte er nichts weiter als seinen männlichen Trieb. Er wußte weder, was Liebe war, noch daß er selbst Liebe brauchte, und seine Gefühle konnten sich erst heranbilden, wenn er andere Menschen richtig kennenlernte.

Yul-chun machte es sich zur Gewohnheit, Sascha bei jeder Rast in einem Gasthaus oder einem Bauernhaus mit seinen Landsleuten zusammenzubringen, damit sich ihm etwas vom Wesen des koreanischen Volkes erschließe. Außerdem erfuhr Yulchun auf diese Weise auch vieles, was für ihn interessant war. Er hörte, daß Kim Yak-san, der Terrorist, noch lebte und in Zentralchina ein koreanisches Freiwilligenkorps gegen die Japaner gebildet hatte. Die Nationalchinesen, die diese Truppen als revolutionär fürchteten, entsandten sie an die vorderste Front. Auch aus der japanischen Armee kam den Chinesen Hilfe, denn viele dienstverpflichtete Koreaner desertierten und schlugen sich auf die Seite des Gegners. In Chungking, der Stadt im Herzen Chinas, wohin die chinesischen Nationalistenführer geflüchtet waren, hatten sich die Anhänger verschiedener koreanischer Gruppen zu einer Unabhängigkeitspartei zusammengetan, der sich Exilkoreaner aus vielen Ländern anschlossen, um gegen Japan zu kämpfen. Die Nationalchinesen hießen sie als Verbündete willkommen, und so entstand die koreanische Unabhängigkeitsarmee.

In Korea selbst, so erzählte man Yul-chun, benutzten die japanischen Machthaber jedes Mittel, um aus Koreanern Japaner zu machen. Mit eigenen Augen las er in den Zeitungen, daß der neue Generalgouverneur, ein hoher Offizier, betonte, Japaner und Koreaner müßten sich vermischen, um ein harmonisches Ganzes entstehen zu lassen.

»Das ist unmöglich«, sagte Yul-chun, an Sascha gewandt.
Er schleuderte die Zeitung, die er gelesen hatte, auf den Boden und fing dabei einen eigentümlich verstohlenen Ausdruck in Saschas Augen auf.
»Weshalb sagst du ›unmöglich‹?« wollte Sascha wissen.
»Frag dich selbst!« brach es aus Yul-chun heraus. »Wenn es möglich wäre, wozu benötigten die Japaner dann eine Polizeitruppe von zwanzigtausend Mann und zweihunderttausend Mann Hilfspolizei in unserem Land? Warum erhalten koreanische Arbeiter nur die Hälfte des Lohnes, der Japanern gezahlt wird? Warum –«
Sascha zuckte die Achseln. »Du ereiferst dich zu sehr.«
Yul-chuns leidenschaftlicher Protest war erstickt. »Weshalb nennst du mich nie Vater?« murmelte er.
Als Sascha nicht antwortete, verbarg er seine Enttäuschung. »Mach dir nichts aus meiner Frage«, sagte er leichthin. »Es ist besser, daß du ehrlich bist. Es wird schon kommen. Ich kann warten.«
Während sie ihre Reise nach Süden fortsetzten, wobei sich Yul-chun bemühte, möglichst viele Orte aufzusuchen, die für ihre Schönheit berühmt waren, Grabstätten und Tempel, Burgen und alte Festungen, gab es hin und wieder Momente, in denen er ein wenig Hoffnung schöpfte, er und sein Sohn könnten doch noch einmal zusammenfinden. Von Tempeln allerdings wollte Sascha nichts wissen. Auch nur einen Fuß über die Schwelle eines Tempels zu setzen, war ihm schon zuviel. Die Götter in den Vorhallen entlockten ihm Hohngelächter.
»Es gibt keine Götter«, erklärte er und hatte für jeden Mönch, der ihnen begegnete, nur Verachtung.
Bald fand Yul-chun jedoch heraus, daß es etwas gab, das Sascha anzog. Die steinernen Befestigungsanlagen aus der Zeit, da die Horden aus der Mandschurei das Land überfielen und vertrieben wurden, die Wälle alter Burgen, alles dies studierte Sascha mit lebhaftem Interesse. Er stellte viele Fragen nach den Kriegen und Siegen, und hörte er von einer Niederlage, so runzelte er die Stirn und schwor, die derzeiti-

gen Machthaber würden eines Tages verjagt, und es dürfe niemals mehr Invasoren geben.
»Aber wie?« meinte er eines Abends, als sie in einem Dorfgasthaus saßen, wo sie übernachten wollten. »Wie können wir uns von der Fremdherrschaft befreien?«
Er unterhielt sich jetzt schon viel ungezwungener mit seinem Vater; allerdings sprach er nie von sich selbst oder von der Vergangenheit, sondern von der Gegenwart und immer nur von Korea. Seine Heimat ergriff langsam Besitz von ihm. Noch war er scheu im Umgang mit den Leuten, aber das Land, das Meer und der Himmel hatten seine Liebe – ja, vielleicht war es Liebe – geweckt.
Yul-chun vermied es sorgfältig, seine Freude zu zeigen. »Wenn dieser gegenwärtige Weltkrieg zu Ende ist«, erklärte er, »werden die Japaner, zumindest für eine Generation, besiegt sein. Wir müssen uns diese Gelegenheit zunutze machen und sofort, wenn sie sich ergeben haben, unser Land für uns beanspruchen. Wenn wir auch nicht an dem Krieg teilnehmen können, so ist doch der allgemeine Feind auch unser Feind, und wir haben ein Recht auf unseren Anteil am Sieg. Wir verlangen nichts, was anderen gehört. Wir wollen nur unsere Freiheit zurück.«
Er beobachtete Saschas Gesicht, während er sprach, und zum erstenmal sah er darin etwas von dem, worauf er so lange gewartet hatte. In den Augen seines Sohnes leuchtete es auf, er streckte die Hand aus, und in seiner Stimme lag eine ungewohnte Begeisterung. »Ich werde da sein, wenn diese Stunde kommt – bei dir –« Er hielt inne, und dann sprach er das Wort aus: »Vater –«, murmelte er zögernd.
Yul-chun konnte nichts antworten. Das überquellende Herz schnürte ihm die Kehle zu. Er ergriff die Hand seines Sohnes und drückte sie.
Drei Tage später verbreitete sich die Nachricht über ganz Korea und drang bis in das letzte Dorf: Japan hatte die Vereinigten Staaten angegriffen. Yul-chun und Sascha befanden sich nur noch ein paar Meilen von der Hauptstadt entfernt in einer kleinen Stadt, die sie am Ende jenes siebten Tages im

zwölften Monat erreicht hatten; Yul-chun war dafür gewesen, hier noch einmal zu übernachten, weil sie so staubbedeckt und abgerissen aussahen, und er hatte auch etwas Geld zurückbehalten, um Saschas russische Kleider durch neue zu ersetzen. Sie hatten kaum das Gasthaus betreten, in dem sie rasten wollten, als sie hörten, daß am selben Morgen japanische Flugzeuge Honolulu angeflogen und die amerikanischen Kriegsschiffe im Hafen bombardiert hatten. Der Wirt berichtete es, die Stimme zu einem Flüstern gesenkt, einen triumphierenden Blick in den Augen.
»Ich kann es fast nicht glauben«, sagte Yul-chun zu Sascha. »Selbst der anmaßendste japanische Offizier könnte nicht von einem Sieg über die Vereinigten Staaten träumen.«
Sascha stopfte sich den Mund mit gutem koreanischem Brot. Sie saßen in einem kleinen Nebenzimmer.
»Es bleibt dir nichts anderes übrig, als es zu glauben«, meinte er schließlich. »Es ist geschehen.«
Yul-chun hörte ihn nicht. Sein Geist nahm die Ereignisse in neu erwachter Hoffnung vorweg. Jetzt würden die Amerikaner mit ihrer ganzen Macht in den Krieg eintreten. Jetzt würde die gewaltige Kriegsindustrie Amerikas mit ihrer Produktion gegen Japan arbeiten, und was gegen Japan war, brachte Korea Vorteil. Zum erstenmal seit vielen Jahren wagte er wieder zu hoffen. Wenn der Krieg gewonnen und die Japaner geschlagen waren, würde seine Heimat frei sein. Sieg – Sieg!
Er sprang auf, als wäre er plötzlich wieder ein junger Mann. »Komm, mein Sohn!« rief er. »Wir wollen keine Minute mehr verlieren! Wir müssen sofort nach Hause. Wir müssen die Unabhängigkeit Koreas vorbereiten!«
Sascha starrte ihn mit vollem Mund an. »Aber – hast du nicht gesagt, ich sollte morgen erst noch neue Kleider bekommen?«
»Dein Vetter wird dir etwas leihen«, erwiderte Yul-chun voller Ungeduld. »Komm – komm!«
Es war nach Mitternacht, als er schließlich vor dem altvertrauten Tor stand, Sascha neben sich. Der Mond schien nicht, und Yul-chun tastete mit dem Fuß nach einem Stein, den er

aufhob, um damit gegen das Tor zu pochen. Nach einer Weile hörte er die brüchige, verschlafene Stimme des Wächters.
»Wer ist das zu dieser späten Stunde?«
»Ich bin es, der Sohn deines Herrn«, antwortete Yul-chun.
Die Auskunft überzeugte den Alten nicht. Er brummte vor sich hin, während er seine Laterne anzündete, und dann öffnete er die Pforte, um einen Blick hindurchzuwerfen. Yul-chun brachte sein Gesicht nahe an den Spalt heran und lächelte.
»Ich bin es wirklich«, sagte er. »Viele Jahre älter, aber nichtsdestoweniger der erstgeborene Sohn deines Herrn.«
Mit einem Aufschrei öffnete der Wächter, derselbe noch, den Yul-chun in seiner Kindheit als jungen Mann gekannt hatte, das Tor.
»Komm herein, junger Herr«, rief er. »Willkommen daheim, junger Herr! Aber ich muß deinen Vater vorsichtig wecken, sonst tötet ihn die Freude.«
»Wecke ihn nicht«, sagte Yul-chun und trat in den Hof. »Laß ihn bis morgen ruhig schlafen. Wie geht es meinen Eltern?«
»Gut, außer den Beschwerden des Alters«, erwiderte der Mann, »doch wen bringst du uns hier, junger Herr?«
»Meinen Sohn.«
»Deinen Sohn«, widerholte der Alte und hob die Laterne, um in ihrem Schein Saschas Gesicht zu betrachten.
Dann ließ er die Laterne sinken. »Jetzt gibt es zwei im Haus«, murmelte er bewegt.
Genau in diesem Augenblick wurde das Gitterwerk einer Wand zurückgeschoben, und ein schlanker junger Mann zeigte sich.
»Wer ist da?« rief er, und als der Torwächter ihn, die Laterne in der Rechten, mit der freien Hand heranwinkte, kam er heraus und schritt im Lichtstrahl der Laterne auf sie zu. Der Pförtner blickte Yul-chun an.
»Hier siehst du den Sohn deines Bruders«, sagte er. Dann wandte er sich an den jungen Mann. »Du hast deinen Onkel vor dir, den wir verschollen glaubten. Er ist heimgekehrt. Und dies ist sein Sohn.«
Yul-chun konnte die Augen nicht von dem jungen Mann

lösen. Ja, das war Liang, sein strahlender, warmer Blick, der lächelnde Mund, der edelgeformte Kopf.
»Erkennst du mich auch diesmal wieder?« fragte Yul-chun.
»Ich erkenne dich.« Liangs Stimme war tief und freundlich.
»Ist es möglich, daß du dich erinnerst? Du warst noch sehr klein«, sagte Yul-chun.
»Erinnern kann ich mich nicht, aber ich erkenne dich«, erwiderte Liang.
Wieder fühlte Yul-chun das Besondere, das von diesem Sohn seines Bruders ausging. Ja, und jetzt gab es zwei, wie der Pförtner gesagt hatte, zwei junge Männer, die den Platz der Toten und Alten einnehmen würden, zwei für den Kampf, der bevorstand, zwei für den Sieg, der errungen werden mußte.
Er nahm die Hand seines Sohnes und die seines Neffen und verband sie in seinen eigenen Händen.
»Ihr beide«, sagte er, »ihr müßt euch mehr als Vettern sein. Brüder müßt ihr werden.«
Dann überließ er sie einander und trat hinter dem Pförtner in das Haus. Drinnen stand eine Dienerin, und der Torwächter erklärte ihr, wer Yul-chun sei. Sie kniete nieder, löste Yul-chuns zerrissene Sandalen von seinen Füßen und brachte ihm weiche Hausschuhe.
»Herr, ich heiße Ippun«, sagte sie, als sie fertig war. »Ich habe deinem verehrungswürdigen Bruder und seiner Gattin gedient.« Sie zögerte und fügte stolz hinzu: »Ich bin es, die ihren Sohn betreut hat.«
Er verneigte sich. »Wie kann ich dir danken?«
Schweigend ging er in das Zimmer, in dem er als Kind geschlafen hatte, und sie holte Bettzeug und bereitete ihm sein Lager auf dem Fußboden. Nachdem sie ihn allein gelassen hatte, trat er, so müde er war, noch einmal an das Fenster, von dem aus man den Hauptraum des Hauses überblickte. Die beiden jungen Leute saßen sich dort an einem Tisch gegenüber, ein flackerndes Talglicht zwischen sich. Sie sprachen miteinander, so in ihre Unterhaltung vertieft, daß sie die späte Stunde offenbar ganz vergessen hatten. Er stieß einen

tiefen Seufzer aus, als wäre eine schwere Last von seinen Schultern genommen worden. Dann legte er sich zum Schlafen nieder.

Am Morgen weckte ihn Ippun, die mit einer Schüssel Wasser und frischen Kleidern hereinkam.

»Unser alter Herr schickt dir dies. Er bittet dich, dir nach der langen Reise Zeit zu lassen. Er sagt, er habe so viele Jahre gewartet, daß es nichts bedeute, zu warten, bis du dich gewaschen und etwas gegessen hast.« Sie verneigte sich und ging hinaus.

Eine Weile blieb er noch liegen, um nach dem tiefen Schlaf zu sich zu finden und seine Umgebung in sich aufzunehmen. Ja, dies war sein altes Zimmer. Nichts hatte sich verändert. Nur er! Schließlich stand er auf, wusch sich und kleidete sich an. Ippun kehrte mit Tee und kleinen süßen Kuchen zurück und setzte das Tablett auf dem niedrigen Tisch ab.

»Iß ein wenig und trinke einen Schluck Tee«, bat sie.

Während er aß, räumte sie Matratzen und Decken fort, und als er fertig war, reichte sie ihm ein in heißem Wasser ausgewrungenes Tuch, mit dem er seine Hände reinigte, und trug das Geschirr hinaus.

Er ließ noch einen Augenblick verstreichen, um sich auf die Begegnung vorzubereiten, ehe er in den Hauptraum hinüberging, wo ihn seine Eltern erwarteten, Liang und Sascha hinter sich. Bei seinem Eintritt breiteten die beiden alten Leute die Arme aus, und er fiel vor ihnen auf die Knie. Sie hoben ihn zu sich hoch, Tränen auf den Wangen, und er umarmte sie. Wie schmächtig und klein ihre Gestalten geworden waren, wie mitleiderregend bis auf die Knochen abgemagert!

»Hattet ihr nicht genug zu essen?« fragte er immer wieder. »Nein, ihr hattet nicht genug zu essen! Während ich fort war, seid ihr so mager geworden – ich will euch nie wieder verlassen!«

Sie versuchten zu lächeln, seine Mutter noch schluchzend, und sein Vater hielt seine Hand fest umschlossen. »Wir sind nur alt«, sagte Il-han, »wir sind sehr alt, es ist Zeit für uns zu sterben, aber wir mußten am Leben bleiben, bis du heimkehrtest.«

»Und du bringst uns diesen prächtigen Enkel«, schluchzte Sunia, auf Sascha weisend. »Dank sei allen Göttern – wir müssen diesen Tag feiern – ich habe ein besonderes – wo ist Ippun? Ich habe Ippun gesagt –«
Sie eilte hinaus.
Jetzt erst bemerkte Yul-chun, daß Sascha koreanische Gewänder trug, die ihm zweifellos Liang gegeben hatte. Seltsamerweise standen sie ihm nicht. Sein dunkles Gesicht, die schwarzen Augen und Haare, das kühne Profil und sein hochmütiges Auftreten ließen ihn in dem etwas zu langen weißen Gewand – denn Liang war ein wenig größer als er – fremd erscheinen.
Später beschlossen die beiden jungen Leute, zusammen in die Stadt zu gehen, und als sie fort waren, berichtete Yul-chun seinen Eltern alles, was er erlebt hatte, und er erzählte auch von Hanya und Saschas Kindheit. Dann hörte er von ihnen, wie sie die Jahre unter diesem Strohdach verbracht hatten.
»Und nun«, sagte Il-han schließlich, »können wir nur warten, bis die Vereinigten Staaten diesen Krieg gewonnen haben.«
»Vater«, meinte Yul-chun, »machst du dir auch klar, daß es nicht leicht für uns Koreaner sein wird, so plötzlich die Regierung zu übernehmen und das Land in zeitgemäßer, kluger Weise zu verwalten? Wir müssen von jetzt an mit aller Energie die westlichen Regierungsmethoden studieren und daraus diejenigen Elemente auswählen, die am besten auf unsere Verhältnisse anzuwenden sind, und –«
Er sah die Augen seines Vaters, der sich vorgebeugt hatte, um besser zu hören, verständnislos auf sich geheftet.
»Warum belaste ich dich mit diesen Dingen, mein Vater?« sagte er voll Liebe und Mitleid. »Du hast das Deine getan. Erzähl mir von Liang.«
Hier war ein Thema, über das sich seine Eltern nicht genug verbreiten konnten. Sein Vater berichtete, und seine Mutter ergänzte, wo er etwas vergaß.
»Nach dem Brand in der Kirche«, so erzählte Il-han, »suchten alle, die dort Angehörige verloren hatten, nach sterblichen Überresten, um sie zu bestatten. Von Induk und dem kleinen Mädchen konnten wir nichts finden, ihre Gebeine lagen unter

der heißen Asche begraben. Deines Bruders Leichnam hingegen – er war nicht ganz verbrannt. Ich konnte noch –«
Il-hans Kinn zitterte unter dem spärlichen weißen Bart, aber er hob die Hand, als ihn Yul-chun am Weitersprechen zu hindern suchte.
»Nein, nein – ich muß es dir sagen. Du sollst es wissen. Die Polizei stand daneben, während wir uns umsahen, und man erlaubte mir – wir hatten einen – einen Sarg mitgebracht, der Diener und ich, und wir konnten – wir suchten alles zusammen – ein Balken hatte seinen Rücken getroffen, aber das Gesicht – er war es, ich – ich habe ihn noch erkannt. Ja, er war es – und wir – wir hatten – ein Begräbnis –«
Sunia schluchzte leise. »Wir haben ihn neben seinem Großvater beigesetzt. Solch ein verregneter Tag – der Regen kam wie bei einem Wolkenbruch, obwohl der Wahrsager von einem glückbringenden Tag gesprochen hatte – und ein gelber Frosch hüpfte aus der Grube, und ich dachte an deinen Erzieher und die Geschichte von dem Goldenen Frosch – erinnerst du dich, mein Sohn?«
Yul-chun nickte.
»Was wohl aus der Frau dieses Lehrers geworden ist?« Nach Art der alten Leute ließ Sunia ihre Gedanken ungehindert abschweifen. »Sie war noch gar nicht richtig seine Frau, denn er ging kurz vor der Hochzeit irgendwohin und kam nie zurück, und sie schickten uns einen entfernten Verwandten von ihm, um nachzufragen, wo er sei, aber wie sollten wir es wissen? Er hatte auch uns verlassen, und die arme junge Frau ging in ein Kloster, weil sie keinen Mann hatte und zu tugendhaft war, um einen anderen zu heiraten.«
Il-han wartete etwas ungeduldig, während sie ihren Erinnerungen nachhing, und als sie geendet hatte, brachte er das Gespräch sogleich wieder auf Liang zurück. »Ein guter Gott schützte ihn an jenem Tag, als die Polizei die Kirche in Brand steckte. Er –«
»Kein Gott, sondern seine Mutter«, warf Sunia ein. »Sie wußte, daß er so gerne bei dir war, und schickte ihn zu uns.«
»Gut, gut«, sagte Il-han, »zumindest war er hier. Das ist ent-

scheidend. Und seither lebte er bei uns, unsere Hoffnung und unser einziger Trost, denn wir fürchteten, auch du seist tot, mein Sohn.«
»Ich war so gut wie tot«, pflichtete Yul-chun bei. »Ich wagte es nicht, dir zu schreiben. Auf meinen Kopf war eine Belohnung gesetzt, wie du weißt, seit dem Tag, an dem ich aus dem Gefängnis entkam, nach der Mansei –«
Sunia unterbrach ihn. »Und weißt du, daß ein Bambusschößling aus den Steinen deiner Zelle herauswuchs, nachdem du geflohen warst?«
Yul-chun lächelte. »Existiert eine solche Legende?«
»Es ist keine Legende«, widersprach sein Vater. »Viele haben ihn gesehen, und die Polizei, als sie herausfand, weshalb die Leute zu dem Gefängnis wie zu einer heiligen Stätte pilgerten, riß den Bambus mit den Wurzeln aus.«
»Hat man das getan?« sagte Yul-chun nachdenklich. »So war also der grüne Bambus dahin, samt Wurzeln und allem!«
»Aber«, fuhr Il-han triumphierend fort, »sie konnten die Wurzel nicht ganz ausrotten. Immer wieder von neuem sproß es aus irgendeiner Ecke, und die Polizei schüttete schließlich Zement über den Boden.«
»Bambus gibt es überall«, sagte Sunia.
Yul-chun wandte sich ihr zu. »Das ist wahr, Mutter, und so laßt uns lieber jetzt wieder von Liang sprechen.«
Der Ausdruck stolzer Freude kehrte wieder in Il-hans Gesicht zurück.
»Dieser Enkel! Er konnte bereits mit fünf Jahren sehr gut schreiben. Mit sieben war er in vielen Dingen schon über meinen Unterricht hinaus, und ich schickte ihn nebenher noch in die amerikanische Schule. Er spricht gut Englisch und liest englische Bücher. Er spricht Französisch und Deutsch, und er lernt Latein für sein Medizinstudium.«
»Medizinstudium?«
»Ja, er ist Arzt, aber er will neben den koreanischen Heilpraktiken noch die ausländischen kennenlernen. Er ist auch Chirurg, denn er sagt, in solchen Zeiten müsse man möglichst vielseitig sein.«

»Aber wie ist er überhaupt darauf gekommen, Arzt zu werden?« fragte Yul-chun.
»Er meint, so könne er wenigstens die Körper seiner Mitmenschen heilen«, antwortete Il-han. »Es tröste ihn, erklärt er.«
»Ist er Christ?«
»Nein und ja.«
»Wieso nein und ja?« begehrte Sunia auf. »Nein, er ist kein Christ.«
Il-han verbesserte sich. »Es ist richtig, eigentlich ist er kein Christ, aber er verhält sich wie ein Christ. Er ist kein Buddhist, und doch könnte er gut einer sein. Was die konfuzianische Lehre betrifft, so liest er die klassischen Schriften, und er wahrt die alten Formen.«
»Du hast ihn gut belehrt«, bemerkte Yul-chun.
»Ich habe ihn gar nichts gelehrt«, behauptete Il-han. »Er lernt, ohne daß ihm jemand etwas sagt.«
»Ich frage mich«, meinte Yul-chun nach kurzem Schweigen, »ob er wohl Sascha mögen wird.«
»Sascha – Sascha – was für ein Name ist das überhaupt?« entrüstete sich Sunia.
»Seine Mutter hat ihn so genannt«, erklärte Yul-chun kurz. Er sah die Zeichen der Erschöpfung auf dem Gesicht seines Vaters und erhob sich. »Ruhe dich jetzt aus, Vater. Ich habe dich ermüdet.«
»Du hast mich nur glücklich gemacht«, erwiderte Il-han, und seine Augen folgten Yul-chun, als er hinausging.

»Es ist schöner als Moskau«, sagte Sascha. Er stand auf einem niedrigen Hügel und blickte hinunter auf die Stadt mit ihren Palästen, Parks und breiten Straßen, den imponierenden Universitätsbauten und neuen Warenhäusern. Liang hatte ihn hierhin geführt, damit er sich ein Bild von Seoul machen könnte, bevor er sich in das Getriebe begab.
»Warst du in Moskau?« fragte Liang.
»Einmal«, antwortete Sascha. »Nach dem Schulabschluß hat man uns hingeschickt. Moskau ist auch schön, aber –« Seine Hand umfaßte mit einer schwungvollen Bewegung die Aus-

sicht. »Ich weiß noch immer nicht, ob ich wieder fort soll oder hierbleiben.«
»Bleib hier«, sagte Liang. »Zumindest, bis du uns richtig kennst.«
Ein starker Westwind hatte in der Nacht den Himmel reingefegt, und der klare Sonnenschein lag auf Liangs offenem, gutem Gesicht. Sascha fühlte unwillkürlich Bewunderung für seinen Vetter.
»Aber du hast viel zu tun.«
»Ja, es gibt noch eine Menge Arbeit«, stimmte Liang zu. »Meine Facharztausbildung in dem amerikanischen Krankenhaus dauert noch bis nächsten Sommer. Aber ich habe schon Zeit, wenn ich nicht im Dienst bin.«
»Ist das ein christliches Krankenhaus?«
»Ja – ein Missionskrankenhaus.«
»Bist du Christ?« Saschas Frage klang schroff.
»Nein«, erwiderte Liang mit freundlicher Stimme, »ich bin kein Christ.«
»Alle Religion taugt nichts«, erklärte Sascha. »Opium für das Volk.«
»Ich glaube an Gott«, sagte Liang ruhig. »Wenn es Gesetze gibt, wie sie in der Natur sichtbar sind, so muß auch ein Gesetzgeber existieren. Ich teile allerdings nicht den Glauben der Christen, daß wir schon durch eine passive Anerkennung Gottes gerettet werden können. Wir müssen uns selbst retten, indem wir versuchen, durch unsere Handlungen nach Gottähnlichkeit zu streben.«
Sascha protestierte. »Ich sehe keinen Sinn in dem, was du sagst. Wie willst du wissen, was gut ist? Woher weißt du, daß es einen Gott gibt? Ich behaupte, es gibt keinen.«
Liang antwortete nicht sogleich. Erst nach einer Weile begann er mit sanfter, aber bestimmter Autorität zu sprechen.
»Am Anfang betrieben unsere Vorfahren Sonnenkult. Es ist verständlich, denn sie kamen aus dem kalten Zentralasien. Die Winter waren lang, und in die tiefen Täler zwischen den Bergen drangen die Sonnenstrahlen jeden Tag nur ein paar Stunden. So ist es natürlich, daß die Menschen die Sonne verehrten

und nach Osten zogen, um ihr näher zu sein. Auf diese Weise haben sie Korea für sich entdeckt. Doch ihre Sehnsucht nach Wärme und Helligkeit, ihr himmelwärts gerichtetes Verlangen blieb. Sie träumten von einem gütigen, mächtigen Freund, einem väterlichen Wesen, das jenseits menschlicher Grenzen wohnte, und da sie ihn nicht erreichen konnten, stellten sie sich vor, er nähere sich ihnen und er habe seinen Sohn in Menschengestalt entsandt. Überall in der Welt gibt es eine solche Idee. Die Christen glaubten, sie hätten sie uns gebracht – sie war uns nicht neu. Nur über die Geburt dieses Gottessohnes bestehen verschiedene Anschauungen. Die Christen erklären, er sei wunderbarerweise von einer Jungfrau geboren worden. Wir haben eine Legende, wonach er aus der Vereinigung zwischen Bär und Tiger hervorging –«

»Bär und Tiger?« Sascha hatte sich auf einen Felsen gesetzt, den er mit der Hand von einer zarten Schneeschicht befreit hatte, und richtete sich jetzt ruckartig auf.

»Ja«, bestätigte Liang, »und deshalb haben wir auch den Bergtiger zu unserem Nationalsymbol gemacht.«

»Der Bär ist das Wahrzeichen Rußlands«, rief Sascha.

Liang lachte. »Mit den Symbolen darf man es nicht so genau nehmen! Es gibt auch Leute, die die Meinung vertreten, der Tiger habe mit Göttern nichts zu tun, er sei lediglich unser Wahrzeichen, weil Korea auf der Karte wie ein kauernder Tiger aussehe. Andere sagen wieder, es sei davon abgeleitet, daß wir von den anderen Völkern in Frieden gelassen werden wollen, genauso wie der Bergtiger, der niemand angreift, bevor er nicht angegriffen wird.«

Sascha erwiderte nichts. Er legte sich auf den kalten Stein zurück, die Hände unter dem Kopf verschränkt, und blickte in den violettblauen Himmel. Es waren für ihn zu viele Ereignisse auf einmal. Er war Koreaner, und unter den Russen hatte er sich fremd gefühlt. Jetzt, da er hier war, fühlte er sich fremder als jemals zuvor. Und dennoch war dies seine Familie, sein Vetter, sein Vater, seine Großeltern – diese Großeltern, sie wirkten wie zwei altehrwürdige Puppen in ihren unzeitgemäßen Gewändern! Und hier der Vetter, so gut

aussehend, daß ein Mann bei seinem Anblick Neid empfinden konnte, und dann diese Art eines Heiligen, eines Dichters, eines Gelehrten, all das war so nebelhaft und unnütz! Das einzige, was zählte, war Liangs Beruf als Arzt, als Chirurg, und sein Wunsch, unter den Armen zu praktizieren.
»Ich wollte, ich könnte mich besser an meine Mutter erinnern«, sagte er dann unvermittelt.
»Erzähl mir von ihr«, bat Liang.
Sascha starrte in den Himmel. »Ich müßte mich eigentlich noch gut an sie erinnern können, aber sie arbeitete Tag und Nacht, um uns zu ernähren, und sie sagte nicht viel. Und ich war zu jung, als daß ich die Fragen gestellt hätte, die ich heute gern beantwortet haben möchte. Sie muß aus einer Bauernfamilie gekommen sein, meine ich, weil sie nicht lesen konnte. Wie allerdings ist dann ihr Jadesiegel zu erklären? Auf jeden Fall fühle ich mich in dieser Gelehrtenfamilie fehl am Platz.«
»Mir scheint eher, als ob du in deinem bisherigen Leben fehl am Platz gewesen wärst«, meinte Liang. »Komm – wir müssen jetzt Kleider für dich besorgen. Und ich habe nur den halben Tag frei, ich muß in das Spital zurück. Du kannst mich aber begleiten – sobald du umgezogen bist.«
Wie ein Junge lief er den Hügelhang hinunter, und Sascha folgte ihm.

Nach seiner Rückkehr in das elterliche Haus verbrachte Yulchun viele Monate scheinbar müßig, teils, um die japanische Polizei irrezuführen, teils, um sich selbst Zeit zu gönnen und in Ruhe zu entscheiden, was er tun sollte. Er merkte auch, daß ihn die vielen Jahre eines gefährlichen, harten Lebens erschöpft hatten. Während er mit Sascha unterwegs war, hatten ihn Schmerzen in den Gelenken geplagt, aber er hatte nicht davon gesprochen, da er einen Arzt ohnehin nicht hätte aufsuchen können. Nun faßte er den Entschluß, die Zeit bis Kriegsende mit Schreiben zu nutzen. Es war ein gefährliches Unterfangen. Schon nach Beendigung des Krieges mit Rußland hatten die Japaner alle koreanischen Zeitungen verboten, die ihnen nicht genehm waren. Als sie im Jahr 1910 Korea

annektierten, mußten sämtliche koreanischen Zeitungen ihr Erscheinen einstellen. Nur das politische Blatt, mit dem Yul-chun während der Mansei-Demonstration beschäftigt war, konnte nicht verboten werden. Zehn Jahre später wurde wieder drei Zeitungen die Lizenz erteilt, unter der Bedingung, daß sie keine politischen Fragen aufgriffen. Im Jahr vor der Bombardierung Pearl Harbours verbot man sie erneut. Jetzt gab es nur noch japanische Zeitungen in Korea. Yul-chun plante, so bald wie möglich eine Zeitschrift – keine Zeitung – herauszugeben, ein gut durchdachtes, klug und spitzfindig geschriebenes Blatt, das einem ungebildeten Japaner nicht das geringfügigste Zeichen umstürzlerischer Absichten verriet, einem intelligenten Koreaner jedoch Informationen vermittelte. Es sollte keine Zeitschrift für den Kaufmann, den Händler, Bauern oder Fischer sein, sondern für die Intellektuellen, die, die dachten und planten. Er wollte sich Zeit nehmen für die Gestaltung und Vorbereitung. Er würde seine Mitarbeiter sorgfältig auswählen, und keiner sollte seiner eigenen Familie angehören.
Von nun an gab er sich den Anschein, als hätte er sich für ein gelehrtes Einsiedlerleben entschieden, wie ein Mann, der sich vom politischen Leben und aktiver Tätigkeit zurückgezogen hatte. Er legte sowohl seine europäischen Kleider als auch Hose und Jacke aus China beiseite und trug die weißen Gewänder eines vornehmen Koreaners. Er kaufte einen Roßhaarhut, ließ sich einen Bart wachsen und verließ das Haus seines Vaters nur selten.
Il-han war hoch erfreut. Er stellte Yul-chun zwei Zimmer zur Verfügung und gab im Haus Anweisung, sein Sohn dürfe nicht gestört werden, ein Verbot, wogegen sich nur Sunia ungehorsam zeigte, wenn sie fand, Yul-chun müsse etwas zu sich nehmen. Sie waren jetzt arm, und es war nicht leicht, die Leckerbissen zu beschaffen, die Sunia ihrem Sohn zukommen lassen wollte, aber Ippun war dreist und geschickt und brachte vom Markt oft mehr mit, als sie bezahlt hatte. Sunia stellte keine Fragen. In diesen Zeiten war Diebstahl nicht unehrenhaft und Lügen geradezu lebensnotwendig.

Der Haushalt fand mit den beiden Neuankömmlingen wieder zu einer Ordnung, und auch nach außen hin gab es keine Schwierigkeiten, solange sie nicht in den Verdacht gerieten, sich für Regierungsangelegenheiten zu interessieren. Il-han fiel diese Passivität leicht. Das Alter schwächte ihm Mark und Knochen, und er lebte in der Vergangenheit. Er zeigte die für sein Volk charakteristische Haltung, war versöhnlich und friedfertig, leicht zu Resignation bereit. Immer häufiger zitierte er Sprichwörter, um auszudrücken, was er mit eigenen Worten nicht mehr zu sagen vermochte. Die meiste Zeit schlief er – den überraschenden, kurzen Schlummer alter Leute. Doch Sunia gönnte sich keine Ruhe. Sie wirkte fast zerbrechlich, aber in ihrem schöngeformten Gesicht und in ihrem Auftreten lag noch immer viel Stärke. Ihre Stimme war unverändert klar geblieben. Ob sie schalt oder Zärtlichkeiten sagte, jemand, der nur ihre Stimme gehört hätte, ohne sie zu sehen, hätte sie für eine junge Frau gehalten.
Neben den beiden Alten und Yul-chun lebten die zwei jungen Männer ihr eigenes Leben. Der Unterschied zwischen ihnen lag in der Art, sich mitzuteilen, wie Yul-chun einmal feststellte. Sascha vermochte sich anderen gegenüber nicht zu erklären und verstand auch von ihnen nur, was in Worten ausgedrückt wurde. Liang hingegen zeichnete sich durch ein ungewöhnliches Maß an Einfühlungsvermögen aus. Es war eine Naturbegabung bei ihm, genauso wie seine Fähigkeit, sofort in jedem Menschen Vertrauen zu erwecken. Die Buddhisten hätten ihn einen Erleuchteten genannt. Liang lebte stets in Frieden mit sich selbst, so als habe er seinen Gipfel bereits zum Zeitpunkt seiner Geburt erklommen, während Sascha, immer im Kampf mit seinen Launen, sein eigener Gefangener war, der nicht über sich hinauskonnte.
In seinem ruhigen Zimmer im Haus seiner Vorfahren begann Yul-chun das Netz zu knüpfen, das nicht nur Korea, sondern auch andere Länder überziehen sollte. Er verfolgte ein zweifaches Ziel: erstens, die Koreaner auf den Augenblick des Sieges, die Stunde, in der die Japaner aus Korea vertrieben würden, vorzubereiten, damit die Nation über eine funktions-

fähige Regierung verfügte, und zweitens, den Sieg durch wirksame, an die im Ausland und vor allem in den Vereinigten Staaten lebenden Koreaner gerichtete Propaganda beschleunigen zu helfen. Er hatte das Gefühl, daß Rußland gegenüber Vorsicht am Platze sei. Viele hundert Jahre lang hatte Rußland danach getrachtet, sich Korea einzuverleiben. Yul-chun konnte nicht glauben, daß sich daran etwas geändert haben sollte. Eine neue Regierung aus Männern, deren Vorfahren noch halbverhungerte Bauern gewesen waren, mochte diesen Ehrgeiz sogar verstärkt hervortreten lassen. Es war jetzt an ihnen, wohlgenährt und reich zu werden.
Doch wie sollte er solch eine ungeheure Aufgabe bewältigen? Lange grübelte Yul-chun über diese Frage nach. Er war zu bekannt. Ohne Zweifel wußten auch die Angehörigen der Untergrundorganisation, daß er heimgekehrt war, und warteten nur auf eine Gelegenheit, mit ihm in Verbindung zu treten. Vieles deutete darauf hin. An Mauern und Toren sah man plötzlich kunstlose Zeichnungen von jungem Bambus. Erzeugnisse für den täglichen Bedarf wurden Bambus genannt. Gedichte über Frühling und Wachstum gingen in den Straßen um, von denen zwar keines seinen Namen erwähnte, die aber geschickt eingeflochten die Worte »Lebendig« und »Bambus« enthielten. Trotzdem hüllte er sich weiter beharrlich in Schweigen, denn er wußte sehr gut, daß auch die japanischen Behörden solche Anspielungen verstanden, seinen Aufenthaltsort kannten und ihn beobachteten.
Als auf diese Weise Monate verstrichen, kam er zu dem Schluß, daß er Hilfe brauchte. Es wäre töricht gewesen, sein Leben und damit das Ziel, das er sich gesteckt hatte, zu riskieren. Nach einiger Überlegung nahm er sich etwas widerstrebend vor, mit Liang zu sprechen. Er zögerte, weil er wußte, daß er seinen Neffen, der eines Tages – vielleicht schon bald, da sein eigenes Leben ständig bedroht war – das Haupt der Familie sein würde, damit in etwas Gefährliches verwickelte. Liang hatte bisher keine politischen Interessen gezeigt. Er schien in seiner Arbeit und seinen Patienten aufzugehen. Er bewegte sich frei und ungehindert überall, ging mit Japanern

genauso ungezwungen um wie mit seinen eigenen Landsleuten und sprach Japanisch ohne Akzent. Viele seiner japanischen Patienten hätten koreanischen Ärzten nicht getraut, aber Liang gegenüber hegten sie kein Bedenken. Er hatte seine Prüfungen an der japanischen Universität der Hauptstadt mit Auszeichnung abgelegt, doch er war andererseits nie nach Japan gegangen und redete sich, wenn er eine Einladung erhielt, damit heraus, daß er zuviel zu tun habe und erst seine Facharztausbildung beenden müsse. Den amerikanischen Chefarzt seines Krankenhauses verehrte er wie ein Sohn, er beherrschte das Englische perfekt und arbeitete mit Hingabe.
Yul-chun zögerte angesichts dieser neutralen Haltung wochenlang, ehe er an Liang herantrat. Durfte man einem Menschen, den alle liebten, wirklich vertrauen? Doch ein Blick in das offene Gesicht Liangs ließ ihn seine Zweifel immer wieder verwerfen, und schließlich war er fest entschlossen, seinen Plan Liang zu unterbreiten. Er wartete nur noch auf den geeigneten Moment.
Dieser fand sich an einem Wintertag, ungefähr zwei Jahre nach dem Eintritt Amerikas in den Krieg. Es war Abend. Il-han und Sunia waren früh zu Bett gegangen, da ihnen die Kälte zu schaffen machte, und Sascha war schon den ganzen Tag in der Stadt und noch nicht heimgekommen; ruhelos, wie er war, blieb er zuweilen sogar nächtelang fort. Liang hatte keinen Dienst, und so benützte Yul-chun nach der Abendmahlzeit die Gelegenheit zu einem Gespräch.
»Ich brauche Rat«, sagte er zu ihm, als Ippun die Schüsseln weggeräumt und die Teekanne gefüllt hatte.
Liang lächelte. »Du schmeichelst mir, Onkel!«
»Nein«, entgegnete Yul-chun. »Du kannst mir wirklich helfen.« Dann entwickelte er Liang seine Ideen und fuhr fort: »Es ist nicht schwer für mich, mit unseren Landsleuten im Ausland Verbindung aufzunehmen, ich kenne alle ihre Anführer. Die bedeutendsten unter ihnen leben in den Vereinigten Staaten und in China. Es geht also darum, zunächst die öffentliche Meinung in Amerika zu beeinflussen und die amerikanische Regierung dahin zu bringen, daß sie unser Recht

auf Unabhängigkeit anerkennt und unterstützt. Unsere provisorische Regierung existiert noch immer, ihre Mitglieder halten sich in den Vereinigten Staaten auf. Sie müssen unsere Mittelsleute sein, und wir müssen uns gegenseitig so gut über alle Vorgänge informiert halten, daß wir durch dieses gemeinsame Vorgehen die Verwaltung unseres Landes in dem Augenblick, in dem die Amerikaner als Sieger hier erscheinen, in eigene Hände nehmen können.«

Seine Worte riefen in Liang eine verblüffende Veränderung hervor. Es war wieder wie damals, als der kleine Junge plötzlich den Mann vor sich erkannte. Sein Gesicht leuchtete, und seine ganze Persönlichkeit strahlte Kraft und Energie aus. Er ergriff Yul-chuns Hände.

»Seit du zurückgekehrt bist, habe ich darauf gewartet«, rief er aus. »Ich glaubte schon, du würdest niemals sprechen, obwohl ich wußte, daß du es am Ende tun müßtest.«

Yul-chun war von Freude überwältigt. Dies war, was er erhofft hatte, dies war, was er brauchte.

Sie hatten anschließend eine lange Unterhaltung. Zuerst erzählte Yul-chun von seinem Leben in China und den Eindrücken, die er dort gewonnen hatte.

»Es ist noch keine Garantie für Freiheit, wenn lediglich eine neue Macht innerhalb der Nation hochkommt«, schloß er seinen Bericht. »Wir müssen auch auf den Kampf gegen eine solche Macht vorbereitet sein. Wir dürfen unseren alten Feinden nicht ohne weiteres vertrauen. Wenn ich den Amerikanern Vertrauen schenke, so deshalb, weil sie unter allen Nationen die einzigen sind, auf die wir als mögliche Freunde zählen können. Sie haben uns verraten – ja, aber es geschah aus Unwissenheit, nicht aus Besitzgier. Vielleicht haben sie inzwischen dazugelernt. Wenn nicht, so müssen wir ihnen die Augen öffnen. Das ist die Aufgabe unserer Landsleute, damit die Amerikaner, wenn der Sieg kommt, wissen, was sie daraus machen sollen. Wir wollen die Vergangenheit vergessen. Laß uns daran denken, daß die Amerikaner als einzige nie unser Land annektiert haben. Und man darf ihre Missionare nicht vergessen. Ich bin kein Christ, und ich halte nicht viel von Religion, aber sie haben Krankenhäuser und Schulen gegründet und sich uns gegenüber als Freunde gezeigt; sie haben für uns gesprochen, und es ist nicht ihre Schuld, daß man nicht auf sie hört. Regierungen sind taub und blind. Ich achte die Amerikaner um dieser Männer willen. Und sie sind wirklich unsere einzige Hoffnung. Ich habe früher einmal, als mein Vater dieselben Worte gebrauchte, bittere Dinge erwidert. Jetzt fühle ich anders, denn jetzt bin ich verzweifelt. Ich weiß, daß wir am Ende dieses Krieges denselben Feinden, derselben Machtgier gegenüberstehen. Wir brauchen Freunde – und wir können sie nur von Amerika erwarten. Zunächst müssen wir vor allem jemand finden, der sofort nach Amerika fahren kann.«

»Ich kenne jemand, der uns helfen könnte«, erwiderte Liang, der aufmerksam zugehört hatte. »Es ist eine Frau.«

Er füllte schweigend die Teeschale seines Onkels und seine eigene.

Yul-chun wurde hellhörig. »Ist sie jung?«

»Sehr jung.«

»Und schön?«

»Sehr schön.«

»Eine Freundin von dir? Oder mehr?«

»Wir wollen nicht davon sprechen, was sie für mich ist – nur davon, was sie selbst ist.«

»Und was ist sie?«

Yul-chun lehnte sich zurück und ließ seinen Blick auf Liangs Gesicht ruhen. Er glaubte einen Schatten dort wahrzunehmen.

»Sie ist eine berühmte Tänzerin«, sagte Liang.

»Eine Tänzerin!« Yul-chuns Stimme drückte aus, was er dachte. Eine Tänzerin? Und ihr sollte man vertrauen? War es denn möglich, daß Liang sich in nichts von anderen Männern unterschied und sein ruhiges, ausgeglichenes, schönes Gesicht nur eine Laune der Natur war?

Liang lächelte. »Ich errate deine Gedanken, und ich stimme mit dir völlig überein – diesen einen Fall ausgenommen. Sie ist nicht nur einfach eine Tänzerin. Sie ist – alles.«

»Woher kennst du sie?«

»Sie kam vor zwei Jahren in unser Krankenhaus, nachdem sie in Peking gewesen war. Da sie japanischer Abstammung ist, hatten die Chinesen sie als Spionin verhaftet und gefoltert.«
»Japanischer Abstammung!«
»Ja, und außerdem hat sie noch englische Vorfahren. Ihr Großvater war als englischer Diplomat in China und verliebte sich in eine schöne Mandschurin, die Tochter eines Fürsten. Sie mußten aus China fliehen, um ihr Leben zu retten. In England fanden sie auch keine gute Aufnahme, und so gingen sie nach Paris. Dort wurde Marikos Mutter geboren.«
»Und wie kommt sie zu dem japanischen Blut?«
»Ihr Vater war japanischer Botschafter in Berlin. Er lernte ihre Mutter auf einer Urlaubsreise in Paris kennen. Sie heirateten und kehrten nach Japan zurück. Mariko wuchs bis zu ihrem zwölften Lebensjahr dort auf. Danach erhielt ihr Vater eine neue Mission als kaiserlicher Sonderbotschafter zugeteilt. Sie spricht fünf Sprachen fließend, aber vor allem ist sie eine große Künstlerin.«
»Und weshalb ist sie hier?«
»Sie tanzt im japanischen Theater.«
»Und wie kann sie uns nützlich sein?«
»Sie hat eine Gastspielreise in die Vereinigten Staaten vor sich.«
»Und du vertraust ihr?«
»So wie mir selbst.«
Yul-chun seufzte tief. Er hatte nie Tänzerinnen gesehen außer den primitiven Mädchen, die in den kommunistischen Propagandastücken, wie sie dem Landvolk in China und in der Mandschurei gezeigt wurden, aufgetreten waren, und wie alle Koreaner hegte er die Überzeugung, eine Tänzerin stehe als Frau auf der untersten Stufe. Er sprach diese Gedanken nicht aus, um Liang nicht zu kränken, aber Liang begann von selbst davon.
»Du bist so in deiner Arbeit für unsere Sache aufgegangen, Onkel, daß du nicht einmal Zeit hattest, die Veränderungen zu bemerken, die sich in der Welt vollzogen haben. Ich versichere dir, diese Frau ist ebenso kultiviert wie schön. Natür-

lich stellen ihr viele Männer nach, aber ich weiß, daß sie absolut vertrauenswürdig ist.«
»Ich muß mich mit deinem Wort begnügen«, gab Yul-chun trocken zurück. »Es ist ziemlich unwahrscheinlich, daß ich je selbst Gelegenheit habe, sie so genau zu beurteilen.«
»Premierminister und Könige haben ihr schon Vertrauen geschenkt«, fuhr Liang drängend fort. »Sie hört zu, sie ist verschwiegen, und sie ist niemandes Parteigänger.«
»Ich gäbe etwas darum, dieses Muster an Tugend kennenzulernen«, sagte Yul-chun sarkastisch.
Zum erstenmal zögerte Liang. »Es wäre nicht schwer«, antwortete er dann langsam, »denn sie hat natürlich von dir gehört und mich schon öfters gebeten, sie einmal zu dir mitzunehmen – es müßte nur heimlich geschehen, denn sie genießt auch das Vertrauen des Generalgouverneurs –«
Yul-chun erschrak. Wie konnte man sich einer solchen Frau ausliefern?
»Es gibt nur eine Schwierigkeit«, hörte er Liang sagen. »Sascha ist in sie verliebt.«
Yul-chun fuhr hoch. »Sascha! Und sie erwidert seine Gefühle?«
»Sie sagt nein, aber es liegt etwas von einem Ja in der Weise, wie sie es sagt«, erwiderte Liang nachdenklich. »Vielleicht fühlt sie ein bißchen von beidem. Vielleicht ist es auch überhaupt keine Liebe. Sascha ist ungestüm – und sieht sehr gut aus –«
Ungestüm!
»Ich sehe, ich kenne meinen eigenen Sohn nicht«, sagte Yul-chun gelassen.
Sie schwiegen. Yul-chun hätte gern erfahren, ob auch Liang diese Frau liebte, aber er konnte nicht noch einmal fragen. Sein junger Neffe besaß bei all seiner Ungezwungenheit so viel natürliche Würde, daß Yul-chun sich davor scheute, die feingezogene Grenze zwischen den Generationen zu überschreiten.
»Vielleicht sollten wir doch jemand anders suchen. Diese Frau erscheint mir zu kompliziert.«

Liang lachte. »Wir leben in einer komplizierten Zeit, Onkel! Sie ist kein einfacher Mensch, aber niemand und nichts ist heutzutage einfach. Nein, ich betrachte sie als die einzige Möglichkeit, und ich werde euch beide zusammenbringen.«

Liang saß auf seinem gewohnten Platz in der Mitte der vierten Reihe des Theaters. Irgendwo hinter ihm mußte auch Sascha sein. Er hatte ihn beim Hereinkommen an der Kasse gesehen, in dem Gedränge jedoch nicht zu ihm gelangen können, und Sascha hatte ihn offenbar nicht bemerkt. Aufmerksam folgte er nun der leicht dahinschwebenden Figur auf der Bühne, Mariko in der Schlußszene. Ihre langen Ärmel schwangen wie die Flügel eines Vogels hin und her und wirbelten bei jeder Drehung herum, als sich jetzt, kurz vor dem Höhepunkt, der Rhythmus beschleunigte. Geschickt, geschickt waren diese alten Tänze ersonnen, scheinbar so religiös, respektvoll und keusch, während in Wahrheit aus der zarten Anmut all die dunklen Leidenschaften des Menschen sprachen! Und niemand wußte dies besser als Mariko. Liang kannte sie nun zwei Jahre und hatte ihr Wesen noch immer nicht ergründet. Viele Rassen vermischten sich in ihr, unterschiedlichste Kulturen, und so vereinte sie die größten Gegensätze in sich. Nie konnte man voraussagen, was sie im nächsten Augenblick empfinden und tun würde, und doch durfte man ihr vollkommen vertrauen, weil sie sich stets neutral verhielt. Er war sicher, daß sie nichts um einer Sache willen, um seinetwillen aber alles tun würde.
Der Tanz endete. Langsam senkten sich die seidenen Flügel zu den letzten ersterbenden Bewegungen. Er begegnete ihren Augen, diesen faszinierenden Augen mit dem dunklen Glanz, und er wußte, daß sie ihm sagten, er solle zu ihr kommen. Nicht in ihre Garderobe –
»Besuche mich nie in meiner Garderobe«, hatte sie ihn gleich zu Anfang ihrer Bekanntschaft gebeten. »Sie ist für jedermann. Nicht für dich!«
Er hatte nicht gewußt, wie er sich angesichts solcher Direktheit, die er als gewagt empfunden hätte, wenn sie nicht so

kindlich und scheu ausgesprochen worden wäre, verhalten sollte, und nichts darauf erwidert.
Doch seine Verblüffung war ihr nicht entgangen. »Uns bleibt nur wenig Zeit füreinander, dir und mir. Ich bin zuviel unterwegs – die Tourneen – und vielleicht komme ich einmal nicht mehr zurück – wer weiß? Ich habe mich auch in Peking sicher geglaubt, weil ich einen chinesischen Paten dort habe, aber als die Japaner kamen, nannten mich die Chinesen eine Spionin. Und in Tokio hat man mich fast verhaftet, weil ich so gut Chinesisch spreche – ich lerne die Sprachen leicht. Aber ich war damals eine Spionin. Dafür bedeutet mir kein Land genug. Ich tanze. Ich bin Künstlerin. Wenn ich irgend etwas außerdem tue, so geschieht es für einen Menschen – nicht für ein Land. Ich gehöre zu keinem Land – und zu jedem.«
Sie hatten sich seither nicht oft getroffen. Doch als sie zum erstenmal in ihrem Haus allein waren, hatten sie sich in stillschweigendem Einverständnis umarmt. Sie hatten nie von Liebe gesprochen, aber sie liebten sich. Es in Worte zu fassen, hätte ihr Gefühl nur unfrei gemacht und herabgesetzt.
Jetzt verließ sie die Bühne, und er erhob sich, bevor die Menschenmassen in die Gänge strömen konnten, und durchschritt schnell das Foyer. Dort sah er Sascha, der auf dem Weg zum Bühneneingang zu sein schien, doch wieder bemerkte ihn sein Vetter nicht. Liang ging auf die Straße hinaus und zehn Häuserblocks weiter bis zu ihrem Haus. Der Torwächter ließ ihn ein, und er setzte sich in den mondbeschienenen Garten, um ihre Ankunft abzuwarten, obwohl die Nacht kalt war. Er betrat ihr Haus nur ungern, bevor sie heimgekommen war, um nicht den Eindruck zu erwecken, er sei ihr Liebhaber.
Was die Dienerschaft von seinen Besuchen hier dachte, wußte er nicht, und es kümmerte ihn im Grunde auch nicht. Er achtete peinlich genau auf die Form und verabschiedete sich stets innerhalb einer Stunde. Der Ritus war immer derselbe. Mariko vertauschte ihr Kleid mit einem japanischen oder chinesischen Gewand, je nach ihrer Stimmung, und anschließend nahmen sie gemeinsam eine leichte Abendmahlzeit ein. Nie hatten sie eine Nacht zusammen verbracht, doch sie wußten beide, daß

es eines Tages unvermeidlich sein würde, obgleich keiner von ihnen den Zeitpunkt hätte voraussagen können. Sie hatten nur einmal darüber in aller Ruhe gesprochen, wie sie auch die Frage der Heirat erörtert hatten, und keinen Entschluß gefaßt. Er vermutete, daß sie früher Liebhaber gehabt hatte, aber er war absolut sicher, daß es jetzt in ihrem Leben keinen Geliebten gab.

Er hörte ihren Wagen, einen Rolls-Royce, vor dem Tor, und er erhob sich, als sie erschien. Sie trug noch ihr Theaterkostüm und hatte sich nur einen russischen Zobelmantel lose über die Schultern gelegt. Nun sah sie ihn, kam auf ihn zu und ergriff seine Hand.

»Ich komme spät«, sagte sie. »Sascha wollte unbedingt noch bleiben, nachdem die anderen gegangen waren.« Sie lachte etwas unsicher, und er merkte, daß sie Angst hatte.

»Sascha hat gedroht, dir nachzugehen.«

»Ja.«

Sie waren inzwischen beim Haus angelangt. An der Tür kniete ihre Dienerin nieder, um ihr die Schuhe abzunehmen.

»Du hast ihm gesagt, er könne nicht kommen?«

»Natürlich. Ich erklärte ihm, ich hätte einen Gast.«

»Und er fragte, ob ich dieser Gast sei?«

»Ja, aber ich habe es bestritten. Ich behauptete, es sei Baron Tsushima.«

Sie konnte so leicht wie ein Kind eine Lüge aussprechen und es mit demselben Atemzug bekennen. Es störte ihn, denn er selbst log nie, doch er verstand auch, daß ihr kompliziertes Leben, in dem es viele Männer gab, die sie bedrängten, Lügen notwendig machte, und hielt jede Äußerung zurück. Sie begaben sich in ihren Wohnraum. Die Schiebewände waren geschlossen, die Vorhänge herabgelassen, und auf dem niedrigen Tisch stand das Abendessen in silbernen Schüsseln bereit.

»Entschuldige mich«, sagte sie, »und nimm bitte schon Platz.«

Sie ging hinaus, und ihre Bewegungen waren so graziös, daß sie zu schweben schien. Er wartete. Eine Dienerin kam herein, um ihm ein japanisches Gewand zu bringen, das sie ihm anlegen half, nachdem sie ihm seinen Mantel abgenommen hatte.

Wenig später kehrte Mariko in einem grünen Kimono zurück, sie setzten sich einander gegenüber und waren allein. Eine Weile betrachteten sie schweigend einer des anderen Gesicht, wie um zu erkunden, was jeder fühlte und was sich inzwischen ereignet hatte. Dann streckte sie ihm die Hände entgegen, und er ergriff sie und preßte seine Lippen in ihre Handflächen, und sie zog seine Hände sanft zu sich hinunter und legte sie liebkosend an ihr Gesicht.

»Laß uns jetzt essen«, sagte sie schließlich mit einem weichen Lachen. »Ich habe Hunger. Die Vorstellung war heute schwer für mich. Zu viele Leute. Sie drängten sogar von hinten auf die Bühne. Ich habe es verboten, aber es kommt immer wieder vor. Dann fühle ich mich wie eingesperrt zwischen all den fremden Menschen.«

»Sie verehren dich«, sagte er sanft.

»Ja, sie verehren mich, aber es bedeutet mir nichts«, entgegnete sie rasch. »Soviel Liebe – von irgendwelchen Leuten, die ich nie kennen werde!«

Er füllte zwei silberne Schalen mit dampfender Suppe.

»Besser als Haß«, sagte er.

»Oh, ich habe auch Haß erlebt«, antwortete sie. »In Peking habe ich die Zuschauer in einem vollbesetzten Theater mich plötzlich hassen sehen. Ich mußte fliehen, um mein Leben zu retten, während sie hinter mir herschrien, ich sei Japanerin. Du haßt das japanische Blut in mir nicht?«

»Ich hasse nichts, was zu dir gehört. Ich liebe alles an dir«, versicherte er feierlich.

Nur ungern störte er die Stimmung dieses Augenblicks.

»Trink deine Suppe, solange sie heiß ist. Inzwischen muß ich dir etwas sagen. Ich habe ein Versprechen für dich abgegeben – das du natürlich nicht zu halten gezwungen bist.«

Sie hob die zartgezeichneten Augenbrauen.

»Ich möchte«, begann er, »daß du, wenn du in die Vereinigten Staaten gehst, einige Briefe mitnimmst.«

»Ja?«

»Briefe zweierlei Art«, fuhr er fort. »Mein Großvater hat ein paar amerikanische Freunde. Und die Missionare, die wir

kennen, haben Verwandte und Freunde drüben. Unsere Exilregierung ist dort. Ihnen allen sollst du Nachrichten überbringen.«
»Ja?«
Sie hielt die silberne Schale mit beiden Händen, die Wärme genießend, und ihre Brauen über den wundervollen Augen, die ihm mit ihrem Blick fast den Atem nahmen, waren noch immer hochgezogen.
»Bitte«, sagte er leise. »Bitte, sieh mich nicht so an, bevor ich fertig bin!«
Sie lachte hell, und von einer Sekunde zur anderen zeigte ihr Gesicht einen völlig veränderten Ausdruck.
»Der Zweck dieser Botschaften«, so fuhr er fort, ohne sie anzusehen, »ist, alles bei uns in Korea auf die Ankunft der Amerikaner vorzubereiten – und die Amerikaner auf uns.«
Sie setzte die Schale nieder. »Die Amerikaner!«
»Sie werden kommen, ich versichere es dir. Wenn du dich hier durch diesen Auftrag in Gefahr begibst, dann bleibe in Amerika oder Frankreich, warte, bis wir nach dem Sieg wieder Herren unseres Landes sind. Ich werde dich bei deiner Rückkehr wie eine Königin willkommen heißen. Mein Großvater liebte einmal eine Königin, und meine Großmutter ist bis auf den heutigen Tag deshalb eifersüchtig. Aber niemand weiß, daß auch ich eine Königin in meinem Herzen trage.«
Sein Blick suchte sie, und sie küßten sich über den Tisch hinweg. Er hatte diese Art der Liebesbezeigung von ihr gelernt und Gefallen daran gefunden, obwohl sie ihm früher, als er den Brauch nur aus westlichen Filmen kannte, seltsam erschienen war.
»Ich werde mich Sascha nicht immer entziehen können«, bemerkte Mariko dann unvermittelt.
Schreck durchzuckte ihn, und er wartete stumm auf das, was weiter kommen würde. Sie nahm sich etwas Huhn und legte mit ihren silbernen Eßstäbchen ein zartes Stück in seine Schale.
»Was soll ich deinem Vetter sagen? Er ist sehr wild und ungestüm – nicht wie du –« Sie brach ab.
Angst, wie er sie nie gefühlt hatte, zwang ihn zu sprechen.

»Wie kann ich dir eine Antwort darauf geben, solange ich deine Gefühle nicht kenne?«
»Ich fürchte mich vor ihm«, sagte sie leise.
»Weshalb?«
Sie schüttelte den Kopf. »Er hat eine unheimliche Macht in sich.«
»Über dich?«
Lange Minuten schien sie nur mit dem Essen beschäftigt, das sie langsam und wählerisch zu sich nahm, ohne die Augen zu heben.
»Ich bin mir seiner ungewöhnlich stark bewußt«, bekannte sie, »und ich habe Angst.«
»Vor ihm?«
»Auch vor mir selbst.«
Ernst begegnete er ihrem bittenden Blick. »Ich war vorhin noch nicht zu Ende. Müssen wir jetzt von Sascha reden, oder darf ich zuerst fortfahren?«
Sie lehnte sich zurück und faltete die Hände. »Bitte, sprich weiter.«
Es widerstrebte ihm, aber er tat es. »Du sollst einigen Männern, deren Namen und Adressen ich dir geben werde, Briefe überbringen. Vertraue sie bitte niemand anders an, lege du selbst sie in die Hände der Empfänger.«
»Handelt es sich um Amerikaner oder um Koreaner?«
»Die meisten sind Koreaner, aber es sind auch ein paar Amerikaner dabei. Es ist sehr wichtig, die entscheidenden Persönlichkeiten in Washington darüber zu informieren, daß wir über eine aktionsbereite Regierung verfügen und daß wir es sind, nicht die japanischen Machthaber, die beim Eintreffen der amerikanischen Truppen unser Land aus ihren Händen entgegennehmen werden.«
Sie hörte aufmerksam zu. »Muß ich das alles wissen?« fragte sie.
»Ziehst du es vor, nichts zu wissen?«
»Es ist sicherer für mich.«
Er durfte der Wahrheit nicht ausweichen. Es war eine Tatsache, daß er ihr Leben in Gefahr brachte. Beim leisesten Ver-

dacht mochte sie verhaftet oder, was noch viel eher zu vermuten war, einfach auf der Bühne erschossen werden, beim Verlassen des Theaters, in ihrem Garten – an jedem Ort der Welt, wo sie sich gerade aufhielt.
An derartige Vorkommnisse hatten sich die Koreaner gewöhnt; die vielen nicht aufgeklärten Morde verrieten nur, daß man offiziellerseits an Gerechtigkeit nicht interessiert war. Und bei einer so schönen, von vielen Männern begehrten Frau würde sich ohnehin niemand über eine derartige Tat wundern.
Er stöhnte laut. »Wann hat ein Mann je eine solche Wahl treffen müssen – die Wahl zwischen seiner Liebe und seinem Vaterland!«
Sie lächelte und war plötzlich wieder ganz Frau. »Ich habe dich nie bekümmert gesehen«, meinte sie, das Kinn in die Hände gestützt. »Jetzt bist du es – und meinetwegen! Also bin ich sicher, daß du mich wirklich liebst. Mir wird nichts geschehen. Weißt du warum? Weil ich sehr vorsichtig sein werde – sehr, sehr vorsichtig – damit ich gesund zu dir zurückkomme. Ich werde kein Risiko eingehen. Du brauchst keine Wahl zu treffen. Ich werde die Briefe mitnehmen. Ich werde sie überbringen, aber ihren Inhalt will ich nicht kennen. Ich frage nichts. Ich werde mich nur darum bemühen, daß sie in die Hände der Leute gelangen, für die sie bestimmt sind. Es wird nicht schwer sein. Ich habe viele amerikanische Freunde. Einige von ihnen sind einflußreiche Persönlichkeiten. Sie werden mir alle helfen. Sag nichts mehr – sag nichts mehr! Ich reise in sechs Tagen ab, um ein Uhr nachts. Gib mir in irgendeinem Augenblick nach der Vorstellung die Briefe. Laß mich allein zum Flugplatz fahren. Viele Bekannte werden sich dort von mir verabschieden wollen, und es ist besser, wenn du nicht da bist. Und jetzt genug davon.«
Sie warf ihm einen Seitenblick zu. »Falls auch diese Nacht nicht die richtige ist, mein Lieber, solltest du jetzt gehen.«
Jedesmal führte sie ihn so in Versuchung, herzlos und mit wahrer Wonne, und jedesmal verließ er sie. Er wußte, daß einmal eine Nacht kommen würde, in der er blieb, aber diese

war es noch nicht. Er vertraute seinem unerklärlichen hellseherischen Instinkt. Ihn leiteten Gefühle, die wohl noch aus dem Bereich seines Selbst, doch von weit her zu kommen schienen; er hielt sie manchmal für Erinnerungen, so gänzlich waren sie von seinem Bewußtsein getrennt. Als kleines Kind in seines Großvaters Haus hatte er bereits gelernt, daß es ihn immer bedrückte, wenn er diesen Gefühlen nicht folgte – nur wenn er ihnen gehorchte, lebte er in Einklang mit sich selbst. Er dachte nicht darüber nach, ob sie gut oder schlecht seien, er betrachtete das Ganze nur als eine Frage von Harmonie und Disharmonie.

Sie erhoben sich, und er trat zögernd neben sie, seiner selbst nicht sicher genug, um ihren Mund zu berühren. So nahm er ihre Hand und drückte seine Lippen in die warme, weiche Handfläche, die, wie alles an ihr, nach chinesischem Kwei-hua duftete, einer unscheinbaren, kleinen weißen Blume, die sich nur durch ihren unvergänglichen Wohlgeruch auszeichnete.

Er trat leise durch das Tor auf die Straße hinaus. Es war schon spät, und wenn er einem Nachtwächter begegnete, hatte er peinliche Fragen zu gewärtigen. Diese Gefahr bestand immer. Als ihm an der ersten Straßenbiegung ein Mann im matten Licht des wolkenverhangenen Mondes entgegenkam, war er schon darauf gefaßt, doch dann sah er, daß es kein Nachtwächter, sondern Sascha war.

Sie blieben voreinander stehen. Saschas Gesicht war bleich und starr.

»Was ist, Sascha?« Er bemühte sich, so ruhig wie immer zu sprechen.

»Ich bin ihr nachgegangen«, sagte Sascha. »Ich habe die ganze Zeit gewartet.«

»Aber weshalb bist du nicht hereingekommen?«

»Du bist es also«, fuhr Sascha mit kaum unterdrücktem Zorn fort. »Deinetwegen wollte sie nicht, daß ich sie begleite! Baron Tsushima! Du und sie – du und sie –«

Liang unterbrach ihn. »Sascha, was du vermutest, ist nicht wahr. Ich bin nicht ihr Geliebter.«

»Warum bist du dann um diese Zeit bei ihr?«

Es dauerte eine Weile, bis Liang etwas erwiderte.
»Komm mit mir, Sascha!« war schließlich das einzige, was er sagte.
Schweigend schritten sie durch die dunklen Straßen, in denen nur einige Bettler, nach Abfällen suchend, herumschlichen. Betteln war verboten, und die Obdachlosen konnten nur noch nachts die Stadt durchstreifen, wenn die Japaner schliefen und außer den koreanischen Nachtwächtern fast niemand unterwegs war. Die beiden Vettern gingen zum Hospital, wo Liang ein Zimmer hatte. Viele Nächte hatte Sascha hier geschlafen, oder sie hatten sich unterhalten. Sie waren nicht immer Freunde. Gerade in letzter Zeit hatte Liang einen neuen, fremden Zug an Sascha bemerkt. Ob dies dem Erbteil zuzuschreiben war, das Sascha von seiner nordkoreanischen Mutter mitbekommen hatte, oder seiner harten Erziehung und dem rauhen Klima Sibiriens, wußte Liang nicht. Er verstand ihn dank seines besonderen Einfühlungsvermögens, aber er verstand ihn wie einen Menschen, der von ganz anderer Art war als er selbst.
»Setze dich«, sagte er, nachdem er die Tür geschlossen hatte. Es war ein modernes Gebäude; das Zimmer hatte einen Holzfußboden und enthielt einen Tisch, zwei Stühle und zwei Feldbetten.
Sascha warf seinen Mantel über einen Stuhl. Wie die meisten jungen Koreaner ging er nun europäisch gekleidet. Er setzte sich auf das Bett und begann seine Schuhe aufzuschnüren.
»Daß du die halbe Nacht mit einer Tänzerin verbringst und dich nur unterhältst, glaube ich niemals.«
Seine Stimme war mürrisch, das Gesicht finster. Er schleuderte die Schuhe von den Füßen und warf sich auf das Feldbett.
»Du kannst es glauben oder nicht, es ist wahr«, entgegnete Liang ruhig. »Und ich habe mich nicht einfach mit irgendeiner Tänzerin unterhalten, sondern mit einer berühmten Künstlerin, mit der ich zufällig befreundet bin.«
»Sie ist eine Tänzerin«, beharrte Sascha übellaunig, »und wenn du nicht gehört hast, was sie außerdem noch ist, so bist du ein Narr, und ich glaube nicht, daß du ein Narr bist. Ich

könnte dir erzählen, was sie heute abend zu mir gesagt hat –«
Er richtete sich auf und starrte Liang mit glühenden Augen an. »Ich warte jeden Abend am Bühnenausgang auf sie. Manchmal läßt sie sich auch von mir heimbegleiten.«
Er beobachtete Liang, um die Wirkung seiner Worte zu prüfen. Liang saß auf einem der Stühle am Tisch, und sein Gesicht verriet nichts.
»Möchtest du nicht wissen, was sie gesagt hat?«
»Nein.«
Liang wollte noch etwas hinzufügen, unterließ es dann aber. Sie hatte ihm erklärt, sie fürchte sich vor Sascha. Bei einer Frau mochte Furcht vor einem Mann an Bewunderung grenzen und Bewunderung an Liebe. Er fand es seltsam, daß er weder auf Sascha noch auf sie zornig war, doch er fühlte tatsächlich keinen Zorn. Er dachte nur, die Gabe, mit der ihn die Natur bedacht hatte, seine Fähigkeit, immer zu verstehen, weshalb ein Mensch so und nicht anders handelte, sei eine schwere Bürde. Man konnte ihn verwunden, aber nicht in Wut versetzen, und zuweilen sehnte er sich danach, einmal wilden, persönlichen Zorn zu verspüren.
»Sie fürchtet sich vor dir«, erklärte er plötzlich und erschrak. Er hatte diese Enthüllung keineswegs beabsichtigt.
Ein seltsamer Ausdruck blitzte in Saschas hübschem Gesicht auf. Seine Augen verengten sich, und er lächelte.
»Hat sie dir das gesagt?«
»Ja.«
»Das ist genug – für den Anfang.«
Er legte sich wieder zurück, die Hände unter dem Kopf. So sicher, als ob er Gedanken lesen könnte, wußte Liang, was für einen Plan Sascha in diesem Augenblick entwickelte, einen aus brutaler Begierde geborenen Plan. Eine Frau, die sich fürchtet, so dachte Sascha, ist eine Frau, die mit Gewalt genommen werden kann. Schluß mit der Bettelei – mit dem Warten an Bühnenausgängen! Er würde einfach in ihr Haus gehen. Wenn sie vom Theater kam, war er da. Er würde sich den Eintritt erzwingen.
Und Liang sah das so klar, als ob es bereits stattgefunden

hätte. Plötzlich erfüllte ihn das Bewußtsein einer wilden Kraft. War das endlich Zorn? War es dasselbe, was ein Mann empfand, wenn es ihn trieb, einen anderen zu schlagen? Er sprang auf, und seine Hände ballten sich unwillkürlich zur Faust. Auch Sascha war aufgestanden. Sie starrten sich in die Augen. Doch genauso unvermittelt, wie sich der Impuls in Liang geregt hatte, klang er ab.

»Das ist unmöglich, Sascha«, sagte er. »Ihr Haus ist gut bewacht. Du mußt einen anderen Weg suchen.«

Er setzte sich wieder. Er dachte an Sascha, an Sascha in seiner Einsamkeit, den Jungen, der seine Mutter unter einem Baum im Wald sterben gesehen hatte und dessen Heim ein russisches Waisenhaus gewesen war, den jungen Mann, der herumzog, um sich seinen Lebensunterhalt zu verdienen, und der seinen Vater endlich nur gefunden hatte, um zu erkennen, daß zwischen ihnen nie ein Band entstehen könne – ein Mensch, der weder durch Eltern noch Freunde noch eine Frau je die Liebe kennengelernt hatte. Was nützte es, einen Mann wie Sascha zu schlagen? Das würde ihn nicht ändern.

Er vermochte Saschas Empfindungen zu teilen, als steckte er in seiner Haut, als ränne ihm sein Blut durch die Adern, und sein unerklärlicher Instinkt drängte ihn dazu, mit Sascha von der gefährlichen Mission zu sprechen, die Mariko übernommen hatte.

»Der Grund, weshalb ich Mariko Araki heute nacht aufgesucht habe, ist geheim, aber ich werde ihn dir sagen. Du bist Koreaner, Sascha, und du bist ein Kim von Andong. Ganz gleich, was du außerdem noch sein magst, an erster Stelle bist du ein Koreaner aus der Kim-Sippe. Unser Blut ist das Blut von Patrioten. In Zeiten wie diesen dürfen wir nicht an uns selbst denken. Wir müssen an unser Volk denken, an Korea. Unser Großvater hat sich sein ganzes Leben lang für unsere Heimat aufgeopfert. Mein Vater starb, weil er ein Patriot war, und meine Mutter litt und starb mit ihm. Dein eigener Vater wurde schon in seiner Jugend ins Exil getrieben, und jetzt hat er die gefährlichste Aufgabe seines Lebens übernommen. Wir Kims setzen für den Augenblick, in dem die Ameri-

kaner als Sieger unser Land betreten, alles aufs Spiel. Korea muß für diesen Tag gerüstet sein. Wir Koreaner dürfen uns nicht mehr gegenseitig bekämpfen, wie wir es in der Vergangenheit offen getan haben und heute im geheimen tun. Wir müssen in der Lage sein, das Land mit einer einigen Regierung von den besiegten Japanern zu übernehmen. Die Amerikaner müssen das wissen. Und deshalb bin ich zu Mariko gegangen. Sie soll Briefe nach Amerika mitnehmen.«
Sascha hatte die Hände sinken lassen, und auf seinem Gesicht spiegelte sich Überraschung.
»Wieso die Amerikaner?« fragte er. »Was haben die Amerikaner je für uns getan?«
»Sie haben nie unser Land annektiert«, entgegnete Liang. »Und was immer sie getan oder nicht getan haben mögen, sie sind das einzige Volk, das Ideale verkündet hat, von denen wir nur zu träumen wagten. Es ist wahr, daß es uns nicht half, aber ein Amerikaner, Woodrow Wilson, hat das Selbstbestimmungsrecht der Völker erklärt.«
»Ich habe den Namen nie gehört«, antwortete Sascha unmutig.
»Er ist schon tot«, sagte Liang freundlich, »und ich glaube, er starb, als er erkannte, daß er zuviel versprochen hatte und es nicht halten konnte. Aber seine Gedanken leben weiter, und sie sind mächtig.«
Sascha wandte sich ab. »Du redest wie ein Priester.« Er warf sich auf das Bett und gähnte.

»Völker können, genau wie Individuen, nur durch eigene Erfahrung lernen.«
Yul-chun hielt im Schreiben inne und blickte in den Garten hinaus. In dichten, weichen Flocken fiel der Schnee. Es hatte erst vor wenigen Minuten zu schneien begonnen, doch wenn es nicht nachließ, mußte der Schnee um die Abenddämmerung bereits fußhoch liegen. Im Haus war es still. Er wohnte jetzt in Yul-hans Haus, denn in dem seines Vaters hatte er keine Ruhe gefunden. Viel zu oft hatte ihn seine Mutter gestört, um zu sehen, ob es kalt in seinem Zimmer sei, ob er Hunger habe,

sich nicht wohl fühle oder zu lange arbeite, und so hatte er um dieses Haus gebeten. Nur Sascha lebte hier bei ihm. Zu seiner Überraschung hatte Sascha nach ein paar Monaten, in denen er sich für nichts zu interessieren schien, den Wunsch geäußert, die christliche Schule zu besuchen, damit er richtig Englisch lernen könnte, um später nach Amerika zu gehen. Manchmal kam er nachts nach Hause, manchmal nicht. Augenblicklich saß er über Büchern in seinem Zimmer. Im großen ganzen, so dachte Yul-chun, konnte er sich nicht über seinen Sohn beklagen. Er zeigte lediglich seit einiger Zeit eine gewisse feindselige Haltung gegenüber Liang, die dieser nicht zu bemerken schien. Yul-chun seufzte. Die Sorge, die er ständig um seinen Sohn empfand, ging tiefer als die Sehnsucht, die er einst nach Hanya gefühlt hatte, denn Sascha war ein Teil seiner selbst, auch wenn er sich oft genug wie ein Fremder verhielt.
Entschlossen nahm er seine Feder wieder auf. »Wir können nicht lernen, uns wie eine moderne Nation selbst zu regieren, solange wir von einem anderen Volk beherrscht werden. Doch wir müssen fähig sein, uns im Augenblick des Sieges zu verteidigen, sonst fordern wir in unserer Hilflosigkeit eine neue Invasion heraus. Wir müssen zur Armut bereit sein, um eine Flotte aufzubauen, die unsere Küsten bewacht. Im Norden müssen wir Forts errichten und die Grenze schützen, um uns gegenüber der jahrhundertealten Bedrohung durch Rußland zu behaupten. Einer zukünftigen amerikanischen Militärregierung möchte ich empfehlen, als erstes unsere provisorische koreanische Regierung anzuerkennen. Es war unsere Hoffnung, daß unsere tapferen koreanischen Soldaten, die jetzt in China sind, der amerikanischen Armee gegen Japan, den gemeinsamen Feind, hätten beistehen dürfen. Viele Amerikaner wären auf diese Weise am Leben geblieben. Es bedeutete für uns eine bittere Enttäuschung, als unser Vorschlag keine Zustimmung fand.«
Es klopfte. Yul-chun blickte auf und sah Liang unter der Tür, eine kleine, schlanke Frau neben sich, die in einen Zobelmantel gehüllt war. Auf ihrem Haar glitzerte Schnee. Sie verneigten sich.

»Wir stören dich sicher, Onkel«, sagte Liang.
»Nein – nein, ich habe eben nur einen Leitartikel fertiggeschrieben«, erwiderte Yul-chun.
»Onkel, dies ist Mariko Araki«, erklärte Liang.
Yul-chun verbeugte sich leicht, und Mariko verneigte sich tief mehrere Male. Dann ließ sie sich von Liang den Mantel abnehmen. Sie trug koreanische Kleider darunter, ein kurzes Mieder aus blaßgelber Goldbrokatseide und einen weiten roten Atlasrock. Unter dem Saum sahen die aufwärts gerichteten Spitzen ihrer zierlichen goldenen Schuhe hervor. Yulchun betrachtete ihre Erscheinung mit skeptischen Augen. Das also war die Tänzerin!
»Kommt herein«, sagte er. »Nehmt Platz. Ich habe ein paar Stühle hier. Manchmal setzte ich mich selbst darauf, um die Blutzirkulation in meinen Beinen anzuregen.«
Mariko lachte. »Ich erreiche das durch Tanzen!«
»Das ist auch eine Möglichkeit«, gab er zu, »aber nicht für mich.«
Sie setzten sich. Nach kurzer Überlegung entschied sich Yulchun dafür, seinen Platz auf dem Kissen neben dem Schreibpult beizubehalten.
»Du mußt Nachsicht üben, Onkel, wenn ich höher als du sitze«, sagte Liang in seiner gutmütigen Art, »diese Kleidung erlaubt mir zuwenig Bewegungsfreiheit.«
Er trug einen europäischen Anzug, der ihn noch größer und schlanker erscheinen ließ.
»Wir werden uns alle an Stühle gewöhnen müssen, wenn die Amerikaner kommen«, erwiderte Yul-chun.
»Onkel«, begann Liang, »Mariko fliegt heute nacht nach Amerika. Ich habe ihr versprochen, sie vor ihrer Abreise noch zu dir zu bringen. Ich habe es nur bis heute aufgeschoben, weil ich – ich hatte Angst um sie. Aber sie ist sehr tapfer. Sie will uns helfen.«
»Ich bin nicht tapfer«, warf Mariko ein. »Ich will nichts wissen. Ich möchte keine Fragen beantworten können. Wenn du etwas in meine Hand legst, Herr, so will ich es demjenigen bringen, der es erhalten soll. Das ist alles.«

Yul-chun betrachtete sie abschätzend, während er ihr zuhörte. Er war darin geübt, sich schnell ein Urteil zu bilden. Wie oft hatte er einem anderen eine Botschaft anvertrauen müssen, bei der es um Leben und Tod ging! Er war befriedigt von dem, was er in diesem reizvollen Gesicht las. Es war ein ehrliches Gesicht, offen, ein wenig schelmisch vielleicht, aber aus kindlicher Fröhlichkeit heraus, nicht aus Hinterlist.

»Und warum tust du das für uns?« fragte er.

Sie antwortete ohne Zögern. »Ich tue es für jemand, den ich liebe. Er ist Koreaner, und so tue ich es also für Korea.«

Sie blickte Liang nicht an. Ist es Liang? dachte Yul-chun. Ist es Sascha? dachte Liang.

»Das heißt, ich bin nur eine Frau«, fuhr Mariko fort, »und ich tue wohl etwas für einen Mann, nicht aber für ein Land – außer es ist seine Heimat.«

Yul-chun wartete noch immer darauf, zu hören, wer dieser Mann sei, doch Mariko hatte schon geendet, und sie legte jetzt die zierlichen Hände im Schoß übereinander, wo sie sich in reizvollem Kontrast von der roten Seide des Rockes abhoben.

Yul-chun zog eine Schublade des Schreibpultes auf und holte einen kleinen silbernen Schlüssel heraus. Er öffnete damit ein Fach, das sich in der Rückwand der Lade verbarg, und entnahm ihm einige Briefe, die er Liang zeigte, um ihn die Adressen lesen zu lassen.

»Für den Fall, daß der Brief an den Präsidenten ihn nicht erreicht«, sagte er leise, »wird dieser Freund von mir« – er deutete auf den zweiten Brief – »persönlich nach Washington fahren. Er hat Verbindungen, die ihm eine Unterredung mit dem Präsidenten ermöglichen werden. Dieser Brief ist sehr wichtig, denn der Präsident kennt unsere Geschichte nicht. Wie hätte er sonst vor zwei Jahren vorschlagen können, Korea einer internationalen Treuhandverwaltung zu unterstellen, die sich aus China, den Vereinigten Staaten und, so sagte er, ein oder zwei anderen Ländern zusammensetzen sollte? Uns, die wir schon seit viertausend Jahren als Nation bestehen! Wie, wenn dieses andere Land Rußland wäre? Ich habe in meinem Brief an den Präsidenten auf die furchtbare Gefahr hingewiesen, die von Rußland droht.«

Yul-chun räusperte sich erregt. Dann seufzte er tief und fuhr fort: »Ich sage es euch beiden, die ihr mich überleben werdet, es kommt vielleicht noch der Tag, an dem wir auf die Jahre unter japanischer Herrschaft mit Wehmut zurückblicken werden. Zumindest haben die Japaner die Russen zurückgehalten. Ich sage das, obwohl ich am eigenen Leib ihre brutalen Torturen erfahren habe.«

Sie hatten ihm schweigend und regungslos gegenübergesessen, und ihre Haltung drückte aus, wie sehr sie ihn achteten und welch tiefen Eindruck seine Worte auf sie machten. Ja, sie verehrten ihn, der als Lebendiger Bambus in ihrer Heimat eine Legende geworden war, diesen heroischen, selbstlosen, imponierenden Mann, dem Leiden vorzeitig das edle, kühne Gesicht gezeichnet und das dichte Haar hatten ergrauen lassen.

»Onkel«, begann nun Liang unvermittelt, »ich habe Sascha erzählt, daß Mariko Briefe nach den Vereinigten Staaten mitnimmt. War das falsch?«

»Ja, das war falsch«, erwiderte Yul-chun. Dann, als ihm bewußt wurde, was er ausgesprochen hatte, wandte er sich an Mariko.

»Mein Sohn ist nicht schlecht. Ich bin sicher, daß er nicht schlecht ist. Er hat nur nie in seiner eigenen Heimat gelebt und kommt sich jetzt hier etwas verloren vor. Wir müssen ihn erst für unsere Familie gewinnen. Liang, ich kann dir keinen Vorwurf machen, aber –«

Die Tür öffnete sich, und als hätte er seinen Namen gehört, trat Sascha ein. Er trug einen Hut in der Hand und einen Mantel über dem Arm. Überrascht blickte er auf die Anwesenden. Oder gab er nur vor, überrascht zu sein? Liang hätte es nicht entscheiden können. Yul-chun wandte sich etwas zu hastig an ihn.

»Komm herein, mein Sohn. Liang hat dir schon von den Briefen erzählt. Ich – ich bin sehr froh, daß du es weißt. Liang, ich habe meine Meinung geändert, es ist gut, daß du es ihm gesagt

hast. Ich wäre glücklich, wenn Sascha einer der Unseren würde –«
Saschas Gesicht blieb undurchdringlich.
»Ich will in die Stadt, Mariko. Kommst du mit?«
Mariko erhob sich zögernd und blickte verwirrt von einem zum anderen. Fragend blieben schließlich ihre Augen auf Liangs Gesicht ruhen.
Er nickte, als ob sie gesprochen hätte, und sie verneigte sich vor Yul-chun und folgte Sascha hinaus.
»Aber hier sind noch die Briefe!« rief Yul-chun.
»Ich werde sie ihr heute abend bringen«, sagte Liang. »Es ist besser –«
Mariko überwachte gerade das Packen ihrer Koffer für die Reise, als er später bei ihr erschien. Japanische Kimonos, enge, bis zum Schenkel aufgeschlitzte chinesische Kleider, französische Abendroben, englische Tweedkostüme und russische Pelze stapelten sich auf dem mattenbelegten Fußboden. Drei Dienerinnen waren schweigend an der Arbeit. Mariko saß in einem tiefen Sessel und gab ihre Anweisungen.
Als sie Liang erblickte, stand sie auf und führte ihn in das Nebenzimmer.
»Endlich!« rief sie, als sie allein waren. »Wo bist du nur gewesen? Ich dachte schon, ich müßte abreisen, ohne dich zu sehen.«
»Ich habe mich erst noch am Flugplatz erkundigt, ob der Flugverkehr wegen des Wetters vielleicht unterbrochen ist.«
»Kommst du heute abend in die Vorstellung?«
»Ja, aber nicht in deine Garderobe und auch nicht zum Flugplatz. Wir sehen uns erst wieder, wenn du zurückkehrst.«
Reglos wie ein verängstigtes Wild stand sie da. »Wie kommt es, daß Sascha soviel Geld hat? Diese neuen Anzüge!«
»Ich weiß es nicht.«
»Fürchtest auch du dich vor Sascha?«
»Nein, ich fürchte mich vor niemand.«
»Warum hast du nur zugelassen, daß er mich begleitete?«
»Es wäre jetzt nicht richtig, mit ihm zu streiten. Und du brauchst dich nicht zu fürchten.«

»Wir wollen nicht mehr von Sascha sprechen«, sagte sie entschlossen. »Hast du die Briefe?«
»Ja.« Er gab sie ihr, und sie steckte sie in ihren Kimono.
Sie sahen einander an, stumm mit einemmal, als sich die bevorstehende Trennung wie ein Abgrund zwischen sie schob.
»Wenn du zurückkommst –« begann er und hielt inne.
»Wenn ich zurückkomme –« wiederholte sie. »Oh, wenn ich zurückkomme – ja – ja – ja –«
»Der Krieg ist dann vielleicht schon vorbei. Und wir –«
»Ja!«
Das Wort war ein sehnsüchtiges Seufzen. Er streckte die Hände aus, und sie drückte sie zärtlich. Dann schmiegte sie sich an ihn. Er neigte sich zu ihr und küßte sie. Einen langen Augenblick blieben sie so, bis man aus dem anderen Zimmer nach Mariko rief und sie sich aus seinen Armen löste. Ein letzter tiefer Blick, und sie hatte ihn verlassen.
Ob Sascha zum Flugplatz gefahren war, wußte Liang nicht. Im Theater sah er seinen Vetter nicht, und er ging gleich danach in das Krankenhaus. Wie endlos war die Zeit, bis er Mariko wiedersehen würde! Und er durfte ihr nicht einmal schreiben, denn sie waren übereingekommen, daß ein Briefwechsel zwischen ihnen jetzt gefährlich sein konnte. Zum erstenmal in seinem Leben fühlte er, der immer Fröhliche, das Herz schwer in seiner Brust. »Liebe«, so hatte Buddha gesagt, »ist die Ursache allen Schmerzes.«
Liang dachte eine Weile über diesen Ausspruch nach, und er fand, daß Buddha recht und unrecht hatte, denn – war nicht die Liebe mit all ihrem Schmerz zugleich sein köstlichster Besitz?

An einem Frühlingstag ging plötzlich die Nachricht vom Tode des amerikanischen Präsidenten um die Welt. Liang vernahm sie im Krankenhaus, und er überbrachte sie sofort seinem Großvater und seinem Onkel.
Yul-chun zog ihn beiseite. »Weißt du, ob der Brief ihn noch erreicht hat?«
»Ich habe nichts gehört.«

»Wir wissen jedenfalls nicht, ob sein Nachfolger den Brief zu sehen bekommt«, sagte Yul-chun niedergeschlagen.
»Wir wissen nichts«, pflichtete ihm Liang bei. »Wir können nur warten.«
Die Monate vergingen, und der Sommer kam. Liang arbeitete Tag und Nacht im Krankenhaus und sah Sascha nur selten. Schweigen senkte sich über Korea, die Spannung des Wartens. Das Ende des Krieges war nahe, die Welt wußte es, und doch fand sich offenbar das Mittel nicht, mit dessen Hilfe dieses Ende zu beschleunigen gewesen wäre. Die Polizei in Seoul gebärdete sich von Tag zu Tag unerträglicher, und die Kontrollen im ganzen Land wurden verschärft. Die Gefängnisse waren überfüllt, die Schulen standen unter Überwachung. Deutschland kapitulierte, und die Spannung wuchs. Jeder Koreaner wußte jetzt, daß sich auch Japan ergeben mußte, und jedes Herz schlug ungeduldig, weil noch nichts geschah.
»Ein blindes, halsstarriges Volk, diese Japaner«, erklärte Yul-chun.
»Niemand weiß, was sich hinter dem militärischen Vorhang abspielt«, erwiderte Liang.
Es war an einem Abend im Hochsommer, und sie saßen im Garten, um sich von der Hitze zu erholen.
»Ich will nach Paris«, erklärte Sascha plötzlich.
Sie nahmen die Eröffnung schweigend auf. Dann begann Il-han zu sprechen. »Ich war einmal in Paris, um Woodrow Wilson aufzusuchen. Viele Leute aus allen möglichen Ländern waren gekommen. Es überraschte ihn, daß wir ihn so von allen Seiten bedrängten und um Hilfe baten. Ich weiß jetzt, daß er Angst hatte.«
»Vor dir?« fragte Sascha träge.
»Vor sich selbst«, sagte Il-han.
Von den Bergen im Norden hörte man Donner rollen, und ein scharfer Blitzstrahl durchzuckte den Abendhimmel.
»Kommt ins Haus!« rief Sunia ihnen von der Tür her zu. Langsam, nur zögernd die Kühle verlassend, gingen sie hinein.
Die Sommertage blieben lang und drückend heiß. Liang hatte

noch immer keine Nachricht von Mariko, und die Japaner kapitulierten nicht, obwohl sie an allen Fronten geschlagen wurden. Die Menschen waren des Wartens müde, aber sie hatten keine andere Möglichkeit, als weiterzuwarten. Eines Tages wurde ein Mann mit einem Durchschuß im Bein in die Unfallstation des Krankenhauses eingeliefert, und Liang behandelte die Wunde. Als sie gereinigt und verbunden war, drückte ihm der Mann ein kleines, zusammengelegtes Stück Papier in die Hand. Liang wandte sich schweigend ab und entfaltete das Papier. Es war an das japanische Volk gerichtet und von den Amerikanern unterzeichnet, gab die Waffenstillstandsbedingungen bekannt und warnte davor, daß elf Städte bombardiert würden, falls Japan sich nicht ergäbe.
Er ging zu dem Verletzten zurück und beugte sich über ihn, wie um sein Kopfkissen zu richten.
»Sind schon Städte bombardiert worden?«
»Sechs.«
»Wir haben hier nichts davon gehört.«
»Ich komme gerade aus Japan.«
»Noch keine Kapitulation?«
»Nein. Die japanische Regierung ist zersplittert. Eine Gruppe, die den Frieden will, hat die Russen gebeten, zu vermitteln. Die amerikanische Warnung wird höhnisch ignoriert. Millionen von Flugblättern haben inzwischen zum zweitenmal gewarnt – auch die anderen Städte sollen zerstört werden.«
»Das Volk?«
»Es wartet verwirrt.«
»Was wird nun geschehen?«
»Die Amerikaner haben eine neue, furchtbare Waffe. Das ist das nächste – es sei denn, Rußland griffe ein.«
»Und wird Rußland –«
»Nein.«
Eine Krankenschwester näherte sich, und Liang ging fort. Kurz darauf verließ er in aller Hast das Spital und begab sich zu seinem Großvater.
Im Haus herrschte bereits allgemeine Bestürzung. Yul-chun hatte durch einen Obstverkäufer aus dem Norden, der an

seine Tür kam, erfahren, daß die Russen dort einzudringen begannen, und war sofort zu seinem Vater geeilt, um ihm die erschreckende Nachricht mitzuteilen. Il-han lag in einem niedrigen Rohrsessel und rauchte seine lange Bambuspfeife, während Yul-chun sprach. Dann klopfte er die Asche aus dem kleinen Messingkopf und füllte ihn wieder mit kräftigem, süßem Tabak.

»Vater!« rief Yul-chun aus. »Und du sagst nichts?«

»Was ist noch zu sagen?« erwiderte Il-han. Er legte sich zurecht und tat einen tiefen Zug aus der Pfeife.

»Ich muß in die Stadt«, erklärte Yul-chun aufgebracht über die Ruhe seines alten Vaters. »Ich muß sofort mit der Untergrundbewegung Verbindung aufnehmen –«

»Beruhige dich«, meinte Il-han. »Du wirst nur in den Tod rennen. Glaubst du, die Japaner lauern nicht gerade auf dich? Sie warten lediglich, um zu sehen, was du unternehmen wirst.«

»Weshalb sagst du das?«

»Weil sie alles wissen und weil nichts, was du jetzt tust, uns retten kann. Stelle dich krank. Geh zu Bett. Erkläre, daß dich ein Fieber gepackt hat. Ich will allen Leuten erzählen, wir hätten wenig Hoffnung für dein Leben. Wir müssen uns jetzt noch gedulden. Und wenn die Japaner kapitulieren, müssen wir die Regierungsgewalt unverzüglich an uns reißen.«

»Aber falls die russischen Truppen –«

»Zwischen der Übergabe und der Ankunft der Sieger werden ein paar Stunden liegen. Wir wollen wenigstens hoffen, daß es eine solche Zeitspanne gibt – diese paar Stunden –«

Sie wurden durch Sascha unterbrochen, der mit aufgerissenen Augen ins Zimmer stürmte. Er schien völlig außer sich zu sein und vergaß sogar, Großvater und Vater zu begrüßen.

»Eine neue Bombe, eine neue Bombe ist gefallen!« schrie er. »Der Himmel über Japan brennt – eine ganze Stadt ist in Flammen aufgegangen! Heute früh, gerade als die Kinder zur Schule gingen und die Geschäftsleute in –«

Hinter Sascha war Liang eingetreten, und so hatte er alles mitangehört. »Das Militär wird nicht kapitulieren, auch nicht, wenn der Kaiser es will«, sagte er.

Sascha lachte laut. »Sie werden noch eine Bombe zu sehen bekommen! Es wird eine zweite Bombe fallen!«
Sein Lachen traf sie wie ein Schlag, sie sahen erst ihn und dann einander an und keiner sprach. Niemand, nicht einmal sein Vater, stand Sascha nah genug, um Mißbilligung zum Ausdruck zu bringen, obwohl sie alle seine Reaktion als erschreckend empfanden.
»Rußland wird Japan jetzt den Krieg erklären«, sagte Il-han schließlich.
»Hoffentlich«, rief Sascha in wilder Freude. »Was die Amerikaner begonnen haben, werden die Russen zu Ende führen!«
Er brach wieder in sein lautes, grausames Gelächter aus, und die anderen drei blieben stumm zurück, während er hinausging.
»Wie konnte Sascha vor uns allen von diesen Bomben wissen?«
Sie blickten einander an, und keiner antwortete.
Zwei Tage darauf erklärte Rußland Japan den Krieg. Die Nachricht sickerte schnell durch. Jeder wußte es, und niemand sprach darüber. Japan kapitulierte noch immer nicht. Rußland zog mit seinen Truppen in der Mandschurei ein, und Japan ergab sich nicht. Noch einen Tag später fiel die zweite Bombe auf Nagasaki. Wie viele Bomben hatten die Amerikaner? Am vierten Tag erklärten sich die Japaner zur Kapitulation bereit, unter der Bedingung, daß der Kaiser nicht abgesetzt würde.
Die Männer im Hause Kim Il-hans rüsteten sich. Die Anweisungen der koreanischen Exilregierung lauteten, daß die Ankunft der Amerikaner abgewartet werden müsse. Bis dahin dürfe koreanischerseits kein Schritt unternommen, keine Vergeltung an den Japanern geübt, kein Anzeichen von Rebellion sichtbar werden. Sie sollten ihre Häuser möglichst nicht verlassen und ihre ganze Hoffnung auf die Amerikaner setzen.
Liang ging demzufolge nicht in das Spital, und auch Sascha blieb zu Hause.
»Wenn sie nur endlich kämen!« seufzte Yul-chun.
Er war von ihnen allen der Ungeduldigste. Il-han, mit der

philosophischen Ruhe alter Leute, beobachtete Yul-chun fast etwas belustigt, als dieser eines Tages rastlos zwischen Haus und Garten hin- und herwanderte, unfähig zu sitzen, zu lesen oder auch nur eine Hand zu nützlicher Beschäftigung zu rühren; vergeblich hatte Sunia ihm zugeredet, das Dach auszubessern, von dem ein Sturm wenige Tage zuvor ein paar Ziegel gerissen hatte.

»Du solltest ein Buch schreiben«, sagte Il-han. Er saß auf einer Bank in einem Winkel des Gartens, um die Nachmittagssonne zu genießen.

»Ein Buch?« wiederholte Yul-chun.

Il-han klopfte die Asche aus seiner Pfeife.

»Ich habe einmal ein Buch geschrieben.«

Yul-chun blieb vor ihm stehen. »Wann?«

»Vor vielen Jahren, als ich so rastlos war wie du jetzt. Die Japaner waren eingezogen, und ich lebte wie ein Gefangener hier, genau wie du. Da schrieb ich so etwas wie eine Chronik meiner Zeit. So habe ich Geschichte gemacht, und mein Zorn hatte ein Ventil.«

Yul-chun war überrascht und erheitert. »Laß mich dieses Buch sehen, Vater«, bat er.

»Komm mit«, sagte Il-han.

Er erhob sich, und sie gingen ins Haus, wo er einem messingbeschlagenen Kasten aus poliertem Holz ein umfangreiches Manuskript entnahm.

Yul-chun wog es in den Händen. »Was für eine Arbeit!« rief er. »Und ich soll es lesen?«

»Wenn du willst. Es ist manches Gute daran«, fuhr er fort. »Du wirst sogar dich selbst darin finden. Ich schrieb alles über den Prozeß gegen dich nieder, bis zur letzten Einzelheit deines Aussehens.«

»Du beschämst mich«, murmelte Yul-chun.

Und während sein Vater wieder in den Garten zurückkehrte, setzte er sich und vergaß seine Unrast über dem meisterlich ausgearbeiteten Bericht, in welchem Il-han alle Übel der Zeit, Bluttaten und Vergewaltigungen, Raub und Brandlegung, Schikanen und Betrug erfaßt hatte.

Yul-chun legte das Buch erst aus der Hand, als er es zu Ende gelesen hatte.
Dann allerdings fühlte er sich noch ruheloser als zuvor, denn er wußte, daß alles, was sein Vater aufgezeichnet hatte, der Wahrheit entsprach. Wann würde sein Volk befreit sein? Er begann wieder an den Amerikanern zu zweifeln, obgleich Il-han ganz gelassen war und die beiden jungen Leute sich sehr zuversichtlich zeigten, Liang, weil er den Amerikanern vertraute, und Sascha – wer wußte, was in Sascha vorging?
Hoffnung und Furcht erfüllten Yul-chun in diesen Tagen, während die ersten Schritte zwischen den Regierungen der Sieger und Besiegten unternommen wurden. Inzwischen war es auch längst nicht mehr das Geheimnis von Obstverkäufern, daß russische Soldaten im Norden einmarschierten. Sechs Tage vor der Kapitulation waren sie von Sibirien und auf dem Seeweg aus der Mandschurei herbeitransportiert worden. Das Volk war zu bestürzt, um zu protestieren oder zu handeln. In Schweigen erstarrt, sahen die Menschen zu, wie die rauhe Soldateska über die Landstraßen und durch die Dörfer zog und in die Städte schwärmte.
»Wo soll das enden?« stöhnte Yul-chun. »Werden sie das ganze Land besetzen, bevor die Amerikaner kommen?«
Doch sie besetzten nicht das ganze Land. Irgendwo zog irgendein amerikanischer Offizier eine Linie über eine Landkarte. Die Russen müßten, so wurde dem Volk verkündet, am 38. Breitengrad stehenbleiben. Wo war der 38. Breitengrad?
Einige erinnerten sich, daß die Russen und Japaner einmal davon gesprochen hatten, Korea dort zu teilen. Von dunklen Vorahnungen erfüllt, studierten Männer und Frauen die Landkarten in den Schulbüchern ihrer Kinder, um herauszufinden, ob ihr Heim unter kommunistische Herrschaft fiele. Traf dies zu, so überließen sie sich der Verzweiflung, und viele begingen Selbstmord. Hatten sie Glück, so beteten sie darum, daß die Amerikaner schnell kämen. Wo blieben die Amerikaner?
»Sie schlafen«, erklärte Sascha lachend.

»Sie werden kommen«, behauptete Liang, und sein Glaube daran war unerschütterlich.
Sie kamen nicht.
Weitere Tage vergingen, einer nach dem anderen, während das Volk angstgepeinigt wartete, und die Amerikaner erschienen nicht. Wie, wenn die wilden sowjetischen Soldaten auch die Grenze, die ihnen gesetzt worden war, überschreiten würden? Es kursierten bereits Gerüchte über Plünderungen, Raub und Vergewaltigungen. Im Haus seines Großvaters reinigte und lud Liang zwei alte Gewehre, die er in der Stadt erstanden hatte. Es gab zwar keine jungen Frauen in diesem Haus, eine Tatsache, wofür sie alle dankbar sein mußten, aber es war gut, gerüstet zu sein. Wie froh war Liang jetzt, daß Mariko sich in Paris aufhielt! Er hatte durch die Zeitungen, die enthusiastische Kritiken brachten, ihre Tournee verfolgt.
Sascha beobachtete Liangs Vorbereitungen mit Spott. »Ich kenne die russischen Soldaten«, sagte er. »Sie sind mutig und vielleicht manchmal dreist, die meisten so jung wie ich, aber sie sind nicht schlechter als andere Soldaten. Wenn sie kommen, spreche ich russisch mit ihnen, und sie werden uns nichts tun.«
Und mit einem Schwall russischer Worte machte er deutlich, was er sagen würde. Die anderen hörten ihm mit unbehaglichem Gefühl zu, und Sunia hieß ihn schließlich schweigen.
»In diesem Haus«, erklärte sie, »sprechen wir nur Koreanisch.« Den wütenden, trotzigen Blick, den ihr Sascha zuwarf, ließ sie unbeachtet.
Dann wurde plötzlich bekanntgegeben, daß die Amerikaner am neunten Tag des Monats, dem neunten im Jahr, endlich, endlich im Hafen von Inchon an Land gehen würden. Auf diese Nachricht hin bereiteten die Leute überall Fähnchen und Nationalflaggen, Blumen und Geschenke vor. Zunächst wagte es indessen niemand, das Haus zu verlassen, denn der japanische Generalgouverneur hatte bei den Amerikanern nachgesucht, die Polizeigewalt noch weiter ausüben zu dürfen, mit der Begründung, die Koreaner würden sonst an den sechshunderttausend Japanern, die mittlerweile im südlichen Teil

Koreas lebten und von denen viele vor den im Norden eindringenden Russen geflüchtet waren, Racheakte begehen. Seiner Bitte war stattgegeben worden. Die Koreaner blieben in ihren Häusern, es gab keine Vergeltungsmaßnahmen; ohnehin war das Volk zu stolz, um auf solch niedrige Weise Rache zu nehmen.
Dann kam ein weiterer Befehl des japanischen Generalgouverneurs. Es war den Koreanern untersagt, Kontakt mit den Amerikanern zu suchen.
»Dem können wir uns nicht beugen«, erklärte Yul-chun.
Und so begaben sich an dem angesetzten Tag Il-han, sein Sohn und seine Enkel in koreanischen Gewändern zum Hafen von Inchon. Sunia hatte Blumen aus dem Garten geschnitten, und Il-han hielt den Strauß in der rechten Hand, um die Amerikaner damit willkommen zu heißen. Yul-chun trug die koreanische Flagge, die so viele Jahre versteckt worden war, und Liang eine amerikanische. Nur Sascha ging mit leeren Händen neben ihnen her.
Als sie am Hafen ankamen, fanden sie bereits ungefähr fünfhundert Koreaner dort vor, die insgeheim ausgewählt worden waren, das koreanische Volk beim Empfang der Amerikaner zu vertreten, alle mit Geschenken und Blumen, Willkommensfähnchen und koreanische Nationalflaggen schwenkend. Der Tag war heiß, aber schön. Eine strahlende Sonne ließ das Grün noch grüner und das Meer so blau wie den Himmel erscheinen. Das große amerikanische Schiff lag im Hafen vor Anker, und die Menschen standen schweigend und regungslos, als das Fallreep heruntergelassen wurde. Zur Rechten standen die japanischen Offiziere in voller Uniform, als erster der Generalgouverneur, den Degen an der Seite. Links hatten sich japanische Polizisten aufgereiht, um die Koreaner zurückzuhalten.
Doch niemand konnte sie zurückhalten. Als der amerikanische General auf dem Fallreep sichtbar wurde, drängten die fünfhundert Koreaner fähnchenschwenkend vorwärts, um ihn zu begrüßen, während er herunterschritt. In diesem Augenblick eröffneten die japanischen Polizisten das Feuer. Fünf Korea-

ner fielen tot zu Boden, neun wurden verwundet. Geschenke und Flaggen waren bald mit Blut getränkt.
Was Il-han, Yul-chun und die beiden jungen Männer anschließend sahen, vermochten sie kaum zu glauben, obwohl es sich vor ihren eigenen Augen abspielte. Der amerikanische General hatte für die Polizisten weder eine Rüge, noch gebot er ihnen Einhalt. Statt dessen befahl er ihnen, »den Mob« fernzuhalten, worauf die Koreaner, die zu seiner Begrüßung gekommen waren, von der Polizei auseinandergetrieben wurden, während die wartenden japanischen Offiziere sich als Gastgeber gebärdeten. Dies sahen Il-han, sein Sohn und seine Enkel, und ihre Ohren hörten die Worte des amerikanischen Generals, mit denen er den japanischen Offizieren erklärte, sie sollten auf ihren Posten bleiben, bis er eine Militärregierung zur Übernahme des Landes bilden könne. Den Koreanern schenkte er keine Beachtung. Von einem Torbogen aus, unter den Il-han und die Seinen vor der Polizei zurückgewichen waren, wurden sie Zeugen des ganzen Vorgangs. Fahnen und Blumen noch immer in den schlaff herabhängenden Händen haltend, blickten sie einander an.
»Was sollen wir jetzt tun, Großvater?« fragte Liang.
»Wir gehen wieder nach Hause«, antwortete Il-han. Er warf die Blumen in einen Graben. »Rolle unsere Fahne zusammen«, sagte er zu Yul-chun, »wir wollen sie für einen anderen Tag bewahren.«
Yul-chun hatte bereits damit begonnen, als er sich noch einmal unschlüssig umwandte. Er sah, wie der Amerikaner den Degen des Generalgouverneurs entgegennahm, und hörte ihn freundliche Worte mit den Japanern wechseln; er sah die fliehenden Koreaner, sah die Fähnchen und Flaggen in den Staub getreten, die Blumen zerquetscht. Und plötzlich verlor er die Nerven. Die koreanische Nationalflagge schwenkend, lief er zurück. *»Mansei – Mansei!«*
Er hatte keine Gelegenheit, noch mehr zu rufen. Augenblicklich erhoben sich Gewehre, Schüsse pfiffen durch die Luft, und er fiel tot in den Staub.
Liang war es, der zu ihm rannte, und sein Schicksal wäre

wohl besiegelt gewesen, wenn ihn nicht der Chefarzt seines Krankenhauses aufgehalten hätte, der mit einigen anderen Amerikanern, Missionaren, Lehrern und Ärzten, in der Nähe der Koreaner gestanden hatte und ihm jetzt entgegenlief.
»Geh zurück«, flüsterte er. »Geh zurück – geh zurück, ehe sie noch einmal schießen! Laß ihn hier. Ich werde ihn ins Spital bringen lassen – aber eile dich – eile dich – ich stehe bei ihnen in Ungnade, ich kann nichts für dich tun –«
Liang mußte sich fügen, denn nun sah er, daß Il-han zusammengebrochen war und Sascha seinen Kopf hochhielt. Zusammen trugen die beiden Vettern den betagten Mann in das Krankenhaus, um dort die Ankunft von Yul-chuns Leichnam abzuwarten. Im Gehen sprach Liang beruhigend auf seinen Großvater ein.
»Mein Onkel hätte sich einen solchen Tod gewünscht.«
Aber Il-han wies solchen Beistand zurück. »Habe ich nach Trost verlangt? Schweig!«
So blieb Liang stumm. Und doch war es nicht still um Il-han auf diesem Weg. Ein Trauerzug weinender, wehklagender Menschen, alle diejenigen, die von der Menge noch geblieben waren, gab ihnen das Geleit.
Sie beklagten den Tod dessen, der sich Lebendiger Bambus genannt hatte.

»Wer wird seinen Platz einnehmen?« fragte Il-han.
Sie hatten ihn neben Il-hans Vater beigesetzt und waren nun wieder zu Hause. Von überallher waren die Leute erschienen, um seinen Eltern und ihm ihre Ehrerbietung zu erweisen.
»Niemand – niemand«, schluchzte Sunia. »Wir haben unsere Söhne verloren.«
Sie saßen im Hauptraum und warteten auf Ippun, die ihnen heißen Tee bringen sollte. Plötzlich drangen vom Garten zornige Stimmen zu ihnen herein.
»Wie kannst du jetzt in den Norden gehen wollen!«
»Ist das Liang?« flüsterte Sunia.
»Still«, sagte Il-han; und er nahm Sunias Hand, während sie lauschten.

In dem dunklen Garten sprangen die beiden jungen Männer aufeinander los, und die zwei alten Leute hörten wütendes Keuchen, Ächzen und Ringen.
»Sascha wird unseren Liang umbringen«, murmelte Sunia entsetzt. Mühsam erhob sie sich und wankte zur Tür.
»Ihr zwei!« schrie sie mit zitternder Stimme.
Die beiden hörten sie nicht, und Il-han trat an ihre Seite.
»Weswegen prügeln sie sich nur?« Er schüttelte den Kopf.
»Wer will das wissen?« Sunia blickte angestrengt zu den beiden hin, die jetzt, einander umklammernd, im Staub lagen. Sie begann zu schluchzen. »Unser Liang wird umgebracht!«
Doch Liang hatte Sascha unter sich, hielt ihn bei den Schultern und schüttelte ihn, daß sein Kopf gegen die harte Erde schlug.
»Du!« stieß Sascha wild zwischen klappernden Zähnen hervor. »Du hast keinen Stolz – du – du – nimmst – die Beleidigungen – dieser Amerikaner hin – und bleibst hier – laß mich los – mein Hals –«
Il-han schob Sunia beiseite. Auf unsicheren Beinen ging er zu den beiden jungen Männern und versuchte mit aller Kraft, sie zu trennen.
»Muß ich zusehen, wie ihr beide in meinem eigenen Haus übereinander herfallt? Müssen wir in diesem Land ewig einer den anderen bekämpfen?«
Beim Klang seiner Stimme kam Liang plötzlich wieder zur Besinnung. Er stand auf, und sein schwerer Atem kam wie ein Schluchzen. »Großvater«, begann er und konnte nicht weitersprechen.
Aber auch Sascha war jetzt aufgesprungen. Er bückte sich, um seinen alten Rucksack aufzuheben, der ihm von den Schultern gefallen war, und Il-han sah, daß er die Kleider trug, in denen er gekommen war, die weiten Hosen, die hohen Stiefel, die Tunika.
»Verräter!« schrie Sascha Liang ins Gesicht. »Weichlich – voller Liebe – idiotische Liebe! Ich spucke auf euch alle – ich spucke auf euch alle!«
Er spie in den Staub zu seinen Füßen und rannte, den Rucksack schulternd, durch das offene Tor hinaus.

Liang hob ein kleines Blatt Papier vom Boden auf.
»Das war es, was ihn so wütend gemacht hat«, sagte er zu seinem Großvater. »Und er hat ja gerade erst seinen Vater mit zu Grabe getragen. Zuviel – es war zuviel für ihn. Warum habe ich nur – wie konnte ich – ich kann mich selbst nicht verstehen.«
Il-han nahm das Papier aus seiner Hand und las die Worte im Schein einer steinernen Laterne. Es war ein Telegramm aus Paris: LEBST DU?
Er schüttelte den Kopf. »Ich weiß nicht, was das bedeuten soll«, sagte er und gab es Liang zurück.
»Kommt herein!« rief Sunia.
Aber keiner von beiden achtete auf sie. Liang setzte sich auf eine Steinbank und legte den Kopf in die Hände, während Il-han zum Tor ging und in die Dunkelheit hinaussah, in die Nacht, die Sascha aufgenommen hatte.
»Was ist Unabhängigkeit?« murmelte Il-han vor sich hin. »Unabhängigkeit? Es war ein schöner Traum –«
Wieder rief Sunia nach ihnen.
Dann kam sie aus dem Haus und führte Il-han an der Hand mit sich zurück.
»Komm«, sagte sie beruhigend. »Komm, mein lieber alter Mann.«
Sie brachte ihn zu seinem gewohnten Platz, und Ippun erschien mit der Teekanne und zündete eine Kerze an.
Draußen im Garten faßte sich Liang langsam wieder. Es war ihm, als ob seine Seele in seinen Körper zurückkehrte. Er empfand die Kühle des Abendwindes, und er hörte die erste Grille zirpen. Sascha würde nie mehr zurückkehren. Sie hatten Sascha verloren. Er hatte es schon befürchtet, als er Saschas Gesicht beobachtete, während der Sarg in das Grab hinabgesenkt wurde. Er hatte es gewußt, als Sascha sich schluchzend einen Weg durch die ehrerbietig zurückweichende Menge bahnte. Er war ihm, so schnell er konnte, gefolgt, aber Sascha hatte das Haus vor ihm erreicht und dem Pförtner Marikos Telegramm aus der Hand gerissen. Schon am Tor war er Liang entgegengetreten, um ihn zu beschuldigen, und

plötzlich hatten sie auf Leben und Tod miteinander gekämpft!
Das zerknitterte Papier war seiner Hand entfallen. Er sah es auf dem Boden liegen, nahm es auf und glättete es, um es noch einmal zu lesen.
»Lebst du?« Vielleicht hatte sie es im Scherz abgesandt, vielleicht aus Liebe. Und während er noch diesen träumerischen Gedanken nachhing, erhielten die Worte mit einemmal eine völlig neue Bedeutung – als hätte sie der Klang seiner Stimme verändert. Und doch hatte Liang keine Stimme gehört.
Lebst du?
Sein Onkel hatte sich Lebendiger Bambus genannt. Viele hatten bei seiner Beerdigung diese Worte gemurmelt und wieder von dem jungen Bambusschößling gesprochen, der nach Yulchuns Flucht zwischen den Steinen der Gefängniszelle hervorgekommen war. Aus einem Sarg gab es kein Entrinnen mehr, und die Leute betrauerten Yul-chun nun. Doch erst vor ein paar Tagen, so erinnerte sich Liang, hatte sein Onkel ihn fast schüchtern noch einmal an die Nacht erinnert, in der er heimlich zurückgekehrt war, um seinen Bruder zu besuchen.
»Du hast damals die Arme nach mir ausgestreckt und hast deine Hände an mein Gesicht gelegt, als hättest du mich aus einem früheren Leben gekannt –«
Er hatte ihn auch bei anderer Gelegenheit an das Erbe koreanischer Patrioten gemahnt.
»Im Frühling«, so glaubte er seinen Onkel noch zu hören, »im Frühling schicken die alten Bambuswurzeln ihre neuen grünen Schößlinge herauf. Es war immer so, und es wird auch in Zukunft so sein, solange Menschen geboren werden.«
»Komm«, rief seine Großmutter. »Komm nun ins Haus, Liang!«
Er erhob sich und ging zu den beiden Alten. Doch unter der Tür blieb er stehen.
»Ich muß noch einmal in die Stadt, Großmutter. Ich will meinen Freund bitten – meinen amerikanischen Freund –, eine Botschaft für mich abzusenden.«
»Was für eine Botschaft?« erkundigte sich Il-han.

»Daß ich lebe«, sagte Liang.
»Es ist schon spät«, klagte Sunia.
»Nicht zu spät, Großmutter«, antwortete er, »nicht, solange ich lebe.«
Er verneigte sich vor ihnen und ließ sie allein. Am Himmel über dem Tor hing ein neuer junger Mond, und nicht weit davon glänzte es mild – der Stern, der beständige, unerschütterliche Stern.

Epilog

Es war in Pusan, um die Mittagszeit an einem schönen Herbsttag vor zwei Jahren. Ich hatte Südkorea kreuz und quer mit dem Auto bereist, so daß ich halten konnte, wo ich wollte. Die Straße war oft schmal und holprig, die während des Krieges zerbombten Brücken über die zahlreichen Bäche waren noch nicht wiederaufgebaut, und wir ratterten über trockene Steine oder spritzten ein wenig seichtes Wasser auf, das der Sommer übriggelassen hatte. Ich hatte die ganze Fahrt sehr genossen, immer wieder von neuem entzückt von der edlen Schönheit der Landschaft und der gastfreien, freundlichen Art ihrer Menschen. Jetzt war ich in Pusan, an der Südspitze Koreas. Der Hafen hat eine berühmte Geschichte, aber ich war nicht um der Geschichte willen gekommen. Ich wollte die Stätte besuchen, an der die Männer der Vereinten Nationen, die in Korea gefallen sind, begraben liegen, jede Nationalität unter ihrer Flagge, die der kühle Wind jetzt hin und her wehen ließ.

Ich legte den Kranz, den ich mitgebracht hatte, am Mahnmal nieder und stand ein paar Minuten in nachdenklichem Schweigen davor. Die Szenerie war unvergleichlich. Auf drei Seiten die See, so blau wie das Mittelmeer, hinter mir die strengen grauen Berghänge mit der Stadt zu ihren Füßen. Der Friedhof, den die Koreaner mit Hingabe pflegen, ist schön wie ein Garten. Die zwei jungen koreanischen Wachsoldaten, die rechts und links von mir standen, beobachteten mich schweigend, während ich meine Blicke über den Schauplatz schweifen ließ. Meine Augen blieben auf der amerikanischen Flagge haften.

»Ich würde gerne die Gräber der Amerikaner sehen«, sagte ich. »Ich habe einige von ihnen gekannt.«

Der Soldat zu meiner Rechten antwortete: »Madame, es tut uns sehr leid – hier sind keine Amerikaner. Sie sind alle in ihr Land übergeführt worden. Nur die Flagge ist hiergeblieben.«

Ich empfand einen Schock. Keine Amerikaner hier? Wie das die Koreaner verletzt haben mußte! Bevor ich noch mein Bedauern ausdrücken konnte, näherte sich mir ein europäisch gekleideter, hochgewachsener Koreaner. Die Sonne beschien sein silbergraues Haar und das gutgeschnittene, intelligente Gesicht. Er sprach mich auf englisch an.

»Seien Sie nicht betrübt, bitte. Wir verstehen, was die Familien dieser tapferen Amerikaner gefühlt haben mögen. Es ist nur natürlich, daß sie ihre Söhne in heimatlicher Erde geborgen sehen wollten. Unser Land muß ihnen als ein sehr abgelegener Ort für das Sterben erscheinen.«

»Ich danke Ihnen«, erwiderte ich. »Trotzdem glaube ich, daß es meinen Landsleuten, wenn sie alles gewußt und verstanden hätten, eine Ehre gewesen wäre, ihre Söhne hier bei ihren Kameraden ruhen zu lassen.«

»O ja«, warf eine sanfte Stimme ein. »Ich kenne Ihre Heimat – und ich weiß, wie freundlich Ihr Volk ist.«

Ich wandte mich um und sah mich einer auffallend schönen, koreanisch gekleideten Frau gegenüber.

Das war der Beginn einer Freundschaft, und nach diesen beiden Menschen habe ich die Gestalten Liangs und Marikos geschaffen. Sie berichteten mir auch über die späteren Ereignisse, die in meinem Buch nicht mehr erfaßt sind. Die Vorgänge waren mir natürlich nicht unbekannt, und ich wußte auch, daß die amerikanische Regierung ihr möglichstes getan hatte, um die ersten Mißverständnisse zu korrigieren. Aber erst durch meine neuen koreanischen Freunde konnte ich mir eine persönliche Meinung bilden.

»Auch wir haben geirrt«, sagte Liang eine Woche danach, als

wir eines Abends in seinem Haus in Seoul beim Essen saßen. »Die Koreaner waren voll Zorn und Enttäuschung, als die ersten Amerikaner kamen. Ich bin sicher, daß Ihre Soldaten in diesen Jahren zwischen 1945 und 1948 viele betrübliche Erfahrungen machen mußten. Wir haben uns nach einem halben Jahrhundert rücksichtsloser japanischer Gewaltherrschaft bestimmt nicht von unserer besten Seite gezeigt.«
»Auch die Japaner haben Gutes getan«, erinnerte ihn Mariko. »Denk an dein Krankenhaus.«
Wir saßen auf dem warmen Ondul-Boden um den niedrigen Tisch. Es war ein gemütlicher Raum und überhaupt ein entzückendes Haus, in koreanischem Stil, aber modern. Gleich nebenan stand die erstklassig ausgerüstete Klinik, in der Liang als Chirurg arbeitete.
»Ich erinnere mich an das Gute genauso wie an das Schlechte«, erwiderte er und fuhr fort: »Aber wir Koreaner wollen frei sein, eine unabhängige Nation. Wir werden diesen Kampf niemals aufgeben. Und wir schauen manchmal zurück und überlegen, wie anders unser Leben sich gestaltet haben könnte, wenn jener Vertrag zwischen unseren beiden Ländern, Ihrem und meinem, respektiert worden wäre – jener im Jahr 1883 ratifizierte Freundschafts- und Handelsvertrag, der uns amerikanischen Beistand zusagte, falls wir besetzt würden. Wir sollten den Vereinigten Staaten dafür Handelsrechte einräumen. Aber Ihr Präsident Theodore Roosevelt war zu vorsichtig – er wollte nicht in die Rivalität Japans und Rußlands um den Besitz Koreas verwickelt werden. William Howard Taft, der damals Ihr Kriegsminister war, fuhr nach Tokio und unterzeichnete am 29. Juli 1905 ein Geheimabkommen, das Korea den Japanern zusicherte, wenn Japan Ihrem Land nicht den Zutritt zur Mandschurei verweigerte und sich verpflichtete, die Philippinen nicht anzugreifen –«
Mariko erhob sich. »Liang, weshalb redest du von all diesen alten Dingen? Laß uns lieber von den Amerikanern sprechen, die hier für unsere Freiheit gestorben sind.«
Liang pflichtete ihr sofort bei. »Ja, du hast recht.«
Dann standen wir alle auf und gingen in das Wohnzimmer

hinüber, wo sich Mariko an den Flügel setzte und mit Liang alte koreanische und moderne amerikanische Lieder sang.
Im Rückblick sehe ich, daß beide, Liang und Mariko, recht hatten. Ja, politische Irrtümer ziehen unerbittlich Vergeltung nach sich. Es besteht ein unmittelbarer Zusammenhang zwischen jenem Geheimabkommen, das Taft und Katsura in Tokio unterzeichneten, und den jungen Männern aus vielen Nationen, die auf koreanischer Erde den Tod fanden. Korea ist heute nicht nur durch den 38. Breitengrad geteilt, sondern auch durch die Koreaner und Koreanerinnen, die auf russischem Gebiet geboren wurden, nachdem ihre Eltern ihre Heimat als Flüchtlinge vor den Japanern verlassen hatten. Diese Kinder wuchsen – wie Sascha – im Kommunismus auf und glaubten, sie befreiten ihr Land, als sie nach Korea kamen. Amerikanische junge Männer starben von ihrer Hand.
Aber, wie Mariko sagt, warum von all diesen alten Dingen reden? Wir wollen lieber daran denken, daß es ein festes Band zwischen unseren beiden Völkern gibt. Tapfere junge Amerikaner erkletterten die rauhen Hänge koreanischer Berge, und aus Gründen, die sie kaum verstanden, obwohl sie ihr Leben dafür gaben, kämpften sie müde und heimwehkrank für das Wohl eines Volkes, das ihnen fremd war. Vor solch edlen Regungen, solchem Opferwillen, wollen wir die Vergangenheit vergessen, mit Ausnahme der Lehren, die sie für die Zukunft erteilt.

Pearl S. Buck

wurde als Pearl Sydenstriker am 26. Juni 1892 in Hillboro (Westvirginia) geboren, wuchs aber von ihrem fünften Lebensjahr an – ihre Eltern waren Missionare deutsch-holländischer Abkunft – in China auf. So erlernte sie früh die chinesische Sprache und gewann tiefe Einblicke in Wesen und Schicksal der chinesischen Menschen, besonders durch Vermittlung ihrer Amme. Sie kam nach privater Erziehung, fünfzehnjährig auf eine Schule in Schanghai und zwei Jahre später auf ein College in Amerika, wo sie sich plötzlich fremd fühlte wie auf einem andern Stern. 1914 ging sie wieder nach Nanking, pflegte zwei Jahre lang ihre schwerkranke Mutter und heiratete 1917 den amerikanischen Missionar und Hochschulprofessor J. L. Buck. Die Ehe wurde 1935 wieder geschieden. Als Pearl S. Buck, nun freie Schriftstellerin, 1932 nach Amerika zurückkehrte, hatte sie bereits »Ostwind – Westwind« und den nachmals weltberühmten Roman »Die gute Erde« (1931) geschrieben, der ihr den Pulitzerpreis und 1938 den Nobelpreis einbrachte. Sie heiratete den Verleger Walsh, lebte auf ihrer Farm in Pennsylvanien und sorgte für zwei eigene und fünf adoptierte Kinder.

»Dies Leben bietet mir genug. Gäbe es kein anderes – es hat sich gelohnt, geboren zu werden, ein Mensch zu sein.« Die Hingabe an den Reichtum des Lebens kennzeichnet alle Werke Pearl S. Bucks. Nach »Die gute Erde«, diesem zeitlosen Dokument chinesischen Lebens, wurde vor allem »Das Mädchen Orchidee« (1956) berühmt und als brillantestes Werk seit jener Lebens- und

Leidensgeschichte chinesischer Bauern gefeiert. Kaum weniger eindrucksvoll erscheinen »Söhne« (1932) und »Das geteilte Haus« (1935), die Folge- und Fortsetzungsbände zur »guten Erde«. Alle ihre Werke behandeln die ostasiatische Welt und ihre Begegnung mit westlicher Lebensweise. Pearl S. Buck will Verständnis wecken für die Menschen jener Welt, ihre äußeren Reaktionen und inneren Wandlungen, die sie aus nächster Nähe beobachten konnte. Ihre Romane sind ein leidenschaftlicher Appell an das Weltgewissen, eine über den literarischen Anspruch weit hinausgehende Botschaft der Gleichberechtigung der Rassen auf unserer Erde. Pearl S. Buck starb 1973 in Vermont.

ten [illegible] dichterischer [illegible] gelehrt. Kaum weniger
[illegible] Was ist die Frau-
[illegible], die Frage- und [illegible]
Alle ihre Werke [illegible] Verstand und Bewe-
gung auf westlicher [illegible] ebenso wie [illegible]. Pearl S. Buck will Verständnis
[illegible] die Menschen [illegible] Welt, ihre inneren Kräfte
und inneren Wandlungen, die sie aus unserer Sicht beobachten
konnte; ihre Romane sind ein [illegible] Appell an das
[illegible] Anspruch weit hinaus-
gehende [illegible] Verständigung der Rassen in unserer
Erde. Pearl S. Buck starb 1973 in Vermont.